Mexicano:
ésta es tu
Constitución

Mexicano: ésta es tu Constitución

Emilio O. Rabasa
Gloria Caballero†

Texto vigente 1997,
con el comentario a cada artículo

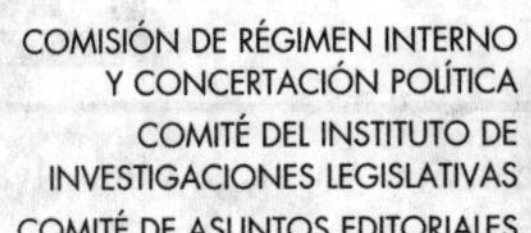

Primera edición, febrero de 1968.
Segunda edición, julio de 1969.
Primera reimpresión, 1969.
Tercera edición, abril de 1970.
Cuarta edición, febrero de 1982.
Quinta edición, enero de 1984.
Sexta edición, julio de 1988.
Primera reimpresión, 1988.
Séptima edición, diciembre de 1992.
Octava edición, abril de 1993.
Primera reimpresión, 1993.
Novena edición, julio de 1994.
Décima edición, noviembre de 1995.
Primera reimpresión, 1996.
Decimoprimera edición, junio de 1997.

Comentarios al texto constitucional
Emilio O. Rabasa
Coordinación general

ISBN 968-842-690-3

Portada diseñada con base
en la fotografía, propiedad del editor,
del Teatro de la República, Querétaro, Qro.

IMPRESO EN MÉXICO • *PRINTED IN MEXICO*

Amargura 4, San Ángel, Villa Álvaro Obregón, 01000 México, D.F.

Presentación

Dip. Juan José Osorio Palacios
Presidente de la Comisión de Régimen Interno
y Concertación Política y de la Gran Comisión

LOS INTEGRANTES *de la LVI Legislatura de la Cámara de Diputados hemos sido testigos y activos constructores de los nuevos tiempos que vive el país en busca de un crecimiento económico sustentable y generador de oportunidades, de la consolidación de nuestra democracia, sus instituciones y sus bases sociales y de las amplias reformas que promuevan justicia y bienestar para los mexicanos, solucionando los viejos rezagos que padecen muchos ciudadanos y atendiendo con eficacia los nuevos desafíos que se presentan.*

La Cámara de Diputados del Honorable Congreso de la Unión tiene el firme compromiso con la sociedad mexicana de promover la difusión de las leyes que rigen la vida de México como entidad soberana y, además, de contribuir al desarrollo de una cultura política, democrática y responsable.

Para cumplir los anteriores objetivos, la Comisión de Régimen Interno y Concertación Política de la LVI Legislatura, a través del Instituto de Investigaciones Legislativas, publica la presente edición de Mexicano: ésta es tu Constitución, *con la finalidad adicional de incorporar en sus textos la redacción vigente de nuestra Ley Suprema y los comentarios explicativos, históricos y doctrinarios de grandes personalidades del Derecho Constitucional mexicano.*

En la edición anterior –texto vigente 1996– se abordaron las reformas relativas a administración e impartición de justicia que permitió la reestructuración del Poder Judicial de la Federación, dotándolo de mayores instrumentos y mecanismos que le permiten cumplir cabalmente con sus funciones.

Asimismo, para impulsar el desarrollo económico de México y para estar en posibilidad de modernizar las comunicaciones satelitales, los sistemas ferroviarios mexicanos y la inversión en este rubro, se reformó y comentó el párrafo cuarto del artículo 28.

La presente edición ha atendido las últimas y vigentes reformas elaboradas y aprobadas durante la presente administración y que son:

Las reformas en materia de combate a la delincuencia organizada, que mejoran la capacidad del Estado en la lucha contra el delito, definiendo momentos y casos para la intervención de comunicaciones telefónicas, así como revisar el régimen de la libertad provisional y la administración de bienes decomisados.

Por otro lado, sobresalen las modificaciones a los artículos 30, 32 y 37 constitucionales que permitieron establecer la no pérdida de la nacionalidad mexicana, en caso de que los connacionales adopten otra nacionalidad, ciudadanía o residencia.

Finalmente, en esta edición se incluyen las reformas constitucionales relacionadas con la materia electoral que permiten avanzar de manera importante en la ciudadanización de la autoridad electoral, es decir, que la organización de las elecciones tendrá un proceso sin precedentes en la definición de nuevas reglas para el funcionamiento de nuestro sistema de partidos, en la incorporación de nuevas figuras para tipificar delitos electorales, para reubicar al Tribunal Federal Electoral dentro de la Suprema Corte de Justicia de la Nación y para instituir la figura de Jefe del Gobierno del Distrito Federal, como un cargo de elección popular directo, entre varias nuevas decisiones constitucionales que reestructuran y dan nueva conformación a las Cámaras del Congreso, incrementan los derechos políticos de los ciudadanos, fortalecen el régimen de partidos y aseguran legalidad, imparcialidad, certidumbre y equidad en los procesos electorales federales y de los estados.

En total, la actual legislación aprobó 54 artículos de nuestra Carta Magna, siempre atenta a anteponer los intereses generales de la nación sobre los intereses particulares o de grupo.

La presente obra que, con esta publicación, alcanza su decimaprimera edición, ha sido aceptada por la sociedad como una de las fuentes más accesibles de consulta de la Constitución que norma a los ciudadanos y a sus instituciones fundamentales, pues-

to que actualiza y pone al día los principios en que basa su vida la República y el proyecto nacional que los mexicanos nos hemos trazado.

El compromiso de los legisladores se manifiesta mediante el impulso de obras que como Mexicano: ésta es tu Constitución, *mantienen presente el esfuerzo de la representación nacional como factor esencial en la vida de una nación que tiene muy claros y firmes sus propósitos de superación.*

Como siempre, en la preparación, comentario y elaboración de esta edición ha participado el reconocido constitucionalista Emilio O. Rabasa, originador de esta idea que apareció por primera vez en 1968 y que continúa hasta la fecha con la presente undécima publicación. También en ésta, contribuyeron en los rubros de su especialidad los juristas Sergio García Ramírez –comentarios sobre disposiciones penales–, y Emilio Rabasa Gamboa en los comentarios sobre la reforma política.

[Palacio Legislativo, San Lázaro,
Ciudad de México, 20 de mayo de 1997.]

Nota a la decimoprimera edición

junio de 1997

MEXICANO: ÉSTA ES TU CONSTITUCIÓN, ha sido publicado por la Cámara de Diputados, en diversas ocasiones, a partir de 1968 y hasta la fecha. En la publicación de 1993, 1994, 1995 y la presente, también participó en la edición Miguel Ángel Porrúa. El total de ejemplares alcanzado desde el primer tiraje es de 776,000.

La doctora Gloria Caballero, ya finada, colaboró en todas las ediciones hasta la de 1988.

El licenciado Emilio Rabasa Gamboa participó en las de 1982, 1984, 1988, 1993, 1994, 1995 y la presente en todo lo correspondiente a las reformas políticas que, respectivamente, fueron introducidas durante los regímenes de los presidentes José López Portillo, Miguel de la Madrid y Carlos Salinas de Gortari. En esta publicación cubrió toda la amplia y reciente reforma política del presidente Ernesto Zedillo.

Otra vez hago expreso reconocimiento al connotado jurista y destacado especialista en Derecho Penal, doctor Sergio García Ramírez, por sus pasadas contribuciones en las ediciones de 1994 y 1995 y, ahora, por su valiosa aportación a la actual publicación en el campo de su especialidad.

Hago nota de gratitud al distinguido jurista Lucio Cabrera por las contribuciones que aparecen con su nombre.

La presente edición contiene todas las reformas constitucionales iniciadas por el actual Presidente de los Estados Unidos Mexicanos, doctor Ernesto Zedillo Ponce de León, tanto las que aparecieron en la anterior edición, cuanto a las más recientes referidas a diversos artículos penales, la reforma política llamada definitiva y la concerniente a la doble nacionalidad.

En resumen, la presente edición está totalmente al día.

DR. EMILIO O. RABASA

[México, D.F. mayo de 1997]

Constitución Política de los Estados Unidos Mexicanos.

Titulo primero.

Capitulo I.

De las garantías individuales.

Art. 1º.—En los Estados Unidos Mexicanos todo individuo gozará de las garantías que otorga esta Constitución, las cuales no podrán restringirse ni suspenderse sino en los casos y con las condiciones que ella misma establece.

Facsímil de la primera página de la Constitución Política de los Estados Unidos Mexicanos dada en el Salón de Sesiones del Congreso Constituyente en Querétaro a 31 de enero de 1917.

Antecedentes históricos de la Constitución de 1917

Don Venustiano Carranza
Convocante del Constituyente de 1916-1917

Grabado de Francisco Mora

EN ESTAS *páginas introductorias se ofrece una breve exposición de las principales constituciones que han regido la vida política de México a partir de su independencia, y de las corrientes ideológicas más importantes desde 1821 hasta el Congreso Constituyente de 1917, como antecedentes necesarios para la comprensión de la ley elaborada en esa asamblea.*

A la proclamación de la independencia existían en México dos partidos políticos, el monárquico, cuyo jefe era Agustín de Iturbide, y el republicano, formado por los antiguos insurgentes. Después del breve intento que llevó a Iturbide a ocupar un improvisado trono imperial –1822-1823– la tendencia monárquica perdió vigor y el debate ideológico para precisar la estructura de la República se entabló entre federalistas y centralistas.

Reunido el Congreso que había de elaborar el Acta Constitutiva (enero de 1824) y la Constitución (4 de octubre de 1824) se enfrentaron ambas tendencias opuestas. Determinar el tipo de gobierno republicano –federal o central– fue la gran cuestión discutida en esa asamblea. Triunfaron los federalistas, no sólo como han sostenido sus detractores por imitar a la constitución norteamericana, sino sobre todo a causa de poderosos factores internos: la actitud de rebeldía de algunas provincias (Jalisco, Yucatán, Oaxaca y Chiapas) en contra del gobierno central; la gran extensión territorial del país y la falta de comunicaciones, y lo que fue sin duda la razón más poderosa: el federalismo era la postura contraria a la Colonia y al imperio de Iturbide, que implicaban formas de gobierno absolutas y despóticas, en tanto que el régimen federal sig-

nificó en esos momentos autonomía, libertad y democracia, hasta entonces no logradas.

La Constitución de 1824 fue la primera en regir la vida independiente de México –pues la admirable ley inspirada por Morelos y sancionada en Apatzingán en 1814, no alcanzó vigencia práctica–, y proclamó, además de la forma de gobierno republicano y federal, el principio de la soberanía popular y estableció la división de poderes.

Los dos partidos que se manifestaron en el Congreso Constituyente iban a seguir luchando hasta 1867. El centralista era conservador; a él pertenecían las clases social y económicamente privilegiadas, y sus finalidades se manifestaron siempre contrarias a los cambios, buscando en un pasado inalterable el cambio del porvenir. Los federalistas se sumaron al pensamiento individualista y liberal y deseaban la transformación de la vida social y política.

El individualismo liberal era entonces la ideología avanzada; luchaba por la supremacía de los derechos del hombre –la libertad, la igualdad, la propiedad–, el respeto a la persona humana y la abstención del Estado para intervenir en las relaciones económicas que entre los gobernados se establecieran. El partido centralista triunfó en 1835 y retuvo el poder hasta 1846.

En ese lapso se promulgaron dos constituciones –las Siete Leyes de 1836 y las Bases Orgánicas de 1843–, que dieron muestra de la ideología conservadora y tradicionalista de sus autores.

Aun cuando en 1847 se había restablecido el federalismo y la vigencia de la Carta de 1824, la última dictadura de Santa Anna (1853-1855) fue sin duda una vuelta al gobierno central y representó la culminación del ansia de poder personal y absoluto de ese personaje vinculado a las tragedias históricas de la primera mitad del siglo XIX. *Contra esa dictadura se pronunció, el 1o. de marzo de 1854, el coronel Florencio Villarreal, en el Plan de Ayutla, movimiento promovido por el general Juan Álvarez, el coronel Ignacio Comonfort y Eligio Romero, que al poco tiempo se iba a extender por todo el país y que lograría que Santa Anna abandonara por última vez el poder. La Revolución de Ayutla, además de su matiz político, tuvo propósitos sociales: fue la protesta de un pueblo que ansiaba ver respetados los derechos humanos y llevar una vida digna, que le negaban las fuerzas sociales minoritarias, pero poderosas.*

Resultado de esa revolución fue la Carta de 1857, que había de consignar en su artículo un capítulo de derechos del hombre y estructurar a la nación como República federal, democrática y representativa. En el seno de la Asamblea Constituyente estuvieron representados tres partidos políticos: el conservador, el moderado y el liberal. Dentro de este último se encontraban las grandes figuras del Congreso –como Ponciano Arriaga, Valentín Gómez Farías, Francisco Zarco, Ignacio Vallarta, León Guzmán, Guillermo Prieto, Melchor Ocampo e Ignacio Ramírez–, quienes dieron a la Constitución, que estaban elaborando, las características de su pensamiento individualista y liberal.

Sin embargo, algunas de las reformas que los liberales deseaban consignar en la nueva ley –como la libertad de cultos– fueron duramente combatidas por moderados y conservadores, quienes impidieron el triunfo definitivo de las ideas renovadoras del partido liberal. La Constitución no agradó al grupo conservador, ni al clero, que tanta influencia tenía en la vida social y política de la República, y los descontentos iniciaron la Guerra de Tres Años.

Los liberales, bajo la presidencia y la dirección de Benito Juárez, lucharon casi sin periodos de paz de 1858 hasta 1867. Durante la Guerra de Tres Años (1858-1860) el presidente

Juárez expidió la mayor parte de las Leyes de Reforma, más tarde incorporadas a la Constitución.

Reinstaurada la República a la caída de Maximiliano, en 1867, los liberales triunfantes asumieron las labores de gobierno, y hasta su muerte –1872– Benito Juárez ocupó la presidencia de la República.

Pero el partido conservador se iba a adueñar poco a poco de la dirección política y económica del país durante el largo gobierno del general Porfirio Díaz –defensor de la República durante la intervención y el imperio– quien, como tantos otros hombres de la historia, luchó por perpetuarse en el poder, y olvidando su pasado liberal se entregó cada vez más a los conservadores.

La situación social, económica y política de fines del siglo XIX *y la primera década del* XX *originó la Revolución mexicana. Los campesinos no eran dueños de las tierras que trabajaban y sufrían una vida llena de injusticias, pues los propietarios, en lugar de explorar la tierra, explotaban al hombre. Los obreros carecían de derechos e intolerables condiciones de trabajo pesaban sobre ellos. Las desigualdades entre las clases sociales eran cada vez más profundas. La Constitución de 1857 había cedido su vigencia a la dictadura de un hombre, y el pueblo de México, por alcanzar la democracia y la justicia, empuñó las armas en lo que puede llamarse la primera revolución social del siglo* XX.

Resultado de esa lucha fue la Constitución promulgada el 5 de febrero de 1917, que sí recogió lo mejor de la tradición nacional, combinó el individualismo con nuevas ideas sociales, consignando en su texto la primera declaración de derechos sociales de la historia.

El primero de julio de 1906, los dirigentes del partido liberal mexicano lanzaron desde el destierro un programa y manifiesto en el que expusieron no sólo propósitos de reformas políticas, sino también sociales y económicas. México vivía el principio de hondas inquietudes que habrían de aflorar en breve violentamente, en busca de nuevas formas de vida más justas.

El descontento contra el gobierno del general Díaz iba aumentando. Mas fueron las elecciones de 1910, donde el dictador se reeligió y sobre todo el hecho de que para la vicepresidencia se hubiera impuesto a Ramón Corral –que significaba el triunfo de los llamados científicos–, *lo que encendería los ánimos de la oposición.*

El partido antirreeleccionista halló a un hombre, puro en sus intenciones y convencido de la causa que defendía, que con entusiasmo de apóstol iba a enfrentarse a un régimen que había cumplido su destino histórico y a poco sucumbiría. Francisco I. Madero, amante de la paz, teniendo cerrados todos los caminos de la concordia, comprendió, a su pesar, que sólo la guerra le ofrecía la posibilidad de concluir con la dictadura. Por eso el 5 de octubre de 1910 suscribió el Plan de San Luis Potosí, que señalaba el 20 de noviembre como la fecha en que debía iniciarse el movimiento revolucionario. El día 18, Aquiles Serdán en Puebla, daba, junto con su vida, comienzo al movimiento que a poco había de cundir por todo el país. El 25 de mayo de 1911 el presidente Díaz presentó su renuncia, y abandonó para siempre el territorio nacional. Madero, y con él la primera etapa de la revolución singularmente política, habían triunfado. El lema Sufragio Efectivo. No Reelección *resumió los ideales maderistas. La dictadura pertenecía al pasado, y libremente, el pueblo podría elegir a sus gobernantes.*

Francisco I. Madero asumió la presidencia de la República; mas sus enemigos crecían y la tragedia se avecinaba. Traicionado por Victoriano Huerta, murió asesinado. La paz no podía lograrse por los cauces de armonía anhelada por el presidente Mártir, y la Revolución iba a abrir las nuevas rutas del México futuro.

El 19 de febrero de 1913 la legislatura de Coahuila y el gobernador de ese estado, Venustiano Carranza, desconocieron al gobierno del general Huerta, y el pueblo, indignado por los crímenes cometidos, hubo de lanzarse de nuevo a la lucha.

La Revolución, bajo el mando de Carranza, tomó el nombre de constitucionalista, porque pretendía implantar en el país la vigencia de la Carta de 1857, que la dictadura de Huerta estaba violando. El Plan de Guadalupe resumió los principales propósitos del nuevo movimiento armado.

La violencia, la lucha, la anormalidad –obligadas consecuencias de las guerras–, aceleran el ritmo de la historia. Las revoluciones, cuando en verdad lo son, hacen que la vida apresure su curso, y los primitivos propósitos van dejando su lugar a otros nuevos, que antes no se veían o se contemplaban lejanos. Así, la idea de reimplantar la Constitución de 1857 llegada la paz fue perdiendo vigencia. Los hombres combatían en aras del ideal de una vida distinta: el obrero para no volver a las tristes condiciones a que lo condenaba un trabajo inhumano; el campesino en pro de labrar tierras que fueran suyas. Ambos amaban la libertad y la justicia, y aunque no supieran expresar sus ideales, luchaban y morían por ellos.

Venustiano Carranza, en cumplimiento de las adiciones al Plan de Guadalupe (12 de diciembre de 1914), con el carácter de Primer Jefe del Ejército Constitucionalista había expedido leyes nacidas de los anhelos revolucionarios: la Ley del Municipio Libre y la del Divorcio (25 de diciembre de 1914); la Ley Agraria (6 de enero de 1915), la de Reformas al Código Civil (29 de enero de 1915) y la de abolición de las tiendas de raya (22 de junio de 1915).

La Constitución de 1857 no se ajustaba a las nuevas reformas porque la vida había superado algunos de sus principios básicos y el derecho debe normar la existencia real de los hombres. Así, con sagaz visión del presente y del futuro, fue surgiendo entre los principales jefes carrancistas la idea de convocar a un congreso constituyente que reformara la Ley Suprema, y la pusiera acorde con el nuevo México que de la revolución estaba surgiendo.

Venustiano Carranza tuvo el indudable acierto de comprender esa necesidad nacional y el 14 de septiembre de 1916 expidió un decreto en el que convocaba a elecciones para un congreso constituyente y exponía los motivos de tal decisión.

La nueva Asamblea, que había de conocer y discutir el proyecto de reformas presentado por el Primer Jefe del Ejército Constitucionalista, inició las juntas preparatorias el 21 de noviembre de 1916. En las primeras sesiones se aprobaron las credenciales de los diputados, el 1o. de diciembre del propio año quedó instalado en Querétaro el Congreso y en esa fecha inició las labores que había de concluir dos meses después, el 31 de enero de 1917. En ese breve tiempo se celebraron 67 sesiones; la última, declarada permanente, duró los días 29, 30 y 31 de enero de 1917. En la Asamblea estuvieron representadas las tendencias políticas de la nación, ya que junto a los progresistas o radicales –Jara, Mújica, Monzón, Baca Calderón, Cándido Aguilar, Martínez de Escobar y tantos otros– a los que se debe en gran medida las grandes innovaciones constitucionales, estaban los moderados.

El proyecto de Carranza sufrió importantísimas modificaciones, de tal modo que la Constitución que promulgó el 5 de febrero de 1917, es, no una reforma a la de 1857 –aunque de ella herede principios básicos, como son: forma de gobierno, soberanía popular, división de poderes y derechos individuales–, sino una nueva ley, que olvidando los límites del derecho constitucional clásico y vigente entonces en el mundo, recogió en sus preceptos los ideales revolucionarios del pueblo mexi-

cano, les dio forma y creó instituciones que los realizaran en la vida futura del país.

Los diputados constituyentes fueron hombres que sentían como propia la angustiosa vida de un pueblo que había luchado por alcanzar un existir más digno y más justo para todos. En general, los constituyentes eran jóvenes, algunos sin gran experiencia política, pero todas sus limitaciones las suplieron con una profunda visión de la realidad mexicana. Conocían, por haberlos vivido, los enormes problemas nacionales; contemplaban cómo el pueblo había generosamente sacrificado la paz con la ilusión de crear un México mejor, y con honradez y valentía interpretaron esa voluntad otorgando a la nación la Ley Suprema que establecía, al margen de la doctrina constitucional clásica, los derechos del trabajador y las bases de la reforma agraria.

La Constitución Mexicana de 1917 es la primera en el mundo en declarar y proteger lo que después se han llamado garantías sociales, o sea, el derecho que tienen todos los hombres para llevar una existencia digna y el deber del Estado de asegurar que así sea. Mientras las garantías individuales exigen al Estado una actitud de respeto para las libertades humanas –pues éstas forman un campo donde el poder estatal no debe penetrar–, las garantías sociales, por el contrario, imponen a los gobernantes la obligación de asegurar el bienestar de todas las clases integrantes de la comunidad.

La Constitución que nos rige no fue obra de un solo hombre. Debe a Venustiano Carranza el haber puesto la victoria que le otorgaron las armas, al servicio del derecho, y el permitir que libremente la Asamblea discutiera y modificara el proyecto que él suscribió.

Cumple rendir homenaje a los hombres que integraron el Congreso de Querétaro por la honradez y el valor con que supieron interpretar las necesidades del pueblo, sin sujetarse a convencionalismos, viendo sólo su pasado doloroso y el futuro, cuyas bases estaban afirmando con fe apasionada.

Pero en el fondo, la Constitución fue el resultado de los esfuerzos, de las luchas y de los pesares del pueblo mexicano, de miles de hombres anónimos que generosamente vivieron los azares de una cruel guerra con la esperanza de construir una patria mejor.

Constitución Política de los Estados Unidos Mexicanos

Texto vigente 1997

con el comentario a cada artículo

Título primero

CAPÍTULO I
De las Garantías Individuales
Artículos 1o. a 29

CAPÍTULO II
De los Mexicanos
Artículos 30 a 32

CAPÍTULO III
De los Extranjeros
Artículo 33

CAPÍTULO IV
De los Ciudadanos Mexicanos
Artículos 34 a 38

TÍTULO PRIMERO

CAPÍTULO I

De las Garantías Individuales

Artículo 1o. En los Estados Unidos Mexicanos todo individuo gozará de las garantías que otorga esta Constitución, las cuales no podrán restringirse ni suspenderse, sino en los casos y con las condiciones que ella misma establece.

La Constitución mexicana, una de las más avanzadas del mundo, tiene la doble ventaja de proteger al hombre, tanto en su aspecto individual, como formando parte de un grupo. Y así, en cuanto es persona, le otorga determinados derechos –sobre todo de libertad en sus diversas manifestaciones– y los medios para defenderlos frente al poder público. Mas como el hombre vive en sociedad, también lo protege cuando pertenece a un sector económicamente débil, frente a los que son más poderosos. Por eso la Constitución contiene garantías individuales y garantías sociales. Las primeras se hallan establecidas especialmente en el título primero, capítulo I; las segundas figuran sobre todo en los artículos 3o., 4o., 27 y 123.

Por lo que respecta a las garantías individuales, nuestra Carta Magna recoge minuciosamente la generosa tradición que partiendo del constitucionalismo anglosajón y del movimiento liberal francés, fue contenido especialísimo de la lucha por la Independencia y resultado del sacrificio de sus próceres. Hidalgo plasmó sus ideales en el decreto de 6 de diciembre de 1810[1] en el que abolió antes que la mayor parte de países de la Tierra la inhumana institución de la esclavitud, y a Morelos cabe el honor de haber elevado a ley constitucional los derechos del hombre y del ciudadano.

Efectivamente, el decreto constitucional de Apatzingán del 22 de octubre de 1814 contiene la primera declaración mexicana de derechos del hombre bajo el título: "De la igualdad, seguridad, propiedad y libertad de los ciudadanos" (artículos 24 y siguientes), y aun cuando esa ley nunca tuvo vigencia efectiva, simboliza los ideales de libertad por los que siempre ha luchado el pueblo mexicano y que entonces encarnó magistralmente Morelos.

[1] Véase comentario al artículo 2o.

Concluida la guerra insurgente y conquistada la Independencia nacional se promulgó la Constitución de 1824, en cuyo texto no hay un capítulo destinado a declarar los derechos humanos. Sin embargo, con el nombre de "Reglas generales a que se sujetará en todos los estados la administración de justicia" se establecieron determinados preceptos que implicaban el reconocimiento de la existencia de ciertos derechos de los gobernados y la consecuente obligación al Estado para conservarlos. Así por ejemplo, la prohibición de aplicar penas trascendentales y de confiscación de bienes,[2] irretroactividad de la ley,[3] abolición de tormentos y normas relativas a la detención de las personas y el registro de sus domicilios y pertenencias.

Después de 1824, las leyes que establecieron el centralismo político mencionaron diversas garantías humanas, pero no fue sino hasta el triunfo de la Revolución de Ayutla, cuando la ley que plasmó su verdadero sentir –la Constitución de 1857– iba a contener por primera vez en el México independiente un auténtico capítulo de los derechos del hombre. La ideología que imperó en la Asamblea Constituyente de 1857 fue el individualismo liberal,[4] y así, fiel al pensamiento jurídico y político de la época se declaró como principio fundamental: "El pueblo mexicano reconoce que los derechos del hombre son la base y el objeto de las instituciones sociales."

La Constitución vigente, que recogió las expresiones libertarias de la de 1857 bajo el título de Garantías Individuales, agregó al pensamiento liberal progresista ideas sociales, a fin de lograr un equilibrio entre los intereses individuales y los colectivos, y de este modo una vida más justa y mejor para su pueblo, anticipándose a otras leyes fundamentales del mundo y como feliz consecuencia de la revolución que la produjo.

Varios principios básicos contiene el artículo con el que se inicia nuestra Constitución:

a) En México, el individuo, por el solo hecho de ser persona humana tiene una serie mínima de derechos que la propia Constitución establece y protege;

b) Los derechos consignados y su protección pertenecen a todos los individuos, a todos los seres humanos, sin distinción de nacionalidad,[5] sexo, edad, raza o creencia y a las personas morales o jurídicas, y

c) Esos derechos sólo se pueden restringir o suspender en los casos y condiciones que la propia Constitución señala, o sea, los previstos por el artículo 29.

[2] Llámanse penas trascendentales a las que, a falta del reo o además de él, se aplican a su familia. La confiscación de bienes consiste en privar de ellos al reo, para incorporarlos al patrimonio del Estado.

[3] Véase comentario al artículo 14.

[4] Véase nota 88.

[5] Véase comentario al artículo 33.

La misma ley fundamental establece el procedimiento para defender los derechos individuales que se estimen violados, mediante el juicio de amparo, institución jurídica mexicana, máxima protectora de la libertad y de las prerrogativas del hombre, como se explica en el comentario al artículo 107.

ARTÍCULO 2o. **Está prohibida la esclavitud en los Estados Unidos Mexicanos. Los esclavos del extranjero que entren al territorio nacional alcanzarán, por ese solo hecho, su libertad y la protección de las leyes.**

El mexicano ha sido siempre un decidido defensor de su propia libertad y de la de todos los hombres. Las grandes revoluciones que han marcado el progresivo curso de la historia patria estuvieron dirigidas en contra de la esclavitud –física o espiritual, política o económica–, y pese a las fuerzas sociales contrarias, paso a paso ha surgido el México de hoy, que es tierra de libertades.

Hidalgo y Morelos no sólo lucharon por la libertad e igualdad de los pueblos, sino también por la de los hombres. Ellos proclamaron en plena guerra, años antes de que lo hicieran la mayor parte de las naciones europeas y americanas, el derecho a la libertad que tiene todo hombre, independientemente de sus condiciones raciales o económicas.

En Francia, la convención abolió la esclavitud en 1791, pero fue restablecida para sus colonias en 1799, hasta que el gobierno republicano en 1848 la suprimió definitivamente; Inglaterra libertó a los esclavos de sus posesiones en 1838, excepto los de la India, que sólo alcanzaron ese beneficio en 1843; Suecia abolió la vergonzosa institución en 1846; Dinamarca, en 1848; Portugal, en 1856; Holanda, en 1860; Estados Unidos, en 1865; Brasil, en 1884 y 1890; España, para Puerto Rico, en 1872, y Cuba, en 1898.

En lo que a México respecta, apenas iniciado el movimiento insurgente, Miguel Hidalgo, primero en Valladolid –hoy Morelia–, el 19 de octubre de 1810, y luego en Guadalajara, el 6 de diciembre del mismo años, ordenó la abolición de la esclavitud, y Morelos, el 14 de septiembre de 1814, en el famoso documento titulado *Sentimientos de la Nación*, dispuso: "que la esclavitud se proscriba para siempre, y lo mismo la distinción de castas, quedando todos iguales, y sólo distinguirá a un americano de otro, el vicio y la virtud" (artículo 15).

Nuestra Carta Magna vigente mantiene la prohibición de la esclavitud por principio, ya que afortunadamente el precepto carece hoy de significado práctico, pues en México tan inhumana institución no existe desde hace mucho tiempo. Sin embargo, tiene su importancia si se interpreta de acuerdo con el progresista contenido social de la Constitución, en el sentido de que ésta es también contraria a la esclavitud política –dictadura– y a la esclavitud económica, que implica la miseria.

Artículo 3o. Todo individuo tiene derecho a recibir educación. El Estado –Federación, Estados y Municipios– impartirá educación preescolar, primaria y secundaria. La educación primaria y la secundaria son obligatorias.

La educación que imparta el Estado tenderá a desarrollar armónicamente todas las facultades del ser humano y fomentará en él, a la vez, el amor a la Patria y la conciencia de la solidaridad internacional, en la independencia y en la justicia.

I. Garantizada por el artículo 24 la libertad de creencias, dicha educación será laica y, por tanto, se mantendrá por completo ajena a cualquier doctrina religiosa;

II. El criterio que orientará a esa educación se basará en los resultados del progreso científico, luchará contra la ignorancia y sus efectos, las servidumbres, los fanatismos y los prejuicios.

Además:

a) Será democrático, considerando a la democracia no solamente como una estructura jurídica y un régimen político, sino como un sistema de vida fundado en el constante mejoramiento económico, social y cultural del pueblo;

b) Será nacional, en cuanto –sin hostilidades ni exclusivismos– atenderá a la comprensión de nuestros problemas, al aprovechamiento de nuestros recursos, a la defensa de nuestra independencia política, al aseguramiento de nuestra independencia económica y a la continuidad y acrecentamiento de nuestra cultura, y

c) Contribuirá a la mejor convivencia humana, tanto por los elementos que aporte a fin de robustecer en el educando, junto con el aprecio para la dignidad de la persona y la integridad de la familia, la convicción del interés general de la sociedad, cuanto por el cuidado que ponga en sustentar los ideales de fraternidad e igualdad de derechos de todos los hombres, evitando los privilegios de razas, de religión, de grupos, de sexos o de individuos;

III. Para dar pleno cumplimiento a lo dispuesto en el segundo párrafo y en la fracción II, el Ejecutivo Federal determinará los planes y programas de estudio de la educación primaria, secundaria y normal para toda la República. Para tales efectos, el Ejecutivo Federal considerará la opinión de los gobiernos de las entidades federativas y de los diversos sectores sociales involucrados en la educación, en los términos que la ley señale;

IV. Toda la educación que el Estado imparta será gratuita;

V. Además de impartir la educación preescolar, primaria y secundaria, señaladas en el primer párrafo, el Estado promoverá y atenderá todos los tipos y modalidades educativos –incluyendo la educación superior– necesarios para el desarrollo de la Nación, apoyará la investigación científica y tecnológica, y alentará el fortalecimiento y difusión de nuestra cultura;

VI. Los particulares podrán impartir educación en todos sus tipos y modalidades. En los términos que establezca la ley, el Estado otorgará y retirará el reconocimiento de validez oficial a los estudios que se realicen en planteles particulares. En el caso de la educación primaria, secundaria y normal, los particulares deberán:

a) Impartir la educación con apego a los mismos fines y criterios que establecen el segundo párrafo y la fracción II, así como cumplir los planes y programas a que se refiere la fracción III, y

b) Obtener previamente, en cada caso, la autorización expresa del poder público, en los términos que establezca la ley;

VII. Las universidades y las demás instituciones de educación superior a las que la ley otorgue autonomía, tendrán la facultad y la responsabilidad de gobernarse a sí mismas;

realizarán sus fines de educar, investigar y difundir la cultura de acuerdo con los principios de este artículo, respetando la libertad de cátedra e investigación y de libre examen y discusión de las ideas; determinarán sus planes y programas; fijarán los términos de ingreso, promoción y permanencia de su personal académico; y administrarán su patrimonio. Las relaciones laborales, tanto del personal académico como del administrativo, se normarán por el apartado A del artículo 123 de esta Constitución, en los términos y con las modalidades que establezca la Ley Federal del Trabajo conforme a las características propias de un trabajo especial, de manera que concuerden con la autonomía, la libertad de cátedra e investigación y los fines de las instituciones a que esta fracción se refiere, y

VIII. El Congreso de la Unión, con el fin de unificar y coordinar la educación en toda la República, expedirá las leyes necesarias, destinadas a distribuir la función social educativa entre la Federación, los Estados y los Municipios, a fijar las aportaciones económicas correspondientes a ese servicio público y a señalar las sanciones aplicables a los funcionarios que no cumplan o no hagan cumplir las disposiciones relativas, lo mismo que a todos aquellos que las infrinjan.

La educación es uno de los grandes problemas humanos; por su conducto el niño y el joven traban contacto con la cultura patria y la universal, y mediante ella llegan a ser hombres conscientes de su destino. El que la educación sea patrimonio de todos los hombres constituye un deber de la sociedad y del Estado, pues la ignorancia también es una forma de esclavitud. Este postulado es de realización relativamente reciente: en el pasado sólo los privilegiados tenían acceso a la enseñanza y las mayorías vivían al margen de sus beneficios.

La historia educativa de México se puede dividir en tres grandes periodos, que corresponden a las tres etapas de su desenvolvimiento: la precortesiana, la colonial y la independiente.

De todos los pueblos que habitaban lo que hoy forma nuestro territorio nacional, antes de la llegada de los españoles, el azteca y el maya son los que mejor conocemos en cuanto a sus prácticas educativas. La enseñanza en esos pueblos era doméstica hasta los catorce o quince años; correspondía impartirla al padre o a la madre y se caracterizaba por su severidad y dureza. Sus propósitos se dirigían a obtener que la juventud reverenciara a los dioses, a los padres y a los ancianos, cumpliera los deberes y amara la verdad y la justicia.

La instrucción pública entre los aztecas estaba a cargo del Estado y comenzaba una vez que había concluido la recibida en el seno del hogar. Dos escuelas la proporcionaban: el Calmecac, donde acudían los nobles y predominaba la enseñanza religiosa, y el Telpochcalli, escuela de la guerra, a la que asistían los jóvenes de la clase media. El resto del pueblo recibía sólo la educación doméstica y así mantenían las diferencias entre las diversas clases sociales.

Semejante era el sistema que seguían los mayas, aunque en términos generales la educación de los nobles comprendía además de la enseñanza religiosa otras disciplinas, como el cálculo, la astrología y la escritura, a las que se les concedía singular interés, y la que se otorgaba a los jóvenes de la clase media fue menos militarista que la que imperó en el pueblo azteca.

A lo largo de los tres siglos de la etapa colonial, la enseñanza estuvo dirigida por el clero; fue por eso fundamentalmente dogmática, esto es, sujeta a los principios religiosos. Merece especial mención la obra educativa de los misioneros que llegaron a tierras de Nueva España en el siglo XVI: Bartolomé de las Casas, Pedro de Gante, Juan de Zumárraga, Bernardino de Sahagún, Toribio de Benavente "Motolinia", Alonso de la Vera Cruz, ilustres varones cuyos nombres, ayer y hoy, ha respetado el pueblo de México. Ellos fundaron las primeras escuelas en las principales ciudades del país, y con el propósito medular de instruir al indígena en la religión cristiana, le enseñaron el castellano, iniciando su incorporación a la cultura de occidente.

Asimismo, debe citarse como hecho sobresaliente de esta época que el 25 de enero de 1553 abrió sus puertas la Real y Pontificia Universidad de México, que en unión de la de San Marcos, en Lima, Perú, fueron las primeras fundadas en tierras de América.

Ni en España, ni en los demás países europeos existía la idea de que la educación fuera una de las funciones del Estado. Acorde con este principio, en Nueva España las clases populares permanecieron en su mayoría analfabetas y aún a mediados del siglo XIX eran usuales los idiomas nativos, pues la enseñanza primaria fue deficiente y quedó en manos del clero o de particulares.

En diversos rumbos del extenso territorio de Nueva España se fundaron seminarios y, en las principales ciudades, escuelas de enseñanza superior. La educación que se impartía en esas instituciones era religiosa y humanística, y las materias básicas: teología, derecho y filosofía, de acuerdo con los sistemas imperantes en la época, heredados de la Edad Media. No existió enseñanza científica ni técnica, porque su aparición en el mundo está vinculado al triunfo de la Revolución Industrial.

Los oficios y artesanías se aprendían en los propios talleres. Como un paso de progreso en este renglón se puede señalar el establecimiento del Real Seminario de Minas en el año de 1792, debido a las gestiones del consulado de minería ante las autoridades españolas, para satisfacer las necesidades técnicas de la industria minera mexicana.

Lograda la Independencia nacional, el Estado adquirió la facultad de "promover la ilustración" (artículo 13, fracción II, del Acta Constitutiva de la Federación, precepto que se repite en el artículo 50, fracción I, de la Constitución de 1824).

Los acontecimientos más importantes en el aspecto educativo durante la pasada centuria fueron:

1. La creación en 1822 de la Compañía Lancasteriana, que fundó escuelas en varias ciudades de la República. El sistema se basaba en la enseñanza mutua, ya que los alumnos más aventajados –llamados monitores– colaboraban en la tarea educativa, supliendo así una de las deficiencias de la época: la falta de maestros.

2. La reforma legislativa de 1833 –llevada a cabo por el entonces Presidente de la República, el insigne liberal Valentín Gómez Farías e inspirada en el pensamiento de José María Luis Mora– tuvo el propósito de incrementar la educación oficial, estableció la Dirección General de Instrucción Pública, la enseñanza libre y escuelas primarias y normales. Fueron suprimidas la Real y Pontificia Universidad,[6] así como otros colegios bajo dominio eclesiástico, y para atender a la enseñanza superior se crearon las escuelas de estudios preparatorios, estudios ideológicos y humanidades, ciencias físicas y matemáticas, ciencias médicas, jurisprudencia y ciencias eclesiásticas. De esta época data también la fundación de la Biblioteca Nacional (26 de octubre de 1833) y de la primera escuela normal, por Francisco García Salinas, en Zacatecas. La reforma obedeció a la necesidad de impulsar los cambios que México requería durante los primeros años de vida independiente y muestra el afán de cultivar la ciencia y la técnica, en ma-

[6] El siglo XIX marcó el ocaso de la real y pontificia universidad. Realizada la independencia, la universidad no parecía satisfacer los anhelos del pueblo, ni el criterio de sus gobernantes, no obstante los intentos de adaptación realizados por algunos de sus más ilustres miembros. Sufre su primera clausura en el año de 1833 por disposición de Valentín Gómez Farías, para ser reinstalada con modificaciones estatutarias, al año siguiente, por Santa Anna. Un decreto del 4 de diciembre de 1857 del presidente Comonfort hace que vuelvan a cerrarse sus puertas para que se abran, al siguiente año, por disposición del general Félix Zuloaga. La universidad se convirtió en objetivo de combate: los liberales en su contra, los conservadores en su defensa y, sin embargo, fue un decreto de Maximiliano, en noviembre de 1865, el que la clausuró definitivamente.

yor grado que el derecho y la teología, estudios principales en el sistema educativo colonial.

3. La Constitución de 1857, fiel a sus tendencias liberales, declaró en el artículo 3o. la libertad de enseñanza.

4. El espíritu de la Reforma había de manifestarse en la Ley Orgánica de Instrucción Pública, promulgada por el presidente Juárez, que establecía la enseñanza primaria gratuita, laica y obligatoria, así como en la creación de la Escuela Nacional Preparatoria, por decreto de diciembre de 1867.

En el siglo XX, los grandes acontecimientos nacionales han determinado el desarrollo educativo del pueblo mexicano. La Universidad Nacional de México se creó en 1910, y para que pudiera cumplir mejor sus funciones se le otorgó la autonomía en 1929. La Revolución mexicana, movimiento libertario en contra de las grandes e injustas desigualdades sociales existentes, fijó para el México futuro, como una de sus metas, resolver el problema educativo desde sus raíces, haciendo realidad el derecho de todos a la enseñanza.

Los diputados de 1917 se pronunciaron en contra de la intervención del clero en esta materia. El tema motivó uno de los debates más apasionados de los habidos en la Asamblea de Querétaro. El artículo 3o. que elaboraron otorgó al Estado la facultad de impartir la educación, permitiendo la enseñanza privada cuando ésta siguiera fielmente las disposiciones constitucionales, y siempre bajo la dirección y vigilancia de los órganos gubernativos competentes.

La obra llevada a cabo desde esa fecha a nuestros días ha sido notable. Entre los hechos más significativos que comprende cabe citar: las campañas de alfabetización, el fomento de las escuelas primarias –rurales y urbanas–, cuyos alumnos gratuitamente reciben los libros de texto; aumento de escuelas secundarias, normales y preparatorias en las principales ciudades del país; creación del Instituto Politécnico Nacional y de otros centros técnicos de enseñanza e investigación, así como de universidades e institutos tecnológicos en los estados de la República.

Nuestra Constitución es activa, dinámica y sobre todo en el artículo 3o. se revela como un documento que despliega una doble acción: recoge las tradiciones progresistas de nuestra patria, las hace actuales y las proyecta hacia el futuro, para afirmar a través de las nuevas generaciones de mexicanos la continuidad histórica de la nación. Inspirado por la Revolución mexicana y con el propósito de eliminar la nociva influencia que nace de todo privilegio ilegítimo, el artículo establece el fácil acceso a la enseñaza y asegura a todos los mexicanos una instrucción general, al suprimir las diferencias económicas y sociales en las escuelas. Por ello se reitera que la educación primaria, sin duda la más importante, permanezca libre de toda influencia extraña a los intereses nacionales y sea obligatoria y gratuita cuando la imparta el Estado, hecho ampliamente superado con los libros de texto oficiales para ese grado, que son puestos al servicio de los alumnos sin costo alguno para sus padres. La grandeza de una patria está constituida por la suma de las capacidades de sus hijos, tanto en los dominios del pensamiento como en la correcta explotación de sus recursos materiales.

Por esta razón, el artículo 3o. constitucional establece una serie de principios, propósitos y condiciones que regulan la tarea de educar y que son esenciales para el logro de tan altos fines.

La educación, señala el precepto, debe ser:

a) Laica, esto es, ajena a todo credo religioso;

b) Democrática, para que el progreso se realice en todos los órdenes: económico, social y cultural, y en beneficio de todo el pueblo;

c) Nacional, a fin de proteger los intereses de la patria, y

d) Social, con lo que se indica que, además del respeto a la persona como individuo, debe enseñarse el aprecio a la familia y el sentido de solidaridad con los demás, así como los principios de igualdad y fraternidad para con todos los hombres.

La Constitución rige no sólo en las escuelas de la Federación, estados y municipios, sino también en los planteles establecidos por los particulares en lo que concierne a la educación primaria, secundaria o normal, y a la de cualquier tipo o grado destinada a obreros y a campesinos, ya que de no ser así, la diversidad de criterios en los planes de estudio y en la aplicación de métodos pedagógicos frustraría el postulado de la unidad nacional, necesario para lograr la supervivencia y el progreso de México.

Por reformas publicadas en el *Diario Oficial* de 9 de junio de 1980 se definió el concepto de autonomía aplicado a las universidades e institutos de enseñanza superior. La autonomía –cuando se habla de instituciones– significa la posibilidad de gobernarse a sí mismas, en bien de los fines que le son propios. En el caso de las universidades, los propósitos no pueden ser más que educativos y, por lo tanto, velar para que quienes asisten a sus aulas alcancen una verdadera y seria formación profesional que les permita cumplir más tarde la importante función social que debe tener la población capacitada a los más altos niveles. Compete también a las universidades ser centros de investigación y difundir la cultura.

Es preciso que todas esas actividades estén presididas por la libertad: en la cátedra, en la investigación, en la discusión y difusión de las ideas. Porque la libertad es condición indispensable del saber, tanto cuando se orienta al conocimiento del legado histórico y al estudio del presente, como cuando se encamina a la búsqueda de nuevas verdades.

La autonomía de las universidades e institutos de enseñanza superior implica también el manejo interno de su personal académico y administrativo, de acuerdo con los principios que establece la propia Constitución para los trabajadores en general, y la ley reglamentaria. Asimismo, supone la administración del patrimonio, o sea, de los recursos económicos con que esas instituciones cuentan para el cumplimiento de sus importantes finalidades.

Durante el gobierno del presidente Salinas de Gortari, se ha establecido todo un nuevo régimen jurídico de las relaciones Estado-Iglesias, reforma que modificó a varios artículos de la Constitución: 3o., 5o., 24, 27 y 130 (D.O. de 28 de enero de 1992). Para el análisis sustancial de esa importante reforma, véase el comentario general correspondiente al artículo 130. En este comentario al artículo 3o. se verá lo referente a la educación.

La reforma continúa manteniendo, con toda claridad, el principio ya proveniente de la Constitución de 1917 y anterior, de que la educación que imparta el Estado-Federación, estados y municipios será laica. Hay que hacer notar que el Estado imparte cerca del 95 por ciento de la educación primaria y más del 90 por ciento en la secundaria.

El laicismo no es sinónimo de intolerancia o anticlericalismo, como en ocasiones se ha querido indebidamente calificar. El laicismo implica que el Estado no tiene religión alguna, pero respeta a todas.

La iniciativa de reformas derogó la prohibición anterior de que las corporaciones religiosas o ministros de los cultos intervinieran en los planteles en que se impartiese educación primaria, secundaria y normal y la destinada a obreros y campesinos.

Ahora –sosteniéndose el criterio de que la educación se basará en el progreso científico y luchará en contra de la ignorancia, los prejuicios y fanatismos– no se impone la obligación, para los planteles privados, de que "dicha educación sea por completo ajena a cualquier doctrina religiosa" (Exposición de motivos). En todas formas, siempre se realizará con apego a los planes y programas oficiales.

Por otro lado, se otorga algún reconocimiento a los estudios realizados para servicios ministeriales, si se demuestra equivalencia con los criterios establecidos para las instituciones de educación superior.

Con fecha de 18 de noviembre de 1992, el presidente Salinas de Gortari envió a la Cámara de Diputados del Congreso de la Unión una iniciativa de reformas a los artículos 3o. y fracción I del 31 (véanse comentarios correspondientes). Los fundamentos de la citada reforma fueron:

1. Acabar con la confusión relativa a si la misión educativa es una obligación del Estado, de los individuos en cursarla o de los padres con respecto a sus hijos o pupilos. La nueva redacción deja aclarado lo siguiente: por un lado, que la educación es garantía individual de todo mexicano y, por el otro, la obligación de impartir la educación preescolar, primaria y secundaria corresponde, ya sin duda al respecto, al Estado.

2. La educación impartida por el Estado, en adición a la primaria, se extiende a la secundaria.

3. Se cumple con el federalismo educativo, o sea, que los tres niveles de gobierno –Federación, estados y municipios– mantendrán una unidad en materia educacional. Una misma educación básica para todos.

4. Con anterioridad –fracción III– expresamente se negaba la procedencia de juicio o recurso alguno contra la negativa o revocación de la autorización a los particulares para impartir la educación en todos sus tipos o grados. Lo anterior quedó suprimido, por lo que, actualmente, todo acto de autoridad educativa puede ser impugnado mediante el juicio o recurso adecuado.

Al recibir la iniciativa de reformas del Ejecutivo Federal arriba citada, la Cámara de Diputados, que actuó como Cámara de Origen, la aprobó en lo general, pero introdujo algunas modificaciones, esencialmente consistentes en: sustituir la palabra "mexicano" por la de "individuo" (primer párrafo del artículo 3o.), mencionar que el Ejecutivo Federal considerará la opinión de los gobernadores de los estados y diversos sectores sociales, involucrados en la educación (fracción III) y adicionar la fracción V para que el Estado promueva todas las modalidades educativas necesarias para el desarrollo de la nación.

Las modificaciones señaladas fueron resultado de un debate entre los diferentes partidos que integran la Cámara de Diputados con pleno consenso entre ellos. El texto del artículo 3o. que aparece en esta edición, incluye los conceptos de la iniciativa presidencial en las reformas aprobadas. (Publicación en el *Diario Oficial*: marzo 5 de 1993.)

ARTÍCULO 4o. La nación mexicana tiene una composición pluricultural sustentada originalmente en sus pueblos indígenas. La ley protegerá y promoverá el desarrollo de sus lenguas, culturas, usos, costumbres, recursos y formas específicas de organización social, y garantizará a sus integrantes el efectivo acceso a la jurisdicción del Estado. En los juicios y procedimientos agrarios en que aquéllos sean parte, se tomarán en cuenta sus prácticas y costumbres jurídicas en los términos que establezca la ley.

El varón y la mujer son iguales ante la ley. Ésta protegerá la organización y el desarrollo de la familia.

Toda persona tiene derecho a decidir de manera libre, responsable e informada sobre el número y el espaciamiento de sus hijos.

Toda persona tiene derecho a la protección de la salud. La ley definirá las bases y modalidades para el acceso a los servicios de salud y establecerá la concurrencia de la Federación y las entidades federativas en materia de salubridad general, conforme a lo que dispone la fracción XVI del artículo 73 de esta Constitución.

Toda familia tiene derecho a disfrutar de vivienda digna y decorosa. La ley establecerá los instrumentos y apoyos necesarios a fin de alcanzar tal objetivo.

Es deber de los padres preservar el derecho de los menores a la satisfacción de sus necesidades y a la salud física y mental. La ley determinará los apoyos a la protección de los menores a cargo de las instituciones públicas.

En virtud de las reformas publicadas en el *Diario Oficial* el 31 de diciembre de 1974, se creó este nuevo artículo 4o. en el que se recogieron diversos temas cuya reglamentación a nivel constitucional se estimó necesaria.

Para su estudio, podemos dividir el precepto en los siguientes puntos:

I. Consagra la igualdad jurídica de la mujer y el varón. Es verdad que antes de la reforma las leyes se aplicaban por igual a una y otro, pero existían algunas excepciones, sobre todo en materia civil y laboral, producto de la tradición que estimaba a la mujer un ser más débil, más impreparado y, por lo tanto, requerido de mayor protección, motivos por los cuales, en ciertos casos, la ley le prohibía llevar a cabo determinados actos por sí misma, libremente. Estas excepciones y éste considerar a la mujer incapaz para efectuar determinadas tareas o llevar a cabo algunos actos de especial importancia por los alcances que pudieran tener, fueron decreciendo con los años. Pero todavía existían en nuestro derecho al comenzar la década de los setenta, por lo cual, en parte porque la mujer en México hacía ya algunos decenios había comenzado a trabajar fuera de su hogar y se preparaba, cada vez en un número más elevado, en los sistemas educativos del país, y en parte también porque esa aspiración femenina de igualdad en todos los quehaceres humanos fue una corriente que se manifestó a nivel internacional y culminó en acciones dirigidas por la Organización de las Naciones Unidas –como fueron la Declaración Contra la Discriminación de la Mujer, el proclamar a 1975 "Año de la Mujer" y celebrar en él la conferencia internacional especializada sobre su situación en el mundo, cuyo país sede fue el nuestro– se explica la contundente afirmación de igualdad ante la ley con la que se inicia este artículo. Su antecedente constitucional más importante fue el haber otorgado la ciudadanía a la mujer, hecho que aconteció en 1953 al reformarse el artículo 34 constitucional. En el nuevo texto del artículo 4o. se fundaron una serie de importantes enmiendas que sufrió la Constitución y la legislación secundaria, sobre todo en materia civil y laboral.

La mujer adquirió legalmente la igualdad de derechos y de obligaciones frente al varón, y así, la posibilidad de contribuir a la par que él al progreso económico, cultural y social de México. Para lograr ese esfuerzo de la mitad de nuestra población es preciso, ante todo, que las mujeres se preparen en los centros de enseñanza y que cada día en mayor proporción ejerzan sus derechos y cumplan las responsabilidades que les corresponden, tanto en razón de su sexo, como por su calidad de seres humanos.

II. Uno de los problemas más agudos del México contemporáneo –que compartimos con otros muchos pueblos de la Tierra– es el alto crecimiento demográfico que surgió desde mediados de este siglo, ocasionado por el elevado número de nacimientos y el decrecimiento de las defunciones, debido esto último a los progresos médicos y a la acción de los programas de seguridad social. En 1975 el índice de crecimiento era 3.5 por ciento anual, aproximadamente, y aunque hoy los estudiosos de la materia afirman que ha decrecido a un 2, la política de población propicia bajar esa tasa, hasta lograr un incremento armónico con nuestras posibilidades para atender al bienestar de la población.

La Constitución garantiza al hombre y a la mujer la libertad de tener hijos, en el número que ellos decidan, pero les impone la obligación de procrear con sentido de responsabilidad. Los hijos requieren educación, cuidados de toda índole, cariño, compañía; los padres están obligados a proporcionarles esas atenciones, a fin de formar hombres y mujeres sanos, fuertes, equilibrados y felices. La tarea no es fácil. De aquí que la ley llame la atención sobre la responsabilidad que la pareja tiene cuando decida –y ése es el ámbito de su libertad– dar vida a un nuevo ser humano. La paternidad no debiera ser nunca un acto producto del azar, sino resultado de un deseo cuyas consecuencias estén –el hombre y la mujer por igual– dispuestos a enfrentar con entusiasmo, conscientes de la importancia que alcanza, para ellos y para el país, su actitud como padres. Por eso se elevó a precepto constitucional, en 1980, la obligación que los padres tienen de satisfacer las necesidades de los hijos y preservar su salud, física y síquica.

A cargo del Estado, fundamentalmente está proporcionar a hombres y mujeres los servicios informativos adecuados sobre cómo planear a la familia de acuerdo con sus propias ideas. La tarea ha sido encomendada a diversas instituciones –ya que se trata de un problema cultural complejo– entre las que se pueden mencionar al Sistema de Desarrollo Integral de la Familia, el Instituto Mexicano del Seguro Social, la Secretaría de Salud, el Instituto de Seguridad y Servicios Sociales de los Trabajadores al Servicio del Estado y la Secretaría de Educación Pública. Pero el Estado no interviene en las decisiones que hombres y mujeres adopten sobre la paternidad.

III. La familia es la base de la sociedad. Es la organización primaria fundada sobre vínculos de parentesco, donde, por eso, la solidaridad suele manifestarse en mayor grado. En su seno nacen, crecen y se educan las nuevas generaciones. La formación que en la familia reciben los hijos es insustituible. De aquí que el Estado, a través de sus instituciones y de su orden jurídico, tutele a la familia y le proporcione medios para cumplir sus altas finalidades. Corresponde al padre y a la madre por igual, de acuerdo con la ley, la responsabilidad de educar y formar a los hijos hasta hacer de ellos ciudadanos libres y dignos.

IV. Posteriormente, el 7 de febrero de 1983 se estableció el derecho de toda familia a una vivienda digna y decorosa. Tradicionalmente, gran parte del pueblo mexicano no ha podido alcanzar ese nivel de bienestar, y pese a los esfuerzos hechos en las últimas décadas todavía la población marginada del campo y de la ciudad no lo ha logrado. La nueva norma constitucional señala un propósito político al que debe ajustarse la acción gubernativa, pues sin duda el derecho a la vivienda supone la creación de un derecho social en beneficio de las clases más pobres de nuestra sociedad.[7]

V. Por reformas publicadas en el *Diario Oficial* el 3 de febrero de 1983, el entonces párrafo tercero ahora cuarto consignó otra garantía social: el derecho a la salud. Todo ser humano tiene en México ese derecho, y el Estado –en coordinación el nivel federal con el estatal–, la obligación, conforme a las bases que dan las leyes, de prestar los servicios necesarios para proteger la salud de los habitantes de la República. El esfuerzo hecho en este campo, sobre todo durante los últimos cuarenta años, ha ido en aumento, a fin de brindar a la población del país adecuados, oportunos y eficientes servicios médicos, conforme a las leyes. Esta garantía no sólo se refiere a ser atendido médicamente en caso de enfermedad. Debe comprender también la medicina preventiva, o sea, recibir ayuda para evitar las enfermedades; la educación en materia médica de la población, pues para preservar la salud es preciso contar con la colaboración de cada habitante que debe saber qué actos propios deterioran su salud y evitarlos, y un derecho cada día más importante para la humanidad: gozar de un ambiente sano y preservar el medio –tierras, aguas y atmósfera– de la contaminación, no sólo para beneficio de los hombres que hoy viven, sino también de las generaciones futuras. (Véanse artículos 27, tercer párrafo y 73, fracción XVI.)

Por reforma publicada en el *Diario Oficial* de 28 de enero de 1992, se adicionó este artículo 4o. con un primer párrafo dedicado a las comunidades indígenas.

[7] En 1980 de todas las viviendas en la República sólo el 71.2 por ciento tenían agua entubada –misma que escasea en las grandes urbes, como la ciudad de México– y sólo el 49.2 por ciento, drenaje. Se trata por esto de un grave problema.

El Ejecutivo Federal fundamentó su iniciativa de reforma, sustancialmente, en que:

Los pueblos y las comunidades indígenas de México, viven en condiciones distantes de la equidad y el bienestar que la Revolución mexicana se propuso y elevó como postulado constitucional. Desde el punto de vista de idioma, cuando menos el 9 por ciento de los mexicanos tiene como idioma materno alguna de las 56 lenguas indígenas que se hablan en nuestro país.

Continuó la iniciativa presidencial afirmando que, a partir del presente siglo, la cantidad de habitantes de lenguas indígenas en México ha crecido de dos a más de 8 millones y el 96.5 por ciento de los indígenas radican en municipios rurales en localidades calificadas de elevada marginación.

El analfabetismo, la mortalidad infantil y la desnutrición se elevan en las comunidades indígenas al doble de los promedios generales.

Aun cuando la ley en México debe aplicarse por igual a todos, en tratándose de los indígenas, por su marginación social, cultural y económica y por no hablar el español, en muchas ocasiones resultan discriminados ante la justicia.

Después de una amplia consulta pública, entre octubre y diciembre de 1989, durante 228 actos, se llegaron a conclusiones en las que se solicitaban una reforma constitucional que contuviera los principios ahora establecidos en la iniciativa presidencial. Esta iniciativa contiene dos elementos principales: el primero, reconoce la composición pluricultural de la nación y, el segundo, establece el mandato constitucional para que la ley prevea los instrumentos adecuados para garantizar a los pueblos indígenas el pleno e igualitario acceso a la jurisdicción del Estado, así como para proteger y desarrollar sus culturas, organizaciones sociales y recursos que las sustentan. Este nuevo párrafo del artículo 4o. es consecuente con el principio de solidaridad –programa y acción decisivos del gobierno del presidente Salinas de Gortari– que propugna por atender la desigualdad y la injusticia, con la participación de la sociedad (Pronasol).

ARTÍCULO 5o. A ninguna persona podrá impedirse que se dedique a la profesión, industria, comercio o trabajo que le acomode, siendo lícitos. El ejercicio de esta libertad sólo podrá vedarse por determinación judicial cuando se ataquen los derechos de tercero, o por resolución gubernativa, dictada en los términos que marque la ley, cuando se ofendan los derechos de la sociedad. Nadie puede ser privado del producto de su trabajo, sino por resolución judicial.

La ley determinará en cada Estado cuáles son las profesiones que necesitan título para su ejercicio, las condiciones que deban llenarse para obtenerlo y las autoridades que han de expedirlo.

Nadie podrá ser obligado a prestar trabajos personales sin la justa retribución y sin su pleno consentimiento, salvo el trabajo impuesto como pena por la autoridad judicial, el cual se ajustará a lo dispuesto en las fracciones I y II del artículo 123.

En cuanto a los servicios públicos, sólo podrán ser obligatorios, en los términos que establezcan las leyes respectivas, el de las armas y los jurados, así como el desempeño de los cargos concejiles y los de elección popular, directa o indirecta. Las funciones electorales y censales tendrán carácter obligatorio y gratuito, pero serán retribuidas aquellas que se realicen profesionalmente en los términos de esta Constitución y las leyes correspondientes. Los servicios profesionales de índole social serán obligatorios y retribuidos en los términos de la ley y con las excepciones que ésta señale.

El Estado no puede permitir que se lleve a efecto ningún contrato, pacto o convenio que tenga por objeto el menoscabo, la pérdida o el irrevocable sacrificio de la libertad de la persona por cualquier causa.

Tampoco puede admitirse convenio en que la persona pacte su proscripción o destierro, o en que renuncie temporal o permanentemente a ejercer determinada profesión, industria o comercio.

El contrato de trabajo sólo obligará a prestar el servicio convenido por el tiempo que fije la ley, sin poder exceder de un año en perjuicio del trabajador, y no podrá extenderse, en ningún caso, a la renuncia, pérdida o menoscabo de cualquiera de los derechos políticos o civiles.

La falta de cumplimiento de dicho contrato, por lo que respecta al trabajador, sólo obligará a éste a la correspondiente responsabilidad civil, sin que en ningún caso pueda hacerse coacción sobre su persona.

El hombre sobrevive y progresa mediante su propio trabajo. Garantizar que pueda libremente escoger su medio de sustento o la actividad que le acomode, siendo lícitos –es decir, no prohibidos por la ley– y evitar que sea, salvo por sentencia judicial, privado del producto de su trabajo, constituyen los propósitos fundamentales del artículo. La libertad de trabajo puede ser limitada por sentencia judicial o resolución gubernativa. En este segundo caso, debe basarse la mencionada resolución en una ley, que a su vez determine cuándo cierta labor ofende los derechos de la sociedad.

Complementariamente, el artículo establece una serie de prohibiciones a fin de evitar que el hombre sea obligado a prestar determinado trabajo sin su consentimiento, o deje de percibir una justa compensación por sus servicios, pierda la libertad, vaya al destierro, renuncie a ejercer una determinada profesión, industria o comercio, o se le prive del pleno goce de sus derechos civiles o políticos, aun cuando para todos se contara con la voluntad del interesado, la que no surtiría efecto legal alguno, debido a la protección absoluta que a esos derechos otorga la ley suprema.

Las garantías individuales establecidas por la Constitución, además de su fin propio –proteger al hombre– tienen otro: salvaguardar a la colectividad. La libertad propia está limitada por la libertad de los demás; de ahí que no pueda ser absoluta. Tal es la razón de las limitaciones a los derechos que consagra este artículo.

Velar por la conservación de esas libertades y el correcto funcionamiento de los límites que a su ejercicio impone la ley, es asegurar la libertad propia. Por eso el servicio de las armas y el de jurados, el desempeño de los cargos concejiles[8] y de elección popular, así como las funciones electorales, son deberes que necesariamente deben cumplir todos los mexicanos, en los términos que fijan las leyes respectivas.

La materia que trata el artículo 5o. es de tal importancia que al discutirse su texto en el Constituyente de 1917 se desprendió de él, como título especial y autónomo, el artículo 123, uno de los máximos logros de la Revolución.[9]

En aquella histórica asamblea, reiterando la propuesta hecha por el constituyente Froylán C. Manjarrez, el diputado por Yucatán, Héctor Victoria, que con un numeroso grupo del Congreso pedía se consignaran en el artículo 5o. las garantías esenciales para la futura legislación obrera, pronunció un memorable discurso –donde se hallan las principales ideas que después se establecerían en el 123–, que concluye con estas hermosas palabras: "Cuando hace días, en esta tribuna, un diputado obrero, un diputado que se distingue de algunos muchos porque no ha venido disfrazado como tal con una credencial obrera, cuando ese compañero, cuando ese camara-

[8] Dícese de los cargos municipales.
[9] Véase comentario al artículo 123.

da, aquí, con un lenguaje burdo, tal vez, en el concepto del Congreso, pero con la sinceridad que se nota en los hombres honrados; cuando ese camarada, digno por muchos conceptos, dijo que en el proyecto de reformas constitucionales, el problema del trabajo no se había tocado más que superficialmente, dijo entonces una gran verdad, y desde luego le tendí mi mano fraternalmente, quedando enteramente de acuerdo con él. Ahora bien, es verdaderamente sensible que al traerse a discusión un proyecto de reformas que se dice revolucionario, deje pasar por alto las libertades públicas, como han pasado hasta ahora las estrellas sobre las cabezas de los proletarios; ¡allá a lo lejos!."

Heriberto Jara terció en el debate, manifestando su inconformidad con los juristas que en la Asamblea afirmaban una postura liberal clásica, y por lo tanto contraria a la pretensión de los diputados que, interpretando la realidad mexicana y las aspiraciones de los obreros, deseaban que en el texto constitucional quedaran asentadas las garantías otorgadas a los trabajadores. Contra ellos dijo: "Los jurisconsultos, los tratadistas, las eminencias en general en materia de legislación, probablemente encuentran hasta ridícula esta proposición, ¿cómo va a consignarse en una constitución la jornada máxima de trabajo?, ¿cómo se va a señalar allí que el individuo no debe trabajar más de ocho horas al día? Eso, según ellos, es imposible; eso según ellos, pertenece a la reglamentación de las leyes; pero, precisamente, señores, esa tendencia, esa teoría, ¿qué es lo que ha hecho? Que nuestra Constitución, tan libérrima, tan amplia, tan buena, haya resultado, como la llamaban los señores científicos, 'un traje de luces para el pueblo mexicano', porque faltó esa reglamentación, porque jamás se hizo."

El diputado Alfonso Cravioto opinó: "Insinúo la conveniencia de que la comisión retire, si la Asamblea lo aprueba, del artículo 5o. todas las cuestiones obreras, para que, con toda amplitud y con toda tranquilidad, presentemos un artículo especial que sería el más hermoso de todos nuestros trabajos aquí; pues, así como Francia, después de su revolución, ha tenido el alto honor de consagrar en la primera de sus cartas magnas los inmortales derechos del hombre, así la Revolución mexicana tendrá el orgullo legítimo de mostrar al mundo que es la primera en consignar en una constitución los sagrados derechos de los obreros." Sus palabras resultaron proféticas.

Venustiano Carranza, dando muestras de una grandeza humana incomparable y mostrando ante la historia su talla de estadista, se manifestó favorable a las grandes decisiones del Congreso, permitiendo que éste trabajara con independencia y libertad y pudiera cumplir la alta misión de estructurar al México que, renovado, surgía de la Revolución.[10]

[10]Merced a las reformas de 31 de diciembre de 1974, se unió a este artículo el que con anterioridad era el 4o. Indudablemente fue acertada la reforma, ya que ambos se refieren a la libertad de trabajo.

Durante la presente administración del presidente Carlos Salinas de Gortari, este artículo 5o. ha sido modificado en dos ocasiones: la primera (D.O. de 6 de abril de 1990) con un nuevo párrafo cuarto que forma parte de la Reforma Política y cuyo comentario, como todos los correspondientes a esa reforma, fue realizado por el licenciado Emilio Rabasa Gamboa. La segunda modificación a este artículo 5o. párrafo 5o. (D.O. de 28 de enero de 1992) se inscribe dentro del nuevo régimen de relaciones Estado-Iglesias y está cubierta en la parte final del comentario a este artículo.

El nuevo cuarto párrafo del artículo 5o. se refiere a la retribución de las funciones electorales y censales que se realicen profesionalmente en los términos de la propia Constitución y las leyes correspondientes.

Esta adición se explica por, y está en consonancia con, la reforma (también de 90) del artículo 41 constitucional, por medio de la cual se establecieron nuevos principios rectores en la organización de las elecciones federales (véase comentario al artículo 41).

Estos principios son la certeza, legalidad, imparcialidad, objetividad y profesionalismo de la función estatal electoral.

El Constituyente permanente consideró con acierto que, para asegurar estos principios, en la organización de las elecciones deben intervenir profesionales y por lo tanto su justa retribución es un medio para asegurar su capacidad e imparcialidad.

La profesionalización de cualquier actividad, presupone la capacitación, aprendizaje y experiencia práctica de su ejercicio, esto es, tiempo de dedicación y esfuerzo personal en el dominio de la teoría, de la técnica y la práctica de la actividad que se pretende profesionalizar. Así pues, las funciones electorales, que son actividades públicas de fundamental importancia para la colectividad, deben ser retribuidas.

Con respecto al nuevo sistema jurídico de las relaciones Estado-Iglesias a partir de la reforma de 1992, el análisis fundamental se encuentra localizado en el comentario respectivo del artículo 130. Con motivo de aquella reforma, este artículo 5o. fue tocado en su párrafo quinto a fin de suprimir la prohibición del establecimiento de órdenes monásticas –taxativa impuesta en el texto original.

Lo anterior no significa "que el Estado reconozca los votos religiosos", pero sí se considera que ésas son acciones libres e íntimas, por lo cual la autoridad civil no debe irrumpir dentro de esta órbita individual.

ARTÍCULO 6o. La manifestación de las ideas no será objeto de ninguna inquisición judicial o administrativa, sino en el caso de que ataque a la moral, los derechos de tercero, provoque

algún delito o perturbe el orden público; el derecho a la información será garantizado por el Estado.

Lo más característico del hombre, lo que lo distingue de los demás seres de la naturaleza, es la facultad de concebir ideas y poderlas transmitir a sus semejantes. Por eso, la libertad de expresión es el derecho más propiamente humano, el más antiguo y el origen y base de otros muchos.

No en todas las épocas, ni tampoco en los regímenes absolutistas o tiránicos, el poder del Estado ha reconocido en esa libertad esencial un derecho de los gobernados, pero siempre han existido hombres con el valor suficiente para expresar sus opiniones en público, aunque supieran que su osadía iba a costarles ese bien supremo que es la propia vida. Gracias a muchos de ellos, México ha logrado formar sus mejores instituciones e ir superando sus deficiencias. La lista de esos patriotas sería larga. Basta recordar la actitud del regidor del ayuntamiento de la ciudad de México, Juan Francisco Azcárate, quien con el apoyo de los criollos que formaban el cabildo, sobre todo el síndico Francisco Primo de Verdad, en abierto desafío al régimen colonial proclamó, el 19 de julio de 1808, el derecho del pueblo de México para ejercer su soberanía, al asentar en un acta: "que es contra los derechos de la nación, a quien ninguno puede darle rey, si no es ella misma por el consentimiento universal de sus pueblos".

Se debe recordar también la figura de Miguel Hidalgo, quien en uso de la libertad de expresión, la noche del 15 de septiembre de 1810, inició la guerra que había de dar a México su independencia política, y que ofreció su vida en aras del ideal de "sacudir el pesado yugo que por espacio de tres siglos... tenía oprimida a la patria"; y la afirmación de Morelos en los *Sentimientos de la Nación* de que: "La América es libre e independiente de España y de toda otra nación, gobierno o monarquía."

En la historia del siglo XX ha conmovido al pueblo de México el valor y la honradez política de Belisario Domínguez, por redactar un discurso en el que condenaba los crímenes del general Huerta, quien en esos momentos usurpaba la presidencia de la República. Allí, en uso de una libertad de expresión que lo condujo a ser vilmente asesinado, dijo: "el pueblo mexicano no puede resignarse a tener por Presidente de la República a Victoriano Huerta, al soldado que se apoderó del poder por medio de la traición y cuyo primer acto al subir a la Presidencia fue asesinar al Presidente y al vicepresidente, ungidos por el voto popular, habiendo sido el primero de éstos quien colmó de ascensos, honores y distinciones a don Victoriano Huerta y habiendo sido él, igualmente, a quien don Victoriano Huerta juró públicamente lealtad y fidelidad inquebrantables".

Nuestra Constitución, fiel a su estructura democrática y a la tradición liberal que recoge, garantiza el derecho a la libertad de expresión en su artículo 6o. en forma general y en el 7o., que establece la libertad de escribir y publicar obras sobre cualquier materia.

Los derechos del hombre, para ser respetados, deben ser respetables. La libertad de expresión ya no lo es si ataca la vida privada, la moral o la paz pública. La ley reglamentaria de los artículos 6o. y 7o. considera que se atenta contra:

La vida privada, cuando se cause odio, desprecio o demérito hacia una persona, o con tal actitud se le perjudique en sus intereses;

La moral, cuando se defiendan o aconsejen vicios, faltas o delitos, o se ofenda al pudor, decencia o buenas costumbres, y a la paz pública, cuando se desprestigien, ridiculicen o destruyan las instituciones fundamentales del país, se injurie a México, se lastime su buen crédito, o se incite al motín, a la rebelión o a la anarquía.

Las estipulaciones anteriores están determinadas por la obligación de proteger la dignidad individual, así como el sentimiento colectivo, y el respeto a las instituciones y su estabilidad.

Este artículo fue adicionado en 1977 para consagrar el derecho a la información. En nuestra época uno de los poderes sociales más evidentes es el de los medios masivos de comunicación –radio, cine, prensa y sobre todo la televisión–, que por eso alcanzan una gran influencia en el pensamiento, actitudes y conductas de los seres humanos.

El derecho a la información lo han aceptado las más modernas constituciones del mundo occidental y en algunos de esos países ha sido ya reglamentado. Comprende:

a) El derecho del particular y de los grupos a tener acceso a los medios de comunicación, en determinadas circunstancias y cuando se trate de asuntos de suma importancia para la sociedad. En México, por ejemplo, se ha otorgado este derecho a todos los partidos políticos, a fin de que puedan difundir sus ideas;

b) El derecho a recibir información veraz. La propaganda, en todas sus manifestaciones, es en nuestro mundo una fuerza poderosísima, tanto que puede dirigir conductas, modelar actitudes y conformar el pensamiento humano. De ahí la necesidad de sujetar la información –sea política o comercial– a criterios de veracidad, para evitar que los pueblos sean manipulados sin que se perciban de ello y conducidos a obrar de modo inconveniente y contrario a sus intereses legítimos, y

c) El derecho a obtener de los órganos públicos la información necesaria para salvaguardar los intereses particulares o de grupos. Así por ejemplo, cuando se trata de defender la llamada "calidad de la vida", concepto más amplio que el tradicional de salud, ya que comprende una serie de condiciones ambientales propicias para el desarrollo cabal de la vida humana.

Este derecho no puede ser absoluto –y por tal motivo debe ser reglamentado– ya que todos los estados actúan en algunos renglones sobre la base del secreto y la confidencialidad. En política exterior o en asuntos militares por ejemplo. Por eso los archivos no se publican sino transcurrido un lapso considerable.

ARTÍCULO 7o. Es inviolable la libertad de escribir y publicar escritos sobre cualquier materia. Ninguna ley ni autoridad puede establecer la previa censura, ni exigir fianza a los autores o impresores, ni coartar la libertad de imprenta, que no tiene más límites que el respeto a la vida privada, a la moral y a la paz pública. En ningún caso podrá secuestrarse la imprenta como instrumento del delito.

Las leyes orgánicas dictarán cuantas disposiciones sean necesarias para evitar que so pretexto de las denuncias por delitos de prensa, sean encarcelados los expendedores, "papeleros", operarios y demás empleados del establecimiento de donde haya salido el escrito denunciado, a menos que se demuestre previamente la responsabilidad de aquéllos.

La libertad de imprenta –que es sólo una manifestación de la libre expresión– fue exaltada, entre otros muchos, por el ilustre periodista Francisco Zarco, quien en su calidad de diputado expresó ante la Asamblea Constituyente de 1857: "Deseo defender la libertad de prensa como la más preciosa de las garantías del ciudadano y sin la que son mentira cualesquiera otras libertades o derechos." Un célebre escritor inglés ha dicho: "Quitadme toda clase de libertad pero dejadme la de hablar y escribir conforme a mi conciencia." Estas palabras demuestran lo que de la prensa debe esperar un pueblo libre, pues ella, señores, no sólo es el arma más poderosa contra la tiranía y el despotismo, sino el instrumento más eficaz y más activo del progreso y de la civilización.

Las palabras de Zarco resultaron ciertas, pues una de las armas que habían de derrocar a Porfirio Díaz fueron publicaciones, como *El Hijo del Ahuizote, Regeneración, El Antirreeleccionista*, o la obra de Madero "La Sucesión Presidencial en 1910", que atacaban con firmeza la dictadura porfiriana, sin que a sus autores importara la persecución de que se les haría objeto por tan valiente postura.

Es oportuno citar también que el presidente Juárez, cuando los conservadores mexicanos iniciaban la Guerra de Tres Años contra la recién promulgada Constitución de 1857, sostuvo, con la entereza y el valor que siempre lo caracterizaron, la legitimidad de esa ley. Entonces Juárez manifestó que "fuera de la Constitución, que la nación se ha dado por el voto libre y espontáneo de sus representantes, todo es desorden", actitud de respeto al derecho y menosprecio hacia el poder de la fuerza, principio que guió la conducta del gran patricio.

Políticamente la libertad de expresar ideas, en forma verbal o por escrito, es de la mayor importancia, puesto que ayuda, ya sea con iniciativas o con críticas, a lograr el mayor bien para el mayor número, aspiración esencial de la democracia. La libre crítica conduce a obtener el estricto cumplimiento de las leyes y el funcionamiento eficaz de los órganos estatales, y en los campos de la ciencia y de la cultura, sin el libre intercambio de ideas, el conocimiento quedaría paralizado.

ARTÍCULO 8o. Los funcionarios y empleados públicos respetarán el ejercicio del derecho de petición, siempre que éste se formule por escrito, de manera pacífica y respetuosa pero en materia política sólo podrán hacer uso de ese derecho los ciudadanos de la República.

A toda petición deberá recaer un acuerdo escrito de la autoridad a quien se haya dirigido, la cual tiene obligación de hacerlo conocer en breve término al peticionario.

El artículo 37 del decreto constitucional de Apatzingán señalaba lo que podemos considerar el antecedente más remoto del derecho de petición en México, al decir: "a ningún ciudadano debe coartarse la libertad de reclamar sus derechos ante los funcionarios de la autoridad pública". Lograda la Independencia, fue en el Acta de Reformas (1847) a la Constitución de 1824 donde se estableció de nueva cuenta como una prerrogativa del ciudadano, ya que ordenaba: "Es derecho de los ciudadanos votar en las elecciones populares, ejercer el de petición, reunirse para discutir los negocios públicos y pertenecer a la Guardia Nacional; todo conforme a las leyes" (artículo 2o.) Mariano Otero, ilustre autor del voto particular aprobado por el Congreso con el nombre de Acta de Reformas, declaró en la exposición de motivos: "...El artículo 2o. que yo propongo, establece que el derecho de ciudadanía trae consigo el de votar en las elecciones populares, el de ejercer el de petición, el de reunirse para discutir asuntos públicos, y finalmente el de pertenecer a la Guardia Nacional, todo conforme a las leyes. De estas tres últimas prerrogativas no se había hecho mención en ninguna de nuestras anteriores constituciones, y, sin embargo, son de la mayor importancia. Si toda la teoría de la democracia representativa se redujera a llamar al pueblo un día para que eligiera sus mandatarios y les abandonara después la dirección de los negocios, sería cierto, como algunos escritores pretenden, que el sistema representativo no había podido reemplazar a las antiguas formas; mientras que dejando al pueblo la constante participación y dirección de los negocios públicos por los medios pacíficos de la discusión, se coloca a los representantes bajo el influjo de sus propios comitentes, a los negocios bajo el poder de la opinión pública..." Por lo transcrito puede apreciarse que Otero concibió al derecho de petición como un derecho ciudadano, propio del régimen democrático.

La Constitución de 1857 recogería en su articulado dos de las grandes innovaciones del Acta de Reformas: el juicio de amparo y el derecho de petición, pero un cambio esencial se había operado por lo que se refiere a este último, pues de un derecho político, y por tanto ciudadano, se convirtió, ampliándose, en derecho del hombre.

El derecho de petición, tal como aparece establecido en el artículo 8o. de la carta vigente, puede ejercerlo cualquier persona frente a toda clase de autoridades: federales, locales o municipales, legislativas, ejecutivas o judiciales, excepto cuando la petición tenga un contenido político, en cuyo caso están en capacidad de invocarlo los ciudadanos de la República, solamente.

El derecho de petición consiste en la facultad que tiene el gobernado para poder dirigirse a la autoridad solicitando algo, y el deber correlativo impuesto a quienes ejercen el poder público de contestar por escrito los pedimentos. Lo anterior no significa que los peticionarios tengan derecho a que se les acuerde favorablemente lo solicitado, sino sólo a que se dé contestación a sus escritos. Así lo ha precisado la Suprema Corte al decir: "Las garantías del artículo 8o. constitucional tienden a asegurar un proveído sobre lo que se pide y no a que se resuelvan las peticiones en determinado sentido."

El artículo establece cómo deberán ser hechas las peticiones que los particulares dirijan a las autoridades:

1. Por escrito, lo que no quiere decir –y éste fue el sentir del Congreso– que se niegue el ejercicio del derecho a quienes no saben o no pueden escribir, pues en tales supuestos la autoridad está obligada a asentar en un acta la petición verbalmente formulada y a darle curso;
2. En forma pacífica, y
3. De manera respetuosa, lo que sólo implica que el particular se dirija a la autoridad con toda atención y miramiento.

La disposición constitucional señala requisitos a la respuesta, que debe:

1. Constar por escrito;
2. Darse a conocer al interesado, y
3. Ser emitida en breve tiempo.

Tal vez este último concepto sea difícil de precisar, dada la multitud y diversidad de cuestiones que pueden ser objeto del derecho de petición. La Suprema Corte ha señalado que el término máximo con que cuenta la autoridad para contestar al peticionario es de cuatro meses, pero en todo caso el tiempo dependerá del asunto mismo y, ciertamente puede ser menor en muchas ocasiones.

La respuesta tiene que ser congruente con lo solicitado, es decir, debe referirse al contenido de la petición y, además, estar fundada en derecho, pues de lo contrario lesionaría, no el derecho de petición, pero sí otras garantías, y desde luego las que se encuentran establecidas en los artículos 14 y 16.

ARTÍCULO 9o. **No se podrá coartar el derecho de asociarse o reunirse pacíficamente con cualquier objeto lícito; pero solamente los ciudadanos de la República podrán hacerlo para tomar parte en los asuntos políticos del país. Ninguna reunión armada tiene derecho de deliberar.**

No se considerará ilegal, y no podrá ser disuelta, una asamblea o reunión que tenga por objeto hacer una petición o presentar una protesta por algún acto a una autoridad, si no se profieren injurias contra ésta, ni se hiciere uso de violencia o amenazas para intimidarla u obligarla a resolver en el sentido que se desee.

Este artículo emplea la expresión "asociarse o reunirse", términos diferentes, pues lo primero es de carácter más o menos permanente, y lo segundo siempre transitorio. Además, asociarse es tomar socio o establecer una sociedad con otras personas, como en la asociación profesional (sindicatos), la civil (fundaciones o clubes), la política (partidos), etcétera. Reunirse es estar presente con otras personas en un mismo sitio y hora.

Tanto el derecho de asociación como el de reunión garantizados por este artículo deben ejercitarse en forma pacífica y tener un objeto lícito, o sea, es preciso que se lleven a cabo de manera tranquila, serena, ordenada y para el logro de un fin autorizado o no prohibido por la ley.

Sólo aquella parte del pueblo políticamente capacitado, es decir, los ciudadanos mexicanos, pueden ejercitar este derecho con fines políticos, porque asimismo exclusivamente ellos están facultados para intervenir en la formación y funcionamiento de los órganos de gobierno (federales, estatales o municipales).

ARTÍCULO 10. Los habitantes de los Estados Unidos Mexicanos tienen derecho a poseer armas en su domicilio, para su seguridad y legítima defensa, con excepción de las prohibidas por la ley federal y de las reservadas para el uso exclusivo del Ejército, Armada, Fuerza Aérea y Guardia Nacional. La ley federal determinará los casos, condiciones, requisitos y lugares en que se podrán autorizar a los habitantes la portación de armas.

El artículo que se comenta garantiza dos libertades: la de poseer armas y la de portarlas.

El primer derecho sólo tiene una limitación: las armas poseídas por un particular no pueden ser de aquellas que la ley prohíbe, ni tampoco las que están reservadas para uso exclusivo del Ejército, Armada, Fuerza Aérea y Guardia Nacional.

El artículo 160, del Código Penal para el Distrito Federal dice, respecto a las armas prohibidas:

A quien porte, fabrique, importe o acopie sin un fin lícito instrumentos que sólo puedan ser utilizados para agredir y que no tengan aplicación en actividades laborales o recreativas, se le impondrá prisión de tres meses a tres años y hasta cien días de multa y decomiso.

Los servidores públicos podrán portar las armas necesarias para el ejercicio de su cargo, sujetándose a la reglamentación de las leyes respectivas.

Estos delitos, cuyo conocimiento compete al fuero común, se sancionarán sin perjuicio de lo previsto por la Ley Federal de Armas de Fuego y Explosivos, de aplicación federal en lo que concierne a estos objetos.

Anteriormente y hasta la reforma publicada en el *Diario Oficial* de 22 de octubre de 1971, la portación de armas en las poblaciones estaba sujeta a meros reglamentos de policía, lo que condujo a un abuso de esta prerrogativa constitucional y al incremento del "pistolerismo". A partir de la fecha indicada, todas las condiciones para la portación de armas deben ser fijadas por la ley federal, es decir, por el Congreso de la Unión. Así, por la jerarquía formal de la ley y no merced a un simple reglamento municipal o local, el Estado solicita mayor responsabilidad a quienes están armados, desterrando la viciosa práctica de portar armas sin la debida licencia y acabar con su uso irreflexivo y criminal.

En los términos anteriores, la garantía contenida en este artículo fue típica de un país sumido en la revolución y en los momentos posteriores a ella. Actualmente subsiste, pero dadas las nuevas condiciones sociales y económicas creadas por los regímenes posrevolucionarios –donde el Estado se encuentra cada vez más capacitado para garantizar el orden y la seguridad de las personas– resulta congruente que la portación de armas sea legislada con prudencia.

ARTÍCULO 11. Todo hombre tiene derecho para entrar en la República, salir de ella, viajar por su territorio y mudar de residencia sin necesidad de carta de seguridad, pasaporte, salvoconducto u otros requisitos semejantes. El ejercicio de este derecho estará subordinado a las facultades de la autoridad judicial, en los casos de responsabilidad criminal o civil, y a las de la autoridad administrativa, por lo que toca a las limitaciones que impongan las leyes sobre emigración, inmigración y salubridad general de la República, o sobre extranjeros perniciosos residentes en el país.

La libertad de viajar y el derecho de establecer cada cual su hogar en el sitio que prefiera estuvieron bastante restringidos durante la época colonial y de hecho para buena parte de nuestra población campesina, hasta el advenimiento de la Revolución de 1910, pese a las disposiciones legislativas en contrario, pues primero la encomienda española y luego el sistema de los peones acasillados en las haciendas inmovilizaron a grandes masas de la población.

La libertad de trasladarse y de establecer el domicilio condicionan con su ejercicio la plena libertad física.

Se otorga la libertad de tránsito a todas las personas para entrar en la República y salir de ella, así como para viajar y cambiar de residencia o domicilio dentro de su territorio. Las autoridades están obligadas a no impedir cualquiera de las anteriores manifestaciones de esta libertad.

Tan amplio derecho tiene los límites que el propio artículo establece y que pueden ser:

I. Judiciales, en caso de que por orden de un juez se prohíba a una persona abandonar determinado lugar. Es el llamado arraigo.

II. Administrativas. Compete ejercerlas al Presidente de la República, a través de la Secretaría de Gobernación, quien, al aplicar la Ley General de Población puede impedir la entrada a determinada persona en el territorio nacional o que establezca en él su domicilio, cuando no haya cumplido con las prescripciones del ordenamiento citado.

Asimismo, y en ejercicio de la facultad otorgada por el artículo 33 constitucional, el Ejecutivo puede expulsar del país a un extranjero cuando estime que su presencia perturba la vida nacional.

También el Ejecutivo está facultado para dictar las medidas que crea necesarias a fin de proteger la salud de los habitantes de la República, como son prohibir la entrada de personas que puedan ser portadoras de enfermedades contagiosas y restringir la libertad de tránsito dentro del territorio nacional, siempre en beneficio de la salud del pueblo.

ARTÍCULO 12. En los Estados Unidos Mexicanos no se concederán títulos de nobleza ni prerrogativas y honores hereditarios, ni se dará efecto alguno a los otorgados por cualquier otro país.

El espíritu que ha alentado la vida política del México independiente siempre se ha manifestado contrario a reconocer desigualdades entre los miembros de su pueblo, con base en la herencia de la sangre.

Así, desde el decreto constitucional de Apatzingán se dispuso que "ningún ciudadano podrá tener más ventajas que las que haya merecido por los servicios hechos al Estado. Éstos no son títulos comunicables ni hereditarios" (artículo 25), o como dijo el insigne patricio José María Morelos "sólo distinguirá a un americano de otro, el vicio y la virtud".

Tan ilustre tradición recoge el artículo 12 vigente, y si otras disposiciones del primer capítulo de la Constitución otorgan a la persona diversas libertades ante las demás y ante el poder público, ésta consagra otro principio esencial: el de la igualdad. En México, todos los hombres son iguales. No hay nobles ni plebeyos, y, por lo tanto, frente a la ley todos tienen el mismo trato y los mismos derechos.

Las únicas diferencias reconocidas cívica y moralmente son las que se derivan del talento y del mérito cultural o científico; de la valentía en la defensa de la patria y de la laboriosidad y el esfuerzo cotidianos; de la honradez y del entusiasmo por servir a la sociedad y a la propia familia.

ARTÍCULO 13. Nadie puede ser juzgado por leyes privativas ni por tribunales especiales. Ninguna persona o corporación puede tener fuero, ni gozar más emolumentos que los que sean compensación de servicios públicos y estén fijados por la ley. Subsiste el fuero de guerra para los delitos y faltas contra la disciplina militar; pero los tribunales militares en ningún caso y por ningún motivo, podrán extender su jurisdicción sobre personas que no pertenezcan al Ejército. Cuando en un delito o falta del orden militar estuviese complicado un paisano, conocerá del caso la autoridad civil que corresponda.

El principio de la igualdad humana inspira esta disposición. En México, fue la Carta de 1857 la primera en reconocer que nadie puede ser juzgado por leyes privativas.[11]

La ley debe ser general, abstracta e impersonal, o sea, es necesario que prevea situaciones no referidas a una persona en particular. La Constitución prohíbe juzgar mediante leyes privativas o especiales, es decir, por disposiciones que no tengan las características señaladas.

Tampoco puede nadie ser juzgado por tribunales especiales. Todos los jueces y tribunales tienen fijada su competencia y jurisdicción en normas jurídicas, esto es, en disposiciones generales, abstractas e impersonales. De esta manera queda establecido siempre qué autoridad es la competente para juzgar los actos previstos en las leyes, a fin de resolver las situaciones que se presentan en la práctica. Los órganos jurisdiccionales tienen carácter permanente mientras una disposición legislativa no modifique su competencia y organización.

La abolición de los fueros, como privilegios o prerrogativas concedidos a una persona o a un grupo determinado, es un hecho, relativamente cercano a nuestra época.

Todavía en el siglo XVIII existían en México, además de los tribunales del fuero común o justicia real ordinaria, cuando menos otros quince que juzgaban con jurisdicción en diversos fueros. Algunos de ellos estaban investidos de facultades gubernativas en el ramo de su competencia. De esos tribunales, cinco eran religiosos: el eclesiástico y monacal; el de la bula de la santa cruzada; el de diezmos y primicias; el de la santa hermandad, y el de la inquisición. Había también, por ejemplo, el juzgado de indios y el de hacienda, subdividido en varios especiales. Asimismo, existían diversos fueros como el mercantil, el de minería, el de mostrencos, vacantes e intestados y de guerra, y para los altos funcionarios el fuero de residencias, pesquisas o visitas. Durante el siglo XLX circunstancialmente se crearon tribunales privativos o especiales.

La Ley Juárez, de 23 de noviembre de 1855, suprimió el fuero a los militares y a los eclesiásticos en materia civil, y fue precursora del derecho asentado en el artículo 13 de la Constitución de 1857.

Por expreso mandato constitucional, hoy, en México, no se permite el goce de fueros, es decir, de determinados privilegios o prerrogativas para una clase social o personas determinadas, ya que en virtud del principio de igualdad todos están sometidos a las mismas leyes generales.

La Constitución sólo hace salvedad del fuero de guerra, pero realmente no se trata de un verdadero fuero en la significación explicada, ya que

[11] Llámanse leyes privativas a las leyes especiales expedidas en razón de una o varias personas y no para todos los ciudadanos.

no establece privilegios especiales para una persona determinada, ni siquiera para un grupo. Los fueros, hoy prohibidos, eran los que funcionaban desvinculados del Estado e instituían privilegios y ventajas en favor de una clase, violando el principio de igualdad ante la ley.

El sentido actual de "fuero de guerra" está claramente expuesto en el dictamen de la comisión que en la Asamblea Constituyente de 1917 presentó el proyecto de este artículo, al decir: "lo que obliga a conservar la práctica de que los militares sean juzgados por militares y conforme a leyes especiales, es la naturaleza misma de la institución del Ejército. Estando constituido éste para sostener las instituciones, urge rodearlo de todas las precauciones dirigidas a impedir su desmoralización y mantener la disciplina, que es su fuerza, porque un ejército no deja de ser el sostén de una nación sino para convertirse en azote de la misma. La conservación de la disciplina militar impone la necesidad de castigos severos, rápidos, que produzcan una fuerte impresión colectiva; no pudiendo obtener este resultado de los tribunales ordinarios por la variedad de negocios a que tienen que atender constantemente y por la impotencia a que se ven reducidos en ocasiones, por diversas causas, es fuerza instituir tribunales especiales que juzguen los delitos del orden militar, si se quieren obtener los fines indicados antes".

En determinados casos, que en forma limitada establece la propia Constitución, ciertas personas, en razón del alto cargo que desempeñan y sólo mientras lo ejercen, gozan de determinadas prerrogativas o fuero.[12]

ARTÍCULO 14. A ninguna ley se dará efecto retroactivo en perjuicio de persona alguna.

Nadie podrá ser privado de la vida, de la libertad o de sus propiedades, posesiones o derechos, sino mediante juicio seguido ante los tribunales previamente establecidos, en el que se cumplan las formalidades esenciales del procedimiento y conforme a las leyes expedidas con anterioridad al hecho.

En los juicios del orden criminal queda prohibido imponer, por simple analogía y aun por mayoría de razón, pena alguna que no esté decretada por una ley exactamente aplicable al delito que se trata.

En los juicios del orden civil, la sentencia definitiva deberá ser conforme a la letra o a la interpretación jurídica de la

[12] Véanse los artículos 108 y siguientes.

ley, y a falta de ésta se fundará en los principios generales del derecho.

Este artículo, en unión del 13, 16, 17, 18, 19, 20, 21, 22 y 23, principalmente, establece la subordinación del poder público a la ley, en beneficio y protección de las libertades humanas.

Los antecedentes de algunas de las garantías constitucionales en materia judicial se encuentran en el decreto de Apatzingán (1814).

En México independiente se hizo constar el principio de irretroactividad de la ley a partir del Acta Constitutiva de la Federación (artículo 19), principio reiterado por la Constitución de 1824, la de 1857 y la vigente.

Las garantías de audiencia y legalidad que consagra este artículo tienen su antecedente inmediato en el artículo 14 de la Carta de 1857, aunque pueden hallarse otros en las diversas leyes constitucionales anteriores.

Sin embargo, la protección jurídica otorgada al hombre en su vida, libertad, propiedades, posesiones y derechos es relativamente reciente en la historia; surgió porque con demasiada frecuencia las autoridades, arbitrariamente, abusando del poder y sin proceso alguno, imponían a los gobernados las más duras penas y éstos carecían de medios jurídicos para defenderse.

La historia de México nos enseña cómo en otras épocas fueron perseguidos y en ocasiones injustamente castigados muchos hombres, a veces algunos de los más ilustres, por el despotismo de los que ostentaban el poder. Baste recordar la prisión y el destierro sufridos por Francisco I. Madero por el hecho de haberse lanzado a la campaña electoral en contra del general Díaz. Sin embargo, el valor civil, la honradez y el sacrificio de hombres de esa talla hicieron posible el triunfo de la Revolución y el México de hoy.

El artículo 14 no sólo reconoce y establece un conjunto de derechos, sino que por su generalidad es también base y garantía para hacer efectivos, por medio del juicio de amparo, todos los que la Constitución otorga. Es preciso saber que:

Una ley tiene efecto retroactivo cuando se aplica a situaciones, hechos o actos que tuvieron lugar con anterioridad al momento en que entró en vigor. La retroactividad se prohíbe cuando perjudica, es decir, lesiona o viola los derechos de una persona, por lo que, a la inversa, si la beneficia, puede aplicarse.

Ningún habitante permanente o transitorio de la República (hombre o mujer, menor o adulto, nacional o extranjero, individuo o persona jurídica o moral) puede ser privado de la vida, de la libertad, de la propiedad o posesiones y, en fin, de todos y cada uno de sus derechos, tanto los establecidos por la Constitución como los otorgados en las demás leyes, decretos y reglamentos, sin que necesariamente se cumplan las siguientes condiciones:

a) Que haya juicio, o sea, una controversia sometida a la consideración de un órgano imparcial del Estado, unitario o colegiado, quien la resuelve mediante la aplicación del derecho al dictar la sentencia o resolución definitiva, que puede llegar a imponerse a los contendientes aun en contra de su voluntad;

b) Que el juicio se siga ante un tribunal ya existente, esto es, ante el órgano del Estado previamente establecido que esté facultado para declarar lo que la ley señala en el caso de que se trate;

c) Que se cumpla estrictamente con el procedimiento, es decir, con las formalidades y trámites legislativos o judiciales, según el caso, y

d) Que todo lo anterior se encuentre previsto en leyes vigentes.

En los juicios del orden criminal (los que tratan de los delitos que se establecen en los códigos penales) sólo podrá imponerse una pena si el acto o el hecho del que se juzga está claramente previsto por la ley, o sea, si es exactamente igual a la conducta que la ley describe, en cuyo caso la pena con que se castigue al infractor debe ser la que fija la propia ley. En consecuencia, está prohibido en estos juicios aplicar una ley que contenga un caso parecido, similar o más grave, pero que no sea idéntico al que se trata de juzgar. Es decir, está prohibido aplicar la ley penal por analogía o mayoría de razón.

Nuestra Constitución plasmó en este artículo un principio que han recogido todos los pueblos liberales y que repudian los regímenes totalitarios. En efecto, en las dictaduras el principio de legalidad de los delitos y las penas es el que primero se deja de respetar; en cambio se crean leyes por medio de las cuales se aplican las penas más graves sin juicio previo o se hace un mero simulacro de éste.

Por el contrario, en los juicios civiles si no hay una disposición exactamente aplicable al caso, el juez debe resolver interpretando la ley o en última instancia, de acuerdo con los principios fundamentales que rigen la vida jurídica de México (principios generales del derecho).

El artículo 14, por contener las anteriores garantías protectoras de la persona y de sus derechos, es característico de un régimen respetuoso, como el nuestro, de la libertad. Es regla general, propia de la forma de gobierno que tiene México, que la autoridad –poder público– sólo pueda hacer lo que la ley le autorice, en tanto que los particulares –los gobernados– están en libertad de efectuar no sólo todo aquello que la ley les permita, sino también lo que no les prohíba. En ambos casos, autorización para gobernantes y prohibición para gobernados, deben constar expresamente en las leyes.

ARTÍCULO 15. **No se autoriza la celebración de tratados para la extradición de reos políticos, ni para la de aquellos delincuentes del orden común, que hayan tenido en el país donde cometieron el delito, la condición de esclavos; ni de convenios o tratados en virtud de los que se alteren las garantías y derechos establecidos por esta Constitución para el hombre y el ciudadano.**

Esta disposición recoge un sentimiento que está impregnado de los más puros ideales de libertad; por eso impone el Estado ciertas limitaciones que se traducen en derechos de los gobernados. La Constitución establece que compete al Ejecutivo Federal, con la aprobación del Senado, celebrar tratados con los estados extranjeros, mas tales pactos internacionales no pueden tener por objeto:

a) La extradición de reos políticos, o sea, la entrega a otro país de una persona a quien se le imputa haber cometido un delito político dentro del territorio de ese Estado extranjero;

b) La extradición de delincuentes comunes –infractores de las leyes penales–, cuando en el extranjero hubieren tenido la condición de esclavos. Este precepto es congruente con el artículo 2o. constitucional, que declara libres a los esclavos extranjeros que pisen el territorio mexicano, pues si se aceptara su extradición, sería tanto como privarlos nuevamente de la libertad alcanzada, y

c) Pactos en los que se conviniere la restricción o violación de las garantías individuales, consignadas en la Constitución. Por la supremacía jurídica que tiene esa ley,[13] todos los tratados y convenios internacionales deben estar de acuerdo con sus preceptos y por lo tanto, los órganos del Estado no pueden válidamente pactar la violación de ninguno de ellos.

Durante la vigencia de la Constitución de 1917, México se ha distinguido como un seguro asilo para los perseguidos políticos, quienes han encontrado en él un lugar donde vivir con libertad.

ARTÍCULO 16. **Nadie puede ser molestado en su persona, familia, domicilio, papeles o posesiones, sino en virtud de mandamiento escrito de la autoridad competente, que funde y motive la causa legal del procedimiento.**

No podrá librarse orden de aprehensión sino por la autoridad judicial y sin que preceda denuncia, acusación o

[13] Véase comentario al artículo 133.

querella de un hecho determinado que la ley señale como delito, sancionado cuando menos con pena privativa de libertad y existan datos que acrediten los elementos que integran el tipo penal y la probable responsabilidad del indiciado.

La autoridad que ejecute una orden judicial de aprehensión, deberá poner al inculpado a disposición del juez, sin dilación alguna y bajo su más estricta responsabilidad. La contravención a lo anterior será sancionada por la ley penal.

En los casos de delito flagrante, cualquier persona puede detener al indiciado poniéndolo sin demora a disposición de la autoridad inmediata y ésta, con la misma prontitud, a la del Ministerio Público.

Sólo en casos urgentes, cuando se trate de delito grave así calificado por la ley y ante el riesgo fundado de que el indiciado pueda sustraerse a la acción de la justicia, siempre y cuando no se pueda ocurrir ante la autoridad judicial por razón de la hora, lugar o circunstancia, el Ministerio Público podrá, bajo su responsabilidad, ordenar su detención, fundando y expresando los indicios que motiven su proceder.

En casos de urgencia o flagrancia, el juez que reciba la consignación del detenido deberá inmediatamente ratificar la detención o decretar la libertad con las reservas de ley.

Ningún indiciado podrá ser retenido por el Ministerio Público por más de cuarenta y ocho horas, plazo en que deberá ordenarse su libertad o ponérsele a disposición de la autoridad judicial; este plazo podrá duplicarse en aquellos casos que la ley prevea como delincuencia organizada. Todo abuso a lo anteriormente dispuesto será sancionado por la ley penal.

En toda orden de cateo, que sólo la autoridad judicial podrá expedir y que será escrita, se expresará el lugar que ha de inspeccionarse, la persona o personas que hayan de aprehenderse y los objetos que se buscan, a lo que únicamente debe limitarse la diligencia, levantándose al concluirla un acta circunstanciada, en presencia de dos testigos propuestos por el ocupante del lugar cateado o en su ausencia o negativa, por la autoridad que practique la diligencia.

Las comunicaciones privadas son inviolables. La Ley sancionará penalmente cualquier acto que atente contra la libertad y privacía de las mismas. Exclusivamente la autoridad judicial federal, a petición de la autoridad federal que faculte la ley o del titular del Ministerio Público de la entidad federativa correspondiente, podrá autorizar la intervención de cualquier comunicación privada. Para ello, la autoridad competente, por escrito, deberá fundar y motivar las causas legales de la solicitud, expresando además, el tipo de intervención, los sujetos de la misma y su duración. La autoridad judicial federal no podrá otorgar estas autorizaciones cuando se trate de materias de carácter electoral, fiscal, mercantil, civil, laboral o administrativo, ni en el caso de las comunicaciones del detenido con su defensor.

Las intervenciones autorizadas se ajustarán a los requisitos y límites previstos en las leyes. Los resultados de las intervenciones que no cumplan con éstos, carecerán de todo valor probatorio.

La autoridad administrativa podrá practicar visitas domiciliarias únicamente para cerciorarse de que se han cumplido los reglamentos sanitarios y de policía; y exigir la exhibición de los libros y papeles indispensables para comprobar que se han acatado las disposiciones fiscales, sujetándose en estos casos a las leyes respectivas y a las formalidades prescritas para los cateos.

La correspondencia que bajo cubierta circule por las estafetas, estará 73libre de todo registro, y su violación será penada por la ley.

En tiempo de paz ningún miembro del Ejército podrá alojarse en casa particular contra la voluntad del dueño, ni imponer prestación alguna. En tiempo de guerra los militares podrán exigir alojamiento, bagajes, alimentos y otras prestaciones, en los términos que establezca la ley marcial correspondiente.

Durante siglos, el capricho del gobernante fue la medida de las molestias causadas a los particulares. En otras épocas bastaba la simple orden verbal de alguna autoridad para perturbar e incluso encarcelar a las personas, sin existir ningún motivo fundado. Los atentados a la familia, las violaciones de domicilios, las agresiones a las posesiones, sin haber una causa legítima, se sucedieron por mucho tiempo.

Con el fin de evitar el abuso del poder público, la Constitución de 1917 recogió y ratificó algunas de las disposiciones establecidas por las anteriores –decreto constitucional de Apatzingán y las constituciones de 1824 y 1857– e introdujo otras que pueden considerarse verdaderos triunfos de la Revolución mexicana.

La garantía consignada en la primera parte de este artículo, así como las que establece el 14, son la base sobre la que descansa el procedimiento judicial protector de los derechos del hombre (juicio de amparo). Es absoluta la prohibición de ocasionar molestias a las personas, a sus familias, papeles o posesiones, si no es con una orden escrita, fundada y motivada en una disposición legal y expedida por una autoridad que de acuerdo con una ley en vigor tenga facultades expresas para realizar esos actos.

La segunda parte de esa disposición ordena que sólo la autoridad judicial puede librar orden de aprehensión o detención, siempre que se reúnan los siguientes requisitos:

a) Que haya una denuncia, acusación o querella respecto a un hecho que la ley sancione con pena de prisión.

Se llama denuncia al hecho de poner en conocimiento del Ministerio Público la realización de actos que al parecer involucren la comisión de un delito en el que la sociedad o el interés social resulten afectados (delitos que se persiguen de oficio), y por eso, aun cuando el denunciante quiera retirar la denuncia, no puede hacerlo. La acusación consiste en el cargo o cargos que alguien hace contra determinada persona en concreto, responsabilizándola de la comisión de un acto que puede o no ser delictuoso. La querella es poner en conocimiento de la autoridad competente un hecho posiblemente delictuoso que sólo daña a intereses privados; por eso los ofendidos pueden otorgar el perdón a los responsables en cualquier momento del proceso penal;

b) Denuncia, acusación o querella deben estar apoyados por declaraciones de personas dignas de todo crédito o por otros datos que lleven al juzgador al convencimiento de la probable responsabilidad del sujeto autor de los hechos puestos en conocimiento de la autoridad, y

c) Que el delito que se atribuye al presunto responsable se castigue con la pena de prisión.

Estas reglas tienen un caso de excepción: cuando alguien es sorprendido en el momento de cometer un delito, esto es, *in fraganti*, cualquier persona puede detener al infractor y ponerlo de inmediato en manos de la autoridad.

Todas estas exigencias de nuestra máxima ley tienden a otorgar garantías a la persona humana de que no serán vulnerados sus derechos, sino en los casos en que haya elementos suficientes para proceder a su detención, pues sin duda los diputados constituyentes estimaron preferible que un delincuente estuviera en libertad a que la perdiera un inocente.

En la tercera parte del artículo se prevé la posibilidad de que la autoridad administrativa pueda dictar una orden para detener a una persona, pero deben cumplirse las siguientes condiciones:

a) Que se trate de casos urgentes en los que no sea posible realizar los trámites normales para que se dicte la orden por una autoridad judicial;

b) Que sean delitos que se persigan de oficio;

c) Que no haya en el lugar ninguna autoridad judicial, y

d) Que se ponga al detenido de inmediato, o a la brevedad posible, a disposición de la autoridad judicial para que ésta siga el procedimiento.

Debe responsabilizarse a la autoridad administrativa del procedimiento que siga en tales casos.

Las últimas disposiciones de carácter penal que contiene este artículo, se refieren a las órdenes de cateo. El cateo consiste en el acto de penetrar en un domicilio, con o sin el consentimiento de sus ocupantes, a fin de localizar a alguna persona o cosa relacionada con la comisión de un delito. Una orden de cateo debe reunir las siguientes formalidades: ser dictada por un juez, constar por escrito, precisar el lugar objeto de la inspección y la persona o cosas que se buscan. Al concluir la diligencia se levantará un acta en la que se asienten todos los datos que el propio precepto constitucional exige.

La autoridad administrativa está facultada para entrar en un domicilio, sólo con el objeto de comprobar que se han cumplido los reglamentos de policía o sanitarios, o para revisar libros y papeles en asuntos de orden fiscal. En este caso deben cumplirse las formalidades del cateo.[14]

También establece esta disposición la inviolabilidad de la correspondencia, cuando se utilice el servicio público de correos.

Es decir, prohíbe a las autoridades y a todas las personas en general registrar, censurar o interceptar la correspondencia depositada en las oficinas de correos (estafetas). La inviolabilidad de la correspondencia implica el reconocimiento de una personal intimidad de los hombres en la que nadie tiene derecho a penetrar, si no es con el expreso consentimiento de quien la manifiesta, y protege tanto al que la envía como al que la recibe.

[14] Este artículo se adicionó con los dos últimos párrafos en virtud de reformas publicadas en el *Diario Oficial* de 3 de febrero de 1983. Anteriormente esos párrafos eran el texto de los artículos 25 y 26.

El último párrafo de este artículo contiene una doble reglamentación según el país se halle en paz, o por el contrario, tenga alterada la normalidad por un estado de guerra, civil o extranjera.

En el primer caso, se garantiza la inviolabilidad del domicilio, ya que los militares no pueden alojarse forzadamente en las casas de los particulares ni tampoco exigir a los gobernados ninguna clase de prestación o servicio. Esta disposición se relaciona con el artículo 129 constitucional, que dispone: "ninguna autoridad militar puede ejercer más funciones que las que tengan exacta conexión con la disciplina militar" y con el 13, cuando dice: "los tribunales militares en ningún caso y por ningún motivo podrán extender su jurisdicción sobre personas que no pertenezcan al Ejército", pues el llamado fuero de guerra se aplica exclusivamente a los militares.

Los anteriores preceptos señalan con toda precisión las facultades de los militares, y limitan la función del Ejército y de los demás institutos armados a la finalidad que les es propia: defender la soberanía nacional contra cualquier ataque violento y mantener la paz y el orden dentro de nuestra vida institucional.

En el segundo caso, es decir, cuando la nación se encuentre en guerra, se otorga a los militares derecho para exigir, en forma gratuita y obligatoria, determinadas prestaciones de los civiles, pero tales prestaciones no pueden ser arbitrarias, o sea, no son facultades absolutas que puedan ejercerse caprichosamente por quienes tienen la fuerza, sino que deben apoyarse en las disposiciones que se dicten (ley marcial), esto es, siempre la autoridad, aun en los casos más graves, debe estar limitada en el ejercicio de su poder por el derecho.

*Reforma de 1996**

Se ha observado un inquietante desarrollo de la delincuencia organizada en el mundo entero. El tema figura entre las preocupaciones de los Estados nacionales, que consideran a estas nuevas expresiones de la criminalidad como un peligro mayor para la paz, la libertad y la salud, e inclusive para la soberanía. De ahí proviene una serie de ordenamientos destinados a combatir la delincuencia organizada, desde la doble perspectiva nacional e internacional. En estos casos es frecuente la incorporación de disposiciones diferentes de las contenidas en la codificación tradicional: cambian en alguna medida los derechos del inculpado y se acentúan las posibilidades de persecución penal.

Lo anterior ha tenido manifestaciones cada vez más intensas en nuestro país, sobre todo a partir de los problemas suscitados por diversas conduc-

* Comentario del doctor SERGIO GARCÍA RAMÍREZ.

tas ilícitas en materia de narcóticos (estupefacientes y psicotrópicos). En 1992, la Procuraduría General de la República hizo un primer intento en favor de una ley especial acerca de la delincuencia organizada, severamente impugnado desde el ángulo constitucional. En 1993 fue modificado el artículo 16 de la Constitución con los propósitos mencionados en otro comentario a este precepto, que figura en la edición de 1995. En esa oportunidad se introdujo en la Constitución el concepto de delincuencia organizada, vinculado con la posibilidad de prolongar la detención de los indiciados. La caracterización de esta conducta quedó a cargo de las leyes secundarias, que generalmente entendieron a la delincuencia organizada como una forma de comisión de delitos graves.

En 1995 se insistió en la necesidad de legislar sobre delincuencia organizada. El nuevo anteproyecto presentaba graves problemas de constitucionalidad. Por ello, los promotores de esta legislación optaron por alentar reformas a la ley suprema, que "constitucionalizaran" su propuesta. Fue así como se presentó ante la Cámara de Senadores, el 18 de marzo de 1996, la iniciativa para modificar los artículos 16, 21, 22 y 73 de la Constitución. En la misma fecha se presentó una iniciativa de reformas a la fracción I del artículo 20 (libertad provisional bajo caución). Simultáneamente conoció el Senado de una iniciativa de Ley Federal contra la Delincuencia Organizada. Estos documentos fueron modificados en puntos importantes a lo largo del proceso legislativo. Las modificaciones constitucionales aparecieron en el *Diario Oficial de la Federación* del 3 de julio de 1996.

La reforma de 1996 al artículo 16 se refiere a la intervención de comunicaciones privadas. Hoy día, ese precepto aloja tres disposiciones específicas sobre el acceso al ámbito de intimidad o privacía de los particulares, a saber, las concernientes a cateos, intercepción de correspondencia e intervención de comunicaciones, temas, todos ellos, que se podría resolver razonablemente mediante la interpretación jurisdiccional del primer párrafo del propio artículo 16, que regula los actos de autoridad que infieren molestias a los particulares. Por otro lado, el asunto de las comunicaciones personales ya había sido objeto de consideración por parte de la justicia federal, que en algún caso entendió aplicable a ese tema la regulación correspondiente al cateo. En suma, es por lo menos discutible la necesidad de incorporar en la ley suprema disposiciones especiales acerca de un asunto que puede ser adecuadamente manejado a través de reglas generales preexistentes.

El nuevo párrafo noveno del artículo 16 fija un derecho público subjetivo —"Las comunicaciones personales son inviolables"— y acto seguido establece restricciones a esa prevención. En el texto aprobado no se especifica que la intervención sólo es procedente cuando se trate de investigaciones de carácter penal, aunque esta limitación se infiere de los trabajos legislativos. En cambio, se proscribe la intervención en materias de carácter electoral, fiscal, mercantil, civil, laboral o administrativo, así como en el caso de comunicaciones del detenido con su defensor. Sin embargo, surgen dudas sobre el tratamiento adecuado cuando en un mismo asunto concurren aspectos penales y de otra naturaleza. Asimismo, el texto aprobado ignora las comunicaciones entre el defensor y el inculpado no detenido.

La solicitud de intervención puede tener un doble origen: autoridad federal facultada por la ley, por una parte, y titular del Ministerio Público de una entidad federativa, por la otra. La primera expresión es excesivamente amplia; debió limitarse –como se hizo en la segunda– a la autoridad persecutora de los delitos, es decir, el Ministerio Público. En la segunda hipótesis, el Constituyente quiso decir: Procurador General de Justicia de la entidad federativa.

La autorización se halla en manos de la autoridad judicial federal: el juez de distrito en materia penal (o de competencia mixta), en los términos de las reformas de 1996 a la Ley Orgánica del Poder Judicial de la Federación. Llama la atención que no se reconozca la misma facultad a los juzgadores del fuero común, no obstante que éstos cuentan con atribuciones para ordenar cateos, que constituyen la más intensa injerencia en el ámbito material de intimidad o privacía de las personas. Se dice que esta disposición atiende al hecho de que los más frecuentados medios de transmisión del pensamiento operan mediante concesiones o autorizaciones otorgadas por el gobierno federal. Aun suponiendo que este argumento tuviera fuerza, es obvio que la comunicación entre dos o más personas puede realizarse por otros medios.

La intervención de comunicaciones personales tiene carácter probatorio en juicios penales. Evidentemente, carecen de sentido –y en todo caso de legitimidad– las intervenciones practicadas con cualquier otro propósito, sobre todo si se trata de utilizarlas como simple instrumento para conocer la vida privada de las personas. La reforma del artículo 16 debió puntualizar con claridad este designio estrictamente procesal. Empero, se desprende de la parte final del precepto, rectamente interpretada, que niega valor probatorio a las intervenciones realizadas fuera de los requisitos y límites previstos en las leyes; se debió complementar la expresión, aludiendo a los términos de la autorización judicial en el caso concreto. La negativa de valor probatorios debe entenderse como inadmisibilidad de la prueba, no sólo como ineficiencia de ésta.

No es necesario –aun cuando pueda ser conveniente en virtud de las circunstancias– que el legislador constitucional disponga que la ley secundaria sancionará las violaciones a los derechos públicos subjetivos. Es obvio que así debe ser. En el presente caso, la advertencia se hizo para tranquilizar a la opinión pública, inquieta frente a la posibilidad de que se utilice demasiado ampliamente la intervención de comunicaciones sin que existan límites rotundos y sanciones suficientes. Cuando se inició la reforma constitucional, ya existían normas incriminadoras de la intervención indebida (tipos penales específicos), tanto en el Código Penal como en la Ley de Vías Generales de Comunicación.

Digamos, finalmente, que bajo el impulso de la reforma constitucional de 1996 se expidió la muy controvertible y controvertida Ley Federal contra la Delincuencia Organizada, promulgada el 6 de noviembre de 1996 y publicada el 7 del mismo mes. Este ordenamiento contiene un verdadero "nuevo orden penal específico", que abarca todo el ámbito del sistema penal relativo a la delincuencia organizada: disposiciones orgánicas (relativas a la unidad del Ministerio Público a cargo de la investigación y persecución de la delincuencia organizada), tipos penales (se incriminan tanto el simple acuerdo de organizarse con fines delictuosos, como el hecho mismo de integrar una organización), instituciones procesales singulares (inclusive la posibilidad de delaciones y reducciones penales en favor de los inculpados que colaboren en la persecución de la delincuencia organizada) y modalidades especiales de ejecución de sanciones (que afectan la libertad preparatoria, la remisión de penas, la sustitución y la preliberación).

ARTÍCULO 17. Ninguna persona podrá hacerse justicia por sí misma, ni ejercer violencia para reclamar su derecho.

Toda persona tiene derecho a que se le administre justicia por tribunales que estarán expeditos para impartirla en los plazos y términos que fijen las leyes, emitiendo sus resoluciones de manera pronta, completa e imparcial. Su servicio será gratuito, quedando, en consecuencia, prohibidas las costas judiciales.

Las leyes federales y locales establecerán los medios necesarios para que se garantice la independencia de los tribunales y la plena ejecución de sus resoluciones.

Nadie puede ser aprisionado por deudas de carácter puramente civil.

Este artículo fue adicionado por reformas publicadas en el *Diario Oficial* de 17 de marzo de 1987. Afirma el derecho que cualquier persona tiene para acudir ante los tribunales y que éstos le hagan justicia, ya que las contiendas que surgieren entre particulares –cuando éstos no puedan resolverlas en forma pacífica y de común acuerdo– es necesario que lo haga un órgano del

Estado facultado para ello, órgano que debe emitir sus resoluciones lo más pronto posible, con imparcialidad y juzgar el conflicto sujeto a su consideración en todos sus puntos.

La reforma también ordena que las leyes, tanto las federales como las locales, deben garantizar la independencia de los tribunales y el cumplimiento de sus resoluciones. Ha sido una vieja ambición la independencia del Poder Judicial frente a los otros dos. El Judicial es el más inerme de los tres, pero pese a esa condición es indispensable para su buen funcionamiento que los jueces laboren sin estar sometidos a superiores jerárquicos. El juez sólo debe estar subordinado a la ley para que exista una seguridad jurídica y los hombres se sientan protegidos en sus derechos.

Especialmente el Congreso Constituyente de 1917 analizó este tema y los diputados plantearon con ahínco y pasión la importancia que tiene para el particular poder confiar en el sistema judicial: en su eficiencia, sabiduría y honradez.

ARTÍCULO 18. Sólo por delito que merezca pena corporal habrá lugar a prisión preventiva. El sitio de ésta será distinto del que se destinare para la extinción de las penas y estarán completamente separados.

Los gobiernos de la Federación y de los Estados organizarán el sistema penal, en sus respectivas jurisdicciones, sobre la base del trabajo, la capacitación para el mismo y la educación como medios para la readaptación social del delincuente. Las mujeres compurgarán sus penas en lugares separados de los destinados a los hombres para tal efecto.

Los gobernadores de los Estados, sujetándose a lo que establezcan las leyes locales respectivas, podrán celebrar con la Federación convenios de carácter general, para que los reos sentenciados por delitos del orden común extingan su condena en establecimientos dependientes del Ejecutivo Federal.

La Federación y los gobiernos de los estados establecerán instituciones especiales para el tratamiento de menores infractores.

Los reos de nacionalidad mexicana que se encuentren compurgando penas en países extranjeros, podrán ser trasladados a la República para que cumplan sus condenas con base en los sistemas de readaptación social previstos en este artículo, y los reos de nacionalidad extranjera sentenciados por delitos del orden federal en toda la República, o del fuero común en el Distrito Federal, podrán ser trasladados al país de su origen o residencia, sujetándose a los tratados internacionales que se hayan celebrado para ese efecto. Los gobernadores de los Estados podrán solicitar al Ejecutivo Federal, con apoyo en las leyes locales respectivas, la inclusión de reos del orden común en dichos tratados. El traslado de los reos sólo podrá efectuarse con su consentimiento expreso.

La Constitución protege y otorga garantías no sólo a quienes ajustan su conducta a las leyes, sino también a los infractores de ellas, ya sean presuntos o declarados. Los artículos 18, 19, 20, 21, 22 y 23 contienen las bases para la persecución y procesamiento de los presuntos delincuentes y para la imposición y cumplimiento de las penas.

De gran importancia para el derecho penal es este precepto, el cual establece en su primer párrafo: sólo cuando el delito que se impute a un presunto responsable merezca pena corporal, o sea, la de prisión, será posible mantenerlo recluido mientras dure el proceso.

En el mismo párrafo se consagra un principio en favor de los reos: el de que los sujetos a proceso estén alojados en un lugar distinto al de los ya sentenciados. Se trata de una humana y lógica regla, pues está demostrado que, con frecuencia, la reunión de unos y otros produce graves perjuicios para los procesados, quienes al convivir con verdaderos delincuentes es posible que reciban depravadas enseñanzas. Por eso se dispone terminantemente que el sitio señalado para la prisión preventiva sea distinto y esté por completo separado de aquel en que se cumplan condenas de prisión.

El segundo párrafo establece que el fin que se persigue con la pena corporal es la readaptación de los delincuentes a la sociedad, para convertirlos en hombres útiles cuando vuelvan a su seno. La idea que informó el pensamiento de los gobiernos emanados de la Revolución ha sido más que la de castigar al delincuente, la de regenerarlo, readaptarlo a la sociedad y no separarlo definitivamente de ésta; ayudarlo, en vez de hundirlo.

En la parte final del segundo párrafo se establece una norma que no contenía la Constitución anterior: la de que las mujeres deben extinguir las penas que se les han impuesto en lugares diversos a los destinados para los hombres. Este mandamiento es fácilmente comprensible, dado que la convivencia de personas de ambos sexos en las prisiones traería graves consecuencias para la sociedad y para ellas mismas.

En el párrafo tercero se prevé que los estados y la Federación celebren acuerdos, con el fin de que los sentenciados por delitos del orden común cumplan las condenas impuestas en establecimientos que dependan del Ejecutivo Federal. De este modo se conjugan esfuerzos para el mejor logro de las metas trazadas en esta materia: la resocialización del delincuente.

Si la readaptación, más que el castigo, es la orientación que prevalece en la moderna teoría penal, acertadamente recogida en este precepto, resulta lógico pensar que esa finalidad debe realizarse en el medio ambiente del delincuente y no en una atmósfera extraña. Ésta es la filosofía medular del párrafo quinto de este artículo, para que, merced a tratados internacionales y mediante el principio de la reciprocidad, reos extranjeros sentenciados en México compurguen las penas en su país de origen y reclusos mexicanos, sentenciados en el extranjero, cumplan la condena en nuestro país.

Artículo 19. Ninguna detención ante autoridad judicial podrá exceder del término de setenta y dos horas, a partir de que el indiciado sea puesto a su disposición, sin que se justifique con un auto de formal prisión y siempre que de lo actuado aparezcan datos suficientes que acrediten los elementos del tipo penal del delito que se impute al detenido y hagan probable la responsabilidad de éste. La prolongación de la detención en perjuicio del inculpado será sancionada por la ley penal. Los custodios que no reciban copia autorizada del auto de formal prisión dentro del plazo antes señalado, deberán llamar la atención del juez sobre dicho particular en el acto mismo de concluir el término, y si no reciben la constancia mencionada dentro de las tres horas siguientes pondrán al inculpado en libertad.

Todo proceso se seguirá forzosamente por el delito o delitos señalados en el auto de formal prisión o de sujeción a proceso. Si en la secuela de un proceso apareciere que se ha cometido un delito distinto del que se persigue, deberá ser objeto de averiguación separada, sin perjuicio de que después pueda decretarse la acumulación, si fuere conducente.

Todo maltratamiento en la aprehensión o en las prisiones, toda molestia que se infiera sin motivo legal, toda gabela o

contribución en las cárceles, son abusos que serán corregidos por las leyes y reprimidos por las autoridades.

Una de las más graves preocupaciones de los primeros constituyentes del México independiente fue la de establecer normas que impidieran los abusos de poder por las autoridades, ya que con frecuencia se detenía indefinidamente a los acusados de algún delito, sin justificación legal.

La Constitución de 1824 ordenaba que ninguna detención podría exceder del término de 60 horas y en la Carta de 1857 se encuentra el espíritu de la norma que contiene el primer párrafo de este artículo, pues ordenaba que nadie fuese detenido por más de tres días, sin que se dictara un auto de formal prisión. Empero, fue mérito de la Constitución de 1917 el haber precisado con toda claridad los dos elementos fundamentales que debe contener esa resolución judicial: la comprobación del cuerpo del delito y la probable responsabilidad del acusado.

En el auto de formal prisión deberá asentarse, en primer lugar, cuál es el hecho delictuoso que se atribuye al sujeto; enseguida, los elementos que integran el delito que se le imputa, así como la indicación de lugar, tiempo y todas las demás circunstancias en que cometió el hecho y, por último, los datos que se desprendan de la investigación previa, los cuales deben ser suficientes para comprobar el cuerpo del delito y la probable responsabilidad del acusado.

En tal sentido, nuestra Constitución protege a las personas contra los abusos de poder, pues obliga a las autoridades a llenar una serie de requisitos indispensables antes de dictar la resolución con la que se inicia propiamente el proceso, o sea, el auto de formal prisión. Además, en el propio párrafo se establece la responsabilidad en que pueden incurrir las autoridades que hubieren ordenado la detención prolongada ilegalmente y quienes ejecuten dicha orden.

Al respecto, y para perfeccionar el sistema de garantías a los presuntos responsables, la fracción XVIII del artículo 107 constitucional ordena que los alcaides y carceleros que no reciban copia autorizada del auto de formal prisión de un detenido, dentro de las 72 horas siguientes al momento en que aquél se puso a disposición de su juez deberán llamar la atención de éste sobre el particular y transcurridas tres horas después de cumplido el término, ponerlo en libertad, si no hubieren recibido la orden judicial respectiva. También en este artículo se establece el expreso mandato de que la autoridad está obligada a poner al detenido a disposición de un juez dentro de las 24 horas siguientes a las de su detención. Por lo tanto, no se puede privar a nadie de libertad por más de cuatro días, si no se justifica con un auto de formal prisión. Quienes violen estos preceptos caen en la responsabilidad que la propia Constitución señala.

Todo lo anterior otorga beneficios indudables, más que a los delincuentes, a los que habiendo sido consignados ante un juez penal, por la probable comisión de un delito, queden en inmediata y absoluta libertad al transcurrir el término constitucional, sin que se hubieren reunido los requisitos señalados por este precepto.

El segundo párrafo fue otra aportación de la Asamblea Constituyente de Querétaro: obliga a los jueces a seguir todos los procesos precisamente por el delito o delitos expresados en el auto de formal prisión. De este modo se acabó definitivamente con la viciosa práctica de continuar los procesos por delitos diversos a los señalados en este auto, hecho que dejaba sin defensa a los acusados.

Asimismo, es nuevo el principio que dispone: si durante el proceso aparece cometido un delito distinto del que se persigue, deberá aquél averiguarse en forma separada, independientemente de que con posterioridad se decrete la acumulación de los dos procesos.

El tercer párrafo procede de la Carta de 1857, que a su vez recogía el espíritu de las primeras constituciones, eco de un deseo popular: evitar que los presuntos delincuentes sufrieran malos tratos en el momento de su aprehensión o posteriormente, en las propias cárceles. Establece también la prohibición de causar molestias, sin motivo legal, a los procesados o condenados por algún delito o exigirles el pago de cualquier suma de dinero. Este principio fue otra de las conquistas del llamado Derecho Penal Liberal, que luchó durante años contra toda forma de maltratamiento y vejación de los presos por parte de los encargados de su custodia.

*Reforma de 1993**

El artículo 19 recibió diversas reformas en 1993. En el primer párrafo se decía que ninguna detención "podrá exceder del término de tres días..." Ahora se dice que "ninguna detención ante autoridad judicial podrá exceder del término de setenta y dos horas, a partir de que el indiciado sea puesto a su disposición..." No se requería una reforma constitucional para aclarar que la detención de referencia tenía lugar "ante autoridad judicial", porque no existía problema alguno al respecto, ni para sustituir "tres días" por "setenta y dos horas", que son exactamente lo mismo, tomando en cuenta que ciertos plazos del procedimiento penal –como el relativo al auto de formal prisión, precisamente– se cuentan de momento a momento.

En otro lugar del primer párrafo del artículo 19 se han fijado los elementos de fondo para la formal prisión, que lo son también –en virtud de diversas normas– para el ejercicio de la acción penal y para el libramiento

* Comentario del doctor SERGIO GARCÍA RAMÍREZ.

de la orden de aprehensión. Anteriormente, esos elementos eran el "cuerpo del delito", antigua noción procesal que fue bien caracterizada por la ley, la jurisprudencia y la doctrina mexicanas –sin perjuicio de los tropiezos o de las versiones que esa noción pueda tener en otros sistemas jurídicos– y la "probable responsabilidad" del inculpado. No hubo modificación sobre este último punto, pero el "cuerpo del delito" se vio sustituido por el concepto de "elementos del tipo penal del delito que se impute..." Con ello se desechó una figura tradicional y adecuadamente perfilada en nuestro Derecho procesal y se recibió, en cambio, un concepto de contenido controvertible y controvertido, en el que se enfrentan diversas corrientes doctrinales. Por ello la ley secundaria ha tenido que dar una extensa caracterización escolástica sobre lo que se entiende por elementos del tipo penal, seguida de otra acerca de lo que se comprende por responsabilidad.

El propio primer párrafo del artículo 19 señala que "la prolongación de la detención en perjuicio del inculpado será sancionada por la ley penal". Este texto fue suscitado por una progresista reforma de 1987 al Código Federal de Procedimientos Penales, que permitió la duplicación del plazo para emitir auto de formal prisión, a solicitud del inculpado y en bien de la defensa de éste. La Constitución, en cambio, no recogió esa posibilidad de manera franca y directa: lo hizo de soslayo, a través de una interpretación a *sensu contrario* de la norma: no se sancionará la prolongación de la detención si tal cosa ocurre en beneficio del inculpado. Es manifiesto el error de resolver el punto de esta manera, pues queda abierta indefinidamente la detención sin auto de procesamiento, en la medida en que tal cosa beneficie al inculpado.

En el proceso de elaboración de las reformas se dijo que correspondería a cada entidad federativa, según la carga de trabajo de sus propios tribunales, decidir acerca de los límites de este plazo. Lo cierto es que la Constitución ha creado una garantía que no depende para nada de lo que resuelvan los congresos locales, y que, por otra parte, la ampliación del plazo para emitir auto de formal prisión no se relaciona necesariamente con la carga de trabajo de los juzgados, sino con los problemas probatorios que afronte la defensa.

La estipulación sobre la excarcelación del detenido si no se recibe oportunamente constancia del auto de formal prisión en el establecimiento donde se halla, proviene de la suprimida fracción XVIII del artículo 107 constitucional. Éste hablaba de los alcaides y carceleros: el texto reformado alude, con un giro indudablemente excesivo, a "los custodios".

Son plausibles técnicamente, aunque no fuesen en verdad necesarios, los cambios en el segundo párrafo del artículo 19: adición del auto de sujeción a proceso como medio para fijar el tema del enjuiciamiento, cuestión que no suscitaba dudas ni controversias. Asimismo, el cambio de la palabra "acusación" por "averiguación": otra modificación de carácter técnico procesal, que no parecía indispensable.

ARTÍCULO 20. En todo proceso de orden penal, tendrá el inculpado las siguientes garantías:

I. Inmediatamente que lo solicite, el juez deberá otorgarle la libertad provisional bajo caución, siempre y cuando no se trate de delitos en que, por su gravedad, la ley expresamente prohíba conceder este beneficio. En caso de delitos no graves, a solicitud del Ministerio Público, el juez podrá negar la libertad provisional, cuando el inculpado haya sido condenado con anterioridad, por algún delito calificado como grave por la ley o, cuando el Ministerio Público aporte elementos al juez para establecer que la libertad del inculpado representa, por su conducta precedente o por las circunstancias y características del delito cometido, un riesgo para el ofendido o para la soledad.

El monto y la forma de caución que se fije, deberán ser asequibles para el inculpado. En circunstancias que la ley determine, la autoridad judicial podrá modificar el monto de la caución. Para resolver sobre la forma y el monto de la caución, el juez deberá tomar en cuenta la naturaleza, modalidades y circunstancias del delito; las características del inculpado y la posibilidad de cumplimiento de las obligaciones procesales a su cargo; los daños y perjuicios causados al ofendido; así como la sanción pecuniaria que, en su caso, pueda imponerse al inculpado.

La ley determinará los casos graves en los cuales el juez podrá revocar la libertad provisional;

II. No podrá ser obligado a declarar. Queda prohibida y será sancionada por la ley penal, toda incomunicación, intimidación o tortura. La confesión rendida ante cualquier autoridad distinta del Ministerio Público o del juez, o ante éstos sin la asistencia de su defensor carecerá de todo valor probatorio;

III. Se le hará saber en audiencia pública, y dentro de las cuarenta y ocho horas siguientes a su consignación a la justicia, el nombre de su acusador y la naturaleza y causa de la acusación, a fin de que conozca bien el hecho punible que se le atribuye y pueda contestar el cargo, rindiendo en este acto su declaración preparatoria;

IV. Siempre que lo solicite, será careado en presencia del juez con quienes depongan en su contra;

V. Se le recibirán los testigos y demás pruebas que ofrezca concediéndosele el tiempo que la ley estime necesario al efecto y auxiliándosele para obtener la comparecencia de las personas cuyo testimonio solicite siempre que se encuentren en el lugar del proceso;

VI. Será juzgado en audiencia pública por un juez o jurado de ciudadanos que sepan leer y escribir, vecinos del lugar y partido en que se cometiere el delito, siempre que éste pueda ser castigado con una pena mayor de un año de prisión. En todo caso serán juzgados por un jurado los delitos cometidos por medio de la prensa contra el orden público o la seguridad exterior o interior de la nación.

VII. Le serán facilitados todos los datos que solicite para su defensa y que consten en el proceso;

VIII. Será juzgado antes de cuatro meses si se tratare de delitos cuya pena máxima no exceda de dos años de prisión; y antes de un año si la pena excediere de ese tiempo, salvo que solicite mayor plazo para su defensa;

IX. Desde el inicio de su proceso será informado de los derechos que en su favor consigna esta Constitución y tendrá derecho a una defensa adecuada, por sí, por abogado, o por persona de su confianza. Si no quiere o no puede nombrar defensor, después de haber sido requerido para hacerlo, el juez le designará un defensor de oficio.

También tendrá derecho a que su defensor comparezca en todos los actos del proceso y éste tendrá obligación de hacerlo cuantas veces se le requiera; y

X. En ningún caso podrá prolongarse la prisión o detención, por falta de pago de honorarios de defensores o por cualquiera otra prestación de dinero, por causa de responsabilidad civil o algún otro motivo análogo.

Tampoco podrá prolongarse la prisión preventiva por más tiempo del que como máximo fije la ley al delito que motivare el proceso.

En toda pena de prisión que imponga una sentencia, se computará el tiempo de la detención.

Las garantías previstas en las fracciones I, V, VII y IX también serán observadas durante la averiguación previa, en los términos y con los requisitos y límites que las leyes establezcan; lo previsto en la fracción II no estará sujeto a condición alguna.

En todo proceso penal, la víctima o el ofendido por algún delito, tendrá derecho a recibir asesoría jurídica, a que se le satisfaga la reparación del daño cuando proceda, a coadyuvar con el Ministerio Público, a que se le preste atención médica de urgencia cuando la requiera y, los demás que señalen las leyes.

Todas y cada una de las diversas fracciones que integran este artículo constituyen otras tantas garantías otorgadas a los individuos acusados de algún delito. Fueron muchos y muy variados los debates que se libraron en el seno del Congreso Constituyente de Querétaro alrededor de este precepto, pues, en verdad, es de la máxima importancia como base y regulador del juicio penal.

Parte de estas fracciones existían en la Constitución de 1857; el resto constituyen una novedad.

I. Por reformas publicadas en el *Diario Oficial* de 14 de enero de 1985 resultó enmendada la fracción I de este artículo.

El nuevo texto usa la palabra caución en vez de fianza, a que se refería el derogado, pero fundamentalmente la innovación consiste en el modo de fijar su monto que en la actualidad no es hasta una determinada cantidad –hasta doscientos cincuenta mil pesos decía antes de la reforma– sino que se precisa en relación con el salario mínimo del lugar donde fue cometido el delito. Se prevén varias posibilidades:

1a. La regla es que no excederá de la cantidad equivalente al salario mínimo general computado durante dos años.

2a. Sin embargo, cuando se trate de delitos estimados por el juzgador especialmente graves, la caución puede aumentar hasta el equivalente a cuatro años del salario mínimo. También podrá alcanzar hasta esa suma si toma en consideración circunstancias particulares de la víctima o del supuesto autor del delito, siempre y cuando el juez emita una resolución fundada.

3a. En el caso de delitos intencionales –o sea, queridos conscientemente por su autor– y cuando representen para él un beneficio económico o causen a la víctima un perjuicio en su patrimonio, la caución será por lo menos tres veces mayor al beneficio obtenido o a los daños ocasionados. Es decir, en este supuesto el criterio para señalar la garantía es diferente, ya que se refiere a un mínimo y no a un máximo.

4a. Si el delito es preterintencional el juzgador buscará que con la caución sólo queden garantizados los daños y perjuicios ocasionados. Llámase delito preterintencional por la doctrina a aquel en el cual su autor tuvo el propósito de provocar un daño, pero menor y diferente al que realmente causó, o sea, resultó ser de mayor gravedad al querido.

5a. Cuando el delito es imprudencial –el causado sin intención de dañar– se aplica la misma regla que en el punto anterior.

II. Durante largo tiempo fue costumbre la de forzar e incluso atormentar a los acusados con el fin de obtener su confesión, que se consideraba la "reina de las pruebas". También se prohibía que el detenido se comunicara con sus familiares o abogados para obtener una declaración que le fuera perjudicial.

Contra lo anterior se alza nuestra Constitución: ahora todo delincuente tiene derecho a no declarar, si ello le perjudica, y puede hablar libremente con sus defensores o comunicarse con éstos por cualquier medio. La confesión ha dejado de ser la reina de las pruebas para pasar a ocupar un lugar secundario; las pruebas de convicción, especialmente las técnicas –por ejemplo, la pericial– son las que decidirán al juez en mayor grado a declarar si el sujeto es o no culpable.

III. Asimismo, el acusado tiene derecho, en un término perentorio, o sea, dentro de las cuarenta y ocho horas siguientes a su consignación ante el juez, a saber quién lo acusa, de qué lo acusa, con qué fundamento lo hace y cuáles son los hechos en que se apoya. Todo esto se exige con el fin de que el detenido esté en posibilidad de rendir la llamada declaración preparatoria, en la cual puede rebatir los cargos que se le hacen y rechazar los hechos que se le imputan.

IV. Del mismo modo, es un derecho del acusado estar presente cuando declaren los testigos en su contra, e incluso tiene la oportunidad de hacerles cuantas preguntas quiera con el fin de defenderse; además, es una obligación exigida por este precepto la de celebrar careos, o sea, el verse "cara a cara" acusado y testigos, para que aquél tenga la posibilidad de interrogar a éstos y el juez pueda encontrar la verdad.

V. Es una garantía constitucional la de recibir del acusado cuantos testigos quiera presentar, así como auxiliarlo para que declaren los que ofrezca y se encuentren en el lugar del proceso, todo a fin de que pueda defenderse del mejor modo posible.

VI. En esta fracción se dispone que el acusado deberá ser juzgado, ya sea por un jurado popular, integrado por ciudadanos que sepan leer y escribir y sean vecinos del lugar, o bien, por un juez. Nuestras leyes señalan los casos que corresponden a una autoridad o a otra.

La institución del jurado ha caído en desuso en algunos países, especialmente en México, pero la Constitución todavía la conserva para ciertos delitos que expresamente señala, con el deseo de que sean miembros del pueblo y no profesionales quienes decidan sobre la suerte de los sometidos a juicio. En la parte final de esta fracción se dispone que los llamados delitos de prensa y los que atentan contra el orden público o la seguridad exterior o interior de la nación deberán ser siempre juzgados por un jurado popular.

VII. En este párrafo nuestra máxima ley otorga a los acusados el derecho a conocer cuantos datos existan en el proceso, con el fin de que puedan preparar mejor su defensa.

VIII. En épocas anteriores a la vigencia de la Constitución, los procesos podían durar meses y años, sin que se dictara sentencia alguna. En ocasiones, después de un largo periodo, se absolvía a los acusados o se les condenaba a penas de prisión, notoriamente inferiores al tiempo que habían pasado recluidos en espera de una resolución.

Otra de las garantías que otorga la Carta de 1917 al procesado es el derecho a que se le juzgue antes de cuatro meses, si la sanción máxima del delito del cual se le hace responsable no excede a dos años de prisión, y si la pena fuere superior, se deberá emitir sentencia antes de un año. Así, todos los enjuiciados tienen la seguridad de ser absueltos o condenados en un término razonable y no permanecer indefinidamente en prisión hasta que la voluntad o el capricho del juzgador lo decida.

IX. En la primera parte de esta fracción se garantiza a los acusados su defensa, ya que pueden hacerse oír por sí o por personas de su confianza. Reitera el mandato del artículo 17 en el sentido de que la justicia es gratuita, cuando condena que los defensores de oficio deben actuar sin costo alguno para los procesados.

La segunda constituye una novedad introducida por la Constitución, vigente, pues con el objeto de otorgar las máximas garantías al acusado, establece que cuando éste no quiera nombrar defensor, aún contra su voluntad, el juez designará uno de oficio, cuyo deber consiste en proteger a su defenso en la forma más completa posible.

El párrafo final dispone que desde el instante mismo en que el acusado sea aprehendido tiene derecho a nombrar defensor y a que éste se halle presente en todas las actuaciones del proceso.

X. El espíritu del inciso X se encuentra en la Carta de 1857, la cual prohibió, como lo hace la actual, que los acusados continuasen privados de su libertad, a pesar de tener derecho para gozarla, por falta de pago de honorarios a los defensores o por causa de responsabilidad civil o algún motivo parecido.

El segundo párrafo es original de la Constitución vigente y complementa la norma contenida en la fracción VIII de este artículo, pues prohíbe, de modo terminante, que se prolongue la prisión preventiva por un tiempo mayor al que como pena máxima se haya establecido para el delito que dio origen al proceso.

Por último, esta norma precisa la diferencia entre prisión preventiva y la que se sufre en cumplimiento de una sentencia, y ordena que el tiempo pasado en prisión preventiva se deduzca del establecido como pena.

*Reforma de 1996**

La institución penal más reformada entre todas las que figuran en la parte dogmática (derechos públicos subjetivos o garantías individuales) de la Constitución mexicana, es la relativa a la libertad provisional bajo caución. Desde 1917 hasta 1997 han regido cinco textos diferentes a este respecto. El penúltimo de ellos provino de la reforma de 1993, muy poco afortunada en este punto; el último, que se halla en vigor, resultó de la reforma de 1996. El frecuente movimiento en este asunto probablemente obedece a la extrema dificultad para conciliar los intereses que entran en conflicto con motivo del proceso penal, y específicamente a propósito de la prisión preventiva y la libertad cautelar: intereses del ofendido, la sociedad y el inculpado.

La reforma a la fracción I del artículo 20, que se comenta en esta nota, fue planteada ante la Cámara de Senadores el 18 de marzo de 1996. Se dictaminó el 1 de abril, conjuntamente con las iniciativas de reforma a los artículos 16, 21, 22 y 73.

Esta reforma corrige los errores consumados en 1993. Uno de sus mayores aciertos es atribuir al juzgador la facultad de resolver sobre la pertinencia de otorgar la libertad provisional, con la única limitación de los llamados delitos graves: en esta hipótesis, el tribunal no puede excarcelar al inculpado. De tal suerte se inicia un sistema de "juicio judicial" sobre esta materia, que releva parcialmente el régimen de "prejuicio legal" que había prevalecido. El juzgador que resuelve sobre el fondo de la controversia, es

* Comentario del doctor SERGIO GARCÍA RAMÍREZ.

decir, dicta sentencia absolutoria o condenatoria, también puede resolver sobre un importante punto cautelar o precautorio, que no afecta la decisión de fondo: la libertad provisional o la custodia del inculpado.

Ahora bien, el juzgador no puede negar oficiosamente la libertad solicitada, a menos que se trate de delito grave. Este concepto se desarrolla en la ley secundaria a través de listas de tipos penales; los ordenamientos más modernos del país, como son los códigos de procedimientos penales de Morelos (1996) y Tabasco (1997), prescinden de este deficiente método y caracterizan los delitos graves conforme a la naturaleza misma de las infracciones y de las sanciones aplicables.

Para que proceda la negativa de libertad provisional, es preciso que el Ministerio Público solicite aquélla ante el tribunal competente; así, el órgano de la acusación asume plenamente su responsabilidad como representante social. Para fundar el pedimento adverso a la libertad, el Ministerio Público debe probar que el inculpado ha sido condenado anteriormente por delito grave, o que la liberación requerida apareja riesgo para el ofendido o la sociedad, tomando en cuenta la conducta precedente y las circunstancias y características del delito cometido. Como se ve, en esta fórmula se ha procurado conciliar el derecho a la libertad del inculpado (que sólo está sujeto a juicio; aún no existe sentencia que acredite su responsabilidad penal) con los intereses del ofendido y la sociedad. Esta disposición muestra, en esencia, la creciente preocupación por tutelar los derechos del ofendido, que había permanecido como personaje secundario en el procedimiento penal. Conviene mencionar que la defensa de los derechos del ofendido ha mejorado en los ordenamientos más recientes –los citados códigos de Morelos y Tabasco–, que ya no conciben la reparación de daños y perjuicios como pena pública, sino como consecuencia civil del hecho ilícito, y por ende permiten que el ofendido reclame directamente ante el tribunal dicha reparación, y también ordenan que en el caso de que no lo haga, el Ministerio Público intervendrá subsidiariamente.

También acierta la reforma de 1996 al disponer que para fijar la forma y el monto de la caución el juez tomará en cuenta la naturaleza, modalidades y circunstancias del delito, las características del inculpado, la posibilidad de cumplimiento por éste de las obligaciones procesales a su cargo, los daños y perjuicios causados al ofendido y la sanción pecuniaria que pudiera determinarse. El texto de 1993 se limitó a mencionar la reparación del daño y el pago de la multa. Por ende, olvidó que el objetivo primordial de la garantía que se fija al inculpado es asegurar la buena marcha del proceso; ignoró la noción del perjuicio –incorporada por la reforma de 1984– y no contuvo alusión alguna a la naturaleza del delito y a las circunstancias del inculpado.

En 1996 se resolvió también el galimatías creado en 1993 en el penúltimo párrafo del artículo 20. Esta norma extiende al indiciado (es decir, al individuo en contra del cual se desarrolla una averiguación previa por parte del Ministerio Público, y no sólo a quien ya ha sido consignado ante un juez penal, conforme a la posibilidad que abrió una progresista reforma de 1971 al Código de Procedimientos Penales del Distrito Federal) diversas garantías aplicables al procesado. Al hacerlo, el texto anterior señaló que las garantías contenidas en las fracciones I y II del artículo 20 no estarían sujetas a condición alguna. Esto es comprensible y admisible, en el caso de la fracción II, que prohíbe la tortura, pero no lo es en el caso de la fracción I, porque la libertad provisional se halla necesariamente sujeta a condiciones: que no se trate de delito grave, que se otorgue una caución, que el inculpado cumpla determinadas obligaciones procesales, etcétera. En fin, el vigente penúltimo párrafo del artículo 20 alude únicamente a la incondicionalidad de la garantía contenida en la fracción II.

ARTÍCULO 21. La imposición de las penas es propia y exclusiva de la autoridad judicial. La investigación y persecución de los delitos incumbe al Ministerio Público, el cual se auxiliará con una policía que estará bajo su autoridad y mando inmediato. Compete a la autoridad administrativa la aplicación de sanciones por las infracciones de los reglamentos gubernativos y de policía, las que únicamente consistirán en multa o arresto hasta por treinta y seis horas; pero si el infractor no pagare la multa que se le hubiese impuesto, se permutará ésta por el arresto correspondiente, que no excederá en ningún caso de treinta y seis horas.

Si el infractor fuese jornalero, obrero o trabajador, no podrá ser sancionado con multa mayor del importe de su jornal o salario de un día.

Tratándose de trabajadores no asalariados, la multa no excederá del equivalente a un día de su ingreso.

Las resoluciones del Ministerio Público sobre el no ejercicio y desistimiento de la acción penal, podrán ser impugnadas por vía jurisdiccional en los términos que establezca la ley.

La seguridad pública es una función a cargo de la Federación, el Distrito Federal, los Estados y los Municipios, en las respectivas competencias que esta Constitución señala.

La actuación de las instituciones policiales se regirá por los principios de legalidad, eficiencia, profesionalismo y honradez.

La Federación, el Distrito Federal, los Estados y los Municipios se coordinarán, en los términos que la ley señale, para establecer un sistema nacional de seguridad pública.

El párrafo inicial de este artículo podemos dividirlo en tres partes: la primera, se refiere a la exclusiva facultad judicial para imponer penas; la segunda, regula las funciones del Ministerio Público, y la tercera, señala la competencia de las autoridades administrativas en materia de sanciones.

I. Se establece que la imposición de las penas es propia y exclusiva de la autoridad judicial. Tal precepto proviene, casi sin modificaciones, de la Constitución de 1857, la cual otorgó a los jueces la facultad de imponer penas por los delitos previamente reconocidos como tales por la ley. En esta forma quedó prohibido que autoridades distintas a la judicial pudieran hacerlo.

II. De modo exacto define las atribuciones del Ministerio Público, institución cuyos orígenes se encuentran en Francia y España, pero que en México adquirió caracteres propios. En efecto, una de las aportaciones del Constituyente de 1917, al mundo jurídico, fue la especial estructura que dio a tal organismo.

Hasta antes de 1910, los jueces tenían la facultad no sólo de imponer las penas previstas para los delitos, sino de investigar éstos. Así, el juez de instrucción también realizaba funciones de jefe de la policía judicial, pues intervenía directamente en la investigación de los hechos delictuosos.

En esa época se podían presentar las denuncias directamente al juez, quien estaba facultado para actuar de inmediato, sin que el Ministerio Público le hiciera petición alguna. En tales condiciones aquél ejercía un poder casi limitado, ya que tenía en sus manos la facultad de investigar y acumular pruebas, y de procesar y juzgar a los acusados.

Contra este injusto sistema se alzó entre todas las voces la de Venustiano Carranza, el cual, consciente de la trascendencia de la novedad que proponía, asentó en la exposición de motivos del proyecto que presentó a la asamblea, las siguientes palabras: "...Pero la reforma no se detiene allí, sino que propone una innovación que de seguro revolucionará completamente el sistema procesal que durante tanto tiempo ha regido en el país, no obstante todas sus imperfecciones y deficiencias. Las leyes vigentes, tanto en el orden federal como en el común, han adoptado la institución del Ministerio Público, pero tal adopción ha sido nominal, porque la función asignada a los representantes de aquél tiene un carácter decorativo para la recta y pronta administración de justicia. Los jueces mexicanos han sido, durante el periodo corrido desde la consumación de la Independencia hasta hoy, iguales a los jueces de la época colonial: ellos son los encargados de averiguar los delitos y buscar las pruebas, a cuyo efecto siempre se han considerado autorizados a emprender verdaderos asaltos contra los reos, para obligarlos a confesar, lo que, sin duda alguna, desnaturaliza las funciones de la judicatura. La sociedad entera recuerda horrorizada los atentados cometidos por jueces que, ansiosos de renombre, veían con positiva fruición que llegase a sus manos un proceso que les permitiera desplegar un sistema completo de opresión, en muchos casos contra personas inocentes, y en otros contra la tranquilidad y el honor de las familias, no respetando, en sus inquisiciones, ni las barreras mismas que terminantemente establecía la ley. La misma organización del Ministerio Público, a la vez que evitará ese sistema procesal tan vicioso, restituyendo a los jueces toda la dignidad y toda la respetabilidad de la magistratura, dará al Ministerio Público toda la importancia que le corresponde, dejando exclusivamente a su cargo la persecución de los delitos, la busca de los elementos de convicción, que ya no se hará por procedimientos atentatorios y reprobados, y la aprehensión de los delincuentes. Por otra parte, el Ministerio Público, con la policía judicial represiva a su disposición, quitará a los presidentes municipales y a la policía común, la posibilidad que hasta hoy han tenido de aprehender a cuantas personas juzgan sospechosas, sin más mérito que su criterio particular. Con la institución del Ministerio Público, tal como se propone, la libertad individual quedará asegurada; porque según el artículo 16, nadie podrá ser detenido sino por orden de la autoridad judicial, la que no podrá expedirse sino en los términos y con los requisitos que el mismo artículo exige."

Fue así como cambió radicalmente el sistema que hasta entonces había imperado: en adelante el titular de la función investigadora sería el Ministerio Público. De este modo, cuando el Ministerio Público tenga conocimiento de un hecho que probablemente pueda constituir un delito, le corresponde llevar a cabo la investigación y si procede, ejercer la acción penal ante el juez competente.

III. Por último, se indica con precisión que la autoridad administrativa sólo puede sancionar las infracciones a los reglamentos de policía y buen gobierno.

Por reformas publicadas en el *Diario Oficial* el 3 de febrero de 1983 se consagró un principio de justicia igualitaria. En efecto, anteriormente las infracciones a los reglamentos gubernativos y de policía se sancionaban con multa o arresto hasta por 36 horas, pero cuando el infractor no pagaba la multa –generalmente por falta de recursos– se le permutaba por arresto que no podía exceder a 15 días. Como sólo los más pobres llegaban a sufrir hasta 15 días de cárcel por no pagar la multa, y esto en sí no era justo, el Constituyente Permanente redujo el tiempo del arresto a un máximo de 36 horas.

Asimismo, y también en atención a las realidades de nuestro pueblo e inspirado en principios de justicia igualitaria, se estableció que las multas impuestas a trabajadores no excederán de un día de jornal y cuando se trate de no asalariados no será mayor de la cantidad que perciban en promedio por un día de labor.

Todo lo anterior está inspirado en un recto sentido de justicia que obliga a no tratar igual a los que realmente, por su condición social, económica y cultural, no lo son.

Vale decir, sin temor a exagerar, que uno de los preceptos que transformaron radicalmente el antiguo y vicioso sistema judicial del régimen anterior, fue precisamente éste.

*Reforma de 1994**

El artículo 21, que había sido reformado en 1982 por lo que toca al régimen de faltas, lo fue nuevamente en 1994, en lo que atañe al ejercicio de la acción penal y al sistema de seguridad pública. Se promulgó la reforma el 30 de noviembre de 1994 y fue publicada el 31 de diciembre. Forma parte de un cambio muy extenso en preceptos constitucionales relativos al Poder Judicial y, en general, a la procuración y administración de justicia, que se tramitó en un brevísimo plazo al final de aquel año. Se trata, sin duda, de la más profunda reforma en este orden de cosas, y por ello hubiera sido conveniente, en concepto de muchos, ampliar el conocimiento y el debate de los proyectos.

Hoy la reforma de 1994, controvertible y controvertida, está en la fase de reglamentación secundaria: se ha expedido una Ley Reglamentaria de las fracciones I y II del artículo 105 constitucional y se cuenta, asimismo, con una nueva Ley Orgánica del Poder Judicial de la Federación. Ya se anuncian novedades legislativas en materia de amparo, persecución de la delincuencia organizada y seguridad pública.

La primera parte de la reforma de 1994 al artículo 21 se localiza en el párrafo cuarto de este precepto. Tiene que ver con un tema central del enjuiciamiento penal: el ejercicio de la acción persecutoria. Recordemos que desde 1917 se ha estipulado –y la expresión persiste– que corresponde al Ministerio Público y a la policía judicial, ésta en calidad de auxiliar de aquél, la persecución de los delitos, mientras que corresponde al juzgador la imposición de las penas. Ahora bien, para que el tribunal despliegue su jurisdicción sobre un hecho supuestamente delictivo y en relación con el probable

*Comentario del doctor SERGIO GARCÍA RAMÍREZ.

responsable –dicen los artículos 16 y 19 de la Constitución– de ese hecho, es preciso que el Ministerio Público, actor público, ejercite la acción penal. En este dato, principalmente, reside el carácter acusatorio –o mixto, sostienen algunos analistas– del proceso penal mexicano. En consecuencia, el juzgador no puede abrir el proceso de oficio.

Los intérpretes del artículo 21, desde 1917 hasta los últimos días, han considerado que la letra del precepto confiere al Ministerio Público el ejercicio de la acción, en exclusiva, sin intervención de otras autoridades ni del ofendido por el delito. Esta interpretación –no unánime– se trasladó a la ley, se recogió en la jurisprudencia y predominó en la doctrina. Fue así que prosperó el llamado "monopolio" del Ministerio Público en el ejercicio de la acción, suprimido en la reforma constitucional de 1994.

Conviene observar cuáles han sido los elementos constitutivos del "monopolio". En primer término, éste supone la potestad exclusiva y excluyente del Ministerio Público para investigar los delitos que son denunciados o por los que se presenta querella (u otra expresión de voluntad persecutoria), con el propósito de preparar, en su caso, el ejercicio de la acción. A esto se contrae la denominada averiguación previa penal, que es una etapa administrativa (instrucción administrativa) del procedimiento penal mexicano.

En segundo término, el "monopolio" apareja la potestad del propio Ministerio Público, también exclusiva y excluyente, de valorar al cabo la averiguación previa si se hallan satisfechas las condiciones de fondo para el ejercicio de la acción, es decir, los elementos que requiere, en la especie, el tipo penal (antes de la reforma de 1993, inadecuada en este punto, el cuerpo del delito) y los datos conducentes a establecer la probable responsabilidad del indiciado. Sobre esta base, el Ministerio Público podría resolver, con autonomía de decisión, pero subordinación a la ley (principio de legalidad), si procedía el ejercicio de la acción o había lugar al no ejercicio, que determinaba al "archivo" de las actuaciones, una forma de "sobreseimiento" administrativo con efectos generalmente definitivos.

Por último, el "monopolio" aparejaba la excluyente y exclusiva facultad del Ministerio Público para sostener la acción en el proceso, como acusador oficial, desde la incoación de éste hasta su conclusión natural en la sentencia. El ofendido puede intervenir a título de coadyuvante (concepto que en materia penal tiene alcance diferente del que posee en materia civil), para reclamar el resarcimiento de los daños patrimoniales y morales que el delito le causó.

El segundo elemento mencionado provocó frecuentes debates. En los términos del "monopolio", las decisiones del Ministerio Público sobre no ejercicio de la acción se hallaban sujetas, exclusivamente, a un régimen de control interno: los órganos superiores de la procuración de justicia penal resolvían, sin otra instancia, acerca de las "ponencias" de no ejercicio presentadas por los inferiores. La jurisprudencia de la Suprema Corte de Justicia de la Nación entendió que el ofendido no podía impugnar la negativa de ejercicio de la acción en la vía de amparo, porque esa negativa no quebrantaba ningún interés jurídico de la víctima, en cuanto ésta carecía del *jus puniendi* o facultad de exigir el castigo.

En la reforma de 1994, cambió profundamente el sistema que hasta aquí he descrito. En efecto, el Constituyente Permanente estableció (al cabo de las modificaciones practicadas en el Senado con respecto a la iniciativa presidencial) que "las resoluciones del Ministerio Público sobre el no ejercicio y desistimiento de la acción penal, podrán ser impugnadas por vía jurisdiccional en los términos que establezca la ley".

En los documentos preparatorios de la reforma se manifiesta que el nuevo giro obedece a la necesidad de prevenir actos de corrupción del Ministerio Público, que desemboquen en la impunidad de los delincuentes. Es obvio que la corrupción y la impunidad se previenen mejor con la buena selección y supervisión de quienes tienen a su cargo el ejercicio de esta delicada misión persecutoria. En todo caso, ha desaparecido el segundo elemento del "monopolio" que antes mencioné, a saber, la facultad del Ministerio Público para resolver con autonomía si se han satisfecho, conforme a la ley, las condiciones determinantes del ejercicio de la acción.

No indica la reforma cuál es la vía jurisdiccional pertinente en estos casos, para fines de control, ni manifiesta quién está legitimado para impugnar el no ejercicio de la acción o el desistimiento de ésta, ni aclara qué efectos tiene la resolución que dicte, finalmente, el juzgador. Por ello, queda a los Poderes Legislativos de la Unión y de los Estados, así como a la Asamblea de Representantes del Distrito Federal, en sus propios ámbitos de competencia, decidir todas estas cuestiones. Es posible, pues, que sobrevenga la heterogeneidad en la regulación secundaria de la materia.

Por lo demás, no deja de inquietar que la Constitución haya "revivido" la vieja institución del desistimiento, que comenzó a desaparecer de la legislación mexicana por medio de las reformas penales y procesales de 1983, las más relevantes que se han hecho desde 1931, porque modificaron la orientación misma de la ley penal sustantiva y adjetiva. Queda también al legislador secundario decidir las equivalencias del desistimiento: ¿abarca la promoción del sobreseimiento por parte del Ministerio Público?, ¿incluyen las conclusiones no acusatorias?

En los nuevos párrafos quinto y sexto del artículo 21 se aborda un tema que hoy preocupa intensamente: la seguridad pública. Es un hecho que las condiciones de inseguridad se han agravado últimamente. Así lo reconoce el gobierno, y así se indica en los documentos preparatorios de la reforma de 1994, que ponderan la necesidad de concertar las acciones de los diversos niveles o planos del Estado –Federación, entidades federativas y municipios– para atender este asunto completo y apremiante.

La seguridad pública puede ser examinada desde una doble perspectiva. La primera, importante sin duda, pero también superficial, se limita al enfoque policial; corresponde pues, al mismo criterio que contempla la seguridad nacional como un tema militar. La segunda, en cambio, aporta una visión integral de la seguridad pública: comprende que no se trata apenas de un problema con eficacia y probidad en el quehacer de la policía, sino se haya también influido, determinado inclusive, por una serie de datos que exceden ampliamente al quehacer de las fuerzas del orden: económicos, políticos, sociales, culturales. La reforma del artículo 21 parece inclinarse, más bien, hacia la primera de ambas perspectivas.

El primer punto que debió resolver el reformador constitucional fue el relativo a los poderes de cada nivel o plano de gobierno en materia de seguridad. Por ello reconoce que la seguridad pública es una función distribuida entre todos ellos, conforme al ámbito de sus respectivas competencias. Esto fija el deber de las autoridades e implica el derecho de los gobernados: un derecho a la seguridad pública, que apareció en la primera etapa del proceso reformador de la Constitución y se diluyó más tarde. En todo caso, se halla implícitamente en el nuevo texto y resulta, asimismo, del encuadramiento de éste entre los preceptos que contienen las garantías individuales.

El compromiso de la reforma con el concepto policial de la seguridad pública, la lleva a incorporar en el mismo quinto párrafo del artículo 21, en punto y seguido, una referencia sobre los principios que debieran normar la actividad de las instituciones policiales: legalidad, eficiencia, profesionalismo y honradez. Se recoge una práctica reciente, favorable al enunciado de "principios" rectores de ciertas funciones o de determinadas regulaciones. Así se hizo, por ejemplo, en lo que atañe a la carrera judicial y al Consejo de la Judicatura, temas de la misma reforma de 1994, y así se hace en cuanto a la policía. Vale observar que la Constitución no discrimina entre las instituciones (y funciones) policiales existentes. Por ello se debe concluir que el nuevo precepto abarca tanto a las agrupadas bajo el concepto de prevención, como a las comprendidas bajo el de investigación de los delitos.

Finalmente, la reforma constitucional establece, al través del nuevo párrafo quinto, otras dos cuestiones importantes. Se propone erigir "un sistema nacional de seguridad pública" (cuyo notable precedente, de mayor alcance, se halla en el "sistema nacional de procuración de justicia", incluido en la Ley Orgánica de la Procuraduría General de la República de 1983, por reformas de 1987), que considera la necesaria coordinación entre las autoridades federales, estatales, municipales y del Distrito Federal; y se dispone que esa coordinación quede regulada por una ley.

Por cuanto se trata de una ley que regirá sobre órganos y actividades de todos los planos del Estado mexicano, aquélla deberá ser un ordenamiento expedido por el Congreso de la Unión. Así lo reconoce el texto de la fracción XXIII del artículo 73 constitucional, aportado por la reforma de 1994. Éste añade a las atribuciones federales la nueva facultad de legislar sobre la coordinación nacional en el ámbito de la seguridad pública, por una parte, y detalla, por la otra, una facultad que ya pertenecía al citado Congreso, esto es, expedir leyes "para la organización y funcionamiento, el ingreso, selección, promoción y reconocimiento de los integrantes de las instituciones de seguridad pública en el ámbito federal".

La reforma de 1994 ofrece una ventaja notoria sobre la de 1993 cuando somete la coordinación de las autoridades y la construcción del "sistema de seguridad pública" a estipulaciones legales. La modificación de 1993 al artículo 119 constitucional, en cambio, confió todo el régimen de extradición interna –que estuvo sujeto a una ley reglamentaria de la Constitución– a convenios entre autoridades administrativas. Esto menoscabó severamente el principio de legalidad en una materia tan delicada como la extradición interna, en la que se afectan algunos valores fundamentales de la persona, que son la libertad y la seguridad.

*Reforma de 1996**

Para conocer el marco de la reforma de 1996 al artículo 21 constitucional, me remito a lo expresado en el comentario al artículo 16 de esta edición. Las modificaciones al 21 fueron puramente terminológicas y absolutamente innecesarias. En efecto, el texto anterior mencionaba que la persecución de los delitos correspondía al Ministerio Público y la Policía Judicial, que se hallaría bajo la autoridad y mando inmediato de éste. En la actualidad no se alude solamente a la persecución, sino también a la investigación de los delitos; sin embargo, es ampliamente sabido –y no hubo duda alguna en la legislación, la jurisprudencia y la doctrina– que aquélla abarca a ésta: la investigación es la primera fase de la persecución. Por otra parte, se retiró la calificación de "judicial" a la policía dependiente del Ministerio Público, aduciendo que dicha policía no depende del Poder Judicial, sino de aquel órgano administrativo, y que designarla como "judicial" fue apenas una supervivencia inerte de antiguas instituciones procesales, que debió superar en su momento el Constituyente de 1917. Estos argumentos son discutibles, y en todo caso están lejos de justificar una reforma constitucional, cuya consecuencia comienza a ser la anarquía terminológica: hoy se han multiplicado las designaciones de la corporación auxiliar del Ministerio Público en

*Comentario del doctor SERGIO GARCÍA RAMÍREZ.

las entidades federativas: policía judicial, en la mayoría de los casos, o bien, policía ministerial (porque depende del Ministerio Público) o de investigaciones (por la función que realiza).

En documentos preparatorios de la reforma de nuestra ley suprema, se planteó una intención más ambiciosa: incrementar las sanciones aplicables a las faltas de policía y buen gobierno. Hoy día éstas se sancionan con arresto hasta por treinta y seis horas y multa. La duración del arresto deriva de una reforma de 1982; anteriormente se permitía que esta forma de privación de libertad se prolongara hasta quince días. La propuesta que mencioné al inicio de este párrafo postulaba el retorno a los arrestos hasta por quince días, e inclusive adelantaba la más conveniente posibilidad de extender esta reclusión hasta tres meses. Afortunadamente no prosperó ninguna de estas pretensiones.

ARTÍCULO 22. Quedan prohibidas las penas de mutilación y de infamia, la marca, los azotes, los palos, el tormento de cualquier especie, la multa excesiva, la confiscación de bienes y cualesquiera otras penas inusitadas y trascendentales.

No se considerará confiscación de bienes la aplicación total o parcial de los bienes de una persona hecha por la autoridad judicial, para el pago de la responsabilidad civil resultante de la comisión de un delito, o para el pago de impuestos o multas. Tampoco se considerará confiscación el decomiso que ordene la autoridad judicial, de los bienes, en caso del enriquecimiento ilícito, en los términos del artículo 109; ni el decomiso de los bienes propiedad del sentenciado, por delitos de los previstos como de delincuencia organizada, o el de aquéllos respecto de los cuales éste se conduzca como dueño, si no acredita la legítima procedencia de dichos bienes.

Queda también prohibida la pena de muerte por delitos políticos, y en cuanto a los demás, sólo podrá imponerse al traidor a la patria en guerra extranjera, al parricida, al homicida con alevosía, premeditación y ventaja, al incendiario, al plagiario, al salteador de caminos, al pirata y a los reos de delitos graves del orden militar.

El primer párrafo de este artículo se encontraba ya en las primeras constituciones de México, como consecuencia de un vivo deseo popular: el que se prohibiera la aplicación de penas tan graves e hirientes para la personalidad humana como la mutilación, o sea, la imputación o corte de algún miembro del cuerpo humano; las infamantes o humillantes que atacan el honor; las marcas hechas en el cuerpo del condenado, frecuentemente con hierro candente; los azotes, ejecutados con látigos por el verdugo; los palos y el tormento de cualquier especie; la multa excesiva, la confiscación de bienes o adjudicación de ellos en favor del Estado, procedimientos que lesionaban de modo fundamental el patrimonio del delincuente, y cualesquiera otras que se considerasen inusitadas o trascendentales, es decir, que no hubiese costumbre de utilizar o que fuesen más allá de la persona del delincuente, por ejemplo, que castigasen a su familia.

Hoy las principales constituciones del mundo –la de México entre ellas– prohíben terminantemente la aplicación de tal clase de sanciones o castigos.

Por reformas publicadas en el *Diario Oficial* el 28 de diciembre de 1982 se adicionó este artículo con su actual párrafo segundo, en el cual se establece que no será confiscación de bienes –pena prohibida por esta misma disposición–, la aplicación que se haga por orden judicial del patrimonio personal cuando:

I. El propietario haya incurrido en responsabilidad civil al cometer un delito, o sea, si como resultado de un delito alguien ha sido sentenciado por un juez a una reparación pecuniaria en favor de la víctima o de su familia.

II. Hubiere omitido pagar impuestos o multas, es decir, si dejó de cumplir obligaciones con el fisco o con autoridades administrativas.

III. Un servidor público incurra en delitos cuya consecuencia sea su enriquecimiento, ya sea por sí mismo o por intermedio de otra persona, por ejemplo, un familiar. Se trata de castigar al servidor público falto de honradez, que aprovechando el puesto que desempeña lucra con él y adquiere bienes cuya procedencia no puede explicar. (Véase comentario al artículo 109.)

En los tres casos y para proceder en contra de los bienes particulares y confiscarlos, es preciso que ese acto se funde en orden expedida precisamente por un juez competente y después de haber cumplido las formalidades del procedimiento.

Prohíbe, en el tercer párrafo –casi idéntico a un precepto de la Constitución de 1857– la aplicación de la pena de muerte para los perseguidos políticos, principio comúnmente aceptado por todas las constituciones liberales del mundo moderno, después de la Revolución francesa. Asimismo, se expresan, en forma limitativa, los casos en que puede aplicarse la pena capital. Son delitos especialmente graves y que en todas las épocas se han considerado como lesivos de los más importantes bienes sociales o individuales. En nuestro país, hoy en día, pocos estados de la Federación mantienen la pena de muerte.

*Reforma de 1996**

Las más recientes reformas al artículo 22 fueron publicadas el 3 de julio de 1996. Acerca del contexto de estas modificaciones constitucionales, véase el último comentario –hasta el principio de 1996– al artículo 16. Así, el cambio de aquel precepto se vinculó con el problema de la delincuencia organizada. El nuevo texto enfrenta este grave mal en uno de sus aspectos fundamentales: los recursos que atesoran, administran y aprovechan las organizaciones criminales. En realidad, la mayoría de los delitos cometidos de esta forma tienen un designio económico: proveen de inmensas ganancias a los autores y colaboradores. Pudieran escapar a esta regla algunas expresiones violentas de la delincuencia organizada, como el territorio.

Últimamente se ha visto que no basta con reducir los grupos criminales, llevar a juicio a los delincuentes, imponer sanciones severas, si se descuida la afectación de los rendimientos ilícitos. Éstos se manejan por múltiples conductos para asegurar su ingreso –ya "purificados"– en el torrente de la economía legítima. Así, la economía subterránea, informal, provee de recursos a la economía formal. Es indispensable, pues, que los gobiernos sancionen el denominado "lavado" o "blanqueo" de dinero. Han aparecido figuras penales, tanto en la legislación federal como en algunas locales, que recogen y castigan este género de actividades.

La reforma de 1996 al artículo 22 señala que no se considerará confiscación, y por lo tanto no caerá bajo la prohibición que contiene el primer párrafo de ese precepto, "el decomiso de los bienes propiedad del sentenciado, por delitos de los previstos como de delincuencia organizada, o el de aquéllos respecto de los cuales éste se conduzca como dueño, si no acredita la legítima procedencia de dichos bienes".

Esta expresión abarca, pues, tanto los bienes que sean de la propiedad del sentenciado por delincuencia organizada, como aquellos otros respecto de los cuales éste dispone o realiza operaciones que hacen suponer que realmente es su dueño, aun cuando aparezcan formalmente registrados bajo el dominio de otras personas. No se abarca solamente los bienes que pudieran ser producto u objeto del delito, sino todos los que figuran en el patrimonio de una persona. En tal caso, el sujeto –es decir, el sentenciado por delincuencia organizada– debe probar que obtuvo tales bienes lícitamente, o bien, que no son suyos los que parecen serlo, y en este último caso los verdaderos propietarios deberán demostrar su derecho sobre dichos bienes y la forma en que los adquirieron lícitamente.

Aun cuando es plausible la intención del legislador, la forma de concretarla resulta particularmente desafortunada. En efecto, contraría frontal-

*Comentario del doctor SERGIO GARCÍA RAMÍREZ.

mente uno de los principios fundamentales del sistema penal generalmente denominado democrático, esto es, el sistema que resulta de la evolución del Derecho penal liberal a lo largo de los últimos dos siglos. Ese principio sostiene que sólo se puede sancionar penalmente a una persona cuando se prueba que cometió un delito, y que esa prueba incriminadora corresponde precisamente al órgano del Estado que sostiene la acusación. En otros términos: es el Ministerio Público quien debe acreditar la responsabilidad penal del inculpado, como condición para que se le sancione –el decomiso es una pena prevista en el Código de la materia–, y no el inculpado quien ha de probar su inocencia para evitarse la aplicación de medidas punitivas.

En torno a este mismo asunto, se suele hablar de una presunción de inocencia: se presume que una persona es inocente hasta que se prueba que es culpable. En el presente caso, en cambio, se presume que es culpable –puesto que afronta una sanción penal, consecuencia natural de la responsabilidad delictuosa–, a menos que demuestre su inocencia; esto último sucede cuando el sujeto prueba la procedencia legítima de los bienes que tiene en propiedad o de los que aparentemente dispone.

ARTÍCULO 23. Ningún juicio criminal deberá tener más de tres instancias. Nadie puede ser juzgado dos veces por el mismo delito, ya sea que en el juicio se le absuelva o se le condene. Queda prohibida la práctica de absolver de la instancia.

La disposición contenida en la primera parte del artículo tiende a evitar que se prolonguen, indefinidamente, los juicios de carácter penal, prohibiendo que tengan más de tres instancias. En obediencia a esta norma, las leyes sólo prevén dos.

Se entiende por instancia la etapa o fase del juicio por la cual se llega a obtener la solución de la controversia mediante la sentencia, resolución que puede impugnarse ante otro órgano judicial superior, dando lugar a la segunda instancia, en la que la sentencia recurrida se puede confirmar, modificar o revocar.

En la última parte del artículo quedó plasmado otro de los objetivos que se propuso lograr el derecho penal liberal: prohibir que alguien pudiese ser juzgado dos veces por el mismo delito, sea que se le hubiere absuelto o condenado. Esta norma otorga seguridad jurídica a los procesados, pues una vez emitida la sentencia en un sentido o en otro, no podrá dar marcha atrás la justicia y comenzar nuevo juicio sobre los mismos hechos.

Como una consecuencia lógica de lo anterior, la Constitución deroga una costumbre que estuvo vigente en épocas pasadas: la de absolver de la instancia, esto es, la de dictar una sentencia absolutoria para el procesado, que permitía la posibilidad de iniciar nuevo juicio, si aparecían posteriormente más datos en su contra.

ARTÍCULO 24. Todo hombre es libre para profesar la creencia religiosa que más le agrade y para practicar las ceremonias, devociones o actos del culto respectivo, siempre que no constituyan un delito o falta penados por la ley.

El Congreso no puede dictar leyes que establezcan o prohíban religión alguna.

Los actos religiosos de culto público se celebrarán ordinariamente en los templos. Los que extraordinariamente se celebren fuera de éstos se sujetarán a la ley reglamentaria.

Acto personal e íntimo del hombre es el de profesar alguna creencia religiosa, como también lo es el no tener ninguna. La Constitución respeta la libertad de conciencia en ambas actitudes por igual y la protege al señalar que el Congreso no está facultado para dictar leyes estableciendo o prohibiendo religión alguna.[15]

La libertad de conciencia y la de cultos, en unión de la de pensamiento e imprenta –todas consagradas en la Constitución–, demuestran una actitud de máximo respeto a la dignidad de la persona, así como el reconocimiento de que sólo los hombres libres pueden ser dueños de su futuro y realizar con plena responsabilidad la propia vida y la de sus pueblos.

Sin embargo, y pese a que esta idea constituye hoy un elemental principio jurídico y político, la intolerancia religiosa fue durante siglos sostenida con firmeza por los estados, y quien se oponía a los dogmas de la religión, aceptada públicamente o dudaba de ellos, incurría en el delito de herejía.

En México, desde la Constitución de Apatzingán hasta 1857 se sostuvo en la religión católica como oficial, sin que se admitiera ninguna otra creencia.

La Asamblea Constituyente de 1857 rechazó el artículo 15 del proyecto, que establecía la tolerancia de cultos, aun cuando dejaba al Congreso Federal, por medio de leyes justas y sabias, el cuidado y protección de la religión católica, siempre que no se perjudicaran los intereses del pueblo ni la soberanía de México. Los diputados moderados y los conservadores se opusieron a que esta disposición fuera aprobada, afirmando, entre otros argumentos, que la unidad religiosa era necesaria para conservar la nacional,

[15] Véase comentario al artículo 130.

y pese a que los liberales defendieron apasionadamente la libertad de conciencia y la de cultos, el artículo fue rechazado.

El esfuerzo de los conservadores no pudo impedir que en la Constitución de 1857 se abandonara el principio que consagraba como oficial a la religión católica, ni tampoco que, algunos años después, se declarara en México la libertad de conciencia en las Leyes de Reforma, promulgadas por el presidente Juárez (12 de julio de 1859 y 4 de diciembre de 1860).

Desde entonces, incorporada primero a la Constitución de 1857, por reforma de 25 de septiembre de 1873 y posteriormente establecida en la Carta Magna de 1917, la libertad de conciencia y su pleno ejercicio son una realidad en México.

Con motivo de la profunda reforma de 1992 realizada para implantar un nuevo sistema jurídico en las relaciones Estado-Iglesias (véase el comentario general en el artículo 130) este artículo 24 fue alterado para hacerlo congruente con el sentido general de esa reforma.

En el primer párrafo se suprimió la noción de que los actos del culto sólo podían efectuarse en los templos o en los domicilios particulares, dado que ahora ya se permiten actos extraordinarios de fe fuera de las iglesias o de las casas particulares, como hoy lo establece el nuevo tercer párrafo de este mismo artículo.

El párrafo segundo simplemente trasladó el mandato de que "El Congreso no puede dictar leyes que establezcan o prohíban religión alguna" de su ubicación original en el artículo 130, a su más lógico sitio dentro de este precepto 24.

Los actos religiosos extraordinarios fuera de los templos, deben sujetarse a ley reglamentaria –ya expedida– de asociaciones religiosas. Esta nueva autorización es consecuencia de reconocer la realidad existente en México, ya que en reiteradas veces, con motivo de las peregrinaciones y de las visitas del Papa a nuestro país, los actos de culto se efectuaban más allá de los templos.

ARTÍCULO 25. Corresponde al Estado la rectoría del desarrollo nacional para garantizar que éste sea integral, que fortalezca la soberanía de la nación y su régimen democrático y que, mediante el fomento del crecimiento económico y el empleo y una más justa distribución del ingreso y la riqueza, permita el pleno ejercicio de la libertad y la dignidad de los individuos, grupos y clases sociales, cuya seguridad protege esta Constitución.

El Estado planeará, conducirá, coordinará y orientará la actividad económica nacional, y llevará a cabo la regulación y fomento de las actividades que demande el interés general en el marco de libertades que otorga esta Constitución.

Al desarrollo económico nacional concurrirán, con responsabilidad social, el sector público, el sector social y el sector privado, sin menoscabo de otras formas de actividad económica que contribuyan al desarrollo de la nación.

El sector público tendrá a su cargo, de manera exclusiva, las áreas estratégicas que se señalan en el artículo 28, párrafo cuarto de la Constitución, manteniendo siempre el Gobierno Federal la propiedad y el control sobre los organismos que en su caso se establezcan.

Asimismo, podrá participar por sí o con los sectores social y privado, de acuerdo con la ley, para impulsar y organizar las áreas prioritarias del desarrollo.

Bajo criterios de equidad social y productividad se apoyará e impulsará a las empresas de los sectores social y privado de la economía, sujetándolos a las modalidades que dicte el interés público y al uso, en beneficio general, de los recursos productivos cuidando su conservación y el medio ambiente.

La ley establecerá los mecanismos que faciliten la organización y la expansión de la actividad económica del sector social; de los ejidos, organizaciones de trabajadores, cooperativas, comunidades, empresas que pertenezcan mayoritaria o exclusivamente a los trabajadores y, en general, de todas las formas de organización social para la producción, distribución y consumo de bienes y servicios socialmente necesarios.

La ley alentará y protegerá la actividad económica que realicen los particulares y proveerá las condiciones para que el desenvolvimiento del sector privado contribuya al desarrollo económico nacional, en los términos que establece esta Constitución.

En el Congreso Constituyente de 1857 prevaleció, en materia económica, el liberalismo clásico, esto es, la no intervención del Estado en el desarrollo económico y la protección constitucional a la propiedad privada, antes y sobre todo.

La Asamblea de 1917 fue más previsora y progresista y el documento de Querétaro, resultado –el más preciado– de una revolución auténtica, es decir, ese tipo de movimiento que no sólo sustituye hombres y no se agota en la lucha armada, sino que cancela injustas y arcaicas estructuras políticas y económicas e instituye otras nuevas. Así, por citar a lo más sobresaliente, la adopción verdaderamente revolucionaria de los artículos 27 y 123 en la Constitución de 1917, no sólo fue el reconocimiento a dos sectores fundamentales de la vida nacional (fuerzas latentes en el movimiento armado) y la dotación que a ellos se hizo de un esquema de garantías nuevas –ahora llamadas sociales–, sino también y además, una nueva estructuración económica de la sociedad. Con ello el Estado mexicano, abandonando la casi pasividad hasta entonces existente con respecto a obreros y campesinos, intervino y, nada menos que a nivel constitucional, para protegerlos y encauzarlos. En otras palabras, dos elementos fundamentales en la producción, distribución y consumo de bienes y servicios, el trabajador urbano y el del campo, fueron ya objeto de la atención –y ayuda– estatal. Así se abandonó el liberalismo clásico y se adoptó una participación activa del Estado en la vida económica del país.

No obstante que lo anterior constituye el gran logro del Constituyente del 17, la historia posterior de México ha señalado la ingente necesidad de que el Estado alcance una mayor participación en el desarrollo económico de la nación.[16] Para satisfacer este requerimiento, algunas reformas se consagraron en la Constitución. Sin embargo, las más de las veces, esa intervención estatal se hizo a través de leyes secundarias, reglamentarias de preceptos constitucionales como, por ejemplo, la Ley de Monopolios, la Ley sobre Atribuciones del Ejecutivo Federal en Materia Económica, etcétera. Estas normas secundarias surgieron a consecuencia de necesidades del momento, sin obedecer a un plan integral preconcebido y, en ocasiones, carecieron de un debido apoyo constitucional.

Había llegado la hora de hacer vigentes, dentro de la Constitución, un conjunto de principios económicos válidos tiempo ha. Era ocasión de legislar de modo coherente y realista, en materia económica.

Para cumplir tal propósito, se requería satisfacer y armonizar dos presupuestos igualmente importantes: respetar la decisión de los constituyentes del 17 que habían consagrado las bases para que surgiera un sistema de

[16] Por desarrollo económico se entiende el crecimiento de nuestra actividad productiva y, por lo tanto, la capacidad nacional para crear riqueza y distribuirla equitativamente entre la población.

economía mixta, por un lado, y dar curso a la necesidad contemporánea de otorgar una mayor participación al Estado en los fenómenos económicos, por el otro; pero no como totalizador o dictador de todos ellos, sino como conductor, planeador, coordinador y orientador de los diferentes –y a veces contrapuestos– intereses de los distintos sectores de la sociedad.

A consecuencia de todo lo anterior, atendiendo una realidad nacional, por reforma al artículo 25, publicada en el *Diario Oficial* de la Federación el 3 de febrero de 1983, se declaró al Estado rector del desarrollo nacional.

El propio artículo 25 establece las condiciones y metas del desarrollo nacional; fundamentalmente son:

a) Que sea integral, es decir, que se considere como un todo y, hasta donde sea posible, exhaustivo, completo, que se cubran todas las partes;

b) Que fortalezca a la soberanía de la nación y a su régimen democrático. Al crear y manejar una adecuada estructura económica se debe dar mayor autonomía –autosuficiencia– al país. Soberanía económica igual a soberanía política. Todo ello en beneficio del pueblo, de las mayorías, para así fortalecer la democracia, y

c) Que permita el pleno ejercicio de la libertad y la dignidad de los individuos, grupos y clases sociales. La rectoría del Estado jamás deberá ser atentatoria de las libertades individuales o sociales, cimientos inconmovibles de la Constitución. Por el contrario y dado que vivimos en un régimen de economía mixta, debe requerirse el concurso y participación de todos, como lo expresa el propio artículo 25, en sus párrafos subsecuentes.

Por primera vez, la Constitución habla y califica literalmente a los tres sectores que forman la comunidad mexicana: el público, el social y el privado. El primero y el tercero no requieren de aclaración alguna. En cuanto al social –que es un término totalmente novedoso establecido por la reforma que aquí se analiza– lo describe el párrafo séptimo al decir que son "...Los ejidos, organizaciones de trabajadores, cooperativas, comunidades, empresas que pertenezcan mayoritaria o exclusivamente a los trabajadores y, en general, de todas las formas de organización social para la protección, distribución y consumo de bienes y servicios socialmente necesarios."

El Estado es el rector del desarrollo nacional para lo cual debe conjuntar, promover y estimular, a los tres sectores señalados: el público, el social y el privado. Acción y concurso de todos, participación general, entiéndase bien.

El nuevo artículo distingue dos áreas de acción: las estratégicas, cuyo manejo sólo corresponde al sector público por las esenciales, propias y exclusivas del Estado, intransferibles a otros grupos y sectores, como las que señala el párrafo cuarto del artículo 28 constitucional (acuñación de moneda, correos, telégrafos, hidrocarburos, ferrocarriles, electricidad, energía nuclear, etcétera, y las otras que precisen las leyes que expida el Congreso), y las prioritarias que por su naturaleza las puede absorber el Estado o compartir con los otros dos sectores –el social y el privado– integrando y respetando así un aspecto del principio de la economía mixta.

Por último, ya no de manera participativa absoluta (área estratégica), o relativa (área prioritaria), el Estado "apoyará e impulsará" a las empresas del sector social y del privado, con equidad social y productiva, cuidando la debida utilización y conservación de los recursos y protegiendo el medio ambiente. Ya no se trata de la empresa estatal o del Estado actuando como socio, sino como impulsor de la actividad económica de los otros sectores y vigilante del aprovechamiento útil y racional de los recursos.

ARTÍCULO 26. El Estado organizará un sistema de planeación democrática del desarrollo nacional que imprima solidez, dinamismo, permanencia y equidad al crecimiento de la economía para la independencia y la democratización política, social y cultural de la nación.

Los fines del proyecto nacional contenidos en esta Constitución determinarán los objetivos de la planeación. La planeación será democrática. Mediante la participación de los diversos sectores sociales recogerá las aspiraciones y demandas de la sociedad para incorporarlos al plan y los programas de desarrollo. Habrá un plan nacional de desarrollo al que se sujetarán obligatoriamente los programas de la Administración Pública Federal.

La ley facultará al Ejecutivo para que establezca los procedimientos de participación y consulta popular en el sistema nacional de planeación democrática, y los criterios para la formulación, instrumentación, control y evaluación del plan y los programas de desarrollo. Asimismo, determinará los órganos responsables del proceso de planeación y las bases para que el Ejecutivo Federal coordine mediante convenios con los gobiernos de las entidades federativas e induzca y concierte con los particulares las acciones a realizar para su elaboración y ejecución.

En el sistema de planeación democrática, el Congreso de la Unión tendrá la intervención que señale la ley.

La rectoría de Estado que establece el artículo 25 (véase comentario), coloca al ente público como conductor y coordinador de la actividad económica nacional. Tan importante misión no habrá de cumplirla a su arbitrio indiscriminado, con omnipotencia y a su mero capricho o deseo. El absolutismo del Estado está excluido del sistema constitucional mexicano, entre otros motivos, porque sólo puede actuar cuando una norma –constitucional o secundaria– así lo autorice expresamente; porque está limitado por las garantías individuales y por los derechos concedidos a los grupos o sectores sociales, y porque existe una división de poderes que iguala y frena a las tres diferentes ramas del quehacer estatal. Con sólo estas tres condicionantes del poder público mexicano –sin mencionar otras– gozamos de un estado de derecho, vivimos en un estado constitucional.

Como el Estado mexicano no es totalitario en la política, tampoco puede serlo en economía. Así, la rectoría del Estado se ejerce para fortalecer "un régimen democrático" y permitir "el pleno ejercicio de la libertad y de la dignidad de los individuos, grupos y clases sociales..."

No obstante los enormes recursos humanos, naturales y materiales de que dispone el Estado, requiere el concurso de todos los sectores, porque ellos están interesados y capacitados en sus respectivos campos de acción. Son especialistas y pueden ser parte afectada. Su obligación es estar presentes.

Pero si la acción del Estado no debe ser irracional o sin fundamento legal, tampoco puede ser ocasional, fortuita o simplemente momentánea. Tendrá que ser previsora, general, ágil y permanente. No se trata de satisfacer la necesidad cotidiana o cumplir con el interés de un solo individuo, grupo o sector, sino de trazar un esquema general y a futuro. En breve, se requiere planear.

¿Planear cómo? Democráticamente "la planeación será democrática" ordena el artículo 26, párrafo segundo, o sea, "mediante la participación de los diversos sectores sociales". Existirá, por ende, la consulta popular. He aquí la enorme diferencia entre la dictadura y la democracia: la dictadura no escucha, la democracia no sólo oye, sino que consulta.

Se atendió el querer político de los mexicanos con la reforma política, que permitió un mayor pluripartidismo; ahora sigue –a partir de la reforma publicada en el *Diario Oficial de la Federación* el 3 de febrero de 1983–, el querer económico de los mexicanos, recogiendo "las aspiraciones y demandas de la sociedad para incorporarlas al plano y programa de desarrollo" al que se sujetarán obligatoriamente los programas de la administración pública federal (parte final, párrafo segundo. Artículo 26).

La planeación democrática, que por primera vez se instituye en la Constitución, no será resultado de un capricho gubernamental ni estará sujeta al libre arbitrio del Ejecutivo, sino que surgirá de las peticiones, reclamos y demandas que presenten los diversos sectores sociales, aunque su consideración y sistematización quedará a cargo del propio Ejecutivo. En resumen, el pueblo establecerá periódicamente su plan de desarrollo que formulará, de modo coherente, el Ejecutivo y al que se sujetarán, obligatoriamente, los programas de la administración pública federal.

El penúltimo párrafo del artículo 26 establece la necesidad de que una norma específica otorgue al Ejecutivo la facultad para llevar a cabo la planeación democrática. La prerrogativa constitucional para expedir las leyes sobre planeación nacional se atribuye expresamente, como exige nuestro sistema constitucional, al Congreso de la Unión (nueva fracción XXIX-D del artículo 73).

En cumplimiento a las dos disposiciones antes mencionadas, por decreto publicado en el *Diario Oficial* de 5 de enero de 1983, apareció la Ley de Planeación que a continuación se sintetiza:

a) Las disposiciones de esa ley son de orden público e interés social y tienen por objeto establecer las normas y principios básicos mediante los cuales se llevará a cabo la planeación nacional del desarrollo encauzado, en función de ésta, las actividades de la administración pública federal. Asimismo, señala las bases para la integración y funcionamiento del sistema nacional de planeación democrática, para que el Ejecutivo Federal coordine actividades de planeación con las entidades federativas; para promover y garantizar la participación democrática de los diversos grupos sociales, y para que las acciones de los particulares contribuyan a alcanzar los objetivos y prioridades del plan;

b) La planeación tenderá al fortalecimiento de la soberanía, la independencia y autodeterminación nacionales en lo político, económico y cultural; la preservación y perfeccionamiento del régimen democrático, republicano, federal y representativo; la igualdad de los derechos, y el respeto a las garantías individuales y sociales; el fortalecimiento del pacto federal y del municipio libre, y el equilibrio de los factores de la producción;

c) La planeación nacional del desarrollo se llevará a cabo mediante el sistema nacional de planeación democrática;

d) La planeación nacional del desarrollo se coordinará por la Secretaría de Hacienda y Crédito Público para la definición de las políticas financiera, fiscal y crediticia.

En la mencionada planeación participarán todos: las diferentes dependencias de la administración pública federal, dentro de sus respectivas competencias y constituyendo sectores, las entidades paraestatales y los diversos grupos sociales. Los diputados y senadores al Congreso de la Unión también dejarán oír su voz en los foros de consulta popular.

El ejecutivo podrá convenir con los gobiernos estatales su coordinación en el Plan Nacional de Desarrollo, satisfaciendo las formalidades que en cada paso proceda, y *e)* Es responsabilidad del Presidente de la República conducir la planeación nacional del desarrollo, aprobarla y mandarla publicar en el *Diario Oficial*. Ese plan no podrá exceder del periodo constitucional que corresponda a cada presidente, pero podrá ser cambiado y modificado durante la gestión de cada uno de ellos.

En resumen, se propone que pueblo y Gobierno (Federal y estatal) colaboren en un gran esfuerzo nacional para elaborar una estructura, un plan, que a ellos mismos se aplicará para su desarrollo. La democracia en marcha.

El último párrafo del artículo 26 expresa que en la planeación democrática el Congreso de la Unión tendrá la intervención que señale la ley. Al respecto, el artículo 5o. de la Ley de Planeación, arriba sintetizada, establece:

"El Presidente de la República remitirá el plan al Congreso de la Unión para su examen y opinión. En el ejercicio de sus atribuciones constitucionales y legales y en las diversas ocasiones previstas por esta ley, y el Poder Legislativo formulará, asimismo, las observaciones que estime pertinentes durante la ejecución, revisión y adecuaciones del propio plan."

ARTÍCULO 27. La propiedad de las tierras y aguas comprendidas dentro de los límites del territorio nacional, corresponde originariamente a la nación, la cual ha tenido y tiene el derecho de transmitir el dominio de ellas a los particulares constituyendo la propiedad privada.

Las expropiaciones sólo podrán hacerse por causa de utilidad pública y mediante indemnización.

La nación tendrá en todo tiempo el derecho de imponer a la propiedad privada las modalidades que dicte el interés público, así como el de regular, el beneficio social, el aprovechamiento de los elementos naturales susceptibles de apropiación, con objeto de hacer una distribución equitativa de la riqueza pública, cuidar de su conservación, lograr el desarrollo equilibrado del país y el mejoramiento de las condiciones de vida de la población rural y urbana. En consecuencia, se dictarán las medidas necesarias para ordenar los asentamientos humanos y establecer adecuadas provisiones, usos, reservas y destinos de tierras, aguas y bosques, a efecto de ejecutar obras públicas y de planear y regular la fundación, conservación, mejoramiento y crecimiento de los centros de población; para preservar y restaurar el equilibrio ecológico; para el fraccionamiento de los latifundios; para disponer, en los términos de la ley reglamentaria, la organización y explotación colectiva de los ejidos y comunidades; para el desarrollo de la pequeña propiedad rural; para el fomento de la agricultura, de la ganadería, de la silvicultura y de las demás actividades económicas en el medio rural, y para evitar la destrucción de los elementos naturales y los daños que la propiedad pueda sufrir en perjuicio de la sociedad.

Corresponde a la nación el dominio directo de todos los recursos naturales de la plataforma continental y los zócalos submarinos de las islas; de todos los minerales o sustancias que en vetas, mantos, masas o yacimientos, constituyan depósitos cuya naturaleza sea distinta de los componentes de los terrenos, tales como los minerales de los que se extraigan metales y metaloides utilizados en la industria; los yacimientos de piedras preciosas, de sal de gema y las salinas formadas directamente por las aguas marinas; los productos derivados de la descomposición de las rocas, cuando su explotación necesite trabajos subterráneos; los yacimientos minerales u orgánicos de materias susceptibles de ser utilizadas como fertilizantes; los combustibles minerales sólidos; el petróleo y todos los carburos de hidrógeno sólidos, líquidos o gaseosos; y el espacio situado sobre el territorio nacional, en la extensión y términos que fije el derecho internacional.

Son propiedad de la nación las aguas de los mares territoriales en la extensión y términos que fije el derecho internacional; las aguas marinas interiores; las de las lagunas y esteros que se comuniquen permanente o intermitentemente con el mar; las de los lagos interiores de formación natural que estén ligados directamente a corrientes constantes; las de los ríos y sus afluentes directos o indirectos, desde el punto del cauce en que se inicien las primeras aguas permanentes, intermitentes o torrenciales, hasta su desembocadura en el mar, lagos, lagunas o esteros de propiedad nacional; las de las corrientes constantes o intermitentes y sus afluentes directos o indirectos, cuando el cauce de aquéllas en toda su extensión o en parte de ellas, sirva de límite al territorio nacional o a dos entidades federativas, o cuando pase de una entidad federativa a otra o cruce la línea divisoria de la República; las de los lagos, lagunas o esteros cuyos vasos, zonas o riberas, estén cruzadas por líneas divisorias de dos o más entidades o entre la República y un país vecino; o cuando el límite de las riberas sirva de lindero entre dos entidades federativas o a la República con un país vecino; las de los manantiales que broten en las playas, zonas marítimas, cauces, vasos o riberas de los lagos, lagunas o esteros de propiedad nacional, y las que se extraigan de las minas; y los cauces, lechos o riberas de los lagos y corrientes interiores en la extensión que fije la ley. Las aguas del subsuelo pueden ser libremente alumbradas mediante obras artificiales y apropiarse por el dueño del terreno; pero cuando lo exija el interés público o se afecten otros aprovechamientos, el Ejecutivo Federal podrá reglamentar su extracción y utilización y aun establecer zonas vedadas, al igual que para las demás aguas de propiedad nacional. Cualesquiera otras aguas no incluidas en la enumeración anterior, se considerarán como parte integrante de la propiedad de los terrenos por los que corran o en los que se encuentren sus depósitos, pero si se localizaren en dos o más predios, el aprovechamiento de estas aguas se considerará de utilidad pública, y quedará sujeto a las disposiciones que dicten los Estados.

En los casos a que se refieren los dos párrafos anteriores, el dominio de la nación es inalienable e imprescriptible y la explotación, el uso o el aprovechamiento de los recursos de que se trata, por los particulares o por sociedades constituidas conforme a las leyes mexicanas, no podrá realizarse sino mediante concesiones otorgadas por el Ejecutivo Federal, de acuerdo con las reglas y condiciones que establezcan las leyes. Las normas legales relativas a obras o trabajos de explotación de los minerales y sustancias a que se refiere el párrafo cuarto, regularán la ejecución y comprobación de los que se efectúen o deban efectuarse a partir de su vigencia, independientemente de la fecha de otorgamiento de las concesiones, y su inobservancia dará lugar a la cancelación de éstas. El Gobierno Federal tiene la facultad de establecer reservas nacionales y suprimirlas. Las declaratorias correspondientes se harán por el Ejecutivo en los casos y condiciones que las leyes prevean. Tratándose del petróleo y de los carburos de hidrógeno sólidos, líquidos o gaseosos o de minerales radiactivos, no se otorgarán concesiones ni contratos, ni subsistirán los que, en su caso, se hayan otorgado y la nación llevará a cabo la explotación de esos productos, en los términos que señale la ley reglamentaria respectiva. Corresponde exclusivamente a la nación generar, conducir, transformar, distribuir y abastecer energía eléctrica que tenga por objeto la prestación de servicio público. En esta materia no se otorgarán concesiones a los particulares y la nación aprovechará los bienes y recursos naturales que se requieran para dichos fines.

Corresponde también a la nación el aprovechamiento de los combustibles nucleares para la generación de energía nuclear y la regulación de sus aplicaciones en otros propósitos. El uso de la energía nuclear sólo podrá tener fines pacíficos.

La nación ejerce en una zona económica exclusiva situada fuera del mar territorial y adyacente a éste, los derechos de soberanía y las jurisdicciones que determinen las leyes del Congreso. La zona económica exclusiva se extenderá a doscientas millas náuticas, medidas a partir de la línea de base desde la cual se mide el mar territorial. En aquellos casos en que esa extensión produzca superposición con las zonas económicas exclusivas de otros Estados, la delimitación de las respectivas zonas se hará en la medida en que resulte necesario, mediante acuerdo con estos Estados.

La capacidad para adquirir el dominio de las tierras y aguas de la nación, se regirá por las siguientes prescripciones:

I. Sólo los mexicanos por nacimiento o por naturalización y las sociedades mexicanas tienen derecho para adquirir el dominio de las tierras, aguas y sus accesiones o para obtener concesiones de explotación de minas o aguas. El Estado podrá conceder el mismo derecho a los extranjeros, siempre que convengan ante la Secretaría de Relaciones en considerarse como nacionales respecto de dichos bienes y en no invocar, por lo mismo, la protección de sus gobiernos por lo que se refiere a aquéllos; bajo la pena, en caso de faltar al convenio, de perder en beneficio de la nación, los bienes que hubieren adquirido en virtud de lo mismo. En una faja de cien kilómetros a lo largo de las fronteras y de cincuenta en las playas, por ningún motivo podrán los extranjeros adquirir el dominio directo sobre tierras y aguas.

El Estado, de acuerdo con los intereses públicos internos y los principios de reciprocidad, podrá, a juicio de la Secretaría de Relaciones, conceder autorización a los Estados extranjeros para que adquieran, en el lugar permanente de la residencia de los Poderes Federales, la propiedad privada de bienes inmuebles necesarios para el servicio directo de sus embajadas o legaciones;

II. Las asociaciones religiosas que se constituyan en los términos del artículo 130 y su ley reglamentaria tendrán capacidad para adquirir, poseer o administrar, exclusivamente, los bienes que sean indispensables para su objeto, con los requisitos y limitaciones que establezca la ley reglamentaria;

III. Las instituciones de beneficencia pública o privada, que tengan por objeto el auxilio de los necesitados, la investigación científica, la difusión de la enseñanza, la ayuda recíproca de los asociados, o cualquier otro objeto lícito, no podrán adquirir más bienes raíces que los indispensables para su objeto, inmediata o directamente destinados a él, con sujeción a lo que determine la ley reglamentaria;

IV. Las sociedades mercantiles por acciones podrán ser propietarias de terrenos rústicos pero únicamente en la extensión que sea necesaria para el cumplimiento de su objeto.

En ningún caso las sociedades de esta clase podrán tener en propiedad tierras dedicadas a actividades agrícolas, ganaderas o forestales en mayor extensión que la respectiva equivalente a veinticinco veces los límites señalados en la fracción XV de este artículo. La ley reglamentaria regulará la estructura de capital y el número mínimo de socios de estas sociedades, a efecto de que las tierras propiedad de la sociedad no excedan en relación con cada socio los límites de la pequeña propiedad. En este caso, toda propiedad accionaria individual, correspondiente a terrenos rústicos, será acumulable para efectos de cómputo. Asimismo, la ley señalará las condiciones para la participación extranjera en dichas sociedades.

La propia ley establecerá los medios de registro y control necesarios para el cumplimiento de lo dispuesto por esta fracción;

V. Los bancos debidamente autorizados, conforme a las leyes de instituciones de crédito, podrán tener capitales impuestos, sobre propiedades urbanas y rústicas de acuerdo con las prescripciones de dichas leyes, pero no podrán tener en propiedad o en administración más bienes raíces que los enteramente necesarios para su objeto directo;

VI. Los Estados y el Distrito Federal, lo mismo que los municipios de toda la República, tendrán plena capacidad para adquirir y poseer todos los bienes raíces necesarios para los servicios públicos.

Las leyes de la Federación y de los Estados en sus respectivas jurisdicciones, determinarán los casos en que sea de utilidad pública la ocupación de la propiedad privada, y de acuerdo con dichas leyes la autoridad administrativa hará la declaración correspondiente. El precio que se fijará como indemnización a la cosa expropiada, se basará en la cantidad que como valor fiscal de ella figure en las oficinas catastrales o recaudadoras, ya sea que este valor haya sido manifestado por el propietario o simplemente aceptado por él de un modo tácito por haber pagado sus contribuciones con esta base. El exceso de valor o el demérito que haya tenido la propiedad particular por las mejoras o deterioros ocurridos con posterioridad a la fecha de la asignación del valor fiscal, será lo único que deberá quedar sujeto a juicio pericial y resolución judicial. Esto mismo se observará cuando se trate de objetos cuyo valor no esté fijado en las oficinas rentísticas.

El ejercicio de las acciones que corresponden a la nación, por virtud de las disposiciones del presente artículo, se hará efectivo por el procedimiento judicial; pero dentro de este procedimiento y por orden de los tribunales correspondientes, que se dictará en el plazo máximo de un mes, las autoridades administrativas procederán desde luego a la ocupación, administración, remate o venta de las tierras o aguas de que se trate y todas sus accesiones, sin que en ningún caso pueda revocarse lo hecho por las mismas autoridades antes de que se dicte sentencia ejecutoriada;

VII. Se reconoce la personalidad jurídica de los núcleos de población ejidales y comunales y se protege su propiedad sobre la tierra, tanto para el asentamiento humano como para actividades productivas.

La ley protegerá la integridad de las tierras de los grupos indígenas.

La ley, considerando el respeto y fortalecimiento de la vida comunitaria de los ejidos y comunidades, protegerá la tierra para el asentamiento humano y regulará el aprovechamiento de tierras, bosques y aguas de uso común y la provisión de acciones de fomento necesarias para elevar el nivel de vida de sus pobladores.

La ley, con respeto a la voluntad de los ejidatarios y comuneros para adoptar las condiciones que más les convengan en el aprovechamiento de sus recursos productivos, regulará el ejercicio de los derechos de los comuneros sobre la tierra y de cada ejidatario sobre su parcela. Asimismo establecerá los procedimientos por los cuales ejidatarios y comuneros podrán asociarse entre sí, con el Estado o con terceros y otorgar el uso de sus tierras; y, tratándose de ejidatarios, transmitir sus derechos parcelarios entre los miembros del núcleo de población; igualmente fijará los requisitos y procedimientos conforme a los cuales la asamblea ejidal otorgará al ejidatario el dominio sobre su parcela. En caso de enajenación de parcelas se respetará el derecho de preferencia que prevea la ley.

Dentro de un mismo núcleo de población, ningún ejidatario podrá ser titular de más tierras que la equivalente al 5 por ciento del total de las tierras ejidales. En todo caso, la titularidad de tierras en favor de un solo ejidatario deberá ajustarse a los límites señalados en la fracción XV.

La asamblea general es el órgano supremo del núcleo de población ejidal o comunal, con la organización y funciones que la ley señale. El comisariado ejidal o de bienes comunales, electo democráticamente en los términos de la ley, es el órgano de representación del núcleo y el responsable de ejecutar las resoluciones de la asamblea.

La restitución de tierras, bosques y aguas a los núcleos de población se hará en los términos de la ley reglamentaria;

VIII. Se declaran nulas:

a) Todas las enajenaciones de tierras, aguas y montes pertenecientes a los pueblos, rancherías, congregaciones o comunidades, hechas por los jefes políticos, gobernadores de los Estados o cualquiera otra autoridad local en contravención a lo dispuesto en la ley de 25 de junio de 1856 y demás leyes y disposiciones relativas;

b) Todas las concesiones, composiciones o ventas de tierras, aguas y montes, hechas por las Secretarías de Fomento, Hacienda o cualquiera otra autoridad federal, desde el día 1o. de diciembre de 1876, hasta la fecha, con las cuales se hayan invadido y ocupado ilegalmente los ejidos, terrenos de común repartimiento o cualquiera otra clase, pertenecientes a los pueblos, rancherías, congregaciones o comunidades y núcleos de población;

c) Todas las diligencias de apeo o deslinde, transacciones, enajenaciones o remates practicados durante el periodo de tiempo a que se refiere la fracción anterior, por compañías, jueces u otras autoridades de los Estados o de la Federación, con los cuales se hayan invadido u ocupado ilegalmente tierras, aguas y montes de los ejidos, terrenos de común repartimiento, o de cualquier otra clase, pertenecientes a núcleos de población.

Quedan exceptuadas de la nulidad anterior, únicamente las tierras que hubieren sido tituladas en los repartimientos hechos con apego a la ley de 25 de junio de 1856 y poseídas en nombre propio a título de dominio por más de diez años, cuando su superficie no exceda de cincuenta hectáreas;

IX. La división o reparto que se hubiere hecho con apariencia de legítima entre los vecinos de algún núcleo de población y en la que haya habido error o vicio, podrá ser nulificada cuando así lo soliciten las tres cuartas partes de los vecinos que estén en posesión de una cuarta parte de los terrenos, materia de la división, o una cuarta parte de los mismos vecinos cuando estén en posesión de las tres cuartas partes de los terrenos;

X. Derogada;

XI. Derogada;

XII. Derogada;

XIII. Derogada;

XIV. Derogada;

XV. En los Estados Unidos Mexicanos quedan prohibidos los latifundios.

Se considera pequeña propiedad agrícola la que no exceda por individuo de cien hectáreas de riego o humedad de primera o sus equivalentes en otras clases de tierras.

Para los efectos de la equivalencia se computará una hectárea de riego por dos de temporal, por cuatro de agostadero de buena calidad y por ocho de bosque, monte o agostadero en terrenos áridos.

Se considerará, asimismo, como pequeña propiedad, la superficie que no exceda por individuo de ciento cincuenta hectáreas cuando las tierras se dediquen al cultivo de algodón, si reciben riego; y de trescientas, cuando se destinen al cultivo del plátano, caña de azúcar, café, henequén, hule, palma, vid, olivo, quina, vainilla, cacao, agave, nopal o árboles frutales.

Se considerará pequeña propiedad ganadera la que no exceda por individuo la superficie necesaria para mantener hasta quinientas cabezas de ganado mayor o su equivalente en ganado menor, en los términos que fije la ley, de acuerdo con la capacidad forrajera de los terrenos.

Cuando debido a obras de riego, drenaje o cualesquiera otras ejecutadas por los dueños o poseedores de una pequeña propiedad se hubiese mejorado la calidad de sus tierras, seguirá siendo considerada como pequeña propiedad, aun cuando, en virtud de la mejoría obtenida, se rebasen los máximos señalados por esta fracción, siempre que se reúnan los requisitos que fije la ley.

Cuando dentro de una pequeña propiedad ganadera se realicen mejoras en sus tierras y éstas se destinen a usos agrícolas, la superficie utilizada para este fin no podrá exceder, según el caso, los límites a que se refieren los párrafos segundo y tercero de esta fracción que correspondan a la calidad que hubieren tenido dichas tierras antes de la mejora;

XVI. Derogada;

XVII. El Congreso de la Unión y las legislaturas de los Estados, en sus respectivas jurisdicciones, expedirán leyes que establezcan los procedimientos para el fraccionamiento y enajenación de las extensiones que llegaren a exceder los límites señalados en las fracciones IV y XV de este artículo.

El excedente deberá ser fraccionado y enajenado por el propietario dentro del plazo de un año contado a partir de la notificación correspondiente. Si transcurrido el plazo el excedente no se ha enajenado, la venta deberá hacerse mediante pública almoneda. En igualdad de condiciones, se respetará el derecho de preferencia que prevea la ley reglamentaria.

Las leyes locales organizarán el patrimonio de familia, determinando los bienes que deben constituirlo, sobre la base de que será inalienable y no estará sujeto a embargo ni a gravamen ninguno;

XVIII. Se declaran revisables todos los contratos y concesiones hechos por los gobiernos anteriores desde el año 1876, que hayan traído por consecuencia el acaparamiento de tierras, aguas y riquezas naturales de la nación, por una sola persona o sociedad y se faculta al Ejecutivo de la Unión para declararlos nulos cuando impliquen perjuicios graves para el interés público;

XIX. Con base en esta Constitución, el Estado dispondrá las medidas para la expedita y honesta impartición de la justicia agraria, con objeto de garantizar la seguridad jurídica en la tenencia de la tierra ejidal, comunal y de la pequeña propiedad, y apoyará la asesoría legal de los campesinos.

Son de jurisdicción federal todas las cuestiones que por límites de terrenos ejidales y comunales, cualquiera que sea el origen de éstos, se hallen pendientes o se susciten entre dos o más núcleos de población; así como las relacionadas con la tenencia de la tierra de los ejidos y comunidades. Para estos efectos y, en general, para la administración de justicia agraria, la ley instituirá tribunales dotados de autonomía y plena jurisdicción, integrados por magistrados propuestos por el Ejecutivo Federal y designados por la Cámara de Senadores o, en los recesos de ésta, por la Comisión Permanente.

La ley establecerá un órgano para la procuración de justicia agraria, y

XX. El Estado promoverá las condiciones para el desarrollo rural integral, con el propósito de generar empleo y garantizar a la población campesina el bienestar y su participación e incorporación en el desarrollo nacional, y fomentará la actividad agropecuaria y forestal para el óptimo uso de la tierra, con obras de infraestructura, insumos, créditos, servicios de capacitación y asistencia técnica. Asimismo, expedirá la legislación reglamentaria para planear y organizar la producción agropecuaria, su industrialización y comercialización, considerándolas de interés público.

El problema agrario en México tiene hondas raíces en el pasado. Ya entre los aztecas había desigualdades y durante la dominación española la tierra se distribuyó entre los conquistadores y sus descendientes –los criollos– el clero y los indígenas. A los primeros se les otorgaron grandes extensiones, el clero las fue adquiriendo a lo largo de tres siglos y los indios y sus pueblos sólo pudieron poseer pequeñas propiedades, casi siempre en régimen comunal.

El reparto de las tierras en esta época fue injusto, tanto si se contempla la extensión como si se atiende a la calidad de las otorgadas a los colonizadores, por una parte, y a los indígenas, por otra; además, su explotación no se hizo adecuadamente, pues el trabajo agrícola recayó sobre el indio encomendado[17] y pese a la generosa legislación indiana, modelo de humanitarismo, la explotación llevada a cabo por los conquistadores sobre los vencidos fue un hecho cierto.

La guerra de independencia, además de las razones de índole política, tuvo un fondo económico de carácter agrario. Por eso no es de extrañar que ya iniciada la Revolución de 1810 el gobierno español dictara algunas medidas tardías para remediar la situación injusta que se había creado, ni tampoco que Hidalgo y Morelos se ocuparan del problema de la tenencia y explotación de la tierra y dictasen leyes precursoras de la reforma agraria.

Llegada la Independencia, y a lo largo del siglo XIX, la situación de la Colonia lejos de mejorar, se fue agravando. Desde luego quedó establecido el respeto a la propiedad, pues nadie podía ser privado de ella sino por causa de interés público y mediante una justa indemnización.

La principal medida que tomaron los gobiernos independientes entre 1821 y 1856 para resolver el problema agrario fue la colonización de las tierras baldías. En ese periodo, y como consecuencia de un proceso que abarcó los tres siglos de vida colonial, el clero había adquirido enormes propiedades, a tal grado que en 1856 era el terrateniente más poderoso.

[17] La encomienda fue una institución colonial creada con el objeto de cristianizar a los indígenas y por medio de la cual se entregaba o "encomendaba" un determinado número de ellos a los españoles, los cuales los utilizaban para los más rudos trabajos.

Cabe mencionar que el 23 de junio de 1856, Ponciano Arriaga se pronunció en el Congreso Constituyente por la expedición de una ley agraria, que consolidara el derecho de propiedad para los campesinos que trabajaban la tierra y fijase límites a la propiedad rural. Allí dijo, adelantándose a su época, el diputado liberal: "El sistema económico actual de la sociedad mexicana no satisface las condiciones de vida material de los pueblos" y "cuando un mecanismo económico es insuficiente para su objeto preciso, debe perecer. La reforma para ser verdadera debe ser una fórmula de la era nueva, una traducción de la nueva faz del trabajo, un nuevo código del mecanismo económico de la sociedad futura". Pero la ideología imperante en la asamblea impidió que se iniciara entonces la reforma propuesta.

En el periodo comprendido entre 1856 y 1910, el problema agrario se agudizó. El clero había dejado ya de ser poseedor de la tierra –en virtud de la Ley de Desamortización de Fincas Rústicas y Urbanas, pertenecientes a corporaciones civiles o eclesiásticas (25 de junio de 1856) y, posteriormente, la Ley de Nacionalización de Bienes Eclesiásticos (12 de julio de 1859)–; pero esos cuantiosos bienes no beneficiaron al campesino. Por el contrario, aumentaron la extensión territorial de las haciendas convirtiéndolas en latifundios. Además, la propiedad indígena comunal, insuficiente, pero hasta entonces respetada, al perder los pueblos capacidad jurídica para poseer, se convirtió en propiedad particular y pronto fue absorbida por los grandes terratenientes.

La situación económica, cultural y social de los trabajadores del campo llegó a límites de explotación inhumanos. Por eso resulta lógico que ese grupo mayoritario simpatizara con el movimiento revolucionario de 1910, y que fuera el problema agrario una de sus causas determinantes.

El Plan de San Luis, que hizo público Francisco I. Madero el 5 de octubre de 1910, en su artículo 3o., establecía la restitución de tierras a los campesinos de ellas desposeídos, con lo que, sin duda, logró el apoyo de ese contingente para la revolución que se iniciaba.

El 28 de noviembre de 1911, el Caudillo del Sur, Emiliano Zapata, proclamó el Plan de Ayala, de contenido eminentemente agrario y en el que como puntos básicos propuso: la restitución de ejidos, el fraccionamiento de latifundios y la confiscación de propiedades, de quienes se opusieran a la realización de la reforma contenida en el plan. En 1913 decía Zapata: "La paz sólo puede establecerse teniendo por base la justicia, por palanca y sostén la libertad y el derecho y, por cúpula de ese edificio, la reforma y el bienestar social." La Revolución adquiría un nuevo matiz. No se trataba sólo de proponer cambios políticos, se luchaba con el propósito de dignificar la existencia del hombre y de transformar sus condiciones de vida desde la base. El grito: "¡Tierra y libertad!" sintetizó esos anhelos de justicia.

Por su parte, el presidente Madero expidió el decreto de 18 de diciembre de 1911, con el objeto de estimular la pequeña propiedad, como fundamento de la reforma.

Los intelectuales mexicanos percibieron la magnitud del problema agrario. Entre ellos cabe destacar a Luis Cabrera, quien el 3 de diciembre de 1912, en la Cámara de Diputados, pronunció un memorable discurso donde iba a subrayar la necesidad de dotar y restituir tierras al campesino. Allí dijo el ilustre revolucionario: "Dos factores hay que tener en consideración: la tierra y el hombre, la tierra de cuya posesión vamos a tratar, y los hombres a quienes debemos procurar dar tierras." Por eso propuso: "tomar la tierra en donde la halla para reconstruir los ejidos de los pueblos". Nadie, hasta entonces, había planteado el problema en forma tan cierta y precisa.

Este discurso es el antecedente de la ley preconstitucional de 6 de enero de 1915, expedida por Carranza, cuyo principal proyectista fue el propio licenciado Cabrera, ley que, a su vez, es el antecedente del artículo 27 constitucional y de la reforma agraria, que crea en México tres tipos de tenencia de la tierra: la pequeña propiedad, el ejido y la propiedad comunal, instituciones que son la síntesis de las tres corrientes ideológicas –del norte, del centro y del sur– que convergieron en la lucha revolucionaria y que Venustiano Carranza supo recoger y respetar.

Así como la Constitución, en las garantías individuales, otorga y protege una serie de derechos fundamentales propios de la libertad y dignidad humanas, en los artículos 27 y 123 se consagran dos de las principales garantías sociales, destinadas a promover la superación y salvaguarda de los campesinos y trabajadores, en razón de que ellos forman grupos mayoritarios de menor capacidad económica.

Ambos artículos –27 y 123–, significan dos de las máximas aportaciones de la Revolución mexicana para tratar de acabar con las grandes desigualdades económicas, sociales y culturales, mediante la idea de dar a la propiedad o al empleo de la tierra una función de beneficio social y, al trabajo, un sistema de protección.

En el Congreso de Querétaro, dijo el diputado Heriberto Jara, refiriéndose a las grandes modificaciones que se estaban consignando en el texto constitucional: "Todas las naciones libres, amantes del progreso, todas aquellas que sientan un verdadero deseo, un verdadero placer en el mejoramiento de las clases sociales, todos aquellos que tengan el deseo verdadero de hacer una labor libertaria, de sacar al trabajador del medio en que vive, de ponerlo como hombre ante la sociedad y no como bestia de carga, recibirán con beneplácito y júbilo la Constitución mexicana, un hurra universal recibirá ese sagrado libro de uno a otro confín del mundo", ya que "la formación de las constituciones no ha sido otra cosa sino el resultado de los deseos, el resultado de los anhelos del pueblo, condensados en eso que se ha dado en llamar Constitución".

En efecto, los diputados constituyentes de 1917 establecieron en el artículo 27 un principio jurídico fundamental que no hallamos en los textos constitucionales promulgados con anterioridad a la carta de Querétaro. Tal principio consiste en afirmar que la propiedad de las tierras y de las aguas, comprendidas dentro del territorio nacional, corresponden originalmente a la nación. De él se derivan dos consecuencias importantísimas: una es que el Estado –a través de leyes ordinarias– puede imponer a la propiedad privada las modalidades que ordene el interés público, o sea, se abandonó el criterio que sostenía que la propiedad era un derecho absoluto establecido exclusivamente en beneficio del propietario, para concluir que, con su ejercicio, si por una parte debe reportar al dueño cierto provecho, por encima de éste se halla el interés de los demás hombres, es decir, de la sociedad, al que fundamentalmente se debe atender cuando se trate de reglamentar la extensión y límites del derecho de propiedad. O sea, este nuevo concepto de propiedad establece que su ejercicio debe redundar en provecho de todos. Con tal objeto, el derecho de usar, disfrutar y disponer de un pedazo de tierra tiene como condición, ante todo, atender a las necesidades humanas, buscando el beneficio social por encima del interés particular de cada persona.

La otra consecuencia es que el legislador constituyente puede fijar qué bienes pertenecen directamente a la nación. Y así, el Congreso sostuvo que aquélla tenía el dominio directo sobre determinadas zonas, entre ellas el subsuelo, y por lo tanto, de todas las riquezas que encierra. Con fundamento en dicho principio, México pudo reivindicar para sí la riqueza petrolera, hasta entonces en manos de particulares –en su mayoría compañías extranjeras– y nacionalizar, por decreto de 18 de marzo de 1938, esa importante fuente de riqueza nacional. Asimismo, volvió a la nación la propiedad de todos los recursos mineros explotados anteriormente por sus dueños en beneficio propio, exclusivamente.

El grupo de diputados constituyentes que redactaron el proyecto de este artículo, presididos por el ingeniero Pastor Rouaix, apartándose de la tradición jurídica nacional y de las doctrinas liberales, asentaron un nuevo concepto de la propiedad –aunque subsista la propiedad privada como derivada de la originaria– y otorgaron a la nación el dominio directo de aquellos bienes cuya explotación estimaron que debía hacerse en favor de todo el pueblo de México, en forma tal que el aprovechamiento, conservación y distribución equitativa de la riqueza pública son regulados por el Estado.

Para el logro de los propósitos anteriores, el artículo 27 contiene disposiciones que, fundamentalmente, pueden reducirse a los siguientes temas:

I. *La propiedad de la nación, modalidades y prohibiciones a la propiedad privada, asentamientos humanos.* La nación ha tenido y tiene el dominio original sobre las tierras y las aguas comprendidas dentro de su territorio[18] y puede constituir la propiedad privada. En atención al interés público o social, el Estado está facultado para:

a) Imponer al derecho de propiedad, a través de la ley, las modalidades que dicte el interés público. (Por ejemplo, modalidades impuestas al derecho de propiedad es la prohibición absoluta de vender inmuebles a extranjeros, dentro de determinadas zonas.)

b) Expropiar bienes propiedad de particulares por causa de utilidad pública (para realizar obras públicas o de beneficio social) y mediante el pago de la correspondiente indemnización, y

c) Prohibir o limitar el ejercicio del derecho de propiedad a determinadas personas físicas (extranjeras) y morales (corporaciones, asociaciones y sociedades) que determinan las fracciones I, II, III, IV y V del párrafo séptimo de este artículo.

Por reformas de 1987 se adicionó el párrafo tercero atribuyendo al Estado la obligación de "preservar y restaurar el equilibrio ecológico", función de alta prioridad, ya que el hombre debe vivir en un ambiente propicio para desarrollar sus facultades y conservar la salud. La contaminación puede aparecer en el suelo, en el aire y en el agua.

La erosión es una forma de contaminación muy grave, ya que la tierra se vuelve improductiva y la restauración de los suelos es un proceso muy largo y costoso. El inadecuado uso de la tierra y hechos como la tala de bosques provocan la erosión, viejo fenómeno que aparece con características más graves en países poco avanzados.

La contaminación de la atmósfera ha adquirido en nuestros días y en el mundo una proporción antes no conocida y se ha manifestado en todo el planeta, pero con mayor intensidad en los países en desarrollo. Nuestra ciudad capital es una buena muestra del deterioro atmosférico. Contribuyen a él, por una parte, los desechos industriales arrojados al aire, los vehículos que circulan cada vez en mayor número, la basura que se acumula en las grandes urbes y que no siempre es tratada convenientemente y también en esas grandes ciudades el hecho de que muchos de sus habitantes viven en condiciones higiénicas inadecuadas. Otro factor de contaminación del ambiente es el ruido que en las grandes aglomeraciones humanas ha crecido en forma alarmante.

El agua, tanto de ríos y lagunas como del mar, también ha sido contaminada por el hombre, al arrojar desechos industriales y otro tipo de sustancias que han provocado un alto grado de impureza en ese líquido tan vital. Especialmente durante los últimos cincuenta años el proceso de contaminación ha alcanzado graves proporciones. Se habla incluso de mares muertos o que se están muriendo, pues la vida animal no se puede dar en

[18] Respecto a lo que constituye el territorio, véase comentario al artículo 42.

su seno. Los países ricos han logrado –aparentemente– disminuir el grado de contaminación de su atmósfera y de su suelo. Sin embargo, el problema sigue siendo muy grave y requiere, para ser solucionado, sobre todo una conciencia pública que sepa bien los graves daños que ocasiona el hombre al deteriorar el medio en el que vive.

Las causas fundamentales de la contaminación son el proceso de industrialización, el crecimiento demográfico y el nacimiento de grandes concentraciones urbanas. Al hombre, a la sociedad, a los estados y a la comunidad internacional corresponde atacar tan grave fenómeno y restaurar las condiciones de bienestar ambiental que la vida requiere. Hacerlo está vinculado íntimamente a la calidad de la vida, pues sin duda la pobreza de los suelos, la impureza del agua y de la atmósfera perjudican directamente a la salud y a la existencia misma de los seres humanos.

II. *Explotación de recursos naturales*. El sentimiento nacionalista de los constituyentes de 1917 quiso asegurar para el pueblo mexicano su propio patrimonio. Los gobiernos revolucionarios posteriores han velado, a través de reformas y adiciones al artículo 27 constitucional y mediante la expedición de leyes reglamentarias, para que se realice un aprovechamiento y explotación juiciosos de los recursos naturales en beneficio de la nación.

Las aguas, señaladas en este artículo, el zócalo submarino de las islas, la plataforma continental[19] y el subsuelo pertenecen a la nación quien es propietaria de las riquezas que encierran (párrafos cuarto y quinto). Dichos bienes y el espacio aéreo[20] no pueden, por ningún concepto, formar parte del patrimonio de los particulares.

Sin embargo, el Estado se halla facultado para otorgar concesiones,[21] de acuerdo con lo prescrito por las leyes reglamentarias, procurando siempre el mayor beneficio para la sociedad.

La importancia de los energéticos en la vida moderna es decisiva. Por eso, el petróleo, los carburos de hidrógeno y las energías eléctricas y nuclear invariablemente deben ser explotados y administrados por el Estado.

En consecuencia y para cumplir el Tratado para la Proscripción de las Armas Nucleares en América Latina (Tratado de Tlatelolco), promovido por México, que señala "la necesidad ineludible de que la energía nuclear sea en América Latina exclusivamente para fines pacíficos", el párrafo séptimo

[19] Se llama zócalo submarino y plataforma continental a aquella parte de tierra cubierta por las aguas del mar que se halla alrededor de las islas o de los continentes, respectivamente. Véase comentario al artículo 42.

[20] Espacio aéreo es la atmósfera que se encuentra situada sobre el territorio de un Estado.

[21] Llámase concesión a los actos del poder público que dan a los particulares el derecho para establecer y explotar un servicio público o para explotar y aprovechar bienes propiedad de la nación.

del artículo 27 recoge el principio, tan acorde con la vocación internacional mexicana de la utilización pacífica del átomo.

Por decreto publicado en el *Diario Oficial* de 6 de febrero de 1976, en vigor 120 días después, se adicionó el artículo 27 con un párrafo octavo que crea y establece la zona económica exclusiva (en algunos países llamado mar patrimonial). Con ello, México, en uso pleno de su soberanía, pero de acuerdo con las más modernas teorías sobre el derecho del mar, dio un trascendental y revolucionario paso que incrementó notablemente el patrimonio nacional, en un área aproximadamente igual a la de su porción terrestre total, o sea, dos millones de kilómetros cuadrados más de explotación de recursos naturales marítimos, formados por las doscientas millas de zona económica exclusiva, adyacentes a todas las costas e islas del país.

En efecto, además de vía de comunicación, el mar constituye un arsenal de recursos de la más variada gama, especialmente para países en vías de desarrollo, como México, para los que significa la solución de muchas de sus ancestrales carencias.

La zona económica exclusiva comienza donde termina el mar territorial, esto es, a partir de las doce millas y hasta doscientas millas. No deben confundirse la una con el otro. En el mar territorial, el Estado costero ejerce plena soberanía sobre el área, es una extensión de su parte terrestre. En la zona económica exclusiva, se ejerce soberanía sobre los recursos, renovables (pesca, entre otros) y no renovables (fundamentalmente hidrocarburos), los fondos marinos, incluido el subsuelo y las aguas subyacentes. También se tiene jurisdicción sobre las islas artificiales, la preservación del medio marino (evitando la contaminación) y la investigación científica.

La adición constitucional atinadamente hizo una excepción a la zona económica exclusiva de doscientas millas para aquellos casos –como el de Cuba– donde hubiera superposición con la zona económica exclusiva de otros estados. Aquí prevalecerá el acuerdo entre los estados, concertado seguramente bajo el principio de las partes iguales (línea media o equidistante).

Con el establecimiento de la zona económica exclusiva, México logró, en adición a los beneficios ya mencionados, la posibilidad de "cerrar" –precisamente como zona económica exclusiva– el Golfo de California, rico en recursos de todo tipo, ya que la anchura de ese mar, igual a la distancia existente entre la península de Baja California y el macizo continental, en ninguna parte excede las cuatrocientas millas, o sea, que las doscientas millas de cada lado se sobreponen o traslapan, cubriéndolo todo.

Los principios fundamentales de la adición constitucional que se comenta fueron recogidos por una ley reglamentaria vigente a partir de 1976.

III. *Reforma agraria*. El artículo 27 recogió los principios fundamentales de la Revolución de 1910 en materia agraria: la supresión de los latifundios y la protección del ejidatario y del pequeño propietario. La tendencia posterior ha sido la de lograr un desarrollo rural integral; esto es, no sólo concluir el reparto de tierras, sino también dotar al campesino de los medios para explotarlas adecuadamente.

Durante el presente gobierno del presidente Carlos Salinas de Gortari, el artículo 27 ha sido fundamentalmente modificado en dos importantes rubros: Sector Rural y las Relaciones Estado-Iglesias, que a continuación se analizan:

A. *Sector Rural (D.O. de 6 de enero de 1992)*

Se estableció todo un nuevo régimen con respecto a esta materia. La filosofía esencial que sustenta la nueva reforma agraria es la modernidad nacionalista, esto es, dar al campo el cambio apremiante que el desarrollo actual y futuro de la nación demandan a fin de impulsar la productividad, la iniciativa y la creatividad de los campesinos y el bienestar de sus familias. Este propósito no se contrapone a la experiencia histórica en materia agraria, especialmente al sello agrario de la Revolución. Se aspira a liquidar la inseguridad y la desorganización prevaleciente en el medio rural.

"La reforma agraria ha sido un proceso dinámico que ha transitado por diversas etapas, acordes con su tiempo y distancia", dice la exposición de motivos, y añade "desde el inicio de la gesta revolucionaria de la que surgió la reforma agraria, las características demográficas y económicas de nuestro país han cambiado radicalmente". Es hora, por tanto, de crear el régimen jurídico moderno y adecuado para el México rural que estará presente en el siglo XXI.

La reforma parte de las nuevas realidades que demandan un cambio de fondo. Así, da por concluido el reparto agrario por agotamiento de la tierra y a fin de otorgar certidumbre jurídica en el campo, considera que hay que poner fin a prácticas del usufructo parcelario y de renta, de medieros e inclusive de venta de tierras ejidales. Esta situación debe ser superada, haciendo más movible y atractiva la inversión en la propiedad rural. Los daños ecológicos originados por la explotación irracional y egoísta deben terminar, dotando al campo del avance tecnológico de nuestros días.

Los objetivos generales de la reforma son los de justicia y libertad que, manteniendo la actitud proteccionista de la Constitución de Querétaro, permita una mayor producción y productividad y más bienestar al campesino. Para lograr lo anterior, es indispensable dar certidumbre jurídica en el medio rural que, además del finiquito del reparto, se obtendrá con todo un nuevo sistema y órganos de justicia agraria, mediante la creación de los tribunales federales agrarios.

La capitalización del campo es otra meta por lograr, haciendo depender su desarrollo no estrictamente del ejidatario o del pequeño propietario, o de la ayuda financiera pocas veces recuperada, sino adoptando y alentando nuevas formas de asociación que permitan a diferentes inversionistas contribuir al desarrollo del campo.

La propiedad ejidal y comunal continuarán protegidas por la Constitución, así como la integridad territorial de los pueblos indígenas. En resumen, "el flujo de capital hacia la producción agropecuaria y la organización suficiente de la producción constituyen también objetivos centrales de la modernización en el campo" (exposición de motivos).

El Programa Nacional de Solidaridad (Pronasol), que se ha creado durante la administración salinista, como instrumento moderno y ágil de auxilio para todos los mexicanos, también se ha destinado al campo (espacios educativos, unidades médicas, agua potable, electrificación, obras de riego y de infraestructura agropecuaria, etcétera).

Finalmente, la iniciativa considera indispensable la participación de los gobiernos de los estados, de las autoridades municipales, de la sociedad en general y del Estado federal para que, mediante un esfuerzo decidido de unidad, lograr una acción necesaria para una reforma integral que merece y necesita el campo mexicano.

B. *Relaciones Estado-Iglesias*

Por reformas publicadas en el D.O. de 28 de enero de 1992 se creó todo un nuevo régimen de las relaciones Estado-Iglesias (véanse comentarios a los artículos 3o., 5o., 24 y muy especialmente, el artículo 130). Como algunos apartados del artículo 27 original se refirieron a la incapacidad de las iglesias para adquirir, poseer o administrar bienes raíces y otros temas relativos, las reformas citadas también se extendieron al artículo 27.

Ahora las asociaciones religiosas, ya dotadas de personalidad jurídica (artículo 130) pueden adquirir, poseer o administrar, *exclusivamente* los bienes que les sean indispensables para su objeto. Sin embargo, como la finalidad de las iglesias no es económica o lucrativa, su régimen patrimonial estará sujeto a los requisitos y limitaciones que establezca la ley reglamentaria (la de Asociaciones Religiosas).

En relación con los edificios dedicados al culto público, en un nuevo artículo transitorio decimoséptimo que acompañó a las reformas Estado-Iglesias, quedó establecido que los templos y demás bienes que ya eran propiedad de la nación, continuarán siéndolo.

ARTÍCULO 28. En los Estados Unidos Mexicanos quedan prohibidos los monopolios, las prácticas monopólicas, los estancos y las exenciones de impuestos en los términos y condiciones que fijan las leyes. El mismo tratamiento se dará a las prohibiciones a título de protección a la industria.

En consecuencia, la ley castigará severamente, y las autoridades perseguirán con eficacia, toda concentración o acaparamiento en una o pocas manos de artículos de consumo necesario y que tenga por objeto obtener el alza de los precios; todo acuerdo, procedimiento o combinación de los productores, industriales, comerciantes o empresarios de servicios, que de cualquier manera hagan, para evitar la libre concurrencia o la competencia entre sí y obligar a los consumidores a pagar precios exagerados y, en general, todo lo que constituya una ventaja exclusiva indebida en favor de una o varias personas determinadas y con perjuicio del público en general o de alguna clase social.

Las leyes fijarán bases para que se señalen precios máximos a los artículos, materias o productos que se consideren necesarios para la economía nacional o el consumo popular, así como para imponer modalidades a la organización de la distribución de esos artículos, materias o productos, a fin de evitar que intermediaciones innecesarias o excesivas provoquen insuficiencia en el abasto, así como el alza de precios. La ley protegerá a los consumidores y propiciará su organización para el mejor cuidado de sus intereses.

No constituirán monopolios las funciones que el Estado ejerza de manera exclusiva en las siguientes áreas estratégicas: correos, telégrafos y radiotelegrafía; petróleo y los demás hidrocarburos; petroquímica básica; minerales radioactivos y generación de energía nuclear; electricidad y las actividades que expresamente señalen las leyes que expida el Congreso de la Unión. La comunicación vía satélite y los ferrocarriles son áreas prioritarias para el desarrollo nacional en los términos del artículo 25 de esta Constitución; el Estado al ejercer en ellas su rectoría, protegerá la seguridad y la soberanía de la Nación, y al otorgar concesiones o permisos mantendrá o establecerá el dominio de las respectivas vías de comunicación de acuerdo con las leyes de la materia.

El Estado contará con los organismos y empresas que requiera para el eficaz manejo de las áreas estratégicas a su cargo y en las actividades de carácter prioritario donde, de acuerdo con las leyes, participe por sí o con los sectores social y privado.

El Estado tendrá un Banco Central que será autónomo en el ejercicio de sus funciones y en su administración. Su objetivo prioritario será procurar la estabilidad del poder adquisitivo de la moneda nacional, fortaleciendo con ello la rectoría del desarrollo nacional que corresponde al Estado. Ninguna autoridad podrá ordenar al banco conceder financiamiento.

No constituyen monopolios las fundaciones que el Estado ejerza de manera exclusiva, a través del Banco Central en las áreas estratégicas de acuñación de moneda y emisión de billetes. El Banco Central, en los términos que establezcan las leyes y con la intervención que corresponda a las autoridades competentes, regulará los cambios, así como la intermediación y los servicios financieros, contando con las atribuciones de autoridad necesarias para llevar a cabo dicha regulación y proveer a su observancia. La conducción del banco estará a cargo de personas cuya designación será hecha por el Presidente de la República con la aprobación de la Cámara de Senadores o de la Comisión Permanente, en su caso; desempeñarán su encargo por periodos cuya duración y escalonamiento provean al ejercicio autónomo de sus funciones; sólo podrán ser removidas por causa grave y no podrán tener ningún otro empleo, cargo o comisión, con excepción de aquellos en que actúen en representación del banco y de los no remunerados en asociaciones docentes, científicas, culturales o de beneficencia. Las personas encargadas de la conducción del Banco Central, podrán ser sujetos de juicio político conforme a lo dispuesto por el artículo 110 de esta Constitución.

No constituyen monopolios las asociaciones de trabajadores formadas para proteger sus propios intereses y las acciones o sociedades cooperativas de productores para que, en defensa de sus intereses o del interés general, vendan directamente en los mercados extranjeros los productos nacionales o industriales que sean la principal fuente de riqueza de la región en que se produzcan o que no sean artículos de primera necesidad, siempre que dichas asociaciones estén bajo vigilancia o amparo del Gobierno Federal o de los Estados, y previa autorización que al efecto se obtenga de las legislaturas respectivas en cada caso. Las mismas legislaturas, por sí o a propuesta del Ejecutivo, podrán derogar, cuando así lo exijan las necesidades públicas, las autorizaciones concedidas para la formación de las asociaciones de que se trata.

Tampoco constituyen monopolios los privilegios que por determinado tiempo se concedan a los autores y artistas para la producción de sus obras y los que para el uso exclusivo de sus inventos, se otorguen a los inventores y perfeccionadores de alguna mejora.

El Estado, sujetándose a las leyes, podrá en casos de interés general, concesionar la prestación de servicios públicos o la explotación, uso y aprovechamiento de bienes de dominio de la Federación, salvo las excepciones que las mismas prevengan. Las leyes fijarán las modalidades y condiciones que aseguren la eficacia de la prestación de los servicios y la utilización social de los bienes, y evitarán fenómenos de concentración que contraríen el interés público.

La sujeción a regímenes de servicio público se apegará a lo dispuesto por la Constitución y sólo podrá llevarse a cabo mediante ley.

Se podrán otorgar subsidios a actividades prioritarias cuando sean generales, de carácter temporal y no afecten sustancialmente las finanzas de la nación. El Estado vigilará su aplicación y evaluará los resultados de ésta.

México durante la Colonia, estuvo sujeto, como las demás posesiones de la Corona española, a un estricto sistema económico caracterizado por monopolios y estancos, así como por una serie de restricciones a la importación y exportación de productos y por la prohibición de realizar transacciones mercantiles con cualquier otra nación que no fuera España. Los resultados de esta política fueron desastrosos, ya que, bajo la presión de tal sistema, el desarrollo económico fue extraordinariamente débil y los pocos y malos provechos para el exclusivo beneficio de la monarquía.

Con la independencia, abiertos los puertos de México al comercio exterior y eliminados paulatinamente los estancos, con un recto sentido liberal, el Constituyente de 1857 estableció en el artículo 28 el principio de que en nuestra patria no habría monopolios ni estancos[22] de ninguna clase, ni prohibiciones a título de protección a la industria y sólo se reconocerían los relativos a la acuñación de moneda, correos y concesiones de privilegios, por tiempo limitado, a inventores o perfeccionadores de alguna mejora.

La Asamblea de Querétaro, con ese profundo conocimiento de la realidad mexicana que la caracterizó, supo recoger en este artículo, una vez más, las aspiraciones revolucionarias, y al proscribir los monopolios estaba consignando en la Constitución otra garantía social.

La propia Constitución, desde 1917, aclaró lo que entendía por el improcedente privilegio: "una ventaja exclusiva e indebida, favor de una o varias personas determinadas y con perjuicio del público (entiéndase pueblo) en general o de alguna clase social". A mayor abundamiento, la ley reglamentaria del artículo 28 (Ley del Monopolio) afirma que es "toda concentración o acaparamiento industrial o comercial y toda situación deliberadamente creada, que permiten, a una o varias personas determinadas, imponer los precios de los artículos o las cuotas de los servicios" en detrimento del pueblo.

También es tarea fundamental del Estado la fijación de los precios para artículos de consumo necesario y la organización más adecuada del aparato distributivo, a fin de evitar intermediarios no indispensables o excesivos. Deben imponerse controles a la distribución, con objeto de evitar abusos y, en general, adoptar las medidas procedentes para que el pueblo reciba bienes y servicios oportunamente, con calidad y a precios adecuados. Finalmente, el consumidor, que constituye el último eslabón del aparato productivo, también merece protección. La Constitución se la otorga como principio y remite a las leyes secundarias[23] para una más amplia y cuidadosa elaboración de esta garantía social. A todo lo anterior se refiere el párrafo tercero de este artículo 28 constitucional.

Como principio general, el artículo 28 prohíbe los monopolios. También están proscritos los oligopolios, o sea, la creación premeditada o artificial de un mercado en el que haya pocos vendedores y muchos compradores.

[22] Estanco: sistema por el cual el Estado constituye un monopolio a su favor para dar ventaja al fisco, o sea, a la hacienda pública

[23] Ley Federal de Protección al Consumidor.

No obstante lo anterior, hay ciertas actividades que, por su importancia social, deben ser tratadas monopólicamente. Pero en este caso, esos monopolios están reservados estrictamente al Estado y se encuentran listados de manera expresa en el párrafo cuarto de este artículo. Además, como tal vez en el futuro habrá necesidad de adscribir nuevas áreas a la función estatal, éstas podrán ser señaladas por leyes secundarias que expida el Congreso de la Unión, según lo prevé la última frase del párrafo cuarto que se comenta.

El Constituyente de Querétaro de 1917 creó, en materia económica, *el sistema mixto*, esto es, la participación, tanto del Estado como del sector privado –cada quien dentro de campos específicos– en el desarrollo del país.

En tratándose del servicio público de banca y crédito, antes del primero de septiembre de 1982 –cumpliendo con el sistema mixto–, aparte de las instituciones nacionales de crédito, el ejercicio de la banca estaba concesionado por el Estado a sociedades anónimas privadas. En la fecha señalada, y mediante decreto del Ejecutivo, se expropiaron los bancos privados en favor del Estado.

En aquel momento, el Ejecutivo Federal fundamentó esa trascendente medida en que los grandes problemas financieros y monetarios, prevalecientes entonces, requerían de medidas drásticas.

La estatización de la banca continuó hasta el 27 de junio de 1990, fecha esta última en que apareció en el *Diario Oficial* un decreto cuyo artículo primero derogó al párrafo quinto del artículo 28 de la Constitución, esto es, el que había prescrito la estatización.

Con anterioridad a la aprobación final de la citada reforma constitucional, el Ejecutivo Federal que la había promovido, sustancialmente fundamentó su propuesta en tres consideraciones:

"Primero, la impostergable necesidad de concentrar la atención del Estado en el cumplimiento de sus objetivos básicos: dar respuesta a las necesidades sociales de la población y elevar su bienestar sobre bases productivas y duraderas.

"Segundo, el cambio profundo en el país de las realidades sociales, de las estructuras económicas, del papel de Estado y del sistema financiero mismo, modifica de raíz las circunstancias que explicaron la estatización de la banca.

"Tercero, el propósito de ampliar el acceso y mejorar la calidad de los servicios de banca y crédito en beneficio colectivo, evitando subsidios, privilegios y abusos."

Esencialmente, la reforma de 27 de junio de 1990, restableció el régimen mixto de la banca como lo fijó el Constituyente de 1917 –que había prevalecido por más de 65 años– y tendió a liberar considerables recursos invertidos en la banca por su estatización, para dedicarlos a las grandes y urgentes demandas sociales de una creciente población con tantas carencias. "Un Estado excesivamente propietario es inadmisible en un país con tanta pobreza", enfatizó la iniciativa presidencial.

Continuando con la banca y las finanzas públicas debe resaltarse las últimas reformas a los artículos 28, 73 fracción X y 123-B-fracción XIII bis (*Diario Oficial* del 20 de agosto de 1993), relativas a las nuevas características, esencia y funciones del Banco Central –Banco de México– que deja de ser "un organismo descentralizado del Gobierno Federal" (párrafo cuarto recién derogado del artículo 28) –para continuar siendo el Banco Central del Estado– "será autónomo en el ejercicio de sus funciones y en su administración" (nuevo párrafo sexto del artículo 28).

La primer Ley Orgánica del Banco de México, fue expedida en el año de 1925 y estableció "un régimen que procuraba conciliar el control de gobierno con la autonomía del banco", autonomía necesaria para evitar el gravísimo peligro de que el interés político pueda predominar sobre el interés público. Dos nuevas leyes orgánicas del Banco de México –1936 y 1941–, insistieron en una mayor libertad de acción en cuanto al ejercicio de las funciones regulatorias de la moneda, el crédito y los cambios. En el año de 1982, cuando ocurre la expropiación de la banca se modifica la naturaleza jurídica del Banco Central, de Sociedad Anónima para ser un organismo público descentralizado.

El licenciado Francisco Borja Martínez –de quien hemos tomado algunas de las notas precedentes– en su trabajo sobre la "Reforma constitucional para dotar de autonomía al Banco de México", afirma que las modificaciones a los artículos 28, 73 y 123 de la Constitución Política de los Estados Unidos Mexicanos, realizado durante la administración del presidente Carlos Salinas de Gortari, establece un régimen constitucional nuevo, con las siguientes características:

–Modifica la naturaleza jurídica del Banco Central, quien de organismo público descentralizado, pasa a ser una nueva persona de derecho público que ejerce funciones inherentes al Estado, sin estar comprendido en la administración pública federal.

–La propia Constitución Política confiere al banco autonomía en el ejercicio de sus funciones y en su administración. El objetivo primordial es procurar la estabilidad del poder adquisitivo de la moneda nacional, así como que ninguna autoridad podrá ordenarle conceder financiamiento, lo cual le da pleno gobierno en el manejo del crédito primario. La autonomía confiere independencia para fijar e instrumentar la política monetaria que estime conveniente a la consecución de su objetivo primordial.

En resumen, el nuevo organismo que brotó de la reforma logrará una mayor coordinación entre la política monetaria y las políticas cambiarias: la conducción del banco estará a cargo de personas cuya designación será hecha por el Presidente de la República, con la aprobación de la Cámara de Senadores, quienes podrán ser sujetos a juicio político conforme al artículo 110 de la Constitución. Se trata de crear una institución autónoma, no comprendida dentro de la administración pública federal y que intervenga en la regulación de la moneda, el crédito y los cambios (véase comentarios a los artículos 73-X y 123-B fracción XIII bis, en relación con esta materia).

Algunas actividades de la sociedad –generalmente las de fuerte contenido económico– trascienden la órbita privada en las que se generaron y, por su naturaleza y consecuencia, afectan a toda la comunidad o a una gran parte de ella.

Así, esas actividades se convierten en "servicios públicos" que el Estado habrá de manejar de manera exclusiva (ferrocarriles) o sujetar a un control y vigilancia cuidadosos (minería). Otro tanto sucede con la "explotación, uso y aprovechamiento de bienes de dominio (propiedad) de la Federación".

Cuando el Estado no toma para sí totalmente la realización de un servicio público o la explotación de un bien, autoriza –concesiona– que esas labores las realicen individuos o grupos. Sin embargo, las concesiones deben tener su fundamento en leyes específicas y su uso por extranjeros deberá estar, total o parcialmente, prohibido en algunas actividades. El Estado en ningún caso alentará los monopolios.

El subsidio a que se refiere el último párrafo de este artículo –o sea, la ayuda económica que el Estado presta para la realización de actividades prioritarias– no debe ser limitado, permanente o para beneficio exclusivo de una persona o grupo social. Por el contrario, tiene que ser general, temporal y no afectar esencialmente la estructura financiera de la nación.

Reforma de 1995

En el *Diario Oficial* del 2 de marzo de 1995, aparece la reforma realizada al párrafo cuarto del artículo 28.

Fundamentalmente, esa reforma excluye, a los ferrocarriles y a las comunicaciones vía satélite, de las áreas estratégicas que, hasta la fecha arriba apuntada, el Estado ejercía de manera exclusiva.

a) Ferrocarriles

El Ejecutivo Federal fundamentó su iniciativa en los siguientes puntos:

"Primera.– La importante transformación de las relaciones entre sociedad y gobierno, de las estructuras económicas del país y de las comunicaciones y el transporte, modifican los principios que explicaron la definición de los ferrocarriles como una actividad cuyo desempeño corresponde exclusivamente al Estado;

"Segunda.– La escasez de recursos públicos imposibilita al Estado a realizar las inversiones inaplazables que requiere la modernización de los ferrocarriles mexicanos, a fin de hacer de esta actividad un instrumento de promoción del desarrollo;

"Tercera.– La necesidad de ampliar el acceso a la creatividad y energía de los particulares en el desarrollo económico nacional para que, mediante la aportación de trabajo, tecnología e inversión, permitan al Estado concentrar mayores acciones y recursos en el cumplimiento de sus objetivos básicos; y

"Cuarta.– La convicción de que no necesariamente un Estado propietario ejerce una más eficaz rectoría sobre la actividad ferroviaria. En un Estado de derecho, son las leyes las que garantizan que la autoridad pueda llevar a cabo la regulación y supervisión que se requiere para modernizar y desarrollar cada sector productivo."

b) Satélites

La citada iniciativa también incluyó en su propuesta de modificar el párrafo cuarto del artículo 28 lo relativo a comunicaciones vía satélite. Se fundó la iniciativa en los siguientes razonamientos:

"Primero.– El Estado mantendrá la rectoría en las comunicaciones vía satélite a fin de salvaguardar, en todo tiempo, la seguridad y los intereses soberanos de nuestra nación;

"Segundo.– Los particulares podrán participar en el establecimiento, operación y explotación de satélites, mediante concesiones que otorgue el Gobierno Federal, en el entendido de que las posiciones orbitales y las frecuencias correspondientes quedarán bajo el dominio del Estado;

"Tercero.– El desarrollo de las comunicaciones vía satélite se llevará a cabo de manera ordenada, con apego a las leyes y los tratados internacionales correspondientes. Deberá promoverse, igualmente, la prestación de servicios eficientes y accesibles;

"Cuarto.– En todo momento deberá fomentarse la competencia en el sector, evitando prácticas que restrinjan el acceso a los consumidores o sean discriminatorias, en perjuicio de los intereses de los consumidores;

"Quinto.– Los contenidos de las transmisiones vía satélite deberán contribuir al fortalecimiento de los valores culturales y de los símbolos de nuestra identidad nacional; y

"Sexto.– Deberá mantenerse la disponibilidad de capacidad satelital para las redes de seguridad nacional y la prestación de servicios de carácter social, como son la telefonía rural y la educación a distancia."

Cuando la iniciativa arribó a la Cámara de Senadores, este cuerpo legislativo aprobó la propuesta presidencial en materia de ferrocarriles y comunicación vía satélite. Empero, en uso de su autonomía y en sus facultades como colegisladora, señaló su preocupación de que pudiera interpretarse la multicitada iniciativa, equivocadamente, como "que el Estado se retira por completo del campo de las comunicaciones ferroviarias y satelitales", y de que pudiera "llevar a la idea de que la nación pierde soberanía" en las dos materias señaladas en la propuesta del Ejecutivo Federal. Se podría entender que en tratándose de ferrocarriles y comunicaciones por vía satelital dejaban de ser áreas estratégicas para convertirse en áreas prioritarias en las que la nación debería mantener su participación y control.

Por lo anterior el Senado propuso adicionar la iniciativa presidencial con lo siguiente:

"La comunicación vía satélite y los ferrocarriles son áreas prioritarias para el desarrollo nacional en los términos del artículo 25 de esta Constitución; el Estado al ejercer en ellas su rectoría, protegerá la seguridad y la soberanía de la nación, y al otorgar concesiones o permisos a particulares, mantendrá o establecerá el dominio de las respectivas vías de comunicación de acuerdo con las leyes de la materia."

En su turno, la Cámara de Diputados aprobó, tanto la iniciativa presidencial, cuanto la adición del Senado, por lo que se convirtió en reforma constitucional vigente a partir del 3 de marzo de 1995.

ARTÍCULO 29. En los casos de invasión, perturbación grave de la paz pública, o de cualquier otro que ponga a la sociedad en grave peligro o conflicto, solamente el Presidente de los Estados Unidos Mexicanos, de acuerdo con los Titulares de las Secretarías de Estado, los Departamentos Administrativos y la Procuraduría General de la República y con aprobación del Congreso de la Unión, y, en los recesos de éste, de la Comisión Permanente, podrá suspender en todo el país o en lugar determinado las garantías que fuesen obstáculo para hacer frente, rápida y fácilmente a la situación; pero deberá hacerlo por un tiempo limitado, por medio de prevenciones generales y sin que la suspensión se contraiga a determinado individuo. Si la suspensión tuviese lugar hallándose el Congreso reunido, éste concederá las autorizaciones que estime necesarias para que el Ejecutivo haga frente a la situación, pero si se verificase en tiempo de receso, se convocará sin demora al Congreso para que las acuerde.

Cierra el capítulo primero de la Constitución este precepto que regula las condiciones que deben anteceder a la suspensión parcial o total de las garantías humanas, ya sea en una parte del país o en toda la República.

En circunstancias normales, cuando existen paz y tranquilidad en el ámbito nacional e internacional, no se presenta conflicto entre las garantías individuales y el interés social o público, ya que la Constitución establece su equilibrio.

Por el contrario, en tiempos anormales, en situaciones de rebelión, invasión o guerra, siempre debe prevalecer el interés público, pues se halla en peligro la supervivencia misma de la nación. Cuando ese desequilibrio surge, la Constitución autoriza la suspensión de garantías, que puede decretarse para un lugar determinado o comprender a todo el país, lo que no significa la terminación definitiva de los derechos del hombre, sino que simplemente se interrumpe la efectividad de algunos, hasta en tanto se restablezca el orden y la paz. Aun en este caso extraordinario, la Constitución fija condiciones que, en última instancia, también se traducen en garantías individuales, pues la suspensión debe ser por tiempo limitado, decretarse por medio de disposiciones generales y no puede referirse a un solo individuo.

Cuando se suspenden las garantías individuales, el Poder Legislativo dota de facultades extraordinarias al Ejecutivo,[24] a fin de que dicte las disposiciones y adopte las medidas necesarias para afrontar, rápida y fácilmente, la situación: Tal acto sólo supone una excepción transitoria al principio de la división de poderes, esencial en nuestro régimen político.

Hasta fecha reciente, este precepto solicitaba del Presidente, para el caso de suspensión de garantías, que lo hiciera "de acuerdo con el consejo de ministros", además requiriendo la aprobación del Congreso de la Unión o de la Comisión Permanente, según fuera el caso. A partir del 21 de abril de 1981 se suprimió lo relativo al consejo de ministros ya que nuestro régimen no es parlamentario, no hay "ministros", sino secretarios del despacho (artículos 90 y 91 de la Constitución) y, por ende, no tiene por qué existir un "consejo de ministros".

CAPÍTULO II

De los Mexicanos

ARTÍCULO 30. **La nacionalidad mexicana se adquiere por nacimiento o por naturalización.**

A. Son mexicanos por nacimiento:

[24] Véase artículo 49.

I. Los que nazcan en territorio de la República, sea cual fuere la nacionalidad de sus padres;

II. Los que nazcan en el extranjero, de padres mexicanos nacidos en territorio nacional, de padre mexicano nacido en territorio nacional, o de madre mexicana nacida en territorio nacional;

III. Los que nazcan en el extranjero, hijos de padres mexicanos por naturalización, de padres mexicanos por naturalización, o de madre mexicana por naturalización, y

IV. Los que nazcan a bordo de embarcaciones o aeronaves mexicanas, sean de guerra o mercantes.

B. Son mexicanos por naturalización:

I. Los extranjeros que obtengan de la Secretaría de Relaciones carta de naturalización, y

II. La mujer o el varón extranjeros que contraigan matrimonio con varón o con mujer mexicanos, que tengan o establezcan su domicilio dentro del territorio nacional y cumplan con los demás requisitos que al efecto señale la ley.

Vibrar al recuerdo de una común tradición histórica, estar vinculados a otros hombres de la misma raza, hablar igual idioma, practicar costumbres semejantes, habitar un determinado territorio, estar sujetos a cierto orden jurídico, poseer la conciencia de que se pertenece a una colectividad y el propósito de compartir y realizar un destino común, es lo que forma la nacionalidad.

La nacionalidad mexicana se adquiere a partir del momento del nacimiento o por actos posteriores a él (naturalización): En el primer caso, nuestra Constitución la otorga atendiendo a dos factores: El lugar de nacimiento (fracciones I y IV) o la nacionalidad de los padres (fracciones II y III).

Por lo que hace al sitio donde se nació se tiene nacionalidad mexicana, no obstante que uno o ambos padres sean extranjeros, si se nació dentro del territorio nacional o a bordo de embarcaciones o aeronaves mexicanas (que se estiman; asimismo, parte del territorio nacional).

Respecto a la nacionalidad de los padres, y a partir de la reforma de 29 de diciembre de 1969, se estableció la posibilidad de que fuera cualquiera de ellos o ambos, condición suficiente para otorgar la nacionalidad por nacimiento, suprimiendo así un absurdo texto anterior que declaraba mexicanos por nacimiento a los nacidos en el extranjero de madre mexicana y padre desconocido, hipótesis humillante, casuística y excluyente.

Por reforma publicada en el *Diario Oficial* de 20 de marzo de 1997, se modificó este artículo 30 y el 32 y el 37 (ver comentarios) a fin de establecer la posibilidad de la llamada doble nacionalidad.

"La reforma constitucional propuesta tiene por objeto la no pérdida de la nacionalidad mexicana independientemente de que se adopte alguna otra nacionalidad o ciudadanía. Con esta medida se pretende que quienes opten por alguna nacionalidad distinta a la mexicana, puedan ejercer plenamente sus derechos en su lugar de residencia, en igualdad de circunstancias respecto a los nacionales del lugar", según explica de inicio la respectiva expresión de motivos del proyecto del Presidente enviado a la Cámara de Senadores.

En los términos anteriores, la modificación está dirigida a que, como ocurre en muchos países, se obtenga un doble beneficio: una mejor defensa de los intereses y la conservación de la nacionalidad mexicana.

En virtud de la igualdad jurídica del hombre y la mujer que declara el nuevo artículo 4o., se reformó la fracción II del apartado B, a fin de que la nacionalidad mexicana por naturalización la pueda adquirir cualquiera de los dos cónyuges –se trate del marido o de la mujer–, en virtud de su matrimonio con mexicano, cuando establezcan su domicilio en la República. Antes de esta reforma sólo la mujer extranjera podía acogerse a la nacionalidad del marido. (Véase artículos transitorios –reforma 20 de marzo de 1997– al final de esta obra).

ARTÍCULO 31. Son obligaciones de los mexicanos:

I. Hacer que sus hijos o pupilos concurran a las escuelas públicas o privadas, para obtener la educación primaria y secundaria, y reciban la militar, en los términos que establezca la ley;

II. Asistir en los días y horas designados por el Ayuntamiento del lugar en que residan, para recibir instrucción cívica y militar que los mantenga aptos en el ejercicio de los derechos de ciudadano, diestros en el manejo de las armas y conocedores de la disciplina militar;

III. Alistarse y servir en la Guardia Nacional, conforme a la ley orgánica respectiva, para asegurar y defender la

independencia, el territorio, el honor, los derechos e intereses de la Patria, así como la tranquilidad y el orden interior, y

IV. Contribuir para los gastos públicos, así de la Federación, como del Distrito Federal o del Estado y Municipio en que residan, de la manera proporcional y equitativa que dispongan las leyes.

Todos los mexicanos gozan de los derechos que les otorgan la Constitución y las leyes de ella derivadas, mas también tienen deberes que cumplir.

Las obligaciones que señala este artículo están dirigidos a unir a todos los mexicanos en pro del destino común de la nación, tanto en la lucha contra la ignorancia, como en el estricto cumplimiento de la conducta cívica y en la preparación militar para la defensa de la patria.

El ser miembros del pueblo de México obliga, asimismo, a colaborar para la conservación del orden y la tranquilidad y contribuir a los gastos públicos, a fin de cooperar al sostenimiento y desarrollo de las instituciones de la Federación, y del Distrito Federal, Estado y Municipio, según el lugar en que se resida, de sus servicios y de las obras que contribuyan al desenvolvimiento material y espiritual de los habitantes de la República.*

En consonancia con las reformas propuestas al artículo 3o., por iniciativa presidencial de 18 de noviembre de 1992 (véase el comentario correspondiente), se modificó la fracción I de este artículo, para hacer extensiva la obligación de los mexicanos –de hacer que sus hijos o pupilos, menores de quince años, concurran a las escuelas públicas o privadas– a la educación secundaria, en adición a la primaria.

Como resultado del debate suscitado en la Cámara de Diputados, Cámara de Origen, de la iniciativa presidencial mencionada, la misma fue aprobada en lo general, suprimiendo la expresión "menores de quince años" que aparecía en la versión vigente de esta fracción y también en la iniciativa del Ejecutivo Federal. La reforma definitiva apareció publicada en el *Diario Oficial* de 5 de marzo de 1993.

ARTÍCULO 32. La Ley regulará el ejercicio de los derechos que la legislación mexicana otorga a los mexicanos que posean otra nacionalidad y establecerá normas para evitar conflictos por doble nacionalidad.

* Comentario del licenciado EMILIO RABASA GAMBOA, en virtud de la reforma de 1993.

El ejercicio de los cargos y funciones para los cuales, por disposición de la presente Constitución, se requiera ser mexicano por nacimiento, se reserva a quienes tengan esa calidad y no adquieran otra nacionalidad. Esta reserva también será aplicable a los casos que así lo señalen otras leyes del Congreso de la Unión.

En tiempo de paz, ningún extranjero podrá servir en el Ejército, ni en las fuerzas de policía o seguridad pública. Para pertenecer al activo del Ejército en tiempo de paz y al de la Armada o al de la Fuerza Aérea en todo momento, o desempeñar cualquier cargo o comisión en ellos, se requiere ser mexicano por nacimiento.

Esta misma calidad será indispensable en capitanes, pilotos, patrones, maquinistas, mecánicos y, de una manera general, para todo el personal que tripule cualquier embarcación o aeronave que se ampare con la bandera o insignia mercante mexicana. Será también necesaria para desempeñar los cargos de capitán de puerto y todos los servicios de practicaje y comandante de aeródromo.

Los mexicanos serán preferidos a los extranjeros en igualdad de circunstancias, para toda clase de concesiones y para todos los empleos, cargos o comisiones de gobierno en que no sea indispensable la calidad de ciudadano.

En virtud de que la reforma que estableció el principio de la doble nacionalidad –a través de las modificaciones de esta disposición y de los artículos 30 y 37 (véase comentarios respectivos) publicada en el *Diario Oficial* de 20 de marzo de 1997–, podría originar dudas por la posesión de otra nacionalidad, se remite esta sensitiva cuestión a la regulación de una ley especial. Sin embargo, existen cargos establecidos en la Constitución –tanto los de elección popular (Presidente de la República, senadores, diputados y gobernadores), así como los secretarios de Estado, ministros de la Suprema Corte de Justicia de la Nación y los señalados en otras leyes–, que exigen de un especial rigorismo selectivo y únicamente son disponibles para los mexicanos por nacimiento que no adquieran otra nacionalidad.

En virtud de lo anterior, también se incluyeron a las fuerzas armadas y a muchas calidades en la marina, como de excepción al principio de la doble nacionalidad. (Véase artículos transitorios –reforma 20 de marzo de 1997– al final de esta obra).

CAPÍTULO III

De los Extranjeros

ARTÍCULO 33. Son extranjeros los que no posean las calidades determinadas en el artículo 30. Tienen derecho a las garantías que otorga el capítulo I, título primero, de la presente Constitución; pero el Ejecutivo de la Unión tendrá la facultad exclusiva de hacer abandonar el territorio nacional, inmediatamente y sin necesidad de juicio previo, a todo extranjero cuya permanencia juzgue inconveniente.

Los extranjeros no podrán de ninguna manera inmiscuirse en los asuntos políticos del país.

La Constitución, documento generoso y democrático que procura la solidaridad internacional y sustenta los ideales de fraternidad e igualdad de derechos de todos los hombres, extiende su acción protectora a los extranjeros –conforme lo señalan este artículo y el primero–, o sea, que también ellos, como personas que son y por el solo hecho de estar en México, gozan de todas las garantías individuales que consigna la Carta Magna. Sólo una y lógica limitación se les impone, no pueden actuar en los asuntos políticos del país, actividad cuyo ejercicio está reservado a los nacionales.

Como los extranjeros gozan de los mismos derechos que los mexicanos, también están obligados a cumplir puntualmente los deberes que las leyes determinan.

Así, como el Ejecutivo se encuentra facultado para admitir extranjeros en el país, también lo está para expulsarlos cuando su conducta resulte perjudicial a los intereses jurídicos, políticos o materiales de la nación.

CAPÍTULO IV

De los Ciudadanos Mexicanos

ARTÍCULO 34. Son ciudadanos de la República los varones y mujeres que, teniendo la calidad de mexicanos, reúnan, además, los siguientes requisitos:

I. Haber cumplido 18 años, y

II. Tener un modo honesto de vivir.

Es preciso subrayar dos conceptos importantes en este artículo:

1o. La ciudadanía presupone la nacionalidad, o sea: Todos los ciudadanos, como condición previa indispensable, deben ser mexicanos.

Ahora bien, no todos los mexicanos son ciudadanos, porque para ello se requiere además, haber cumplido dieciocho años y tener un modo honesto de vivir.

Puede afirmarse que la nacionalidad es, sobre todo, una categoría sociológica, en tanto que la ciudadanía es una condición política.

Nuestra Constitución presupone que los dieciocho años, sea cual fuere el estado civil, constituye la edad límite inferior a partir de la cual el mexicano ya está preparado, física y sicológicamente, emocional y culturalmente para ejercer la seria responsabilidad que entraña la ciudadanía.

2o. La ciudadanía femenina se otorgó merced a la reforma de la Ley Suprema, que apareció publicada en el *Diario Oficial* el 7 de octubre de 1953. Anteriormente el precepto decía que eran ciudadanos "los mexicanos", término que no excluía a las mujeres mexicanas; sin embargo, como a éstas se les había negado tradicionalmente el voto, fue necesaria la modificación al texto constitucional para que México entrara a formar parte de la mayoría de naciones de la Tierra, que ha colocado en una situación de igualdad, en todos los derechos, a mujeres y varones, a partir de un movimiento iniciado al concluir la Primera Guerra Mundial (1918). Este acto muestra la madurez política de la nación y significa el más justo aprecio a la labor femenina, ya que las mujeres comparten día a día las tareas constructivas de la patria en diversas actividades, todas ellas importantes.

Interesa agregar a este comentario el hecho de que dos mujeres con gran perspicacia, Hermila Galindo y Edelmina Trejo de Meillón, sugirieron por escrito, separadamente, al Congreso de Querétaro que fuera otorgado a la mujer el derecho al voto, petición que si bien fue vista con simpatía, no se adoptó, pues en aquellos años resultaba prematura.

Otro dato interesante al respecto es que el gobernador de San Luis Potosí, profesor Aurelio Manrique, expidió el 13 de julio de 1923 un decreto por el cual se concedía a la mujer potosina el derecho a votar y ser votada en las elecciones municipales.

Un paso más adelante en este camino se dio al publicarse la adición al artículo 115 constitucional, el 12 de febrero de 1947, que a la letra decía: "En las elecciones municipales participarán las mujeres en igualdad de condición que los varones, con el derecho de votar y ser votadas." Este precepto se suprimió al consagrarse los plenos derechos políticos femeninos.

ARTÍCULO 35. Son prerrogativas del ciudadano:

I. Votar en las elecciones populares;

II. Poder ser votado para todos los cargos de elección popular y nombrado para cualquier otro empleo o comisión, teniendo las calidades que establezca la ley;

III. Asociarse individual y libremente para tomar parte en forma pacífica en los asuntos políticos del país;

IV. Tomar las armas en el Ejército o Guardia Nacional para la defensa de la República y de sus instituciones, en los términos que prescriben las leyes, y

V. Ejercer en toda clase de negocios el derecho de petición.

Ciudadanos son los mexicanos facultados para intervenir en la formación y funcionamiento de los órganos públicos, es decir, tienen capacidad política y por lo tanto pueden votar y ser votados, constituir partidos, tratar asuntos políticos y desempeñar cargos públicos.

Desde luego es determinante, para el correcto funcionamiento de las instituciones políticas de la República, que la voluntad popular sea expresada mediante el voto directo y que quienes resulten elegidos cumplan fielmente las obligaciones propias de su cargo.

*Reforma de 1996**

La reforma publicada en el *Diario Oficial de la Federación* de 22 de agosto de 1996 representa un paso más en relación con la anteriormente comentada de 1990 para fortalecer el derecho de asociación. Antes de la última reforma los requisitos constitucionales de este derecho eran la asociación libre y pacífica. Ahora se agrega el carácter individual de esta prerrogativa. La individualidad del derecho de asociación evita la posibilidad y/o riesgo de forzar su integración de manera colectiva con lo cual perdería el carácter de garantía individual que otorga la Constitución. En consecuencia el derecho de asociación debe ejercerse de manera individual, libre y pacíficamente.

ARTÍCULO 36. Son obligaciones del ciudadano de la República:

I. Inscribirse en el catastro de la municipalidad, manifestando la propiedad que el mismo ciudadano tenga, la industria, profesión o trabajo de que subsista; así como también

* Comentario del licenciado EMILIO RABASA GAMBOA.

inscribirse en el Registro Nacional de Ciudadanos, en los términos que determinen las leyes.

La organización y el funcionamiento permanente del Registro Nacional de Ciudadanos y la expedición del documento que acredite la ciudadanía mexicana son servicios de interés público, y por tanto, responsabilidad que corresponde al Estado y a los ciudadanos en los términos que establezca la ley;

II. Alistarse en la Guardia Nacional;

III. Votar en las elecciones populares en los términos que señale la ley;

IV. Desempeñar los cargos de elección popular de la Federación o de los estados, que en ningún caso serán gratuitos, y

V. Desempeñar los cargos concejiles del Municipio donde resida, las funciones electorales y las del jurado.

La libertad, la democracia, la justicia y los demás bienes políticos de que gozamos son efectivos porque existe la Constitución, y la Constitución tiene vigencia en virtud de que sus principios y propósitos responden a los más altos intereses de nuestro pueblo y porque los órganos del Gobierno garantizan su debido cumplimiento. La inactividad cívica y la indiferencia por las cuestiones públicas no sólo son violatorias de los deberes ciudadanos señalados por este artículo, sino que significan una actitud contraria a las bases de la Constitución, olvido de los intereses de la comunidad y resistencia a participar en el porvenir de México.

De aquí, la trascendencia que tiene el cumplir con nuestras obligaciones ciudadanas y las prevenciones que al respecto contengan las leyes electorales, tanto en el ámbito federal, como en el local y municipal.

Esencia de la democracia es el voto, por lo que resulta importante conocer su naturaleza y consecuencias. Votar no sólo es sufragar, sino decidir, enjuiciar, escoger, tomar partido, en el más amplio sentido de la palabra. Así, el acto electoral no es mera prerrogativa u obligación ciudadana (la Constitución le otorga ambas características), sino señalamiento de preferencias hacia candidatos, partidos y programas varios y diferentes.

La voluntad popular es, sobre todo, conocida a través del voto, pero éste tiene una doble dimensión, dos proyecciones: el de elegir y el de escoger. Merced a la primera se contribuye, de manera fehaciente, a constituir la estructura política en sus órganos fundamentales (tanto federales, como locales y municipales). Mediante la segunda –al optar entre candidatos, partidos y programas– el pueblo señala cómo desea que se comporte ese cuerpo político. Éste es el verdadero y completo sentido del voto; tal es su trascendencia.

Por reforma publicada en el *Diario Oficial de la Federación* de 6 de abril de 1990, se modificó la fracción I de este precepto sustituyendo la obligación ciudadana de inscribirse en "los padrones electorales" por la de "inscribirse en el Registro Nacional de Ciudadanos, en los términos que determinen las leyes". También se agregó un párrafo, en el mismo inciso I, referente a la organización y funcionamiento permanente de este nuevo órgano, así como la expedición del documento que acredite la ciudadanía mexicana, considerados ambos como servicios de interés público y responsabilidad del Estado y los ciudadanos en los términos que establezca la ley.

Cabe aclarar que el Registro Nacional de Ciudadanos, que establece el nuevo inciso I en este precepto 36, es un órgano nuevo y diferente al de los padrones electorales, los que de ninguna manera resultan sustituidos por aquél. La regulación constitucional de los padrones electorales pasa al artículo 41 de nuestra Constitución, al integrarse con otros órganos en el nuevo organismo público encargado de la organización de las elecciones federales (véase comentario al artículo 41).

Consecuentemente, subsiste la obligación ciudadana de registrarse en los padrones electorales como requisito para el ejercicio del voto según lo dispone el artículo 6o. del Código Federal de Instituciones y Procedimientos Electorales (Cofipe), y es atribución de la nueva Dirección Ejecutiva del Registro Federal de Electores, por lo dispuesto en el artículo 92 de este último ordenamiento, formar el padrón electoral, cuya base constitucional se encuentra en el artículo 41.

Por su lado, el Registro Nacional de Ciudadanos, creado mediante la reforma que se comenta, deberá, entre otras atribuciones, expedir el documento que acredite la ciudadanía mexicana, para lo cual será necesario que una ley secundaria y reglamentaria de este precepto precise la estructura y alcances de este nuevo órgano que establece ahora la Constitución.

*Reforma de 1996**

La reforma de 1990 a este precepto estableció el Registro Nacional de Ciudadanos como servicio de interés público (fracción I).

La reforma a la fracción III de este artículo publicada en el *Diario Oficial* de 22 de agosto de 1996 busca ampliar las posibilidades de sufragar incluso fuera del distrito electoral que le corresponda al elector por encontrarse en tránsito en lugar distinto del de su residencia habitual o incluso en

* Comentario del licenciado EMILIO RABASA GAMBOA.

el extranjero, si bien en estos casos su voto se vería limitado a determinadas candidaturas en los términos de la ley electoral.

ARTÍCULO 37.

A) Ningún mexicano por nacimiento podrá ser privado de su nacionalidad.

B) La nacionalidad mexicana por naturalización se perderá en los siguientes casos:

I. Por adquisición voluntaria de una nacionalidad extranjera, por hacerse pasar en cualquier instrumento público como extranjero, por usar un pasaporte extranjero, o por aceptar o usar títulos nobiliarios que impliquen sumisión a un Estado extranjero, y

II. Por residir durante cinco años continuos en el extranjero.

C) La ciudadanía mexicana se pierde:

I. Por aceptar o usar títulos nobiliarios de gobiernos extranjeros;

II. Por presentar voluntariamente servicios oficiales a un gobierno extranjero sin permiso del Congreso Federal o de su Comisión Permanente;

III. Por aceptar o usar condecoraciones extranjeras sin permiso del Congreso Federal o de su Comisión Permanente;

IV. Por admitir del gobierno de otro país títulos o funciones sin previa licencia del Congreso Federal o de su Comisión Permanente, exceptuando los títulos literarios científicos o humanitarios que pueden aceptarse libremente;

V. Por ayudar, en contra de la Nación, a un extranjero, o a un gobierno extranjero, en cualquier reclamación diplomática o ante un tribunal internacional, y

VI. En los demás casos que fijan las leyes.

En el caso de las fracciones II a IV de este apartado, el Congreso de la Unión establecerá en la ley reglamentaria respectiva, los casos de excepción en los cuales los permisos y licencias se entenderán otorgados, una vez transcurrido el plazo que la propia ley señale, con la sola presentación de la solicitud del interesado.

En esta disposición y hasta la reforma publicada en el *Diario Oficial* de 20 de marzo de 1997, expresamente se establecía la pérdida de la nacionalidad mexicana "por adquisición voluntaria de una nacionalidad extranjera".

Admitido en este precepto y en los artículos 30 y 32 (véase comentarios) el principio de la doble nacionalidad hoy, por el contrario, el inciso A) del artículo 37 señala claramente que "ningún mexicano por nacimiento podrá ser privado de su nacionalidad".

La doble nacionalidad, así estatuida, permite que el mexicano residente en el exterior pueda tener una situación jurídica en su lugar de residencia, que lo guarezca de violaciones en razón de esa misma nacionalidad y que le permita actuar políticamente para una mayor y mejor defensa de sus intereses.

Por otra parte, es característico del emigrante mexicano mantener vivo el apego a sus raíces, su cultura, sus valores y tradiciones nacionales. Además, existe la tendencia del emigrante mexicano, después de un cierto periodo en el extranjero de regresar a México.

El nuevo artículo 37, a diferencia de su predecesor, hace una pertinente distinción entre mexicanos por nacimiento y por naturalización, prohibiendo absolutamente la pérdida de la nacionalidad en el primer caso y prescribiéndola en el segundo.

Se añade un último párrafo relativo a la fracción II y IV para referirlos a una ley reglamentaria y señalar los casos de excepción. (Véase artículos transitorios –reforma 20 de marzo de 1997– al final de esta obra).

Artículo 38. Los derechos o prerrogativas de los ciudadanos se suspenden:

I. Por falta de cumplimiento, sin causa justificada, de cualquiera de las obligaciones que impone el artículo 36. Esta suspensión durará un año y se impondrá además de las otras penas que por el mismo hecho señalare la ley;

II. Por estar sujeto a un proceso criminal por delito que merezca pena corporal, a contar desde la fecha del auto de formal prisión;

III. Durante la extinción de una pena corporal;

IV. Por vagancia o ebriedad consuetudinaria, declarada en los términos que prevengan las leyes;

V. Por estar prófugo de la justicia desde que se dicte la orden de aprehensión hasta que prescriba la acción penal, y

VI. Por sentencia ejecutoria que imponga como pena esa suspensión.

La ley fijará los casos en que se pierden y los demás en que se suspenden los derechos de ciudadano, y la manera de hacer la rehabilitación.

La ciudadanía puede suspenderse por algún tiempo a quienes:

a) No cumplan los deberes ciudadanos, ya que tal abandono perjudica la marcha de la democracia, que necesita forzosamente de la actividad política de los ciudadanos, y

b) La ley no estima capaces para el cumplimiento de los altos privilegios que entraña el ejercicio de los derechos políticos (fracciones II, III, IV, V y VI).

Título segundo

CAPÍTULO I
De la Soberanía Nacional y
de la Forma de Gobierno
Artículos 39 a 41

CAPÍTULO II
De las Partes Integrantes de la Federación y
del Territorio Nacional
Artículos 42 a 48

TÍTULO SEGUNDO

CAPÍTULO I

De la Soberanía Nacional y de la Forma de Gobierno

ARTÍCULO 39. La soberanía nacional reside esencial y originalmente en el pueblo. Todo poder público dimana del pueblo y se instituye para beneficio de éste. El pueblo tiene en todo tiempo el inalienable derecho de alterar o modificar la forma de su gobierno.

"La facultad de dictar leyes y establecer la forma de gobierno que más convenga a los intereses de la sociedad, constituye la soberanía." "Como el gobierno no se instituye por honra o intereses particulares de ninguna familia, de ningún hombre o clases de hombre, sino para la protección y seguridad general de todos los ciudadanos unidos voluntariamente en sociedad, ésta tiene derecho incontestable a establecer el gobierno que más le convenga, alterarlo, modificarlo o abolirlo totalmente cuando su felicidad lo requiera." "Por consiguiente, la soberanía reside originariamente en el pueblo."

Los conceptos anteriores pertenecen al decreto constitucional de Apatzingán formulado bajo la inspiración de Morelos, que deseó para su pueblo el goce de la libertad política, presupuesto indispensable para dirigir la propia vida. Como él quiso, México, a lo largo de su dolorosa historia, ha luchado por hacer realidad el principio de que "la soberanía dimana inmediatamente del pueblo", formulado por el héroe en "Los Sentimientos de la Nación".

Este principio fundamental, para el orden democrático de los pueblos independientes, fue recogido por los primeros constituyentes mexicanos al triunfo de la guerra insurgente. Los diputados al Congreso (1823-1824) asentaron la soberanía del pueblo en el artículo 3o., del Acta Constitutiva y para precisar la libertad política tan recientemente lograda agregaron:[25] "La nación mexicana es libre e independiente para siempre de España y de

[25] Artículo 1o. de la Constitución de 1824.

cualquier otra potencia, y no es ni puede ser patrimonio de ninguna familia o persona."

El pueblo mexicano, después de promulgada la Constitución de 1824, vivió una de las etapas más desordenadas y trágicas de su historia, Iturbide y Santa Anna –y con ellos sus seguidores– fueron los personajes que proyectaron su sombra a lo largo de más de 35 años de la historia de México independiente; el primero, al elevarse por un golpe de Estado hasta el trono de un falso imperio, y el segundo, cuando, con la complicidad de los conservadores y reaccionarios de su tiempo, sustituyó la voluntad del pueblo con una torpe y caprichosa dictadura, salvo los periodos en que actuó Gómez Farías.

La Revolución de Ayutla fue un nuevo grito libertario lanzado por los hombres en contra de las dictaduras, negadoras de derechos, y en contra, también, de las fuerzas sociales del pasado, que seguían reteniendo un poder injusto sobre las mayorías. Este movimiento logró sus aspiraciones en la nueva Carta de 1857, en la que nuevamente se iba a aceptar la soberanía popular. Francisco Zarco dijo, refiriéndose a los trabajos de la asamblea, al terminar ésta: "El Congreso proclamó altamente el dogma de la soberanía del pueblo y quiso que todo el sistema constitucional fuese consecuencia lógica de esta verdad luminosa e incontrovertible. Todos los poderes se derivan del pueblo. El pueblo se gobierna por el pueblo. El pueblo legisla. Al pueblo corresponde reformar, variar sus instituciones. Pero siendo preciso por la organización, por la extensión de las sociedades modernas recurrir al sistema representativo, en México no habrá quien ejerza autoridad sino por el voto, por la confianza, por el consentimiento explícito del pueblo."

Poco después de pronunciadas estas palabras, que resumen los ideales de toda una nación que ama su propia libertad, se sucedieron el desconocimiento de la Constitución, por Comonfort y los gobiernos ilegítimos de Zuloaga y Miramón; y más tarde, la invasión extranjera por las tropas de Napoleón III y la imposición del archiduque austriaco Maximiliano de Habsburgo, quien ocupó por poco tiempo el trono imperial, pretendiendo gobernar al país. Contra este ataque a la Independencia y a la soberanía del pueblo se levantó la recia figura de Benito Juárez, quien frente a los poderosos enemigos extranjeros y los traidores aliados a ellos, sostuvo la bandera de la legalidad republicana y el derecho que asistía a los mexicanos para gobernarse y llevar una vida independiente. Pese a la desigual fuerza de los rivales, triunfó la justicia y la razón, y Juárez, cuando concluida la guerra volvió victorioso a la ciudad de México, el día 15 de julio de 1867, pudo decir a la nación aquellas célebres palabras: "Que el pueblo y el gobierno respeten los derechos de todos. Entre las naciones como entre los individuos el respeto al derecho ajeno es la paz" regla suprema de una convivencia pacífica y justa entre todos los pueblos de la tierra.

En el siglo XX, el pueblo de México, en uso del derecho de soberanía, consagrado en la Constitución, luchó en contra de la dictadura del general Díaz y del gobierno tiránico de Victoriano Huerta. Los diputados constituyentes de Querétaro, hombres que habían vivido los amargos días de la lucha armada y que, salidos del pueblo, supieron comprender y expresar lo que éste anhelaba, confirmaron, una vez más, en el texto de la nueva Constitución el principio de la soberanía popular, de la que dijeron: "Es una de las conquistas más preciadas del espíritu humano en su lucha contra los poderes opresores" pues, "siendo el pueblo el soberano es el que se da su gobierno, elige sus representantes, los cambia según sus intereses; en una palabra, dispone libremente de su suerte" y en México, la doctrina de la soberanía "menos que un dogma filosófico, es el resultado de una evolución histórica, de tal manera, que nuestros triunfos, nuestras prosperidades y todo aquello que en nuestra historia política tenemos de más levantado y de más querido, se encuentra estrechamente ligado con la soberanía popular. Y la Constitución, que no tiene por objeto expresar los principios de una doctrina política más o menos acertada, sí debe consignar los adelantos adquiridos por convicciones, que constituyen la parte de nuestro ser político".

Después de 1917, el nuevo México que surgió de la primera revolución social del siglo XX ha defendido su soberanía en todos los terrenos –en paz y en guerra, en política y en economía–, pero de acuerdo con su historia, también ha levantado su voz pidiendo el respeto para la soberanía de los demás pueblos y la igualdad jurídica entre todos los estados de la Tierra. La doctrina mexicana formulada por Genaro Estrada contiene este principio, al considerar que los gobiernos, mediante el reconocimiento, no deben calificar expresamente la validez o invalidez, la legitimidad o ilegitimidad de los órganos gubernamentales de otra nación.

La actitud internacional de México –siempre en defensa del derecho y siempre contraria a que la fuerza regule las relaciones entre las naciones– ha proyectado en el mundo la verdadera personalidad de su pueblo, que odia la injusticia y la fuerza arbitraria de los poderosos, contra las que valientemente ha luchado a lo largo de su historia, en pos del derecho y de la libertad.

A tres de los elementos o partes integrantes de todo Estado –pueblo, territorio y poder soberano–, se refiere la Constitución, fundamentalmente en los artículos 30, 39, 40, 41 y 42.[26]

La soberanía es la facultad del pueblo para hacer y aplicar sus leyes, y es también su derecho de autodeterminación, o sea, de escoger y modificar libremente la forma en que habrá de ser gobernado.

La soberanía opera también en lo internacional, con plena libertad para establecer relaciones con otros estados u organizaciones de estados,

[26] 30 (pueblo) 39, 40 y 41 (soberanía) y 42 (territorio).

celebrar convenios o tratados y para hacer que se respeten totalmente la independencia de su territorio y la vigencia de las leyes e instituciones. El pueblo, titular de la soberanía, produce la ley –por conducto de sus representantes en congresos constituyentes u ordinarios–, que señala funciones, fija competencias y establece limitaciones a los órganos públicos y a los funcionarios. Así, gobernantes y gobernados están sujetos a las condiciones legales que el pueblo fijó a través de un congreso constituyente y a las posteriores manifestaciones de la voluntad popular, que sus representantes determinan mediante adiciones o modificaciones a la Constitución, y a las leyes que de ella se derivan. En consecuencia, lo que crea y sostiene al Estado en un régimen democrático es la voluntad del pueblo, por lo que éste puede ejercer en todo tiempo, aun para alterar o modificar la forma de su gobierno.

ARTÍCULO 40. Es voluntad del pueblo mexicano constituirse en una República representativa, democrática, federal, compuesta de Estados libres y soberanos en todo lo concerniente a su régimen interior; pero unidos en una Federación establecida según los principios de esta ley fundamental.

La Guerra Insurgente, que fue la primera gran revolución del pueblo de México en su camino hacia la libertad, no sólo buscó la independencia política, sino también se pronunció contra el gobierno monárquico, en sus más auténticas manifestaciones.

El régimen republicano fue adoptado en el decreto constitucional de 1814, el Acta Constitutiva de la Federación y la Constitución de 1824. En este Congreso Constituyente se elevó la voz del célebre fray Servando Teresa de Mier para pedir al pueblo: "Sostén la independencia, pero la independencia absoluta, la independencia sin nuevo amo, la independencia republicana."

Desde entonces se ha mantenido esa forma de gobierno profundamente arraigada en la tradición y creencias políticas del pueblo mexicano. Sólo en dos ocasiones se impuso transitoriamente otro tipo de organización gubernativa. La primera vez por Iturbide, quien aprovechando el desorden reinante en los meses iniciales de nuestra vida independiente se declaró emperador (19 de mayo de 1822 al 19 de marzo de 1823). La segunda, fue Maximiliano de Habsburgo el que quiso gobernar desde un improvisado trono imperial (1864-1867), apoyado en las armas francesas con que Napoleón III había invadido previamente al país y en una minoría de mexicanos de tendencias reaccionarias, episodio que de 1862 a 1867 tiñó de sangre a la patria e iba a concluir con el ajusticiamiento del archiduque austriaco en el Cerro de las Campanas.

República, en términos generales, es la forma de gobierno en la cual los ciudadanos eligen periódicamente al jefe de Estado, quien de manera temporal desempeña ese cargo.

Además del Gobierno Republicano, es el régimen Federal otra de las categorías políticas, que ha prevalecido en México. Se estableció también en el Acta Constitutiva y en la Carta de 1824. Corresponde a los federalistas el haber roto con un pasado histórico que atribuía toda la autoridad gubernativa a la persona del monarca, para entregarla a cada entidad que, en unión del Gobierno Federal, asumirían la dirección política del nuevo Estado.

La cuestión más importante de las tratadas en aquel Congreso (1823-1824) fue el enconado debate entre centralistas y federalistas, sistema, este último, brillantemente defendido por Miguel Ramos Arizpe, quien por eso lleva el justo título de Padre del Federalismo Mexicano.

En forma semejante a como se trató de suprimir la República, contra el federalismo también se pronunciaron fuerzas contrarias al normal progreso histórico mexicano. Y así, el partido conservador –triunfante entre 1835 y 1846–, estableció el sistema centralista, regido por las Siete Leyes Constitucionales de 1836 y las Bases Orgánicas de 1843. Mas con la adopción de la Constitución de 1857 cobró vigencia para siempre el Federalismo.

Federal es la forma de Estado opuesta o diferente al central. En ambos existen los tres poderes tradicionales: Legislativo, Ejecutivo y Judicial, pero mientras en el Estado centralista operan en forma directa e inmediata sobre la totalidad del territorio y del pueblo, en las federaciones, además de actuar en el plano nacional o general, existen al mismo tiempo y se limitan mutuamente con el Legislativo, Ejecutivo y Judicial de cada entidad, cuya competencia se reduce a su propio territorio.

Los estados en el sistema federal son libres y soberanos, porque sus ciudadanos, a través de las respectivas legislaturas, tienen facultad para elaborar su propio régimen jurídico y su constitución, siempre que se sujeten a las disposiciones de la federal. Disfrutan de libertad para gobernarse a sí mismos, dentro de las bases generales señaladas por el título quinto de la Carta Magna, y poseen patrimonio y personalidad jurídica distintos al de los demás estados miembros y a los del Estado federal, pero carecen de personalidad y representación en el plano internacional. La Constitución, que por esto recibe el nombre de Pacto Federal,[27] une a esas entidades libres en un todo común: La Federación.

Otro de los principios fundamentales de la organización política mexicana es su carácter de democracia representativa, concepto consecuente con el de la soberanía popular que establece el artículo 39 constitucional.

[27] Véase comentario al artículo 41.

"La democracia –dijo Ponciano Arriaga– es el mando, el poder, el gobierno, la autoridad, la ley, la judicatura del pueblo. El gobierno popular y democrático se funda en la igualdad de los hombres, se manifiesta por su libertad, se consuma y perfecciona por la fraternidad." El principio democrático quedó consolidado en la Constitución de 1857 que otorgaba a todos los mexicanos varones el derecho de voto.

La Carta de 1917, fiel a lo mejor de nuestra tradición política, recogería la forma de gobierno republicano, federal y democrático, y por reformas de 1953 quedó perfeccionado el sistema universal electoral al otorgar el voto a la mujer.

La democracia ha sido una constante aspiración del pueblo mexicano, que reconoce en ella una forma justa de gobierno, porque ha sufrido a lo largo de su historia despotismos y dictaduras. Iturbide, Santa Anna, Maximiliano, Díaz, Huerta, son sólo cinco hombres representativos de la negación democrática en la evolución histórica de México. Contra los cinco el pueblo tomó las armas, pues sólo con ellas era posible desposeer a los dictadores del poder que ostentaban y volver a implantar un régimen político justo.

A Francisco I. Madero se le ha llamado el Apóstol de la Democracia, ya que enarboló la bandera revolucionaria contra la dictadura porfiriana e iba a sucumbir asesinado por la tiranía huertista. Madero, en el Plan de San Luis de 5 de octubre de 1910, incitó al pueblo a la revolución armada. En ese documento dijo: "En México, como República democrática, el poder público no puede tener otro origen ni otra base que la voluntad general" y el lema revolucionario "Sufragio Efectivo. No Reelección" sintetizó los anhelos democráticos populares.

Democracia es una palabra que, según su origen, significa gobierno del pueblo, es decir, es el gobierno de todos o la posibilidad para todos de participar directa o indirectamente en el gobierno.

Ahora bien, hasta fecha reciente, por lo que hace a México, sólo las mayorías participaban, mediante su voto, en la integración de la Cámara de Diputados; actualmente se ha perfeccionado nuestro sistema democrático merced a varias reformas introducidas a diversos artículos constitucionales y las minorías también están representadas.

Una democracia es representativa cuando las leyes se elaboran por medio de representantes electos por los ciudadanos. Las enormes comunidades que hoy forman las modernas naciones, no pueden, como sucedió hace muchos siglos, participar directa, activa y diariamente en las cuestiones públicas, en el gobierno, pues no es posible reunir gigantescas asambleas y discutir en su seno. Por lo tanto, para representar al pueblo, para actuar en su lugar dedicándose exclusivamente a esta tarea, se elige –atendiendo a determinados índices demográficos (número de habitantes), zonas geográficas o intereses políticos de partido– a un grupo de personas con suficiente autoridad para interpretar y convertir en mandatos, para todos obligatorios (leyes), la voluntad de la mayoría. En México, esos representantes forman el Congreso de la Unión, dividido en dos cámaras: La de Diputados y la de Senadores (Título tercero, Capítulo II), y en los estados, las cámaras locales. La representación popular se realiza también a través de los ayuntamientos.

ARTÍCULO 41. El pueblo ejerce su soberanía por medio de los Poderes de la Unión en los casos de la competencia de éstos, y por los de los Estados en lo que toca a sus regímenes interiores, en los términos respectivamente establecidos por la presente Constitución Federal y las particulares de los Estados, las que en ningún caso podrán contravenir las estipulaciones del pacto federal.

La renovación de los poderes Legislativo y Ejecutivo se realizará mediante elecciones libres, auténticas y periódicas, conforme a las siguientes bases:

I. Los partidos políticos son entidades de interés público; la ley determinará las formas específicas de su intervención en el proceso electoral. Los partidos políticos nacionales tendrán derecho a participar en las elecciones estatales y municipales.

Los partidos políticos tienen como fin promover la participación del pueblo en la vida democrática, contribuir a la integración de la representación nacional y como organizaciones de ciudadanos, hacer posible el acceso de éstos al ejercicio del poder público, de acuerdo con los programas, principios e ideas que postulan y mediante el sufragio universal, libre, secreto y directo. Sólo los ciudadanos podrán afiliarse libre e individualmente a los partidos políticos.

II. La ley garantizará que los partidos políticos nacionales cuenten de manera equitativa con elementos para llevar a cabo sus actividades. Por tanto, tendrán derecho al uso en forma permanente de los medios de comunicación social, de acuerdo con las formas y procedimientos que establezca la misma. Además, la ley señalará las reglas a que se sujetará el financiamiento de los partidos políticos y sus campañas electorales, debiendo garantizar que los recursos públicos prevalezcan sobre los de origen privado.

El financiamiento público para los partidos políticos que mantengan su registro después de cada elección, se compondrá de las ministraciones destinadas al sostenimiento de sus actividades ordinarias permanentes y las tendientes a la obtención del voto durante los procesos electorales y se otorgará conforme a lo siguiente y a lo que disponga la ley:

a) El financiamiento público para el sostenimiento de sus actividades ordinarias permanentes se fijará anualmente, aplicando los costos mínimos de campaña calculados por el Órgano Superior de Dirección del Instituto Federal Electoral, el número de senadores y diputados a elegir, el número de partidos políticos con representación en las Cámaras del Congreso de la Unión y la duración de las campañas electorales. El 30 por ciento de la cantidad total que resulte de acuerdo con lo señalado anteriormente, se distribuirá entre los partidos políticos en forma igualitaria y el 70 por ciento restante se distribuirá entre los mismos de acuerdo con el porcentaje de votos que hubieren obtenido en la elección de diputados inmediata anterior;

b) El financiamiento público para las actividades tendientes a la obtención del voto durante los procesos electorales, equivaldrá a una cantidad igual al monto del financiamiento público que le corresponda a cada partido político por actividades ordinarias en ese año; y

c) Se integrará un porcentaje de los gastos anuales que eroguen los partidos políticos por concepto de las actividades relativas a la educación, capacitación, investigación socioeconómica y política, así como a las tareas editoriales.

La ley fijará los criterios para determinar los límites a las erogaciones de los partidos políticos en sus campañas electorales; establecerá los montos máximos que tendrán las aportaciones pecuniarias de sus simpatizantes y los procedimientos para el control y vigilancia del origen y uso de todos los recursos con que cuenten y asimismo, señalará las sanciones que deban imponerse por el incumplimiento de estas disposiciones.

III. La organización de las elecciones federales es una función estatal que se realiza a través de un organismo público autónomo denominado Instituto Federal Electoral, dotado de personalidad jurídica y patrimonio propios, en cuya integración participan el Poder Legislativo de la Unión, los partidos políticos nacionales y los ciudadanos, en los términos que ordene la ley. En el ejercicio de esa función estatal, la certeza, legalidad, independencia, imparcialidad y objetividad serán principios rectores.

El Instituto Federal Electoral será autoridad en la materia, independiente en sus decisiones y funcionamiento y profesional en su desempeño; contará en su estructura con órganos de dirección, ejecutivos, técnicos y de vigilancia. El Consejo General será su órgano superior de dirección y se integrará por un consejero Presidente y ocho consejeros electorales, y concurrirán, con voz pero sin voto, los consejeros del Poder Legislativo, los representantes de los partidos políticos y un Secretario Ejecutivo; la ley determinará las reglas para la organización y funcionamiento de los órganos, así como las relaciones de mando entre éstos. Los órganos ejecutivos y técnicos dispondrán del personal calificado necesario para prestar el servicio profesional electoral. Las disposiciones de la ley electoral y del Estatuto que con base en ella apruebe el Consejo General, regirán las relaciones de trabajo de los servidores del organismo público. Los órganos de vigilancia se integrarán mayoritariamente por representantes de los partidos políticos nacionales. Las mesas directivas de casilla estarán integradas por ciudadanos.

El consejero Presidente y los consejeros electorales del Consejo General serán elegidos, sucesivamente, por el voto de las dos terceras partes de los miembros presentes de la Cámara de Diputados, o en sus recesos por la Comisión

Permanente, a propuesta de los grupos parlamentarios. Conforme al mismo procedimiento, se designarán ocho consejeros electorales suplentes, en orden de prelación. La ley establecerá las reglas y el procedimiento correspondientes.

El consejero Presidente y los consejeros electorales durarán en su cargo siete años y no podrán tener ningún otro empleo, cargo o comisión, con excepción de aquellos en que actúen en representación del Consejo General y de los que desempeñen en asociaciones docentes, científicas, culturales, de investigación o de beneficencia, no remunerados. La retribución que perciban el consejero Presidente y los consejeros electorales será igual a la prevista para los Ministros de la Suprema Corte de Justicia de la Nación.

El Secretario Ejecutivo será nombrado por las dos terceras partes del Consejo General a propuesta de su Presidente.

La ley establecerá los requisitos que deberán reunir para su designación el consejero Presidente del Consejo General, los Consejeros Electorales y el Secretario Ejecutivo del Instituto Federal Electoral, los que estarán sujetos al régimen de responsabilidades establecido en el Título Cuarto de esta Constitución.

Los consejeros del Poder Legislativo serán propuestos por los parlamentos con afiliación de partido en alguna de las Cámaras. Sólo habrá un Consejero por cada grupo parlamentario no obstante su reconocimiento en ambas Cámaras del Congreso de la Unión.

El Instituto Federal Electoral tendrá a su cargo en forma integral y directa, además de las que le determine la ley, las actividades relativas a la capacitación y educación cívica, geografía electoral, los derechos y prerrogativas de las agrupaciones y de los partidos políticos, al padrón y lista de electores, impresión de materiales electorales, preparación de la jornada electoral, los cómputos en los términos que señale la ley, declaración de validez y otorgamiento de constancias en las elecciones de diputados y senadores, cómputo de la elección de Presidente de los Estados Unidos Mexicanos en cada uno de los distritos electorales uninominales, así como la regulación de la observación electoral y de las encuestas o sondeos de opinión con fines electorales. Las sesiones de todos los órganos colegiados de dirección serán públicas en los términos que señale la ley.

IV. Para garantizar los principios de constitucionalidad y legalidad de los actos y resoluciones electorales, se establecerá un sistema de medios de impugnación en los términos que señalen esta Constitución y la ley. Dicho sistema dará definitividad a las distintas etapas de los procesos electorales y garantizará la protección de los derechos políticos de los ciudadanos de votar, ser votado y de asociación, en los términos del artículo 99 de esta Constitución.

En materia electoral la interposición de los medios de impugnación constitucionales o legales no producirá efectos suspensivos sobre la resolución o el acto impugnado.

Se ha afirmado que tratándose de un Estado federal existen dos soberanías:[28] la de los estados y la de la Federación. Sin embargo, la soberanía es sólo una, ya que su titular –el pueblo– integra una unidad. Lo que ocurre es que este titular la ejerce por medio de dos grupos de órganos diferentes y en dos planos distintos: nacional e internacionalmente a través de los poderes federales, y en la esfera local por conducto de los poderes de los respectivos estados que actúan dentro de sus correspondientes territorios.

La Constitución federal establece los campos de actividad, las órbitas de competencia, las materias y funciones reservadas en forma exclusiva a los poderes federales (sobre todo en los artículos 73, 89, 103 y 104) y determina que las constituciones estatales y las leyes que surjan de las legislaturas locales deben respetar las facultades otorgadas a la Federación. Pero fuera de las garantías individuales, de las atribuciones expresamente concedidas a los poderes federales y de las obligaciones que les impone la Constitución General, los estados cuentan con absoluta libertad para legislar y aplicar sus leyes.[29]

Históricamente, el texto del artículo 41, en su primer párrafo, comentado, apareció en la Constitución de 1857 en términos idénticos al actual. Se mantuvo intacto en la Constitución de 1917 y así se conservó hasta que

[28] Respecto al significado de soberanía, véase el comentario al artículo 39.
[29] Véase artículo 124.

el decreto de 6 de diciembre de 1977 lo adicionó con la materia referente a los partidos políticos. De esta manera puede afirmarse que la disposición constitucional relativa al ejercicio de la soberanía popular, a la distribución de competencias entre las esferas federal y local y la supremacía del pacto federal, se preservó intocada por espacio de 120 años.

La adición no sólo establece la naturaleza de los partidos políticos como "entidades de interés público", también señala sus objetivos o fines, sus prerrogativas fundamentales y su derecho a participar en las elecciones federales, estatales y municipales.

Por otra parte, el significado de la reforma fue reconocer la importancia que tienen los partidos políticos para configurar la representación nacional y, por añadidura, una representación nacional política e ideológicamente diversificada. Esto es, el pluralismo político en la Cámara de Diputados. Se reconoce, por lo tanto, la existencia de varias y distintas corrientes de opinión nacional, cuya promoción, integración y organización compete a los partidos que devienen el eslabón entre el ciudadano y el poder público. De ahí el interés manifiesto del legislador en proveerlos de los elementos necesarios para que puedan cumplir mejor sus propios fines, especialmente el acceso a los medios de comunicación.

La institución del sufragio universal posee una larga tradición en nuestra historia. La Constitución de 1857 lo estableció por vez primera en sus artículos 55, 76 y 92, para las elecciones de diputados (entonces el sistema legislativo era unicameral), Presidente de la República, e incluso, ministros de la Suprema Corte de Justicia. Sin embargo, a diferencia de la Constitución, actualmente en vigor, que determina un sistema de elección directa, la de 57 prescribía la elección indirecta y en primer grado. Por tal motivo, el territorio nacional se dividía en distritos y éstos en secciones. Los ciudadanos votaban en estas últimas, no por los candidatos, sino por electores que representaban a la sección. Los electores, a su vez, reunidos en colegio electoral eran quienes elegían a los diputados, Presidente de la República y ministros del Supremo Tribunal.

El sistema de elección directa fue adoptado en 1912 y lo ratificó la Constitución de 1917, pero suprimió el sufragio para los ministros de la Suprema Corte, ahora nombrados por el Presidente de la República con la aprobación del Senado (artículo 96).

*Reforma de 1996**

Con ésta son cinco las reformas y diez las modificaciones que ha tenido este precepto en sólo 20 años, lo que revela la gran importancia y dina-

* Comentario del licenciado EMILIO RABASA GAMBOA.

mismo político que ha tenido la materia político-electoral en el último cuarto de este siglo en México.

Los cambios a este precepto recientemente aprobadas apuntan en tres direcciones: 1) las nuevas reglas para la competencia electoral equitativa sobre todo por lo que se refiere al origen y destino de los recursos públicos y privados de los partidos políticos; 2) la recomposición del máximo órgano electoral, el Instituto Federal Electoral (IFE) y 3) la supresión de las disposiciones referentes al Tribunal Federal Electoral (TRIFE), cuya ubicación como parte del Poder Judicial Federal pasa ahora al artículo 94 constitucional.

Antes de entrar al comentario sobre las innovaciones de esta última reforma en estos tres apartados, es importante destacar que por lo que se refiere a la titularidad de la organización de las elecciones el texto anterior prevaleció casi intacto salvo por dos alteraciones, una de ellas de gran trascendencia. Es la primera la inclusión de la denominación del órgano electoral: "Instituto Federal Electoral" que no aparecía anteriormente pues sólo se refería a un "organismo público autónomo, dotado de personalidad jurídica y patrimonio propios..." sin mencionar expresamente su nombre.

Pero más significativa es la segunda alteración de este párrafo. Por vez primera en la historia político-electoral del país se suprime la participación del Poder Ejecutivo a través del Secretario de Gobernación en el proceso electoral para quedar ahora sólo con la participación del Poder Legislativo de la Unión, los partidos políticos y los consejeros-electorales. Más adelante se comentarán los términos de esa participación.

Para entender la trascendencia de esta parte de la reforma, baste recordar los siguientes antecedentes: A partir de la Ley Electoral de 1946 el control gubernamental del proceso electoral era total. La entonces "Comisión de Vigilancia Electoral" se integraba hasta con dos representantes del Ejecutivo Federal, el Secretario de Gobernación y otro miembro del Gabinete, un senador, un diputado y dos comisionados de partidos políticos.

Así se mantuvo la integración del principal órgano electoral por espacio de 30 años con la sola exclusión del otro miembro del Gabinete.

La reforma de 1979 aumentó la representación partidista pero mantuvo el control estatal. A partir de la reforma de 1994 se introduce la representación ciudadana, con los consejeros-ciudadanos, pero subsistió la presencia del Ejecutivo Federal, por medio del Secretario de Gobernación quien siempre figuraba con voz y voto como Presidente del órgano electoral, ya fuese Comisión o Consejo Electoral.

La reforma de 1996 cancela la participación del Ejecutivo Federal dejando la organización de las elecciones en manos de un Consejo General integrado por ocho consejeros electorales, presidido por un consejero ciudadano más y con la representación del Poder Legislativo y de los partidos políticos, éstas dos últimas instancias con voz pero sin voto.

La recomposición del organismo electoral en su Consejo General equivale por lo tanto a lo que se ha dado en llamar la plena "ciudadanización" de la organización electoral, signo inequívoco de plena madurez política de la sociedad civil mexicana que con gran tino atendió la reciente reforma. Por lo que se refiere a los principios rectores de esta función estatal: certeza, legalidad, independencia, imparcialidad y objetividad, se mantuvieron incólumes.

1. La competencia equitativa

a) Acceso a medios

La reciente reforma mantuvo el texto constitucional vigente que establece el principio de equidad para que los partidos políticos cuenten con los elementos necesarios para el desarrollo de sus actividades incluyendo el derecho al uso permanente de los medios de comunicación social. Los cambios en esta materia, quedaron plasmados en la legislación secundaria, el COFIPE, reformado en diciembre de 1996.

Cabe sin embargo recordar que el antecedente remoto de este derecho al uso permanente de los medios de comunicación se encuentra en la reforma de 1973. En ella se establecieron entre las prerrogativas de los partidos políticos el acceso a medios para la difusión de sus idearios y propuestas, que posteriormente ampliaría la reforma de 1977 y la Ley Federal de Organización y Procedimientos Electorales.

Hoy en día no puede ser irrelevante para la equidad electoral, que de manera explícita preconiza la presente reforma en la exposición de motivos de la iniciativa de modificación constitucional, la reglamentación del acceso a los partidos políticos a los medios de comunicación social en virtud de la enorme cobertura que actualmente tienen, sobre todo los electrónicos. Más de un analista político ha hecho ver que las contiendas electorales se ganan sobre todo en el terreno de los medios. Simplemente recuérdese que el primer debate televisivo celebrado el 12 de mayo de 1994 entre los principales candidatos a la presidencia de la República alcanzó a un auditorio de más de cuarenta millones de personas.

b) Reglas de Financiamiento

En esta materia la reforma de 1996 abundó en el nivel constitucional modificando sustancialmente el texto vigente. En la exposición de motivos de la iniciativa se reconoció el agudo problema que provoca la "búsqueda de recursos económicos por parte de las organizaciones políticas [que] con frecuencia tiende a generar situaciones adversas para el sano desarrollo de los sistemas de partidos y eventualmente propicia fenómenos que no respetan fronteras y condiciones económicas".

Para hacer efectivos los valores de equidad en la competencia electoral y transparencia en el origen y aplicación de los recursos económicos de los partidos políticos, la reforma estableció en este precepto, como respuesta a los problemas antes referidos, dos principios fundamentales y tres reglas.

Los principios son:

1. la prevalencia del financiamiento público sobre el privado;

2. claridad en el destino de los recursos: el sostenimiento de actividades ordinarias permanentes de los partidos y de aquéllas tendientes a la obtención del voto.

Las tres reglas son:

1. Para actividades ordinarias y permanentes la distribución se hará así: 30 por ciento de manera igualitaria entre todos los partidos contendientes y el 70 por ciento restante de acuerdo con su fuerza relativa expresada en las anteriores elecciones a diputados federales;

2. para la obtención del voto el financiamiento público consistirá en un monto igual al que hubiese obtenido cada partido político por actividades ordinarias ese año; y

3. se reintegrará a los partidos políticos un porcentaje de sus gastos por concepto de educación, capacitación, investigación socioeconómica y política y tareas editoriales.

Es en la legislación secundaria, el COFIPE, donde se establecen los límites de gastos de campaña, montos máximos de aportaciones de simpatizantes, el procedimiento para el control y vigilancia del origen y uso de todos los recursos con que cuente cada partido político y las sanciones que se impondrán por el incumplimiento de estas disposiciones.

2. La recomposición del IFE

La nueva figura jurídica que incorpora la reforma del 96 al Consejo General del IFE es la del consejero-electoral que sustituye al consejero ciudadano.

El Consejo General queda ahora integrado con ocho consejeros electorales en adición al consejero-presidente. Todos ellos son designados por el voto de las dos terceras partes de los miembros presentes de la Cámara de Diputados, lo que refrenda el carácter autónomo del órgano electoral respecto al Ejecutivo Federal. Su profesionalización queda garantizada por la prohibición a desempeñar otro empleo, cargo o comisión y recibir remuneración distinta de la del propio IFE.

En adición a los consejeros electorales, el Consejo General del IFE también se integra con los representantes de los partidos políticos nacionales y con un representante de cada grupo parlamentario en cualquiera de las Cámaras del Congreso de la Unión. Tanto los representantes de los partidos políticos como del Poder Legislativo tendrán voz en las sesiones del Consejo, pero no voto. Mediante esta recomposición del IFE finalmente queda asegurada, con su autonomía y profesionalización la imparcialidad del máximo órgano electoral, reclamo permanente de la sociedad civil y los partidos políticos.

3. La supresión del TRIFE *en el artículo 41*

La materia contenciosa electoral, el sistema de medios de impugnación, en particular la naturaleza, estructura y competencia del órgano jurisdiccional había estado siempre incorporada a este precepto constitucional. Sin embargo, la reforma de 1996 introduce un cambio fundamental al integrar al TRIFE como parte del Poder Judicial junto con la Suprema Corte de Justicia de la Nación, los Tribunales de Circuito, Juzgados de Distrito y el Consejo de la Judicatura. Al hacerlo así, el legislador permanente desincorporó al Tribunal Federal Electoral de este precepto y lo incluyó en el artículo 94 constitucional que versa precisamente sobre la composición del Poder Judicial de la Federación. En el comentario a este precepto y sobre todo al 99 se analizará el alcance y efecto de esta parte de la reforma.

CAPÍTULO II

De las Partes Integrantes de la Federación y del Territorio Nacional

ARTÍCULO 42. El territorio nacional comprende:

I. El de las partes integrantes de la Federación;

II. El de las islas, incluyendo los arrecifes y cayos en los mares adyacentes;

III. El de las islas de Guadalupe y las de Revillagigedo situadas en el Océano Pacífico;

IV. La plataforma continental y los zócalos submarinos de las islas, cayos y arrecifes;

V. Las aguas de los mares territoriales en la extensión y términos que fije el derecho internacional y las marítimas interiores, y

VI. El espacio situado sobre el territorio nacional, con la extensión y modalidades que establezca el propio derecho internacional.

Es creencia general que el territorio, otro de los elementos esenciales del Estado, se forma exclusivamente por la corteza terrestre, es decir, por una extensión geográfica entre fronteras. Sin embargo, la necesidad de subsistir y progresar mediante el uso y aprovechamiento de los más variados productos o recursos de la naturaleza y del subsuelo, el extraordinario desarrollo de los nuevos medios de comunicación, el desenvolvimiento del derecho internacional, han sido, entre otros factores, lo que ha llevado a considerar que el territorio no es sólo la superficie, sino también las entrañas de la tierra, el mar circundante, la plataforma continental y la atmósfera que se encuentra sobre un país. En consecuencia, actualmente el territorio de un estado lo forman, además de la capa terrestre donde se encuentra localizado su pueblo, el subsuelo, ciertas extensiones marítimas y el espacio aéreo, sobre los que también ejerce su soberanía.[30]

Mención especial merecen las fracciones IV y V de este artículo ya que tienen relación con cuestiones muy importantes de Derecho del Mar; plataforma continental y mar territorial.

La I Conferencia de las Naciones Unidas sobre el Derecho del Mar se reunió en Ginebra en 1958. No sería sino hasta la III, en su último periodo, cuando se lograra una Convención de las Naciones Unidas sobre el Derecho del Mar que fue abierta para firma en Montego Bay, Jamaica, el 10 de diciembre de 1982. México es signatario y ratificante de esa Convención.

Razonable y decidida ha sido la postura de México en torno a las cuestiones más importantes del mar. Así, ya forman parte de su texto constitucional los conceptos: Aguas de los mares territoriales (fracción V del artículo 42); plataforma continental (fracción IV del artlculo 42), y zona económica exclusiva (párrafo octavo adicionado al artículo 27 constitucional). Estos tres conceptos fueron incorporados a la Ley Suprema antes de la Convención de las Naciones Unidas sobre Derecho del Mar, todos ellos en consonancia con las mejores y más nobles prácticas internacionales de su época.

En relación con las tres cuestiones que se acaban de mencionar, cabe advertir que las dos primeras –mar territorial y plataforma continental– a nivel constitucional y no de ley reglamentaria, nunca establecieron la anchura del primero o el límite de la segunda. Hoy, atento a lo dispuesto por el artículo 133 de la Constitución, que incorpora los tratados internacionales al orden jurídico interno, debe entenderse que las doce millas marinas de mar territorial y el borde exterior del margen continental a doscientas millas marinas establecidas por la Convención del Mar, son la distancia y límite precisos que ya forman parte de la legislación constitucional mexicana. Por lo que se refiere a la zona económica exclusiva, establecida en el artículo 27 constitucional, que precedió a la norma internacional positiva (Convención

[30] Véase comentario al artículo 27.

del Derecho del Mar), sí fijó anticipadamente la dimensión exacta de la misma, a las doscientas millas náuticas (véase comentario sobre el párrafo octavo del artículo 27).

ARTÍCULO 43. Las partes integrantes de la Federación son los Estados de Aguascalientes, Baja California, Baja California Sur, Campeche, Coahuila, Colima, Chiapas, Chihuahua, Durango, Guanajuato, Guerrero, Hidalgo, Jalisco, México, Michoacán, Morelos, Nayarit, Nuevo León, Oaxaca, Puebla, Querétaro, Quintana Roo, San Luis Potosí, Sinaloa, Sonora, Tabasco, Tamaulipas, Tlaxcala, Veracruz, Yucatán, Zacatecas y el Distrito Federal.

De acuerdo con el artículo 40, México es un Estado federal, o sea, está integrado por diversas demarcaciones territoriales –estados federales–, que en virtud de un pacto –Constitución federal–, forman una unidad jurídico-política: Los Estados Unidos Mexicanos.

El régimen federal se adoptó por vez primera en la historia de México por el Plan de la Constitución Política de 16 de mayo de 1823, luego en el Acta Constitutiva de la Federación, aprobada el 31 de enero de 1824 por el mismo Congreso Constituyente que después iba a elaborar la ley fundamental que regiría los destinos del nuevo Estado, documento que esa asamblea aprobó el 4 de octubre del propio año 1824.

En el artículo 7o., de dicha Acta Constitutiva se hallan enumerados los estados que entonces integraban la Federación: "El de Guanajuato; el interno de occidente, compuesto por las provincias de Sonora y Sinaloa; el interno de oriente, compuesto de las provincias de Coahuila, Nuevo León y Texas; el interno del norte, compuesto de las provincias de Chihuahua, Durango y Nuevo México; el de Michoacán; el de Oaxaca; el de Puebla de los Ángeles; el de Nuevo Santander, que se llamará de las Tamaulipas; el de Tabasco; el de Tlaxcala, el de Veracruz; el de Xalisco; el de Yucatán, el de Zacatecas. Las Californias y el partido de Colima (sin el pueblo de Tonila, que seguirá unido a Xalisco) serán por ahora territorios de la Federación, sujetos inmediatamente a los supremos poderes de ella. Los partidos y pueblos que componían la provincia del istmo de Guazacualco, volverán a las que antes han permanecido. La Laguna de Términos corresponderá al estado de Yucatán."

La Constitución de 1824 hizo, en su artículo 5o., una enumeración semejante, agregando el estado de Chiapas, que por voluntad propia, desde 1821, había pedido su anexión a México. Estableció asimismo, cuatro territorios: Alta California, Baja California, Colima y Santa Fe de Nuevo México, en tanto reservaba a una ley constitucional posterior fijar el carácter de Tlaxcala.

El partido conservador, defensor del centralismo político, obtuvo el triunfo en 1835 y el Congreso elaboró una Constitución centralista –las Siete Leyes– promulgada el 29 de diciembre de 1836. El estado de Texas iba a aprovechar estos acontecimientos para declarar su independencia, hecho con el que se inició la pérdida del extenso territorio norte –Nuevo México, Arizona, California y Texas–, consumada en forma definitiva el 2 de febrero de 1848, al firmarse los tratados de Guadalupe Hidalgo, que pusieron fin a la invasión norteamericana y a la injusta guerra sostenida contra México.

En el Acta de Reformas de 1847 se restableció la vigencia del federalismo, nulificado más tarde por la última dictadura santanista. La Constitución de 1857 lo volvió a instaurar, y en su artículo 43 señalaba los estados integrantes de la Federación: Aguascalientes, Colima, Chiapas, Chihuahua, Durango, Guanajuato, Guerrero, Jalisco, México, Michoacán, Nuevo León y Coahuila, Oaxaca, Puebla, Querétaro, San Luis Potosí, Sinaloa, Sonora, Tabasco, Tamaulipas, Tlaxcala, Valle de México, Veracruz, Yucatán, Zacatecas y el territorio de Baja California. Esta disposición se modificó en varias ocasiones: El 29 de abril de 1863, para crear el estado de Campeche; el 18 de noviembre de 1868, cuando Coahuila definitivamente alcanzó la categoría de estado federado; el 15 de enero de 1869, fecha en que quedó constituido el estado de Hidalgo, "con la porción de territorio del antiguo Estado de México, comprendida en los distritos de Actopan, Apam, Huascasaloya, Huejutla, Huichapan, Pachuca, Tula, Tulancingo, Ixmiquilpan, Zacualtipán y Zimapán"; el 16 de abril de 1869, al formarse el estado de Morelos con una porción de territorio perteneciente, hasta entonces, al Estado de México y que comprendía los distritos de Cuernavaca, Cuautla, Jonocatepec, Tetecala y Yautepec; el 12 de diciembre de 1884 se creó el territorio de Tepic con el séptimo cantón del estado de Jalisco, y el 24 de noviembre de 1902, el territorio de Quintana Roo "con la porción oriental de la península de Yucatán".

Desde el 5 de febrero de 1917, fecha en que fue promulgada la Constitución vigente, alcanzó la categoría de estado el antiguo territorio de Tepic, con el nombre de Nayarit.

Desde el 8 de octubre de 1974[31] la Federación Mexicana está constituida sólo por estados miembros y el Distrito Federal, por haber desaparecido, desde esa fecha y para siempre, de nuestro sistema político el territorio. En efecto, los únicos dos territorios en ese momento existentes –Baja California Sur y Quintana Roo– se convirtieron en estados libres y soberanos.

[31] Véase comentario al artículo 73.

Conforme a la fracción II del artículo 73 de la Constitución –ya innecesaria y por ello derogada por la reforma citada– el Congreso estaba facultado para "erigir los territorios en estados cuando tengan una población de 80 mil habitantes, y los elementos necesarios para proveer a su existencia política". En 1974, la población quintanarroense y la sudcaliforniana se aproximaban y excedían, respectivamente, los 150 mil habitantes. Además, según señaló la correspondiente exposición de motivos de la reforma de 1974, "ambos territorios han dejado de ser tierras remotas e incomunicadas y sus rentas son suficientes para sufragar los gastos de sus administraciones..." Población y autosuficiencia, condiciones requeridas entonces por la Constitución, se encontraban satisfechas.

Por último, el Distrito Federal también forma parte de la Federación. Carece de Poder Legislativo propio, pues tal función está a cargo del Congreso de la Unión y su Ejecutivo lo ejerce el Presidente de la República por medio del jefe del Departamento del Distrito Federal, a quien libremente nombra y remueve.

ARTÍCULO 44. La ciudad de México es el Distrito Federal, sede de los Poderes de la Unión y capital de los Estados Unidos Mexicanos. Se compondrá del territorio que actualmente tiene y en el caso de que los Poderes Federales se trasladen a otro lugar, se erigirá en el Estado del Valle de México con los límites y extensión que le asigne el Congreso General.

La Constitución de 1824, primera que rigió en el México independiente, establecía como facultad del Congreso general la de: "Elegir un lugar que sirva de residencia a los supremos poderes de la Federación y ejercer en su distrito las atribuciones del Poder Legislativo de un Estado" (artículo 50, fracción XXVIII), así como "variar esa residencia cuando lo juzgue necesario" (artículo 50, fracción XXXIX). Por decreto de 18 de noviembre de 1824 se ubicó el Distrito Federal en la ciudad de México y sus alrededores. Durante el tiempo que estuvieron en vigor las constituciones centralistas, la capital de la República y sede de los poderes nacionales siguió siendo dicha ciudad, pero el Distrito desapareció y su territorio quedó incorporado al departamento de México. Restablecida en 1847 la vigencia del federalismo y de la Constitución de 1824, volvió a instaurarse el Distrito Federal.

En la Asamblea Constituyente de 1856-1857 se discutió apasionadamente la posibilidad de señalar a los poderes federales otra residencia diversa a la antigua capital, y los diputados se dividieron en dos grupos opuestos: Los partidarios de que siguiera siendo la ciudad de México y los que no estaban de acuerdo con ello. Triunfaron los primeros y así se aprobó el artículo 46 de aquella carta que establecía: "El estado del Valle de México se formará del territorio que en la actualidad comprende el Distrito Federal; pero la creación sólo tendrá efecto cuando los supremos poderes federales se trasladen a otro lugar", facultad atribuida, como en la Constitución de 1824 –y en la actual–, al Congreso de la Unión. Sin embargo, al enumerar en su artículo 43 las partes integrantes de la Federación no se hizo referencia al Distrito Federal y sí al estado del Valle de México.

La Constitución que nos rige, por el contrario, señala al Distrito Federal entre las partes de la Federación, aunque prevé el posible traslado de los poderes a otro lugar diverso de la ciudad de México y la fundación en el territorio del actual Distrito, del estado del Valle de México.

El cambio de residencia de los poderes federales puede ser temporal o permanente. El primer caso podría surgir a causa de situaciones de anormalidad y no originaría la transformación del Distrito Federal, ni tampoco, por lo tanto, la aparición del nuevo estado. Así sucedió durante el tiempo que rigió la Constitución de 1857, en ocasión de la Guerra de Tres Años y de la Intervención Francesa. Mas si el traslado de poderes respondiera a un acuerdo del Congreso de la Unión,[32] tomado con carácter permanente, surgiría el estado del Valle de México en lo que hoy es el Distrito Federal.

La reforma de 1993 a este precepto, termina con ambigüedades propiciatorias de confusiones al dejar bien asentadas tres importantes definiciones constitucionales: la ciudad de México es el Distrito Federal –sede de los Poderes de la Unión y capital de los Estados Unidos Mexicanos. Se trata de categorías precisas que eliminan, para siempre, dudosas o contradictorias interpretaciones, tanto jurídicas como políticas.

ARTÍCULO 45. Los Estados de la Federación conservan la extensión y límites que hasta hoy han tenido, siempre que no haya dificultad en cuanto a éstos.

La división territorial en estados federados apareció, por vez primera, en el Acta Constitutiva de 31 de enero de 1824, en su artículo 7o., y pocos meses después en la primera Constitución que rigió los destinos de México, aprobada el 4 de octubre del mismo año.

Las colindancias entre las partes integrantes de la Federación se han ido precisando a lo largo de la historia patria, y la ley fundamental vigente, en este artículo, ordena que se deben mantener los límites y la superficie que los estados y el Distrito Federal tenían el 5 de febrero de 1917, fecha de su promulgación.

[32] Véase artículo 73, fracción V.

ARTÍCULO 46. Los Estados pueden arreglar entre sí, por convenios amistosos, sus respectivos límites; pero no se llevarán a efecto esos arreglos sin la aprobación del Congreso de la Unión.

Debido al cambio radical que significó para México el hecho de haber dejado de ser una colonia española para constituirse en nación independiente, a los diversos sistemas de gobierno que ha tenido y las invasiones, revoluciones y numerosos vaivenes históricos por los que ha atravesado el país, a veces se han presentado dificultades entre las entidades federativas por cuestiones de límites.

Para evitar que tan delicados asuntos que afectan a la soberanía de los estados y al sentimiento regional de sus habitantes, pudieran producir hechos violentos, debido a la imprecisión en los límites territoriales de cada estado, la Constitución prevé y reglamenta la forma de solucionar esos conflictos. Si los estados en pugna llegan a un arreglo amistoso, éste requiere ser aprobado por el Congreso de la Unión (conforme lo ordena este artículo y la fracción IV del 73). Si no hubiere acuerdo, corresponde a la Suprema Corte de Justicia, con apoyo en el artículo 105, en única instancia, resolver en definitiva la controversia.[33]

ARTÍCULO 47. El Estado de Nayarit tendrá la extensión territorial y límites que comprende actualmente el territorio de Tepic.

El territorio de Tepic, que había sido creado el 12 de diciembre de 1884, fue elevado por el Constituyente de Querétaro a la categoría de estado, con el nombre de Nayarit. Tiene una extensión territorial de 27,053 kilómetros cuadrados. Limita al norte con Sinaloa y Durango, al oriente y al sur con Jalisco.

ARTÍCULO 48. Las islas, los cayos y arrecifes de los mares adyacentes que pertenezcan al territorio nacional, la plataforma continental, los zócalos submarinos de las islas, de los cayos y arrecifes, los mares territoriales, las aguas marítimas interiores y el espacio situado sobre el territorio nacional, depende-

[33] Originalmente este artículo era el 116. A partir de la reforma publicada en el *Diario Oficial* de 17 de marzo de 1987, pasó a ser el nuevo texto del artículo 46. Véanse artículos 45 y 46.

rán directamente del gobierno de la Federación, con excepción de aquellas islas sobre las que hasta la fecha hayan ejercido jurisdicción los Estados.

El artículo 27 constitucional otorga a la nación el dominio originario de su territorio –tierras y aguas–, y el dominio directo sobre todos los recursos naturales de la plataforma continental, los zócalos submarinos de las islas y el subsuelo.[34]

El artículo 42, al enumerar las partes integrantes del territorio nacional, señala –fracciones II, III, IV, V y VI– que forman parte de él: "Las islas, incluyendo los arrecifes[35] y cayos[36] en los mares adyacentes", "las islas de Guadalupe y Revillagigedo", "la plataforma continental, los zócalos submarinos de las islas, cayos y arrecifes", el mar territorial y las aguas marítimas interiores,[37] así como el espacio aéreo.

Esta disposición establece que esas partes del territorio serán gobernadas en forma directa por los poderes federales, salvo el caso de que cualquiera de los estados miembros lo haya hecho tradicionalmente sobre alguna isla.

[34] Véase comentario a dicho artículo.

[35] Bancos o bajos formados en el mar por piedras, puntas de roca o masas de coral.

[36] Banco de arena frecuentemente anegadizo.

[37] Llámase mar territorial a aquella parte del mar próxima a las costas sobre la que el Estado puede ejercer actos de soberanía, pues en la extensión que señala el derecho internacional –doce millas– se estima parte de su territorio. Son aguas marítimas interiores las que, procedentes del mar, se internan en tierra formando vasos.

ir directamente del gobierno de la Federación, con excepción de aquellas islas sobre las que hasta la fecha hayan ejercido jurisdicción los Estados.

[illegible]

[illegible]

[illegible]

Título tercero

CAPÍTULO I
De la División de Poderes
Artículo 49

CAPÍTULO II
Del Poder Legislativo
Artículos 50 a 79

CAPÍTULO III
Del Poder Ejecutivo
Artículos 80 a 93

CAPÍTULO IV
Del Poder Judicial
Artículos 94 a 107

TÍTULO TERCERO

CAPÍTULO I

De la División de Poderes

ARTÍCULO 49. El Supremo Poder de la Federación se divide, para su ejercicio, en Legislativo, Ejecutivo y Judicial.

No podrán reunirse dos o más de estos Poderes en una sola persona o corporación, ni depositarse el Legislativo en un individuo, salvo el caso de facultades extraordinarias al Ejecutivo de la Unión conforme a lo dispuesto en el artículo 29. En ningún otro caso, salvo lo dispuesto en el segundo párrafo del artículo 131, se otorgarán facultades extraordinarias para legislar.

La Guerra de Independencia no sólo fue un movimiento por la libertad, sino también la búsqueda, estudio y adopción de lo mejor de las doctrinas políticas existentes en el mundo para proteger al hombre frente al despotismo, la injusticia o la explotación, adaptándolas a nuestro medio.

Uno de los principios ideados en defensa de las libertades humanas y en favor del correcto reparto de las funciones estatales es la división de poderes.

El genio de Morelos había vislumbrado la estructura de la venidera República; constancia de que el caudillo supo interpretar los ideales políticos del pueblo de México, es el documento constitucional que se aprobó en Apatzingán.

Esa carta –que aun cuando no alcanzó plena vigencia[38] iba a influir en la evolución jurídica y política de la nación– establecía la división de funciones en el ejercicio del poder, y así, con claridad y precisión se lee en su texto: "Tres son las atribuciones de la soberanía: La facultad de dictar leyes, la facultad de hacerlas ejecutar y de aplicarlas a los casos par-

[38] Se dice que una ley está vigente cuando, habiendo sido promulgada y publicada, obliga con sus mandamientos hasta en tanto no sea derogada.

ticulares" (artículo 11). "Estos tres poderes, Legislativo, Ejecutivo y Judicial, no deben ejercerse ni por una sola persona, ni por una sola corporación" (artículo 12).

Las constituciones de 1824, 1857 y 1917, leyes fundamentales otorgadas por el pueblo de México, han consagrado la división de poderes.

Sólo durante las épocas de dictadura se violó este principio constitucional, pues en tales circunstancias un hombre posee todo el poder del Estado, como aconteció con Santa Anna y Porfirio Díaz.

Madero, cuyas ideas políticas tuvieron como objetivo esencial el restablecimiento de la democracia, pudo calificar al gobierno del general Díaz, con estas valientes y definitivas palabras: "Tanto el Poder Legislativo, como el Judicial están completamente supeditados al Ejecutivo; la división de poderes, la soberanía de los estados, la libertad de los ayuntamientos y los derechos del ciudadano, sólo existen en la Carta Magna", y contra esa dictadura se inició la Revolución, porque con Madero, muchos hombres en México creían en la bondad de la democracia.

Los Poderes Legislativo, Ejecutivo y Judicial de la Federación cuya actividad se desarrolla en el ámbito nacional, respectivamente hacen la ley; la aplican y vigilan su cumplimiento, y establecen su sentido, o sea, la interpretan a propósito de un caso concreto. Y esto es así, pues no sería útil ni justo que una misma persona o un solo poder ejerciera esas diversas funciones, porque ello conduciría a dos extremos igualmente indeseables: La dictadura o la anarquía, esto es, la tiranía o el desorden.

El principio de la división de poderes, concepto medular contenido en este artículo, constituye uno de los fundamentos de todo régimen democrático y liberal, porque:

a) Obliga a que el poder frene al poder, esto es, a que haya una distribución equilibrada de las funciones estatales;

b) Limita el ejercicio de cada poder a través del derecho, obligándolo a realizar estrictamente la función que le es propia o le corresponde;

c) Produce, por la repetición continuada de los mismos actos, la especialización en las funciones, logrando su más eficaz desempeño, y

d) Resulta en beneficio de la libertad individual y social, porque impide el monopolio de poderes, hecho que siempre se produce en detrimento o en violación de esas libertades.

La división de funciones es característica de lo que se denomina Estado de derecho, del Estado constitucional, o sea, de aquella forma de estructura política en la que el poder siempre está sujeto a las leyes y nunca el derecho a las arbitrariedades de quienes ejercen las funciones públicas, ya que esa conducta origina la dictadura.

Atendiendo a las necesidades que son propias del Estado actual, la división no es ni puede ser absoluta, en forma que ejerzan funciones aisladas y sin relación alguna entre sí, ya que aun cuando los tres poderes sean independientes, en su forma de organizarse y de actuar, son partes de un todo, y se complementan para lograr el funcionamiento total del Estado. Así, la división de poderes se perfecciona con la colaboración o coordinación de los mismos.[39]

No obstante el principio de la división y coordinación de poderes, que normalmente se presenta en la actividad del Estado, en materias o situaciones extraordinarias, surge lógicamente, un régimen excepcional. Por eso, el segundo párrafo de este precepto señala los casos y los asuntos –previstos en los artículos 29 y 131–, merecedores de una consideración especial, ya que las citadas normas cuidan, la primera, de la supervivencia misma de la nación, cuando ésta se halla en peligro por causas de invasión, perturbación grave de la paz pública o peligro para la sociedad, y la segunda, del mantenimiento adecuado de su economía nacional e internacional, situaciones en las que el Congreso puede facultar al Ejecutivo para legislar, dando por consecuencia, que se reúnan excepcionalmente dos poderes en un solo individuo.

CAPÍTULO II

Del Poder Legislativo

ARTÍCULO 50. **El Poder Legislativo de los Estados Unidos Mexicanos se deposita en un Congreso General, que se dividirá en dos Cámaras, una de Diputados y otra de Senadores.**

Sea porque en la Constitución de 1824 así se establecía, o por simple creencia popular, es común la idea de que los diputados representan al pueblo y los senadores a los estados, conceptos que a primera vista parecen confirmar los artículos 51 y 56 de esa ley. Si bien es cierto, asimismo, que ha sido siempre anhelo democrático que las diferencias en cuanto a la mayor o menor población se hallen nivelados con la igualdad representativa de los estados, es decir, que la desigualdad numérica de representantes que cada entidad puede tener en la Cámara de Diputados se equilibre con la igualdad de dos senadores por cada estado miembro, la verdad es que tanto unos como otros no son exclusivamente representantes de una parte de mexicanos o de una determinada zona geográfica, sino que representan a todo el pueblo de México. Podrán tener un mayor interés o afecto hacia sus electores, pero sobre todo deben predominar sus deberes respecto a toda la nación.

[39] Véase comentario al artículo 72.

Sección I
De la Elección e Instalación del Congreso

ARTÍCULO 51. La Cámara de Diputados se compondrá de representantes de la Nación, electos en su totalidad cada tres años. Por cada diputado propietario, se elegirá un suplente.

La Cámara de Diputados ha sido tradicionalmente la de representantes populares. En los estados modernos no es posible la democracia directa, en la que todos los ciudadanos reunidos en asamblea ejercen las funciones políticas de la comunidad. Por eso designan representantes, a fin de que sean ellos quienes lleven a cabo las labores políticas y legislativas que la vida de la República requiera. Los diputados son electos por los ciudadanos y se convierten en representantes de la nación. Tienen encomendada la labor, fundamental en toda organización humana, de crear las leyes, función en la que colaboran la Cámara de Senadores y el Ejecutivo Federal.[40]

Establece, en unión del artículo 57, la institución de la suplencia. Los diputados y senadores suplentes realizan las funciones de los propietarios cuando éstos fallecen, se les concede licencia, son separados de sus cargos o faltan diez días consecutivos a las sesiones, sin causa justificada o sin previo permiso del presidente de la Cámara, en cuyo caso la Constitución supone que renuncian a concurrir hasta el siguiente periodo de labores legislativas.[41]

ARTÍCULO 52. La Cámara de Diputados estará integrada por 300 diputados electos según el principio de votación mayoritaria relativa, mediante el sistema de distritos electorales uninominales, y 200 diputados que serán electos según el principio de representación proporcional, mediante el Sistema de Listas Regionales, votadas en circunscripciones plurinominales.

Concluida la Revolución y promulgada la Constitución de 1917, a fin de mejorar el sistema democrático, distintos presidentes, durante sus sexenios, promovieron reformas importantes en materia política como fueron, en

[40] Véase artículo 76.
[41] Véase artículo 63, segundo párrafo.

épocas recientes, el otorgar el voto a la mujer, conceder la ciudadanía a los 18 años y reducir la edad para poder ser electo diputado (21 años).

Sin embargo, y como es lógico, las reformas políticas de mayor importancia fueron las relativas a la integración y composición de la Cámara de Diputados –que es la representación política por excelencia– y las realizadas en torno al proceso electoral y los partidos políticos. Se deben recordar:

1. La iniciada por el presidente Adolfo López Mateos que propició la creación de los "diputados de partido", sistema en vigor desde el 22 de junio de 1963 y, con variantes, hasta el 4 de octubre de 1977.

Los diputados de partido eran acreditados cuando un partido político nacional obtenía, cuando menos, el 2 1/2 por ciento de la votación total en el país en la elección respectiva, en cuyo caso alcanzaba cinco diputados y uno más –hasta 20 como máximo– por cada 1/2 por ciento de los votos emitidos.

2. La reforma promovida por el presidente José López Portillo, en vigor del 7 de diciembre de 1977 al 15 de diciembre de 1986, modificó sustancialmente el artículo 54, fijando diversas reglas para la elección de los entonces cien diputados, según el principio de la representación proporcional y el sistema de listas regionales. Los otros 300 diputados que integraban también la Cámara de Diputados eran electos por el principio de mayoría relativa y por distritos uninominales.

Los diputados electos por mayoría relativa son aquellos que obtienen el mayor número de votos sufragados a su favor, en relación con los logrados por cada uno de los demás candidatos en su distrito. Para ello se divide el territorio nacional en 300 distritos y se elige a un diputado por cada uno de ellos; de ahí el término "uninominal". Adicionalmente a esos diputados, se elegían entonces 100 en forma proporcional al número de votos en favor de los partidos contendientes. Para hacer efectiva esta segunda fórmula, los partidos políticos elaboraban listas de candidatos para cada circunscripción.

En otras palabras, en cada distrito uninominal cada partido postulaba a un solo candidato y uno sólo podía resultar electo. Para las circunscripciones plurinominales y bajo el sistema de representación proporcional, cada partido presentaba a varios candidatos y varios eran elegidos (de ahí la palabra "plurinominal"). La Constitución permitía la división en 300 distritos uninominales y hasta un máximo de cinco circunscripciones plurinominales.

3. Las reformas iniciadas por el presidente Miguel de la Madrid, llamadas de la renovación política, no sólo se refirieron a la Cámara de Diputados, sino también a los municipios, a la elección de senadores por mitad cada tres años y a otras medidas que se mencionan en el comentario de los artículos correspondientes. Aspiran a mejorar el sistema democrático.

En relación con este artículo, la reforma fue en el sentido de aumentar a doscientos el número de diputados electos según el principio de representación proporcional, para "acrecentar las oportunidades de representación de los partidos minoritarios" y el pluralismo en la Cámara de Diputados.[42]

4. La primera modificación constitucional del presidente Carlos Salinas de Gortari, fue la relativa a la reforma política, que involucró a varios artículos (5o., 35, 36, 41, 54, 60, y 73 –véanse los respectivos comentarios). En esa reforma se fijan los siguientes principios y crean los organismos a continuación mencionados:

La organización de las elecciones es una función estatal que corresponde ejercer a los Poderes Legislativo y Ejecutivo de la Unión, función que debe realizarse a través de un organismo público, profesional y autónomo (para ello se constituyó el Instituto Federal Electoral, IFE), cuyas orientaciones electorales serán la certeza, imparcialidad y objetividad; se crea un Tribunal Federal Electoral (TFE), compuesto por varias salas geográficamente distribuidas, cuyas resoluciones serán definitivas e inatacables y sólo podrán modificarse por los colegios electorales correspondientes; se regula un nuevo equilibrio y estabilidad en la integración y funcionamiento de la Cámara de Diputados y se vigoriza el sistema de partidos políticos.

Todo lo anterior originó la expedición, como ley reglamentaria, del Código Federal de Instituciones y Procedimientos Electorales (Cofipe).

ARTÍCULO 53. La demarcación territorial de los 300 distritos electorales uninominales será la que resulte de dividir la población total del país entre los distritos señalados. La distribución de los distritos electorales uninominales entre las entidades federativas se hará teniendo en cuenta el último censo general de población, sin que en ningún caso la representación de un Estado pueda ser menor de dos diputados de mayoría.

Para la elección de los 200 diputados según el principio de representación proporcional y el Sistema de Listas Regionales, se constituirán cinco circunscripciones electorales plurinominales en el país. La ley determinará la forma de establecer la demarcación territorial de estas circunscripciones.

[42] Como complemento a esta explicación, véase el comentario al artículo 54.

Es común a la institución de la democracia representativa que el pueblo elija a sus representantes, según el lugar donde reside el elector y el elegido. Sin embargo, una de las cuestiones más complejas y más importantes para el funcionamiento democrático del sufragio es la determinación de las unidades territoriales electorales, en las que el ciudadano emite su voto y por las cuales los candidatos resultan electos. Para efectos de la elección de diputados al Congreso de la Unión, dichos territorios electorales son de dos tipos: Distritos y circunscripciones.

Este artículo establece la categoría de demarcación territorial, tanto de los distritos para la elección de diputados por mayoría, como de las circunscripciones para la elección de diputados por representación proporcional.

El criterio para configurar la demarcación territorial de los distritos uninominales es doble: Demográfico y político. Con base en el primero, se divide a la población total del país en 300 unidades electorales perfectamente delimitadas. El número de distritos resultante de dicha división se distribuye entre todos los estados de la Federación; sin embargo, y aquí intervienen consideraciones políticas, ningún estado puede tener menos de dos distritos electorales. Consecuentemente, el número de distritos por estado está determinado por su densidad de población, con el límite inferior antes señalado.

Concomitante a la reforma constitucional publicada en el *Diario Oficial de la Federación* el 15 de diciembre de 1986; por la que se enmendaron los artículos 52, 53, 54, 56, 60 y 77, y para lograr una necesaria y adecuada reglamentación de los nuevos principios consagrados, se expidió el Código Federal Electoral –*Diario Oficial* del 12 de febrero de 1987– vigente al día siguiente de su publicación. Quedó así abrogada, desde esa fecha, la Ley Federal de Organizaciones Políticas y Procesos Electorales (LOPPE) de 28 de diciembre de 1977.

El nuevo Código Federal Electoral, además de la función reglamentaria de la reforma política, y con base en ella, estatuye en sus ocho libros y 362 artículos, una serie de normas tendentes a hacer válido y transparente el proceso federal electoral, fortalecer y respetar a los partidos políticos legalmente constituidos (incluyendo su financiamiento público), instituir y mantener un claro y preciso Registro Nacional de Electores, regular a la Comisión Federal Electoral, realizar cuidadosos cómputos electorales, establecer un Tribunal de lo Contencioso Electoral y, en general, llevar la reforma política constitucional a término.

ARTÍCULO 54. La elección de los 200 diputados según el principio de representación proporcional y el sistema de asignación por listas regionales, se sujetará a las siguientes bases y a lo que disponga la ley:

I. Un partido político, para obtener el registro de sus listas regionales, deberá acreditar que participa con candidatos a diputados por mayoría relativa en por lo menos doscientos distritos uninominales;

II. Todo partido político que alcance por lo menos el 2 por ciento del total de la votación emitida para las listas regionales de las circunscripciones plurinominales, tendrá derecho a que le sean atribuidos diputados según el principio de representación proporcional.

III. Al partido político que cumpla con las dos bases anteriores, independiente y adicionalmente a las constancias de mayoría relativa que hubiesen obtenido sus candidatos, le serán asignados por el principio de representación proporcional, de acuerdo con su votación nacional emitida, el número de diputados de su lista regional que le corresponda en cada circunscripción plurinominal. En la asignación se seguirá el orden que tuviesen los candidatos en las listas correspondientes.

IV. Ningún partido político podrá contar con más de 300 diputados por ambos principios.

V. En ningún caso, un partido político podrá contar con un número de diputados por ambos principios que representen un porcentaje del total de la Cámara que exceda en ocho puntos a su porcentaje de votación nacional emitida. Esta base no se aplicará al partido político que, por sus triunfos en distritos uninominales, obtenga un porcentaje de curules del total de la Cámara, superior a la suma del porcentaje de su votación nacional emitida más el ocho por ciento; y

VI. En los términos de lo establecido en las fracciones III, IV y V anteriores, las diputaciones de representación proporcional que resten después de asignar las que correspondan al partido político que se halle en los supuestos de las fracciones IV o V, se adjudicarán a los demás partidos

políticos con derecho a ello en cada una de las circunscripciones plurinominales, en proporción directa con las respectivas votaciones nacionales efectivas de estos últimos. La ley desarrollará las reglas y fórmulas para estos efectos.

En el comentario al artículo 52 se indicó que la Cámara de Diputados se integra por 300 miembros electos según el principio de mayoría relativa en distritos uninominales y –a partir de la reforma de diciembre de 1986– 200 más, según el principio de representación proporcional en circunscripciones plurinominales. En el comentario mencionado se explicó el concepto de mayoría relativa. En éste se expondrá el relativo a representación proporcional.

En términos generales, la fórmula de "representación proporcional" que opera dentro de varias de las democracias más avanzadas, aspira a la elección de representantes de acuerdo con el número de votos emitidos en favor del partido que los postula. Es un sistema para dar acceso al recinto parlamentario a los candidatos de diversos partidos –debidamente registrados y reconocidos– según la fuerza electoral del propio partido demostrada por el voto en la elección. Consecuentemente, esta fórmula permite la entrada de partidos minoritarios a la Cámara de Diputados, ya que sus candidatos resultan electos no por mayoría de votos, sino dependiendo de la fuerza o peso relativo de su partido.

El principio de la representación proporcional ha sido extendido a las legislaturas locales ("diputados de minoría": 3er. párrafo, fracción II del artículo 116 constitucional), a los ayuntamientos de todos los municipios (fracción VIII del artículo 115 constitucional) y a la Asamblea de Representantes del Distrito Federal (artículo 73, base 3a., tercer párrafo).

En resumen, por este medio electoral los votos no sólo se cuentan, sino que todos cuentan.

*Reforma de 1996**

Los cambios introducidos en este precepto por la reforma de 1996 replantean las bases para la integración de la Cámara de Diputados. En la fracción II se aumenta el porcentaje de 1.5 a 2 por ciento de la votación emitida en las listas regionales de las circunscripciones plurinominales para que a un partido político le sean atribuidos diputados según el principio de representación proporcional. En la fracción IV se reduce el tope de diputaciones de 315 a 300 que puede obtener un solo partido político por ambos principios.

* Comentario del licenciado EMILIO RABASA GAMBOA.

La fracción V se modifica completamente. El texto anterior establecía el criterio para asignar diputados de representación proporcional al partido que hubiese obtenido más del 60 por ciento de la votación nacional emitida. El nuevo texto establece una suerte de "candado" para evitar la sobrerrepresentación que consistirá en tener un porcentaje de curules muy por arriba del porcentaje de su votación efectiva. Con este propósito ahora se indica que ningún partido político podrá obtener más diputados que el que le reporte su votación total más 8 por ciento.

El sentido de estos cambios es la consolidación del sistema de partidos mediante la promoción del pluralismo partidista.

ARTÍCULO 55. Para ser diputado se requieren los siguientes requisitos:

I. Ser ciudadano mexicano por nacimiento, en el ejercicio de sus derechos;

II. Tener veintiún años cumplidos el día de la elección;

III. Ser originario del Estado en que se haga la elección o vecino de él con residencia efectiva de más de seis meses anteriores a la fecha de ella.

Para poder figurar en las listas de las circunscripciones electorales plurinominales como candidato a diputado, se requiere ser originario de alguna de las entidades federativas que comprenda la circunscripción en la que se realice la elección, o vecino de ella con residencia efectiva de más de seis meses anteriores a la fecha en que la misma se celebre.

La vecindad no se pierde por ausencia en el desempeño de cargos públicos de elección popular;

IV. No estar en servicio activo en el Ejército Federal ni tener mando en la policía o gendarmería rural en el Distrito donde se haga la elección, cuando menos noventa días antes de ella;

V. No ser Secretario o Subsecretario de Estado, ni Ministro de la Suprema Corte de Justicia de la Nación, a menos que se separe definitivamente de sus funciones noventa días antes de la elección, en el caso de los primeros y dos años, en el caso de los Ministros;

Los Gobernadores de los Estados no podrán ser electos en las entidades de sus respectivas jurisdicciones durante el periodo de su encargo, aun cuando se separen definitivamente de sus puestos.

Los Secretarios de Gobierno de los Estados, los Magistrados y Jueces Federales o del Estado, no podrán ser electos en las entidades de sus respectivas jurisdicciones si no se separan definitivamente de sus cargos noventa días antes de la elección;

VI. No ser ministro de algún culto religioso, y

VII. No estar comprendido en alguna de las incapacidades que señala el artículo 59.

Para ser diputado o senador se necesita ser ciudadano mexicano, pero no todos los que poseen la ciudadanía pueden ser electos miembros de las cámaras. Para alcanzar el cargo de diputado se requieren, además de la ciudadanía, determinados requisitos que esta disposición precisa, y que es posible agrupar así:

a) La nacionalidad mexicana se debe haber adquirido por nacimiento y es necesario tener no 18 años, como en general se exige para ejercer los derechos políticos, sino 21 (fracciones I y II);

b) El diputado llega a ocupar ese cargo por voluntad de sus electores, que son los habitantes de determinada demarcación territorial, quienes para elegirlo como su representante lo tienen que conocer, y a la inversa, el diputado debe estar en contacto con los problemas y las necesidades que aquejan a sus electores; de ahí que, para serlo, se requiera ser originario del estado donde se haga la elección o estar avecindado en él (fracción III);

c) No desempeñar las labores a que se refieren las fracciones IV, V y VI, a que aprovechando su cargo podría el candidato ejercer indebidas presiones en su beneficio, ni ser ministro de un culto –fracción VI–, por la separación existente entre la Iglesia y el Estado,[43] y

d) La reelección no se permite cuando se trata de diputados y senadores, para el periodo inmediato, salvo el caso de los suplentes que nunca hubieren ocupado el puesto de los propietarios y que por lo tanto no ejercieron la función.[44]

Reforma de 1994

A fin de evitar el uso político indebido del cargo desempeñado con anterioridad por los aspirantes a diputados federales, para los ministros de la

[43] Véase comentario al artículo 130.

[44] Véase comentario al artículo 59.

Suprema Corte de Justicia de la Nación se estableció que debieran separarse definitivamente de sus funciones previas, dos años antes del día de la elección para diputados.

ARTÍCULO 56. La Cámara de Senadores se integrará por ciento veintiocho senadores, de los cuales, en cada Estado y en el Distrito Federal, dos serán elegidos según el principio de votación mayoritaria relativa y uno será asignado a la primera minoría. Para estos efectos, los partidos políticos deberán registrar una lista con dos fórmulas de candidatos. La senaduría de primera minoría le será asignada a la fórmula de candidatos que encabece la lista del partido político que, por sí mismo, haya ocupado el segundo lugar en número de votos en la entidad de que se trate.

Los treinta y dos senadores restantes serán elegidos según el principio de representación proporcional, mediante el sistema de listas votadas en una sola circunscripción plurinominal nacional. La ley establecerá las reglas y fórmulas para estos efectos.

La Cámara de Senadores se renovará en su totalidad cada seis años.

La primera Constitución del México Independiente (1824) estableció el régimen de dos cámaras: La de Senadores y la de Diputados. La de 1857 suprimió la Cámara de Senadores por considerarla un órgano aristocrático, aunque Francisco Zarco, el ilustre diputado a aquella Asamblea Constituyente, precisó, acertadamente, las funciones del Senado de la República federal, al afirmar: "Se ha llegado a decir que el Senado es una institución aristocrática, pero nadie puede creer que el que habla abrigue ni una sola idea aristocrática. El Senado puede ser republicano y democrático, si se deriva del pueblo. Al plantear en México el sistema representativo, es menester considerar, no sólo a la República y a la democracia, sino al sistema federal y a la necesidad de equilibrar a las entidades políticas, que constituyen la Federación. Como para la elección de diputados no hay más base posible que la de la población, en una sola Cámara resultarán los estados con una representación muy desigual."

El Senado se restableció por reforma constitucional de 1874, durante el gobierno de Sebastián Lerdo de Tejada, y continuó instituido en la Constitución de 1917.

*Reforma de 1996**

Al igual que en la Cámara de Diputados, la reforma de 1996, abunda en el pluralismo en el Senado, al someter la distribución de 32 de los 128 escaños de esta Cámara al principio de representación proporcional, en adición a los 32 que se repartirán por primera minoría y los 68 por mayoría relativa.

Sin embargo, es importante que las nuevas reglas para aplicar la representatividad proporcional en el Senado, establecidas en la legislación secundaria (COFIPE) eviten romper el principio de la igualdad representativa de las 32 entidades federativas, esto es, igual número de senadores por cada entidad. Esto sucedería si en los primeros lugares de las listas de los distintos partidos figuran candidatos procedentes del mismo Estado, ya que esa entidad estaría sobrerrepresentada en la Cámara de Senadores en relación con las demás.

ARTÍCULO 57. Por cada senador propietario se elegirá un suplente.

La parte conducente del comentario hecho al artículo 51 es válido para éste, pues a ambos los rige el mismo principio: La necesidad de que no se llegue a desintegrar el Congreso.

ARTÍCULO 58. Para ser senador se requieren los mismos requisitos que para ser diputado, excepto el de la edad, que será la de treinta años cumplidos el día de la elección.

Este artículo, que originalmente tuvo el número 59 en el proyecto de Venustiano Carranza, fue explicado en el dictamen emitido por la segunda comisión del Congreso Constituyente de 1917, en la siguiente forma: "...la Cámara de Senadores tiene por misión colaborar en la formación de las leyes, moderando la acción, algunas veces impetuosa, de la Cámara de Diputados, que por el número crecido de sus miembros, contribuye a la formación de las leyes, por la iniciativa, el vigor y en general todas las cualidades que significan acción y movimiento, poniendo el Senado el elemento de la reflexión reposada, de la meditación y de la prudencia, y para llenar estas funciones cuenta con dos elementos principales: Uno, el menor número de miembros, que hace a esta Cámara menos agitada que la otra, y la edad de los miembros de ella que, por ser mayor en los senadores que

* Comentario del licenciado EMILIO RABASA GAMBOA.

en los diputados, es un elemento muy importante". Actualmente la edad mínima es de 30 años.

ARTÍCULO 59. Los senadores y diputados al Congreso de la Unión no podrán ser reelectos para el periodo inmediato.

Los senadores y diputados suplentes podrán ser electos para el periodo inmediato con el carácter de propietarios, siempre que no hubieren estado en ejercicio; pero los senadores y diputados propietarios no podrán ser electos para el periodo inmediato con el carácter de suplentes.

La no reelección, principio primordial en el ideario político de la Revolución mexicana, es absoluta cuando se refiere el Presidente de la República y a los gobernadores de los estados, y relativa para los senadores y diputados, pues en este último caso se permite la de unos y otros siempre que no sea para el periodo inmediato.[45]

ARTÍCULO 60. El organismo público previsto en el artículo 41 de esta Constitución, de acuerdo con lo que disponga la ley, declarará la validez de las elecciones de diputados y senadores en cada uno de los distritos electorales uninominales y en cada una de las entidades federativas; otorgará las constancias respectivas a las fórmulas de candidatos que hubiesen obtenido mayoría de votos y hará la asignación de senadores de primera minoría de conformidad con lo dispuesto en el artículo 56 de esta Constitución y en la ley. Asimismo, hará la declaración de validez y la asignación de diputados según el principio de representación proporcional de conformidad con el artículo 54 de esta Constitución y la ley.

Las determinaciones sobre la declaración de validez, el otorgamiento de las constancias y la asignación de diputados o senadores podrán ser impugnadas ante las salas regionales del Tribunal Electoral del Poder Judicial de la Federación, en los términos que señale la ley.

[45] Véase comentario al artículo 83.

Las resoluciones de las salas a que se refiere el párrafo anterior, podrán ser revisadas exclusivamente por la Sala Superior del propio Tribunal, a través del medio de impugnación que los partidos políticos podrán interponer únicamente cuando por los agravios esgrimidos se pueda modificar el resultado de la elección. Los fallos de la Sala serán definitivos e inatacables. La ley establecerá los presupuestos, requisitos de procedencia y el trámite para este medio de impugnación.

La reforma de 1996 a este precepto,* cuarta, después de las de 1986, 1990 y 1993, suprimió el primer párrafo referente a la declaración de validez de las elecciones de diputados y senadores y el otorgamiento de las constancias respectivas que ahora se ubica en el artículo 41. Adicionalmente descentralizó la competencia del Tribunal Electoral para impugnar las resoluciones sobre declaración de validez, otorgamiento de constancia y asignación de diputados o senadores. anteriormente era ante las salas del tribunal, ahora es ante las salas regionales. Las resoluciones de estas últimas serán revisadas ante la Sala Superior del propio Tribunal antes denominada "Sala de Segunda Instancia".

ARTÍCULO 61. Los diputados y senadores son inviolables por las opiniones que manifiesten en el desempeño de sus cargos, y jamás podrán ser reconvenidos por ellas.

El presidente de cada Cámara velará por el respeto al fuero constitucional de los miembros de la misma y por la inviolabilidad del recinto donde se reúnan a sesionar.

Los remotos antecedentes de este artículo se encuentran en iguales disposiciones 59, 42 y 59 de nuestras constituciones de 1814, 1824 y 1857, respectivamente.

Los diputados y los senadores gozan de la más amplia libertad para expresar sus ideas durante el ejercicio de su cargo, y por esta razón no pueden ser acusados, ni enjuiciados, aun cuando en el uso de ese derecho llegare a configurarse un delito (difamación, calumnia, etcétera).

Diputados y senadores, por lo tanto, no incurrirán en responsabilidad por este concepto y tampoco podrá perseguírseles por tales hechos, ni aun después de que cesen en sus funciones.

* Comentario del licenciado EMILIO RABASA GAMBOA.

También para que diputados y senadores cumplan la labor con libertad e independencia, el presidente de cada una de las cámaras tiene a su cargo procurar que se respete el fuero de que gozan sus miembros, según lo dispuesto por el título cuarto de la Constitución (artículo 108 y siguientes), y la inviolabilidad de los recintos parlamentarios, ya que los edificios donde sesionan tienen una especial protección.

ARTÍCULO 62. Los diputados y senadores propietarios durante el periodo de su encargo, no podrán desempeñar ninguna otra comisión o empleo de la Federación o de los Estados por los cuales se disfrute sueldo, sin licencia previa de la Cámara respectiva; pero entonces cesarán en sus funciones representativas, mientras dure la nueva ocupación. La misma regla se observará con los diputados y senadores suplentes, cuando estuviesen en ejercicio. La infracción de esta disposición será castigada con la pérdida del carácter de diputado o senador.

Los diputados y senadores no pueden desempeñar, sin cesar en sus funciones representativas, ningún cargo remunerado federal o de los estados. La Constitución hace incompatible así las funciones legislativas con cualesquiera otras de la vida política o administrativa, y establece la sanción aplicable al infractor.[46]

El motivo de este precepto se halla en la necesidad de que el Legislativo actúe con absoluta libertad e independencia para mejor cumplir su función, ya que es conveniente el buen entendimiento, pero no la influencia de los poderes entre sí. Por eso los senadores y diputados no deben desempeñar empleos que determinen la subordinación a otro poder, a fin de evitar todo aquello que pueda derivar en obstáculos y conflictos. En cambio, la armonía de propósitos, sin presiones mutuas, se traduce en una acción gubernamental coordinada.

ARTÍCULO 63. Las Cámaras no pueden abrir sus sesiones ni ejercer su cargo si la concurrencia, en cada una de ellas, de más de la mitad del número total de sus miembros; pero los presentes de una y otra deberán reunirse el día señalado por la ley y

[46] Véase comentario al artículo 125.

compeler a los ausentes a que concurran dentro de los treinta días siguientes, con la advertencia de que si no lo hiciesen se entenderá por ese solo hecho, que no aceptan su encargo, llamándose luego a los suplentes, los que deberán presentarse en un plazo igual, y si tampoco lo hiciesen, se declarará vacante el puesto y se convocará a nuevas elecciones.

Se entiende también que los diputados o senadores que falten diez días consecutivos, sin causa justificada o sin previa licencia del presidente de su respectiva Cámara, con la cual se dará conocimiento a ésta, renuncian a concurrir hasta el periodo inmediato, llamándose desde luego a los suplentes.

Si no hubiese quórum para instalar cualquiera de las Cámaras o para que ejerzan sus funciones una vez instaladas, se convocará inmediatamente a los suplentes para que se presenten a la mayor brevedad a desempeñar su cargo, entre tanto transcurren los treinta días de que antes se habla.

Incurrirán en responsabilidad, y se harán acreedores a las sanciones que la ley señale, quienes habiendo sido electos diputados o senadores no se presenten, sin causa justificada a juicio de la Cámara respectiva, a desempeñar el cargo dentro del plazo señalado en el primer párrafo de este artículo. También incurrirán en responsabilidad, que la misma ley sancionará, los Partidos Políticos Nacionales que habiendo postulado candidatos en una elección para diputados o senadores, acuerden que sus miembros que resultaren electos no se presenten a desempeñar sus funciones.

El cargo de senador o de diputados se obtiene merced al uso de un derecho ciudadano,[47] pero una vez alcanzado se convierte en una obligación constitucional que se debe cumplir.[48] No presentarse a la apertura de las cámaras y no asistir con puntualidad a las sesiones, a menos que haya causa justificada, constituye: primero, la violación de un deber público; segundo, la desobediencia a la voluntad popular expresada en las elecciones; y tercero, el entorpecimiento de una de las labores fundamentales del Estado:

[47] Fracción II del artículo 35.
[48] Artículo 36, fracción IV.

la elaboración de las leyes. Por eso, esta disposición, señala no sólo la alta responsabilidad individual del incumplido, sino también la de los partidos políticos nacionales, en virtud de la reforma constitucional publicada en el *Diario Oficial* el 22 de junio de 1963.

Por reforma publicada en el *Diario Oficial* de fecha 3 de septiembre de 1993, se varió el quórum de la Cámara de Senadores. En efecto, con antelación a esa modificación, el citado quórum para abrir legítimamente las sesiones en la Cámara de Senadores sería de las dos terceras partes. Ahora, tanto en esa Cámara como en la de Diputados, el quórum requerido es "de más de la mitad del número total de sus miembros;..."

ARTÍCULO 64. **Los diputados y senadores que no concurran a una sesión, sin causa justificada o sin permiso de la Cámara respectiva, no tendrán derecho a la dieta correspondiente al día en que falten.**

La Constitución castiga ciertos actos en que pueden incurrir diputados y senadores, como es el de faltar a una sesión sin que exista para ello una causa justificada, ni tampoco permiso del presidente de la Cámara respectiva. La sanción que impone la ley al infractor es perder el sueldo del día en que se ausentó de sus labores. Los diputados constituyentes quisieron garantizar la puntualidad a las sesiones de los representantes populares, a fin de que los trabajos legislativos no se entorpezcan y funcione regularmente el Congreso.

ARTÍCULO 65. **El Congreso se reunirá a partir del 1o. de septiembre de cada año, para celebrar un primer periodo de sesiones ordinarias y a partir del 15 de marzo de cada año para celebrar un segundo periodo de sesiones ordinarias.**

En ambos periodos de sesiones el Congreso se ocupará del estudio, discusión y votación de las iniciativas de ley que se le presenten y de la resolución de los demás asuntos que le correspondan conforme a esta Constitución.

En cada periodo de sesiones ordinarias el Congreso se ocupará de manera preferente de los asuntos que señale su Ley Orgánica.

A través del tiempo, en la historia constitucional de México, han variado los periodos de sesiones. El texto original de este artículo 65 en la Constitución actualmente en vigor, el Congreso se reuniría el día 1o. de septiembre de cada año para revisar la cuenta pública del año anterior; examinar, discutir y aprobar el presupuesto del año fiscal siguiente y a fin de estudiar, discutir y votar las iniciativas de ley. Así quedó por varios años hasta que la reforma Constitución publicada en el *Diario Oficial* del 7 de abril de 1986, conforme lo disponía este artículo y el siguiente, habría dos periodos ordinarios de sesiones: uno, a partir del 1o. de noviembre de cada año, que no podía prolongarse más allá del 31 de diciembre de ese mismo año, y otro, desde el 15 de abril, hasta, como máximo el 15 de julio siguiente (artículo 66).

La citada reforma, además de establecer dos periodos ordinarios de sesiones, los amplió. En efecto, la suma de ambos, si llegaran a su fecha límite, sería de cinco meses, esto es, un mes más, que el señalado como máximo del entonces artículo 66.

El deseo de duplicar y ampliar el periodo legislativo fue solicitado por diversas legislaturas locales y a la fecha de la reforma de abril de 1986, el doble periodo de sesiones ya venía operando en 27 entidades federativas.

La última reforma al artículo 65 y 66 apareció en el *Diario Oficial* de 3 de septiembre de 1993. Con esta modificación se toma algo de la versión original de 1917, en tanto que ahora las sesiones del Congreso se iniciarán el 1o. de septiembre, pero también algo quedó de la reforma de 1986, ya que también en la actualidad habrá dos periodos de sesiones que complementando este artículo 65 con el 66 siguiente, el primer periodo correrá del 1o. de septiembre al 15 de diciembre (excepto cuando se trate del año en que el Presidente de la República inicie su encargo el 1o. de diciembre) y un segundo periodo que irá del 15 de febrero de cada año hasta el 31 de marzo del mismo año.

En ambos periodos de sesiones el Congreso se ocupará del estudio, discusión y votación de las iniciativas de leyes que se les presenten y de la resolución de los demás asuntos que le correspondan conforme a la Constitución.

La razón que fundamentó la última reforma es darle un mayor tiempo al Congreso de la Unión para conocer y estudiar las iniciativas presidenciales sobre todo en lo que respecta a la Ley de Ingresos (contribuciones) y el Presupuesto de Egresos de la Federación, que requiere de especial y minuciosa revisión y deliberación.

En virtud de que el artículo 69 obliga al Presidente de la República a rendir su informe el primer día de sesiones ordinarias del primer periodo del Congreso, ahora lo será del 1o. de septiembre de cada año, a partir de 1995, fecha en que –15 de febrero– entrará en vigor el decreto reformatorio último.

La toma de posesión del Presidente de la República seguirá siendo, como siempre, el 1o. de diciembre cada seis años (artículo 83).

ARTÍCULO 66. Cada periodo de sesiones ordinarias durará el tiempo necesario para tratar todos los asuntos mencionados en el artículo anterior. El primer periodo no podrá prolongarse sino hasta el 15 de diciembre del mismo año, excepto cuando el Presidente de la República inicie su encargo en la fecha prevista por el artículo 83, en cuyo caso las sesiones podrán extenderse hasta el 31 de diciembre de ese mismo año. El segundo periodo no podrá prolongarse más allá del 30 de abril del mismo año.

Si las dos Cámaras no estuvieren de acuerdo para poner término a las sesiones antes de las fechas indicadas, resolverá el Presidente de la República.

Este artículo 66 complementa el 65 anterior, ahora dirigido a fijar las fechas de conclusión de cada periodo: el primero, el 15 de diciembre del mismo año, excepto cuando se trate del año en que el Presidente de la República inicie su encargo en la fecha prevista por el artículo 83 (1o. de diciembre cada seis años) y que no podrá prolongarse más que hasta el 31 de diciembre; y el segundo periodo concluirá el 31 de marzo del mismo año. Los periodos ordinarios de sesiones pueden reducirse, pero no ampliarse.[49]

ARTÍCULO 67. El Congreso o una sola de las Cámaras, cuando se trate de asunto exclusivo de ella, se reunirán en sesiones extraordinarias cada vez que los convoque para ese objeto la Comisión Permanente; pero en ambos casos sólo se ocuparán del asunto o asuntos que la propia Comisión sometiese a su conocimiento, los cuales se expresarán en la convocatoria respectiva.

En forma excepcional, el Congreso o una de las cámaras pueden ser convocadas a sesiones extraordinarias por la Comisión Permanente,[50] la que debe exponer las razones que existen para dedicarse a tareas legislativas fuera del periodo ordinario y precisar los asuntos que serán objeto de las deliberaciones. El periodo extraordinario presupone, siempre, situaciones de

[49] Véase comentario al artículo 65.
[50] Véase artículo 78 y siguiente.

excepción y de urgencia, que ameritan el trabajo de los legisladores entre periodos ordinarios de sesiones.[51]

ARTÍCULO 68. Las dos Cámaras residirán en un mismo lugar y no podrán trasladarse a otro sin que antes convengan en la traslación y el tiempo y modo de verificarla, designando un mismo punto para la reunión de ambas. Pero si conviniendo las dos en la traslación, difieren en cuanto al tiempo, modo y lugar, el Ejecutivo terminará la diferencia, eligiendo uno de los dos extremos en cuestión. Ninguna Cámara podrá suspender sus sesiones por más de tres días, sin consentimiento de la otra.

El lugar de residencia de los Poderes de la Unión es el Distrito Federal. Sin embargo, la Carta Magna prevé su posible cambio a otra parte del territorio de la República.[52] En este artículo se ordena que ambas cámaras pueden decidir su traslado a otro sitio, siempre y cuando sea el mismo para las dos, ya que integran el Congreso que forma una unidad: el Poder Legislativo Federal. Por esa razón, tampoco ninguna de las dos cámaras puede suspender sus labores por más de tres días, sin autorización de la otra.

ARTÍCULO 69. A la apertura de sesiones ordinarias del primer periodo del Congreso asistirá el Presidente de la República y presentará un informe por escrito, en el que manifieste el estado general que guarda la administración pública del país. En la apertura de las sesiones extraordinarias del Congreso de la Unión, o de una sola de sus Cámaras, el presidente de la Comisión Permanente, informará acerca de los motivos o razones que originaron la convocatoria.

Este precepto comprende dos disposiciones:

I. Ordena, por una parte, que el Presidente de la República, a la apertura del primer periodo de sesiones del Congreso, el 1o. de noviembre de cada año, rinda un informe por escrito, en el que dé a conocer el estado de la

[51] Véanse artículos 65 y 66.

[52] Véase comentario al artículo 44.

administración pública a su cargo, acto en el que se pone de manifiesto la colaboración de poderes que impera en nuestro régimen político. La práctica de que un miembro del Congreso conteste al Presidente no obedece actualmente a un mandato constitucional.[53]

El origen histórico de esta costumbre jurídico-política se remonta a los primeros años de nuestra vida independiente, pues aun cuando la Constitución de 1824 sólo disponía que los secretarios del despacho dieran cuenta a cada Cámara, tan luego como se abrieran las sesiones anuales, del estado de su respectivo ramo (artículo 120), Guadalupe Victoria, primer Presidente de la República, impuso la práctica de que en el acto inaugural del periodo ordinario de sesiones fuera el Jefe del Ejecutivo quien pronunciara un discurso relativo a la situación política y administrativa prevaleciente.

La Constitución de 1857 recogió esa práctica y prescribió en su artículo 63: "A la apertura de sesiones del Congreso asistirá el Presidente de la Unión y pronunciará un discurso en que manifieste el estado que guarda el país. El presidente del Congreso contestará en términos generales."

El informe presidencial tiene la doble importancia de dar cuenta a la representación popular y a la nación entera de lo realizado en el curso del año por las dependencias del Ejecutivo, así como también plantear y analizar las cuestiones y problemas de interés nacional e internacional relacionados con el país, en ese tiempo.

La reforma publicada en el *Diario Oficial de la Federación* de 7 de abril de 1986 modificó el artículo 69, pues el informe presidencial a que se refiere esta disposición se presentará en la apertura de sesiones ordinarias del primer periodo del Congreso, y dado que el reformado artículo 65 establece que ese periodo se iniciará el 1o. de noviembre de cada año, el informe presidencial se rendirá en tal fecha.

Con anterioridad a estas reformas constitucionales, el periodo comprendido entre la elección del Presidente de la República –el primer domingo de julio del año respectivo– y su toma de posesión –1o. de diciembre– era de aproximadamente cientocincuenta días, en tanto que en el caso de los integrantes del Poder Legislativo era menor a sesenta ya que, siendo electos el mismo día que el Ejecutivo Federal, tomaban posesión tres meses antes que él: el 1o. de septiembre del año de las elecciones.

La enmienda mantiene la fecha de toma de posesión del Presidente –1o. de diciembre– y la duración de su mandato –seis años–, conforme a lo ordenado por el artículo 85. El Código Federal Electoral establece que el día de las elecciones para renovar los Poderes Ejecutivo y Legislativo será el primer domingo de septiembre, en lugar del primer domingo de julio. Así, además de mantener coincidencia en la fecha de las elecciones

[53] Tiene su fundamento actualmente en la Ley del Congreso de la Unión.

de los Poderes Ejecutivo y Legislativo, fue acortado el periodo entre la elección y toma de posesión del primero.

El plazo anterior –demasiado grande– entre el día de la elección y el de la toma de posesión del Presidente de la República –casi cinco meses– no tenía justificación jurídica ni política y presentaba inconvenientes prácticos: por una parte, retrasaba la aplicación del programa del gobierno del Presidente electo, y por otra, la administración que estaba por concluir se veía inclinada a disminuir su labor, lo que afectaba su eficacia en los últimos meses.

De acuerdo con el artículo primero transitorio del decreto de 7 de abril de 1986, las reformas a los artículos 65, 66 y este 69, surtirán sus efectos a partir del primero de septiembre de 1989.

II. Estatuye que cuando el Congreso –o una sola de las cámaras– se reúna en un periodo extraordinario de sesiones es obligación del presidente de la Comisión Permanente explicar a la asamblea los motivos que dieron origen a la convocatoria extraordinaria.

ARTÍCULO 70. Toda resolución del Congreso tendrá el carácter de ley o decreto. Las leyes o decretos se comunicarán al Ejecutivo firmados por los presidentes de ambas Cámaras y por un secretario de cada una de ellas, y se promulgarán en esta forma: "El Congreso de los Estados Unidos Mexicanos decreta: (texto de la ley o decreto)."

El Congreso expedirá la ley que regulará su estructura y funcionamiento internos.

La ley determinará las formas y procedimientos para la agrupación de los diputados, según su afiliación de partido, a efecto de garantizar la libre expresión de las corrientes ideológicas representadas en la Cámara de Diputados.

Esta ley no podrá ser vetada ni necesitará de promulgación del Ejecutivo Federal para tener vigencia.

La ley sólo puede emanar del Congreso, en tanto que el decreto puede ser una resolución de las cámaras o un mandamiento del Ejecutivo.[54]

Ley es toda resolución del Poder Legislativo de carácter obligatorio, general, abstracto e impersonal que trata sobre materias de interés común. Se llama decreto a toda resolución relativa a "determinados tiempos, luga-

[54] Véase comentario al artículo 92.

res, corporaciones, establecimientos o personas", es decir, cuando se refiere a un objeto particular.

Con fecha 25 de mayo de 1979 el Congreso expidió la ley que rige su estructura y funcionamiento. La Constitución y la ley se preocuparon por garantizar la libre expresión de las ideas –esencial para el buen desempeño de las labores de ese órgano–, a todos los miembros del Congreso.

Sección II
De la Iniciativa y Formación de las Leyes

ARTÍCULO 71. El derecho de iniciar leyes o decretos compete:

I. Al Presidente de la República;

II. A los diputados y senadores al Congreso de la Unión; y

III. A las legislaturas de los Estados.

Las iniciativas presentadas por el Presidente de la República, por las legislaturas de los Estados, o por las diputaciones de los mismos, pasarán desde luego a comisión. Las que presentaren los diputados a los senadores se sujetarán a los trámites que designe el Reglamento de Debates.

En términos generales, el proceso legislativo comprende el conjunto de actos que van desde la presentación de una iniciativa ante cualquiera de las cámaras, hasta la publicación de la ley en el *Diario Oficial*, proceso en el que colaboran los Poderes Legislativo y Ejecutivo.

Este artículo se refiere al primer acto dentro de ese proceso, o sea, la presentación de un proyecto de ley ante una de las dos cámaras para su discusión.

No cualquier persona está facultada, dentro de nuestro régimen jurídico, para iniciar una ley. Compete hacerlo sólo al Presidente de la República, a los diputados y senadores al Congreso de la Unión y a las legislaturas de los estados, estas últimas, en virtud del pacto federal. Sin embargo, cada ciudadano tiene la libertad de sugerir al Ejecutivo o a alguno de los representantes populares, locales o federales, la conveniencia de expedir una ley o decreto, para que, en ejercicio de su facultad de iniciativa, presenten el proyecto, pero esos funcionarios pueden aceptar o rechazar la sugestión.

La iniciación de un proyecto de ley no significa que debe necesariamente convertirse en tal, pues puede lo mismo ser rechazado o modificado, que aprobado, pudiendo acontecer las diversas situaciones a que se refiere el artículo 72.

ARTÍCULO 72. Todo proyecto de ley o decreto, cuya resolución no sea exclusiva de alguna de las Cámaras, se discutirá sucesivamente en ambas, observándose el Reglamento de Debates sobre la forma, intervalos y modo de proceder en las discusiones y votaciones:

a) Aprobado un proyecto en la Cámara de su origen, pasará para su discusión a la otra. Si ésta lo aprobare, se remitirá al Ejecutivo, quien, si no tuviere observaciones que hacer, lo publicará inmediatamente.

b) Se reputará aprobado por el Poder Ejecutivo todo proyecto no devuelto con observaciones a la Cámara de su origen, dentro de diez días útiles; a no ser que, corriendo este término hubiere el Congreso cerrado o suspendido sus sesiones, en cuyo caso la devolución deberá hacerse el primer día útil en que el Congreso esté reunido.

c) El proyecto de ley o decreto desechado en todo o en parte por el Ejecutivo, será devuelto, con sus observaciones, a la Cámara de su origen. Deberá ser discutido de nuevo por ésta, y si fuese confirmado por las dos terceras partes del número total de votos, pasará otra vez a la Cámara revisora. Si por ésta fuese sancionado por la misma mayoría, el proyecto será ley o decreto y volverá al Ejecutivo para su promulgación.

Las votaciones de ley o decreto serán nominales.

d) Si algún proyecto de ley o decreto fuese desechado en su totalidad por la Cámara de revisión, volverá a la de su origen con las observaciones que aquélla le hubiese hecho. Si examinado de nuevo fuese aprobado por la mayoría absoluta de los miembros presentes, volverá a la Cámara que lo desechó, la cual lo tomará otra vez en consideración, y si lo aprobare por la misma mayoría, pasará al Ejecutivo para los efectos de la fracción *a*); pero si lo reprobase, no podrá volver a presentarse en el mismo periodo de sesiones.

e) Si un proyecto de ley o decreto fuese desechado en parte, o modificado, o adicionado por la Cámara revisora, la nueva discusión de la Cámara de su origen versará únicamente sobre lo desechado o sobre las reformas o adiciones, sin poder alterarse en manera alguna los artículos aprobados. Si las adiciones o reformas hechas por la Cámara revisora fuesen aprobadas por la mayoría absoluta de los votos presentes en la Cámara de su origen, se pasará todo el proyecto al Ejecutivo, para los efectos de la fracción *a*. Si las adiciones o reformas hechas por la Cámara revisora fueren reprobadas por la mayoría de votos en la Cámara de su origen, volverán a aquella para que tome en consideración las razones de ésta, y si por mayoría absoluta de votos presentes se desecharen en esta segunda revisión dichas adiciones o reformas, el proyecto, en lo que haya sido aprobado por ambas Cámaras, se pasará al Ejecutivo para los efectos de la fracción *a*. Si la Cámara revisora insistiere, por la mayoría absoluta de votos presentes, en dichas adiciones o reformas, todo el proyecto no volverá a presentarse sino hasta el siguiente periodo de sesiones, a no ser que ambas Cámaras acuerden, por la mayoría absoluta de sus miembros presentes, que se expida la ley o decreto sólo con los artículos aprobados, y que se reserven los adicionados o reformados para su examen y votación en las sesiones siguientes.

f) En la interpretación, reforma o derogación de las leyes o decretos, se observarán los mismos trámites establecidos para su formación.

g) Todo proyecto de ley o decreto que fuere desechado en la Cámara de su origen, no podrá volver a presentarse en las sesiones del año.

h) La formación de las leyes o decretos puede comenzar indistintamente en cualquiera de las dos Cámaras, con excepción de los proyectos que versaren sobre empréstitos, contribuciones o impuestos, o sobre reclutamiento de tropas, todos los cuales deberán discutirse primero en la Cámara de Diputados.

i) Las iniciativas de leyes o decretos se discutirán preferentemente en la Cámara en que se presenten, a menos que transcurra un mes desde que se pasen a la comisión dictaminadora sin que ésta rinda dictamen, pues en tal caso el mismo proyecto de ley o decreto puede presentarse y discutirse en la otra Cámara.

j) El Ejecutivo de la Unión no puede hacer observaciones a las resoluciones del Congreso o de alguna de las Cámaras, cuando ejerzan funciones de cuerpo electoral o de jurado, lo mismo que cuando la Cámara de Diputados declare que debe acusarse a uno de los altos funcionarios de la Federación por delitos oficiales.

Tampoco podrá hacerlas al decreto de convocatoria a sesiones extraordinarias que expida la Comisión Permanente.

Este artículo y los relativos a las facultades del Congreso, así como a las específicas de las Cámaras de Diputados y de Senadores y las consignadas en varias fracciones del 89 integran, principalmente, el sistema de colaboración entre los Poderes Legislativo y Ejecutivo.

La regla de que todo proyecto de ley o decreto, cuyo estudio no sea de la exclusiva facultad de alguna de las cámaras, se discuta en cada una de ellas, está determinada por la conveniencia de que su examen resulte lo más completo posible.

Después de presentado un proyecto de ley, ante alguna de las cámaras –la de Diputados o la de Senadores–, puede correr una suerte varia, es decir, es posible que surjan cualquiera de las siguientes situaciones:

a) Lo rechace la Cámara de origen, o sea, la que en primer término recibió el proyecto, en cuyo caso no podrá ser presentado nuevamente en el mismo periodo de sesiones;

b) Lo apruebe dicha Cámara –la de origen– pero lo rechace la revisora, es decir, la Cámara que en segundo término estudió el proyecto. De suceder esto, vuelve a la primera para ser nuevamente discutido;

c) Lo aprueban ambas cámaras, pero lo rechace el Ejecutivo en uso de su derecho de voto, que es la facultad que tiene de desechar parcial o totalmente un proyecto de ley. Si esto ocurre, vuelve el proyecto a la Cámara de origen, y de insistir ambas cámaras, por mayoría de dos terceras partes del número total de votos, el Ejecutivo debe ordenar la publicación de la ley, y

d) Lo apruebe la Cámara de origen, la revisora y el Ejecutivo: el proyecto se convierte en ley y, una vez publicada, es obligatoria para todos.

Sección III

De las Facultades del Congreso

ARTÍCULO 73. El Congreso tiene facultad:

I. Para admitir nuevos Estados a la Unión Federal;

II. Derogada;

III. Para formar nuevos Estados dentro de los límites de los existentes, siendo necesario al efecto:

1o. Que la fracción o fracciones que pidan erigirse en Estados, cuenten con una población de ciento veinte mil habitantes, por lo menos.

2o. Que se compruebe ante el Congreso que tienen los elementos bastantes para proveer a su existencia política.

3o. Que sean oídas las legislaturas de los Estados de cuyo territorio se trate, sobre la conveniencia o inconveniencia de la erección del nuevo Estado, quedando obligadas a dar su informe dentro de seis meses, contados desde el día en que se les remita la comunicación respectiva.

4o. Que igualmente se oiga al Ejecutivo de la Federación, el cual enviará su informe dentro de siete días, contados desde la fecha en que le sea pedido.

5o. Que sea votada la erección del nuevo Estado por dos terceras partes de los diputados y senadores presentes en sus respectivas Cámaras.

6o. Que la resolución del Congreso sea ratificada por la mayoría de las legislaturas de los Estados, previo examen de la copia del expediente, siempre que hayan dado su consentimiento las legislaturas de los Estados de cuyo territorio se trate.

7o. Si las legislaturas de los Estados de cuyo territorio se trate no hubieren dado su consentimiento, la ratificación de que habla la fracción anterior, deberá ser hecha por las dos terceras partes del total de legislaturas de los demás Estados.

IV. Para arreglar definitivamente los límites de los Estados, terminando las diferencias que entre ellos se susciten sobre las demarcaciones de sus respectivos territorios, menos cuando estas diferencias tengan un carácter contencioso;

V. Para cambiar la residencia de los Supremos Poderes de la Federación;

VI. Derogada;

VII. Para imponer las contribuciones necesarias a cubrir el presupuesto;

VIII. Para dar bases sobre las cuales el Ejecutivo pueda celebrar empréstitos sobre el crédito de la Nación, para aprobar esos mismos empréstitos y para reconocer y mandar pagar la Deuda Nacional. Ningún empréstito podrá celebrarse sino para la ejecución de obras que directamente produzcan un incremento en los ingresos públicos, salvo los que se realicen con propósitos de regulación monetaria, las operaciones de conversión y los que se contraten durante alguna emergencia declarada por el Presidente de la República en los términos del artículo 29. Asimismo, aprobar anualmente los montos de endeudamiento que deberán incluirse en la ley de ingresos, que en su caso requiera el Gobierno del Distrito Federal y las entidades de su sector público, conforme a las bases de la ley correspondiente. El Ejecutivo Federal informará anualmente al Congreso de la Unión sobre el ejercicio de dicha deuda a cuyo efecto el Jefe del Distrito Federal le hará llegar el informe que sobre el ejercicio de los recursos correspondientes hubiere ralizado. El Jefe del Distrito Federal informará igualmente a la Asamblea de Representantes del Distrito Federal, al rendir la cuenta pública;

IX. Para impedir que en el comercio de Estado a Estado se establezcan restricciones;

X. Para legislar en toda la República sobre hidrocarburos, minería, industria cinematográfica, comercio, juegos con apuestas y sorteos, intermediación y servicios financieros, energía eléctrica y nuclear, y para expedir las leyes del trabajo reglamentarias del artículo 123;

XI. Para crear y suprimir empleos públicos de la Federación y señalar, aumentar o disminuir sus dotaciones;

XII. Para declarar la guerra, en vista de los datos que le presente el Ejecutivo;

XIII. Para dictar leyes según las cuales deban declararse buenas o malas las presas de mar y tierra, y para expedir leyes relativas al derecho marítimo de paz y guerra;

XIV. Para levantar y sostener a las instituciones armadas de la Unión, a saber: Ejército, Marina de Guerra y Fuerza Aérea Nacionales, y para reglamentar su organización y servicio;

XV. Para dar reglamentos con objeto de organizar, armar y disciplinar la Guardia Nacional, reservándose a los ciudadanos que la forman, el nombramiento respectivo de jefes y oficiales, y a los Estados la facultad de instruirla conforme a la disciplina prescrita por dichos reglamentos;

XVI. Para dictar leyes sobre nacionalidad, condición jurídica de los extranjeros, ciudadanía, naturalización, colonización, emigración e inmigración y salubridad general de la República.

1a. El Consejo de Salubridad General dependerá directamente del Presidente de la República, sin intervención de ninguna Secretaría de Estado, y sus disposiciones generales serán obligatorias en el país.

2a. En caso de epidemias de carácter grave o peligro de invasión de enfermedades exóticas en el país, el Departamento de Salubridad tendrá obligación de dictar inmediatamente las medidas preventivas indispensables, a reserva de ser después sancionadas por el Presidente de la República.

3a. La autoridad sanitaria será ejecutiva y sus disposiciones serán obedecidas por las autoridades administrativas del país.

4a. Las medidas que el Consejo haya puesto en vigor en la campaña contra el alcoholismo y la venta de sustancias que envenenan al individuo o degeneran la especie humana, así como las adoptadas para prevenir y combatir la contaminación ambiental, serán después revisadas por el Congreso de la Unión, en los casos que le competan;

XVII. Para dictar leyes sobre vías generales de comunicación, y sobre postas y correos; para expedir leyes sobre el uso y aprovechamiento de las aguas de jurisdicción federal;

XVIII. Para establecer casas de moneda, fijar las condiciones que éstas deban tener, dictar reglas para determinar el valor relativo de la moneda extranjera y adoptar un sistema general de pesas y medidas;

XIX. Para fijar las reglas a que deba sujetarse la ocupación y enajenación de terrenos baldíos y el precio de éstos;

XX. Para expedir las leyes de organización del Cuerpo Diplomático y del Cuerpo Consular mexicano;

XXI. Para establecer los delitos y faltas contra la Federación y fijar los castigos que por ellos deban imponerse.

Las autoridades federales podrán conocer también de los delitos del fuero común, cuando éstos tengan conexidad con delitos federales;

XXII. Para conceder amnistías por delitos cuyo conocimiento pertenezca a los tribunales de la Federación;

XXIII. Para expedir leyes que establezcan las bases de coordinación entre la Federación, el Distrito Federal, los Estados y los Municipios, en materia de seguridad pública; así como para la organización y funcionamiento, el ingreso, selección, promoción y reconocimiento de los integrantes de las instituciones de seguridad pública en el ámbito federal;

XXIV. Para expedir la Ley Orgánica de la Contaduría Mayor;

XXV. Para establecer, organizar y sostener en toda la República escuelas rurales, elementales, superiores, secundarias y profesionales; de investigación científica, de bellas artes y de enseñanza técnica; escuelas prácticas de agricultura y de minería, de artes y oficios, museos, bibliotecas, observatorios y demás institutos concernientes a la cultura general de los habitantes de la nación y legislar en todo lo que se refiere a dichas instituciones; para legislar sobre monumentos arqueológicos, artísticos e históricos, cuya conservación sea de interés nacional; así como para dictar las leyes encaminadas a distribuir convenientemente entre la Federación, los Estados y los Municipios el ejercicio de la función educativa y las aportaciones económicas correspondientes a ese servicio público, buscando unificar y coordinar la educación en toda la República. Los títulos que se expidan por los establecimientos de que se trata surtirán sus efectos en toda la República;

XXVI. Para conceder licencia al Presidente de la República y para constituirse en Colegio Electoral y designar al ciudadano que deba sustituir al Presidente de la República, ya sea con el carácter de sustituto, interino o provisional, en los términos de los artículos 84 y 85 de esta Constitución;

XXVII. Para aceptar la renuncia del cargo de Presidente de la República;

XXVIII. Derogada;

XXIX. Para establecer contribuciones:

1o. Sobre el comercio exterior.

2o. Sobre el aprovechamiento y explotación de los recursos naturales comprendidos en los párrafos 4o. y 5o. del artículo 27.

3o. Sobre instituciones de crédito y sociedades de seguros.

4o. Sobre servicios públicos concesionados o explotados directamente por la Federación, y

5o. Especiales sobre:

a) Energía eléctrica.

b) Producción y consumo de tabacos labrados.

c) Gasolina y otros productos derivados del petróleo.

d) Cerillos y fósforos.

e) Aguamiel y productos de su fermentación.

f) Explotación forestal, y

g) Producción y consumo de cerveza.

Las entidades federativas participarán en el rendimiento de estas contribuciones especiales, en la proporción que la ley secundaria federal determine. Las legislaturas locales fijarán el porcentaje correspondiente a los Municipios, en sus ingresos por concepto del impuesto sobre energía eléctrica;

XXIX-B. Para legislar sobre las características y usos de la Bandera, Escudo e Himno Nacionales;

XXIX-C. Para expedir las leyes que establezcan la concurrencia del Gobierno Federal, de los Estados y de los Municipios, en el ámbito de sus respectivas competencias, en materia de asentamientos humanos, con objeto de cumplir los fines previstos en el párrafo 3o. del artículo 27 de esta Constitución;

XXIX-D. Para expedir leyes sobre planeación nacional del desarrollo económico y social;

XXIX-E. Para expedir leyes para la programación, promoción, concertación y ejecución de acciones de orden económico, especialmente las referentes al abasto y otras que tengan como fin la producción suficiente y oportuna de bienes y servicios, social y nacionalmente necesarios;

XXIX-F. Para expedir leyes tendientes a la promoción de la inversión mexicana, la regulación de la inversión extranjera, la transferencia de tecnología y la generación, difusión y aplicación de los conocimientos científicos y tecnológicos que requiere el desarrollo nacional;

XXIX-G. Para expedir leyes que establezcan la concurrencia del Gobierno Federal, de los gobiernos de los Estados y de los Municipios, en el ámbito de sus respectivas competencias, en materia de protección al ambiente y de preservación y restauración del equilibrio ecológico;

XXIX-H. Para expedir leyes que instituyan tribunales de lo contencioso administrativo, dotados de plena autonomía para dictar sus fallos, y que tengan a su cargo dirimir las controversias que se susciten entre la Administración Pública Federal y los particulares, estableciendo las normas para su organización, su funcionamiento, el procedimiento y los recursos contra sus resoluciones; y

XXX. Para expedir todas las leyes que sean necesarias, a objeto de hacer efectivas las facultades anteriores, y todas las otras concedidas por esta Constitución a los Poderes de la Unión.

Las facultades otorgadas al Poder Legislativo Federal pueden clasificarse en tres grupos:

a) Las que pertenecen al Congreso de la Unión y que ejercen ambas cámaras en forma separada y sucesiva. Son las consignadas en este artículo;

b) Las que son exclusivas y propias de la Cámara de Diputados (artículo 74) o de la de Senadores (artículo 76). En este caso las funciones las ejercen cada una, en forma totalmente independiente de la otra, y

c) Las que siendo iguales para ambas cámaras, ejercen cada una por separado, sin intervención de la otra (artículo 77).

Las treinta fracciones de este artículo otorgan al Congreso la facultad de legislar en todas aquellas materias consideradas de interés primordial para la existencia de la República y para el cumplimiento de los ideales políticos y económicos perseguidos por la Revolución mexicana.

Las facultades expresas de que tratan las veintinueve primeras fracciones, más las consignadas en las XXIX-B, C, D, E, F, G y H se pueden clasificar en:

1o. Facultades en materia de división territorial. Son las que establecen las fracciones I, III, IV y V: admitir nuevos estados a la Unión; formar nuevos estados dentro de los límites de los ya existentes; arreglar conflictos de límites entre los estados, cuando no tengan carácter de contienda judicial, pues de lo contrario corresponde resolver el conflicto a la Suprema Corte,[55] y cambiar de residencia a los supremos poderes de la Federación, en cuyo caso surgiría, por mandato constitucional, el estado del Valle de México en el lugar que hoy ocupa el Distrito Federal.[56]

La derogada fracción II se refería a las facultades que tenía el Congreso para convertir en estados a los territorios. La fracción se derogó porque todos los territorios que existían cuando se promulgó la Constitución de 1917 ya fueron erigidos en estados.

2o. Facultades en relación con el Distrito Federal. La fracción VI faculta al Congreso para expedir el Estatuto de Gobierno del Distrito Federal

[55] Véanse artículos 46 y 105.
[56] Véase artículo 44.

y legislar en todo lo concerniente a la ciudad de México que no se encuentre expresamente reservado a la Asamblea de Representantes. De esta manera, la reforma de octubre de 1993 ha cambiado sustancialmente el contenido de esta fracción que anteriormente confería una competencia legislativa muy amplia al órgano federal (Congreso de la Unión) y sólo una atribución reglamentaria al local (Asamblea de Representantes), además de regular todo lo referente al ejercicio del gobierno del Distrito Federal que, con la citada reforma, ahora se ubica en el artículo 122 de la Constitución.

La reforma de 1996* derogó la fracción VI de este precepto que se refería a la facultad del Congreso para expedir el Estatuto de Gobierno del Distrito Federal y legislar lo relativo al Distrito Federal, salvo en materias expresamente conferidas a la Asamblea de Representantes. (Véase opinión sobre este cambio en el comentario al artículo 122).

También se ha dejado en este precepto, fracción VIII, la facultad de aprobar los montos de endeudamiento anual del Distrito Federal que deberán incluirse en la Ley de Ingresos, a propuesta que se haga el Ejecutivo Federal al Congreso de la Unión, y de esta manera, se hace congruente esta disposición con el nuevo artículo 122 frracción II, inciso *d*.

Finalmente, se ha eliminado, de la fracción XXIX-H, lo referente al establecimiento del tribunal contencioso administrativo del Distrito Federal, que ahora pasa a un órgano específico, mediante una ley orgánica que deberá expedir la Asamblea de Representantes (inciso *e*) fracción IV, del artículo 122 constitucional).**

3o. Facultades en materia hacendaria. Es función legislativa la expedición de la Ley de Ingresos. La vida misma del Estado requiere que su administración realice gastos, pero las autoridades no pueden disponer libremente del dinero que recauden, sino que deben hacerlo de acuerdo con el presupuesto de egresos (gastos) que anualmente aprueba la Cámara de Diputados.[57]

Los recursos del Estado para hacer frente a esos gastos se obtienen mediante las aportaciones que obligatoriamente deben hacer todos los habitantes del país (impuestos o contribuciones)[58] y que constan en la Ley de Ingresos, que se inicia en la Cámara de Diputados y cada año aprueba el Congreso de la Unión[59] (fracciones VII y XXIX).

También es competencia del Congreso expedir la Ley Orgánica de la Contaduría Mayor de Hacienda (oficina especializada que tiene encomen-

* Comentario del licenciado EMILIO RABASA GAMBOA.

** Comentario del licenciado EMILIO RABASA GAMBOA, en virtud de la reforma de 1993.

57 Véase artículo 74, fracción IV.

58 Véase artículo 31, fracción IV.

59 Véase artículo 72, inciso *h*.

dada la revisión de la cuenta) –fracción XXIV–, aunque el nombramiento de sus empleados y la vigilancia de las labores que desarrolla están a cargo de la Cámara de Diputados.[60]

Cuando gastos públicos excepcionales no puedan ser cubiertos con los ingresos ordinarios, el Congreso puede dar las bases al Ejecutivo para la celebración de empréstitos, y posteriormente aprobarlos. Empréstitos son los préstamos hechos al Estado y que aumentan su deuda pública (fracción VIII).

Debe también legislar en todo lo relativo a moneda (fracción XVIII), por ejemplo: determinar cuál es la unidad monetaria mexicana, sus múltiplos y submúltiplos, fijar el carácter obligatorio de su circulación, etcétera.

4o. Facultades respecto al comercio entre los estados. La fracción IX del artículo 73 está íntimamente relacionada con los artículos 117 –fracciones IV, V, VI y VII–, y 131. Autoriza al Congreso para impedir que entre los estados que integran la Federación Mexicana se establezcan restricciones en cuanto al comercio, esto es, para evitar todo aquello que dificulte el libre tránsito de mercancías. Lo contrario, o sea, la aceptación de impuestos alcabalatorios[61] entre los Estados de la Unión, conduciría a restringir el tráfico comercial, y por lo tanto a propiciar una economía cerrada entre las entidades federativas, en perjuicio de su propia existencia y de la vida nacional.

5o. Facultades en materia de guerra. Para que México pueda estar en guerra con otra nación se requiere, constitucionalmente, el cumplimiento de los siguientes requisitos:

a) Que lo solicite al Congreso de la Unión el Presidente de la República, única persona autorizada para ello;

b) Que se expida una ley del Congreso para tal efecto, y

c) Que conste la declaratoria del Congreso en esa ley y que posteriormente, y con apoyo en la misma, el Presidente de la República la declare en nombre de los Estados Unidos Mexicanos (fracción XII del 73, y VIII del 89).

También al Congreso corresponde legislar lo relativo al Ejército, la Armada, la Fuerza Aérea y la Guardia Nacional, y sobre derecho marítimo (fracciones XIII, XIV y XV).

Tanto el Ejército como la Guardia Nacional son organismos creados para defender la integridad del territorio patrio y la independencia, y para mantener su orden interno. Sin embargo, pese a esta igualdad de finalidades, no se identifican, ya que mientras corresponda al Congreso de la Unión "levantar y sostener" al Ejército y "reglamentar su organización y servicio", y al Ejecutivo Federal disponer libremente de él "para la seguridad

[60] Véase artículo 74, fracciones II y III.

[61] Llámanse alcabalas a los impuestos con que se gravaba el paso de mercancías de un estado de la Federación a otro.

interior y defensa de la Federación", así como nombrar a sus oficiales,[62] la Guardia Nacional es instruida por los estados, sus jefes y oficiales los nombran los ciudadanos que la forman, el Congreso sólo reglamenta su organización (fracción XV), y el Ejecutivo Federal para disponer de esa fuerza, fuera de sus respectivos estados, requiere autorización del Senado,[63] o sea, el Ejército es una institución federal, que los poderes federales –Legislativo y Ejecutivo– organizan y dirigen, en tanto que la guardia pertenece a los estados, aunque el Congreso y el Presidente de la República tienen determinadas facultades, precisadas por la Constitución, para reglamentarla y hacer uso de ella.

6o. Facultades respecto a materias que por su importancia deben estar consignadas en leyes federales. La Constitución, en las fracciones X, XVI, XVII, XIX, XX, XXI, XXII y XXV, precisa las materias que, declaradas federales, corresponde reglamentar al Congreso de la Unión.

Así, por ejemplo, la fracción X faculta al Congreso a expedir leyes sobre hidrocarburos, minería –recursos no renovables–, industria cinematográfica, comercio, juegos con apuestas y sorteos, instituciones de crédito, y energías eléctrica y nuclear, Banco Único de Emisión –Banco de México–, trabajo y otros asuntos de especial importancia para el desarrollo económico del país.

Por enmienda publicada en el *Diario Oficial* del 6 de julio de 1971 se adicionó la base cuarta de la fracción XVI de este artículo para otorgar al Consejo de Salubridad General –órgano creado por el Congreso Constituyente de 1917, con amplísimas facultades de carácter federal, para salvaguardar la salud pública de los habitantes del país– una nueva responsabilidad: "prevenir y combatir la contaminación ambiental". Sólo una adecuada planeación en el crecimiento industrial, el empleo de nuevas tecnologías anticontaminantes, la reconstrucción de los suelos y de los bosques, una política demográfica bien estructurada que propicie una mejor redistribución de la población y de la riqueza y lograr un más alto nivel educativo en las nuevas generaciones, podrán permitir, a largo plazo, ir resolviendo problemas tan agudos y tan importantes para la existencia de la vida (véase comentario al artículo 27).

Además, se adicionó la fracción XXIX con el inciso G para otorgar al Congreso la facultad de legislar sobre protección al medio ambiente y preservar y restaurar el equilibrio ecológico. En este caso atribuye concurrentemente al Gobierno Federal, a los gobiernos de los estados y a los municipios colaborar en tan importante labor (véase comentario al artículo 27).

7o. Facultades relacionadas con la posible vacante del Ejecutivo. Compete al Congreso de la Unión conceder licencia al Presidente de la Re-

[62] Fracciones IV y V del artículo 89.
[63] Fracción IV del 76 y VII del 89.

pública, aceptar su renuncia y designar, en caso de quedar vacante esa magistratura, al Presidente sustituto o interino[64] (fracciones XXVI y XXVII).

8o. Facultades en materia administrativa. Son las consignadas en la fracción XI, ya que otorga al Legislativo Federal facultad de crear y suprimir los empleos públicos, así como la de fijar las retribuciones o sueldos con que los mismos deben ser remunerados.[65]

Este artículo fue objeto de varias adiciones. La fracción XXIX-B aprobada en 1967, autoriza al Congreso para legislar sobre las características y uso de la bandera, escudo e himno nacionales. En virtud de esa facultad, el Congreso expidió, en diciembre de 1967, la ley federal respectiva. La C que establece la facultad del Congreso para dictar leyes que regulen la jurisdicción concurrente entre la Federación, estados y municipios en cuanto se refiere a asentamientos humanos.[66]

En 1987 se adicionó la fracción XXIX-H. Se consigna una nueva facultad del Congreso de la Unión, para ser ejercida por ambas cámaras en forma separada y sucesiva: la de legislar sobre una materia tan importante como es la justicia contenciosa-administrativa autónoma, o sea, formada por verdaderos jueces independientes del Poder Ejecutivo para dictar sus fallos. Antes propiamente esos tribunales hallaban fundamento en la fracción I del artículo 104 de la Constitución, pero como sostiene la exposición de motivos, es más correcto que su existencia y funciones emanen de una ley elaborada por el Congreso de la Unión.

Los tribunales contencioso-administrativos tienen a su cargo resolver las controversias entre los particulares y la administración pública federal o del Distrito Federal. Fueron creados en México –en situación conflictiva– a mediados del siglo XIX, pero no tuvieron una base constitucional moderna hasta el 30 de diciembre de 1964. Contra sus sentencias sólo cabe el juicio de amparo de una sola instancia –o sea, el amparo directo– o bien la llamada revisión fiscal, cuando quien recurre al fallo es la autoridad. Por tratar sus resoluciones de problemas relativos a la aplicación de leyes ordinarias y reglamentarias, el amparo debe ser promovido ante los tribunales colegiados de circuito exclusivamente, ya que la Suprema Corte de Justicia es el máximo intérprete de los preceptos constitucionales.

9o. Facultades en materia económica. Con las reformas a los artículos 25, 26 y 28 se creó una nueva base económica que tuvo su necesaria complementación legislativa al adicionar este precepto con las fracciones XXIX-D, E y F, según decretos publicados en el *Diario Oficial de la Federación* del 28 de diciembre de 1982 y el 3 de febrero de 1983.[67]

[64] Véanse artículos 84 y 85.

[65] Véase artículo 75.

[66] Por reformas del 6 de febrero de 1976.

[67] Por lo que hace a la fracción XXIX-D, véanse últimos párrafos del comentario al artículo 26.

Aun cuando todas las leyes son sociales, pues están dirigidas a normar la vida comunitaria, algunas de ellas tienen especial referencia al orden económico. Más aún, en tiempos recientes ya se habla de un derecho económico, esto es, una rama específica y autónoma del orden jurídico predominantemente dedicada a la organización y funcionamiento de la producción, distribución y consumo de bienes y servicios. Para fundamentar constitucionalmente este nuevo derecho económico es por lo que se estableció la nueva fracción XXIX-E.

El abasto, que menciona esta fracción, tiene relevancia en el progreso económico de un estado democrático, ya que constituye el suministro de alimentos a precios accesibles, sobre todo a las clases populares.

Todo desarrollo requiere de capital y de trabajo. Además necesita, si ha de ser productivo, integral y moderno, del conocimiento y aplicación de las mejores técnicas contemporáneas y de los mayores conocimientos científicos.

Cuando el desarrollo nacional, aspira también a ser "nacionalista", procurará que el capital, el trabajo, la técnica y la ciencia sean generados y producidos, en el máximo grado, por sus propios nacionales. Sin embargo, en los países en vías de desarrollo se requiere, hasta cierto grado, de inversión, técnica y conocimientos extranjeros. Admitidos racional y prudentemente, evitando que la dependencia del exterior sea menor cada día, será materia que las leyes habrán de prever.

La nueva fracción XXIX-F otorga la base constitucional para que el Congreso de la Unión legisle sobre tan importantes actividades.

La fracción XXX establece las facultades implícitas del Congreso.

Al respecto, cabe decir que el Estado mexicano integra lo que se denomina un estado de derecho, porque los tres Poderes, Legislativo, Ejecutivo y Judicial, están organizados y ejercen sus funciones de acuerdo con la Constitución y leyes que de ella se derivan. Precisamente una de las diferencias fundamentales entre la dictadura y el gobierno democrático y republicano consiste en que, mientras en la primera el poder de uno o varios hombres se encuentra por encima del derecho, o sea, se subordina a la voluntad de los gobernantes, en el segundo, el derecho reglamenta y limita a todo poder público. Por eso, cuando cualquiera de los tres poderes realiza actividades contrarias a la ley, es decir, la viola, o actúa sin ningún apoyo legal, el Poder Judicial, que es el equilibrador, entra en funciones, anula los actos ilegales y el infractor se somete al derecho. Así, es característica de todo régimen constitucional la garantía de legalidad, esto es, la obligación del poder público de actuar de acuerdo con un mandato jurídico y con apoyo en él.[68]

[68] Véase comentario al artículo 14.

Lo anterior queda comprendido dentro de la expresión "vivimos en un régimen de facultades expresas", es decir, que cada poder sólo tiene las que específicamente le señala la Constitución. Sin embargo, para realizar los distintos fines planteados por esa ley se requieren los medios para hacerlos efectivos. Por eso, la fracción XXX del artículo 73 consigna las llamadas facultades implícitas, o sea, las que tiene el Legislativo para lograr los objetivos señalados en las 29 fracciones anteriores (más las XXIX-B, C, D, E, F, G, y H) y que no pueden ser otras que la elaboración de las leyes mediante las cuales se reglamente la forma de cumplir con esos fines.

Ahora bien, las facultades implícitas requieren indispensablemente de las facultades expresas, en forma tal, que sin éstas no puede hacerse uso de aquéllas, pues entonces se rompería el sistema del estado de derecho. En otras palabras, el Congreso de la Unión sólo puede expedir las leyes que sean necesarias para hacer efectivas las facultades a él concedidas en el artículo 73 o en otras disposiciones de la propia Constitución.

El único poder que goza de facultades implícitas es el Legislativo, por lo que sólo él puede usarlas, según está expresamente indicado en la fracción XXX, tanto en su propia labor, como para hacer efectivas las de los otros poderes de la Unión.

En este caso se requiere que el Ejecutivo y el Judicial tengan la facultad expresa para el fin de que se trate.

En virtud de las reformas relativas a la nueva organización del Banco de México (véase comentarios al artículo 28), la fracción X de este artículo 73, fue cambiada al sustituir la facultad del Congreso de la Unión para legislar en lo relativo a "servicios de banca y crédito" por la de "intermediación y servicios financieros". Esta modificación es técnicamente más correcta, clara y amplia, pues al referirse al sistema financiero en general, no solamente implica al sistema bancario, sino a las actividades financieras en general, a decir del licenciado. Francisco Borja Martínes ("Reforma Constitucional para dotar de autonomía al Banco de México").

*Reforma de 1994**

En 1994 se añadió a las atribuciones del Congreso de la Unión la facultad para expedir leyes acerca de la coordinación de diversas autoridades en materia de seguridad pública, así como integrantes de las instituciones de seguridad pública, así como sobre integrantes de las instituciones de seguridad pública en el ámbito federal (fracción XXIII). Véase comentario al artículo 21.

* Comentario del doctor SERGIO GARCÍA RAMÍREZ.

*Reforma de 1996**

El segundo párrafo de la fracción XXI del artículo 73 fue producto de la reforma publicada el 3 de julio de 1996, que abarcó, asimismo, los artículos 16, 20, fracción I, 21 y 22 de la ley suprema. Como consideración general en torno a este asunto, tómese en cuenta el comentario relativo al artículo 16.

Se suele sostener que la lucha contra la criminalidad en nuestro tiempo requiere medios poderosos y eficaces, que frecuentemente se hallan fuera de la capacidad de las entidades federativas. Es preciso disponer de una política nacional de defensa social, sobre todo cuando el Estado se enfrenta a organizaciones criminales cuya actividad desborda las fronteras de una o varias entidades federativas, e incluso las fronteras mismas de la República. Esto implica frecuentes tendencias centralizadoras, que trasladan atribuciones locales al ámbito de potestades de la Federación, o bien, acciones concertadas o coordinadas entre ésta y las entidades federativas, conforme a lineamientos que regularmente provienen de las autoridades centrales, que disponen de los medios para organizar políticas y acciones con alcance verdaderamente nacional.

A estas tendencias, con variantes más o menos significativas, corresponden las reformas de 1993 al artículo 119 constitucional, en lo que concierne a la extradición interna; de 1994 al artículo 21, en lo que atañe al sistema nacional de seguridad pública; y de 1996 al artículo 73, que ahora se comenta. Esta última modificación tiene un antecedente muy discutido: el artículo 10 del Código Federal de Procedimientos Penales, que facultó a las autoridades federales para asumir el conocimiento de ciertos delitos del fuero común.

En rigor, el contenido del nuevo segundo párrafo de la fracción XXI se halla mal ubicado. El artículo 73 alude a las materias sobre las que puede legislar el Congreso de la Unión, que conforman el ámbito material de las normas federales, en tanto que dicho segundo párrafo se refiere a un asunto jurisdiccional, no legislativo: conocer de delitos, es decir, juzgar a los inculpados por determinadas conductas ilícitas. Este conocimiento es facultativo, no obligatorio. Por ende, queda sujeto a la decisión de las autoridades federales –que para este fin ajustarán su conducta a las disposiciones de la ley secundaria– la atracción del asunto, o la abstención que permitirá al Ministerio Público y a los tribunales del fuero común desempeñar normalmente sus funciones persecutorias naturales.

La adición permite atraer el conocimiento de delitos del fuero común que tengan "conexidad" con delitos federales. En tal virtud, no basta la con-

* Comentario del doctor SERGIO GARCÍA RAMÍREZ.

currencia o la vinculación, en general, de delitos federales y comunes; se requiere que exista entre aquéllos y éstos el enlace que las leyes procesales denominan "conexidad", concepto que se localiza en el artículo 475 del Código Federal de Procedimientos Penales.

ARTÍCULO 74. Son facultades exclusivas de la Cámara de Diputados:

I. Expedir el Bando Solemne para dar a conocer en toda la República la declaración de Presidente Electo que hubiere hecho el Tribunal Electoral del Poder Judicial de la Federación;

II. Vigilar por medio de una comisión de su seno, el exacto desempeño de las funciones de la Contaduría Mayor;

III. Nombrar a los jefes y demás empleados de esa oficina;

IV. Examinar, discutir y aprobar anualmente el Presupuesto de Egresos de la Federación, discutiendo primero las contribuciones que, a su juicio, deben decretarse para cubrirlos, así como revisar la Cuenta Pública del año anterior.

El Ejecutivo Federal hará llegar a la Cámara la iniciativa de Ley de Ingresos y el Proyecto de Presupuesto de Egresos de la Federación a más tardar el día 15 del mes de noviembre o hasta el día 15 de diciembre cuando inicie su encargo en la fecha prevista por el artículo 83, debiendo comparecer el Secretario del Despacho correspondiente a dar cuenta de los mismos.

No podrá haber otras partidas secretas, fuera de las que se consideren necesarias con ese carácter, en el mismo presupuesto; las que emplearán los secretarios por acuerdo escrito del Presidente de la República.

La revisión de la Cuenta Pública tendrá por objeto conocer los resultados de la gestión financiera, comprobar si se ha ajustado a los criterios señalados por el presupuesto y el cumplimiento de los objetivos contenidos en los programas.

Si del examen que realice la Contaduría Mayor de Hacienda aparecieran discrepancias entre las cantidades gastadas y las partidas respectivas del Presupuesto o no existiera exactitud o justificación en los gastos hechos, se determinarán las responsabilidades de acuerdo con la Ley.

La Cuenta Pública del año anterior deberá ser presentada a la Cámara de Diputados del H. Congreso de la Unión dentro de los diez primeros días del mes de junio.

Sólo se podrá ampliar el plazo de presentación de la iniciativa de Ley de Ingresos del Proyecto de Presupuesto de Egresos, así como de la Cuenta Pública, cuando medie solicitud del Ejecutivo suficientemente justificada a juicio de la Cámara o de la Comisión Permanente, debiendo comparecer en todo caso el Secretario del Despacho correspondiente a informar de las razones que lo motiven;

V. Declarar si ha o no lugar a proceder penalmente contra los servidores públicos que hubieren incurrido en delito en los términos del artículo 111 de esta Constitución.

Conocer de las imputaciones que se hagan a los servidores públicos a que se refiere el artículo 110 de esta Constitución y fungir como órgano de acusación en los juicios políticos que contra éstos se instauren;

VI. Derogada;

VII. Derogada;

VIII. Las demás que le confiere expresamente esta Constitución.

Pueden clasificarse en tres grupos las facultades exclusivas de la Cámara de Diputados, a las que se refiere esta disposición:

1o. Políticas (fracción I). Resolver en definitiva sobre qué ciudadano ha sido electo, por el voto popular, Presidente de la República.

2o. Hacendarias (fracciones II, III y IV). La facultad fundamental es la relativa a aprobar el presupuesto anual de egresos de la Federación para lo que, lógicamente, primero tiene que discutir los impuestos o contribuciones que debe cubrir el pueblo, tarea esta última que comparten las dos cámaras como integrantes del Congreso de la Unión.

Un signo inequívoco de la democracia es que el pueblo sepa y apruebe, tanto los ingresos que van a sostener al gobierno y a las obras y servicios públicos, como la forma ordenada y clara en que se efectuará el gasto público. Por eso, es facultad exclusiva de la representación más auténticamente popular, la Cámara de Diputados, aprobar la cuenta pública.

3o. Judiciales y administrativas (fracciones V, VI y VII). Es importante distinguir, dentro de la fracción V, la actuación de la Cámara de Diputados en el juicio político (artículo 110), en cuyo caso funge como órgano acusador ante la de Senadores, de la que le corresponde en el juicio de procedencia, cuando tiene a su cargo declarar o no el desafuero de los presuntos responsables por violación a leyes penales (artículo 111).

*Reforma de 1996**

La fracción I de este precepto fue modificado de manera muy importante con esta reforma. Anteriormente, la Cámara de Diputados tenía la facultad de erigirse en Colegio Electoral para calificar la elección del Presidente de la República y hacer la declaración correspondiente en Bando Solemne. Ahora la facultad calificatoria y declarativa corresponde al Tribunal Electoral del Poder Judicial de la Federación. Consecuentemente este procedimiento de singular importancia política se desplaza del Poder Legislativo y un cuerpo colegiado de 500 miembros (Cámara de Diputados) al Poder Judicial y un cuerpo colegiado (el Tribunal Electoral) integrado por siete magistrados electorales. El cambio obedece a la idea de evitar politizar este procedimiento lo que podría configurar una crisis constitucional en la eventualidad de que dicha calificación, por cualquier motivo, como podría ser un desacuerdo de los partidos políticos en la Cámara de Diputados erigida en Colegio Electoral, no se llevara a cabo a tiempo. En manos del Tribunal Electoral se convierte en un procedimiento técnico de más fácil solución.

ARTÍCULO 75. La Cámara de Diputados, al aprobar el Presupuesto de Egresos, no podrá dejar de señalar la retribución que corresponda a un empleo que esté establecido por la ley; y en caso de que por cualquiera circunstancia se omita fijar dicha remuneración, se entenderá por señalada la que hubiere tenido fijada en el Presupuesto anterior, o en la ley que estableció el empleo.

La fracción XI del artículo 73 otorga al Congreso, o sea, a ambas cámaras, la facultad de "crear y suprimir empleos públicos de la Federación y señalar, aumentar o disminuir sus dotaciones".

Por su parte, el artículo 74, fracción IV, atribuye en forma exclusiva a la Cámara de Diputados la facultad de "aprobar el presupuesto anual de

* Comentario del licenciado EMILIO RABASA GAMBOA.

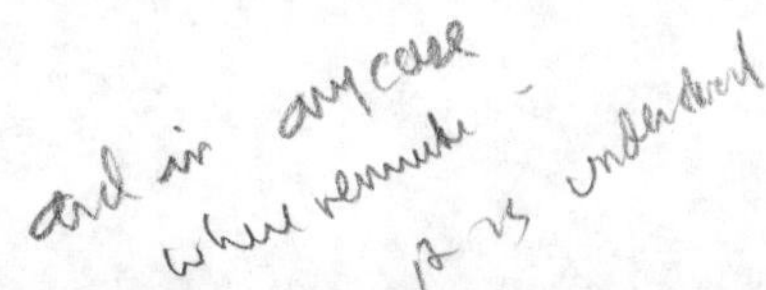

gastos", ley donde deben quedar precisadas las partidas para el pago de los diversos empleos públicos de la Federación.

Para evitar que la Cámara de Diputados pudiera modificar la facultad concedida al Congreso en la fracción XI del artículo 73, esta disposición ordena que aun cuando no se prevea en el presupuesto de egresos el pago a determinado cargo público, éste subsistirá y se retribuirá a quien lo desempeñe en la forma que hubiere sido señalada en el presupuesto del año anterior o en la ley que estableció el empleo.

Artículo 76. Son facultades exclusivas del Senado:

I. Analizar la política exterior desarrollada por el Ejecutivo Federal con base en los informes anuales que el Presidente de la República y el Secretario del Despacho correspondiente rindan al Congreso; además, aprobar los tratados internacionales y convenciones diplomáticas que celebre el Ejecutivo de la Unión;

II. Ratificar los nombramientos que el mismo funcionario haga del Procurador General de la República, Ministros, agentes diplomáticos, cónsules generales, empleados superiores de Hacienda, coroneles y demás jefes superiores del Ejército, Armada y Fuerza Aérea Nacionales, en los términos que la ley disponga;

III. Autorizarlo también para que pueda permitir la salida de tropas nacionales fuera de los límites del país, el paso de tropas extranjeras por el territorio nacional y la estación de escuadras de otra potencia, por más de un mes, en aguas mexicanas;

IV. Dar su consentimiento para que el Presidente de la República pueda disponer de la Guardia Nacional fuera de sus respectivos Estados, fijando la fuerza necesaria;

V. Declarar, cuando hayan desaparecido todos los poderes constitucionales de un Estado, que es llegado el caso de nombrarle un gobernador provisional, quien convocará a elecciones conforme a las leyes constitucionales del mismo Estado. El nombramiento de gobernador se hará por el Senado a propuesta en terna del Presidente de la República, con aprobación de las dos terceras partes de los miembros presentes, y en los recesos, por la Comisión Permanente, conforme a las mismas reglas. El funcionario así nombrado no podrá ser electo gobernador constitucional en las elecciones que se verifiquen en virtud de la convocatoria que él expidiere. Esta disposición regirá siempre que las constituciones de los Estados no prevean el caso;

VI. Resolver las cuestiones políticas que surjan entre los poderes de un Estado cuando alguno de ellos ocurra con ese fin al Senado, o cuando, con motivo de dichas cuestiones, se haya interrumpido el orden constitucional mediante un conflicto de armas. En este caso el Senado dictará su resolución, sujetándose a la Constitución General de la República y a la del Estado.

La ley reglamentará el ejercicio de esta facultad y el de la anterior;

VII. Erigirse en Jurado de sentencia para conocer en juicio político de las faltas u omisiones que cometan los servidores públicos y que redunden en perjuicio de los intereses públicos fundamentales y de su buen despacho, en los términos del artículo 110 de esta Constitución;

VIII. Designar a los Ministros de la Suprema Corte de Justicia de la Nación, de entre la terna que someta a su consideración el Presidente de la República, así como otorgar o negar su aprobación a las solicitudes de licencia o renuncia de los mismos, que le someta dicho funcionario;

IX. Nombrar y remover al Jefe del Distrito Federal en los supuestos previstos en esta Constitución;

X. Las demás que la misma Constitución le atribuya.

Las facultades que en forma exclusiva otorga este precepto al Senado de la República tienen como propósito establecer un principio de colaboración y responsabilidad mutua entre ese órgano y el Ejecutivo, así como mantener la existencia y funcionamiento del pacto federal.

Estas atribuciones pueden clasificarse en:

1. Facultades referidas al orden político internacional:

a) La actuación internacional que en nuestro régimen compete desarrollar fundamentalmente al Presidente de la República es de tal importancia que requiere también la concurrencia del Poder Legislativo. Dentro de éste, tradicionalmente ha sido el Senado quien participa en actos tan importantes como es aprobar los tratados internacionales y convenciones diplomáticas que celebre el Ejecutivo Federal. Así, no sólo existe una coordinación constitucional, sino una corresponsabilidad entre el Presidente, Jefe del Estado y del Gobierno mexicano ante todas las otras naciones soberanas, y el Senado que también vela por el pueblo, al ejercer sus obligaciones y responsabilidades internacionales;[69]

b) Autorizar el paso de tropas extranjeras por el territorio nacional o la salida de las nacionales al exterior, y la permanencia de escuadras, por, más de un mes, en aguas territoriales mexicanas (fracciones I y III), y

c) Ratificar los nombramientos que haga el Presidente de la República de ministros, agentes diplomáticos y cónsules generales, pues aun cuando estas designaciones se regulan por consideraciones políticas internas, tienen proyección internacional (fracción II).

2. Facultades referidas al orden político interno son:

a) Ratificar los nombramientos de los empleados superiores de Hacienda y jefes del Ejército, Armada y Fuerza Aérea –grados superiores, desde el de coronel– (fracción II);

b) Dar su consentimiento para que el Presidente de la República pueda disponer de la Guardia Nacional fuera de su respectivo estado o territorio, fijando la fuerza necesaria (fracción IV);

c) Declarar cuando han desaparecido todos los poderes constitucionales de un Estado y designar en tal caso un gobernador provisional. Este nombramiento lo hace el propio Senado, eligiendo de una terna que le propone el Presidente de la República, pero deberá ser aprobado por las dos terceras partes de los miembros presentes (fracción V). La Comisión Permanente del Congreso tiene estas facultades cuando el Senado se halla en receso;

d) Resolver las cuestiones políticas que surjan entre los poderes de un Estado, cuando alguno de ellos lo solicite o se haya interrumpido el orden constitucional por un conflicto armado (fracción VI), y

e) El Senado de la República, de acuerdo con la fracción VII, puede erigirse en jurado de sentencia en los juicios políticos que se sigan a los servidores públicos en los términos del artículo 110 de la Constitución. Los servidores públicos deben haber cometido faltas u omisiones que redunden en perjuicio de los intereses fundamentales de la nación y en el buen despacho de sus funciones. (Véase también artículo 109.) Puede también

[69] Llámase tratado internacional, al acuerdo habido entre dos o más estados para regular sus relaciones recíprocas sobre determinada materia. Las convenciones diplomáticas son también acuerdos internacionales, pero que se celebran sin la solemnidad que caracteriza a los tratados.

otorgar o negar la aprobación a los nombramientos de ministros de la Suprema Corte de Justicia, así como a las solicitudes de licencia y a las renuncias de dichos funcionarios que someta el Ejecutivo a su consideración (fracción VIII).

f) La reforma de 1993 agregó una facultad más al Senado de la República que establecía en la fracción IX, consiste en nombrar y remover al Jefe del Distrito Federal cuando se haya agotado el procedimiento previsto en favor de la Asamblea de Representantes que figura en el nuevo artículo 122 constitucional, y que, como podrá verse en el comentario correspondiente con mayor amplitud, consiste en ratificar o no la propuesta del Ejecutivo Federal. Si es el caso de que en dos ocasiones la Asamblea de Representantes no ratificase el nombramiento del Ejecutivo Federal (inciso *a* fracción VI del artículo 122), entonces el Senado ejerce la facultad de nombramiento, que no ya de ratificación, además de contar también con la de remoción del Jefe del Distrito Federal. La Ley Orgánica del Congreso de la Unión, referida en el segundo párrafo del artículo 70 constitucional, en la parte correspondiente a las atribuciones exclusivas del Senado, deberá establecer el procedimiento, incluyendo los requerimientos de votación de sus miembros, para el ejercicio de esta nueva facultad.*

*Reforma de 1994***

En 1994 se facultó a la Cámara de Senadores para ratificar el nombramiento del Procurador General de la República (fracción II). Véase comentario al artículo 102.

ARTÍCULO 77. Cada una de las Cámaras puede, sin intervención de la otra:

I. Dictar resoluciones económicas relativas a su régimen interior;

II. Comunicarse con la Cámara colegisladora y con el Ejecutivo de la Unión, por medio de comisiones de su seno;

III. Nombrar los empleados de su secretaría y hacer el reglamento interior de la misma;

IV. Expedir convocatoria para elecciones extraordinarias con el fin de cubrir las vacantes de sus respectivos miem-

* Comentario del licenciado EMILIO RABASA GAMBOA, en virtud de la reforma de 1993.

** Comentario del doctor SERGIO GARCÍA RAMÍREZ.

bros. En el caso de la Cámara de Diputados, las vacantes de sus miembros electos por el principio de representación proporcional, deberán ser cubiertas por aquellos candidatos del mismo partido que sigan en el orden de la lista regional respectiva, después de habérsele asignado los diputados que le hubieren correspondido.

Este artículo enumera facultades de índole administrativa que corresponde ejercer a cada una de las cámaras por separado, sin intervención de la otra. Se distinguen de las facultades exclusiva a que se refieren los artículos 74 y 76 en que mientras éstas comprenden materias sobre las que sólo pueden legislar la Cámara de Diputados –74–, o la de Senadores –76–, en el artículo 77 se otorgan facultades idénticas para las dos, referidas a la administración de cada una, que deben ejercer separadamente. Es decir, son facultades administrativas, que no son exclusivas de una de las cámaras, y que ejercen cada una en forma independiente.

Las reformas constitucionales publicadas en el *Diario Oficial* de 15 de diciembre de 1986 modificaron la fracción IV y prevén el procedimiento a seguir con las vacantes producidas en la Cámara de Diputados de los miembros electos por el principio de representación proporcional. Deben ser cubiertas por candidatos del mismo partido que postuló originalmente al diputado cuya vacante se ocupa y seguir el orden de la lista regional respectiva.

Sección IV
De la Comisión Permanente

ARTÍCULO 78. Durante los recesos del Congreso de la Unión habrá una Comisión Permanente compuesta de 37 miembros de los que 19 serán Diputados y 18 Senadores, nombrados por sus respectivas cámaras la víspera de la clausura de los periodos ordinarios de sesiones. Para cada titular las Cámaras nombrarán, de entre sus miembros en ejercicio, un sustituto.

El Congreso Federal labora de manera ordinaria (artículos 65 y 66) y extraordinaria (artículo 67). En sus recesos nombra a un número de representantes de ambas cámaras que constituyen la Comisión Permanente y que cumple con algunas de las funciones del Congreso: nunca la de elaborar leyes.

El primer antecedente mexicano de la Comisión Permanente se encuentra en la Constitución de 1824, cuyo artículo 113 decía: "Durante el receso del Congreso General, habrá un Consejo de gobierno, compuesto de la mitad de los individuos del Senado, uno por cada Estado." "La Constitución de 1857, en su artículo 73, estableció que: Durante los recesos del Congreso de la Unión habrá una diputación permanente, compuesta de un diputado por cada estado y territorio, que nombrará el Congreso la víspera de la clausura de sus sesiones."[70]

En 1874 se instituyó la Comisión Permanente integrada por 29 miembros. Por reciente reforma aumentó el número de integrantes hasta 37, 19 diputados y 18 senadores. La reforma tiene su origen en el incremento de diputados de representación proporcional (véase comentario al artículo 52).

Artículo 79. La Comisión Permanente, además de las atribuciones que expresamente le confiere esta Constitución, tendrá las siguientes:

I. Prestar su consentimiento para el uso de la Guardia Nacional, en los casos de que habla el artículo 76, fracción IV;

II. Recibir, en su caso, la protesta del Presidente de la República;

III. Resolver los asuntos de su competencia; recibir durante el receso del Congreso de la Unión las iniciativas de ley y proposiciones dirigidas a las Cámaras, y turnarlas para dictamen a las Comisiones de la Cámara a la que vayan dirigidas, a fin de que se despachen en el inmediato periodo de sesiones;

IV. Acordar por sí o a propuesta del Ejecutivo, la convocatoria del Congreso o de una sola Cámara a sesiones extraordinarias, siendo necesario en ambos casos el voto de las dos terceras partes de los individuos presentes. La convocatoria señalará el objeto u objetos de las sesiones extraordinarias;

V. Otorgar o negar su ratificación a la designación del Procurador General de la República, que le someta el titular del Ejecutivo Federal;

[70] Recuérdese que la Constitución de 1857 estatuyó originalmente una sola Cámara: la de Diputados.

VI. Conceder licencia hasta por treinta días al Presidente de la República y nombrar el interino que supla esa falta;

VII. Ratificar los nombramientos que el Presidente de la República haga de ministros, agentes diplomáticos, cónsules generales, empleados superiores o de Hacienda, coroneles y demás jefes superiores del Ejército, Armada y Fuerza Aérea Nacionales, en los términos que la ley disponga;

VIII. Conocer y resolver sobre las solicitudes de licencia que le sean presentadas por los legisladores; y

IX. Derogada.

Entre las facultades otorgadas a la Comisión Permanente en este artículo las hay de señalada importancia para defender y mantener la vida institucional del país (fracción I) o su organización constitucional (fracciones II y IV). Otras tienden a conservar la buena y normal marcha de los negocios públicos (fracciones V, VI, VII y VIII). Como se requiere continuidad en la acción legislativa, la Comisión –de acuerdo con la reforma constitucional del 11 de octubre de 1966, publicada en el *Diario Oficial* de 21 del propio mes y año–, debe resolver todos los asuntos de su competencia, recibir las iniciativas de ley y proposiciones, a fin de que en el inmediato periodo de sesiones se sigan tramitando (fracción III). Otras importantes funciones de este órgano se pueden localizar en los artículos 29, 60, 74, 76, 84, 85, 87, 88, 89, 100 y 135 de la Constitución.

*Reforma de 1994**

En lo que respecta a la Comisión Permanente (fracción V), se le otorga, como al Senado, la facultad de otorgar o negar la decisión del Procurador General de la República.

CAPÍTULO III

Del Poder Ejecutivo

ARTÍCULO 80. Se deposita el ejercicio del Supremo Poder Ejecutivo de la Unión en un solo individuo, que se denominará "Presidente de los Estados Unidos Mexicanos".

* Comentario del doctor SERGIO GARCÍA RAMÍREZ.

Los autores del decreto constitucional de Apatzingán, de octubre de 1814, posiblemente temerosos de que a través del Poder Ejecutivo se repitieran los vicios de la administración virreinal, depositaron el Supremo Gobierno en un triunvirato.[71] Cada uno de sus miembros ejercía individualmente el poder durante un periodo rotativo de cuatro meses.

La Constitución de 1824 otorgó el Supremo Poder Ejecutivo de la Federación a un solo individuo, con el título de Presidente de los Estados Unidos Mexicanos, mismo sistema que acogería la Constitución de 1857 y la vigente.

Al firmar el virrey O'Donojú los Tratados de Córdoba, todas las fuerzas armadas que intervinieron en el hecho aceptaron que se creara un órgano gubernativo transitorio que cumpliera sus estipulaciones y diera nacimiento así a lo que iban a ser las instituciones definitivas del nuevo Estado. La nómina de los encargados del Poder Ejecutivo, desde entonces a la fecha, es la siguiente:

Primera regencia: Agustín de Iturbide, Juan O'Donojú, Manuel Velázquez de León, Isidro Yáñez y Manuel de la Bárcena.

Primer imperio: Agustín de Iturbide (19 de mayo de 1822/19 de marzo de 1823).

Junta de Gobierno: Pedro Celestino Negrete, Nicolás Bravo y Guadalupe Victoria, como propietarios. Suplentes, Mariano Michelena, Miguel Domínguez y Vicente Guerrero (del 30 de marzo de 1823/10 de octubre de 1824).

Presidentes de la República: Guadalupe Victoria (10 de octubre de 1824/1o. de abril de 1829); Vicente Guerrero (1o. de abril/17 de diciembre de 1829); José María Bocanegra (18/23 de diciembre de 1829); Pedro Vélez asociado de Lucas Alamán y Luis Quintanar (23/31 de diciembre de 1829); Anastasio Bustamante, vicepresidente en funciones (1o. de enero de 1830/13 de agosto de 1832), (19 de abril de 1837/17 de marzo de 1839), (11 de julio de 1839/22 de septiembre de 1841); Melchor Múzquiz (14 de agosto/26 de diciembre de 1832); Manuel Gómez Pedraza (24 de diciembre de 1832/31 de marzo de 1833); Valentín Gómez Farías (1o. de abril/15 de mayo de 1833), (12/17 de junio de 1833), (6 de julio/27 de octubre de 1833), (5 de diciembre de 1833/23 de abril de 1834), (24 de diciembre de 1846/20 de marzo de 1847); Antonio López de Santa Anna (16 de mayo/3 de junio de 1833), (18 de junio/6 de julio de 1833), (28 de octubre/4 de diciembre de 1833), (24 de abril de 1834/27 de enero de 1835), (18 de marzo/9 de julio de 1839), (10 de octubre de 1841/25 de octubre de 1842), (5 de marzo/3 de octubre de 1843), (4 de junio/12 de septiembre de 1844), (21 de mar-

[71] Llámase triunvirato al gobierno ejercido por tres hombres, con iguales poderes.

zo/31 de marzo de 1847), (20 de mayo/15 de septiembre de 1847), (20 de abril de 1853/9 de agosto de 1855); Miguel Barragán (28 de enero/2 de noviembre de 1835), (3 de noviembre de 1835/1o. de marzo de 1836); José Justo Corro (2 de marzo de 1836/18 de abril de 1837); Nicolás Bravo (10/17 de julio de 1839), (26 de octubre de 1842/5 de marzo de 1845), (29 de julio/6 de agosto de 1846); Francisco Javier Echeverría (22 de septiembre/10 de octubre de 1841); Valentín Canalizo (4 de octubre de 1843/3 de junio de 1844); José Joaquín de Herrera (12/20 de septiembre de 1844), (6 de diciembre de 1844/30 de diciembre de 1845), (2 de junio de 1848/15 de enero de 1851); Mariano Paredes de Arrillaga (3 de enero/29 de julio de 1846); José Mariano Salas (6 de agosto/23 de diciembre de 1846); Pedro María Anaya (2 de abril/20 de mayo de 1847), (14 de noviembre de 1847/7 de enero de 1848); Manuel de la Peña y Peña (22 de septiembre/12 de noviembre de 1847), (8 de enero/3 de junio de 1848); Mariano Arista (15 de enero de 1851/4 de enero de 1853); Juan Bautista Cevallos (5 de enero/7 de febrero de 1853); Manuel M. Lombardini (7 de febrero/20 de abril de 1853); Martín Carrera (14 de agosto/12 de septiembre de 1855); Rómulo Díaz de la Vega (12 de septiembre/3 de octubre de 1855); Juan Álvarez (4 de octubre/10 de diciembre de 1855); Ignacio Comonfort (11 de diciembre de 1855/30 de noviembre de 1857), (1o. de diciembre de 1857/20 de enero de 1858); Benito Juárez (19 de enero de 1858/18 de julio de 1872); Félix Zuloaga (21 de enero/24 de diciembre de 1858), (24 de enero/2 de febrero de 1859), (9/10 de mayo de 1860); Manuel Robles Pezuela (23 de diciembre de 1858/21 de enero de 1859); Miguel Miramón (2 de febrero de 1859/12 de agosto de 1860), (15 de agosto/24 de diciembre de 1860); J. Ignacio Pavón (13/14 de agosto de 1860); Junta de Notables de 35 miembros (22/25 de junio de 1863).

Segundo imperio: Regencia de tres personas: José Mariano Salas, Antonio Labastida y Dávalos y Juan N. Almonte (25 de junio de 1863/20 de mayo de 1864); Juan N. Almonte, lugarteniente del imperio (20 de mayo/12 de junio de 1864); Maximiliano de Habsburgo (10 de abril de 1864/15 de mayo de 1867).

Presidentes: Sebastián Lerdo de Tejada (19 de julio de 1872/20 de noviembre de 1876); José María Iglesias (28 de octubre de 1876/1877); Porfirio Díaz (23 de noviembre/11 de diciembre de 1876), (16 de febrero/4 de mayo de 1877), (5 de mayo de 1877/30 de noviembre de 1880), (1o. de diciembre de 1884/25 de mayo de 1911); Juan N. Méndez (6 de diciembre de 1876/15 de febrero de 1877); Manuel González (1o. de diciembre de 1880/30 de noviembre de 1884); Francisco León de la Barra (25 de mayo/6 de noviembre de 1911); Francisco I. Madero (6 de noviembre de 1911/19 de febrero de 1913); Pedro Lascuráin (19 de febrero de 1913 –de las 22:30 a las 23:00–); Victoriano Huerta (19 de febrero de 1913/15 de julio de 1914); Venustiano Carranza (26 de marzo de 1913/30 de abril de 1917), (1o. de mayo de 1917/21 de mayo de 1920); Francisco Carbajal (15 de julio/13 de agosto de 1914); Eulalio Gutiérrez (3 de noviembre de 1914/16 de enero de 1915); Roque González Garza (16 de enero/10 de junio de 1915); Francisco Lagos Cházaro (10 de junio/14 de octubre de 1915); Adolfo de la Huerta (1o. de junio/30 de noviembre de 1920); Álvaro Obregón (1o. de diciembre de 1920/30 de noviembre de 1924); Plutarco Elías Calles (1o. de diciembre de 1924/30 de noviembre de 1928); Emilio Portes Gil (1o. de diciembre de 1928/5 de febrero de 1930); Pascual Ortiz Rubio (5 de febrero de 1930/2 de septiembre de 1932); Abelardo L. Rodríguez (3 de septiembre de 1932/30 de noviembre de 1934); Lázaro Cárdenas (1o. de diciembre de 1934/30 de noviembre de 1940); Manuel Ávila Camacho (1o. de diciembre de 1940/30 de noviembre de 1946); Miguel Alemán Valdés (1o. de diciembre de 1946/30 de noviembre de 1952); Adolfo Ruiz Cortines (1o. de diciembre de 1952/30 de noviembre de 1958); Adolfo López Mateos (1o. de diciembre de 1958/30 de noviembre de 1964); Gustavo Díaz Ordaz (1o. de diciembre de 1964/30 de noviembre de 1970); Luis Echeverría Álvarez (1o. de diciembre de 1970/30 de noviembre de 1976); José López Portillo (1o. de diciembre de 1976/30 de noviembre de 1982); Miguel de la Madrid Hurtado (1o. de diciembre de 1982/30 de noviembre de 1988); Carlos Salinas de Gortari (1o. de diciembre de 1988/30 de noviembre de 1994).

ARTÍCULO 81. La elección del Presidente será directa y en los términos que disponga la Ley Electoral.

Algunos de los precursores de la Revolución de 1910 y los propios revolucionarios estimaron que una de las causas fundamentales de la deprimente situación que vivía el país bajo la dictadura porfiriana tenía como origen el vicioso funcionamiento del sistema electoral, así como el reeleccionismo en los diversos cargos de representación popular de individuos que formaban parte del grupo en el poder. De allí que el lema del movimiento iniciado por Francisco I. Madero fuera el de "Sufragio Efectivo. No Reelección", esto es, respeto al voto ciudadano y prohibición de que los gobernantes así electos pudieran reelegirse.

Venustiano Carranza vio con mayor claridad el problema y no sólo propuso la no reelección en el proyecto presentado al Congreso Constituyente, sino también el voto directo en las elecciones, sin más requisito que el tener plenos derechos ciudadanos, principio fundamental de la democracia. Por ello, dijo el 1o. de diciembre de 1916, ante el Congreso de Querétaro:

"Para que el ejercicio del derecho al sufragio sea una positiva y verdadera manifestación de la soberanía nacional es indispensable que sea general, igual para todos, libre y directo, porque faltando cualquiera de estas condiciones, o se convierte en una prerrogativa de clase o en un mero artificio para disimular usurpaciones de poder, o da por resultado imposiciones de gobernantes contra la voluntad clara y manifiesta del pueblo."

Así, a partir de la Constitución de 1917, se estableció el voto directo y secreto para todos los puestos de elección popular, o sea, el sistema en el que no existe intermediario o intermediarios entre quien elige y quien resulta elegido. En México, de este modo, cada seis años se elige al Presidente de la República, que resulta ser el candidato que obtuvo la mayoría de los votos emitidos personalmente por los ciudadanos, en uso de sus derechos políticos.[72]

ARTÍCULO 82. Para ser Presidente se requiere:

I. Ser ciudadano mexicano por nacimiento, en pleno goce de sus derechos, e hijo de padre o madre mexicanos y haber residido en el país al menos durante veinte años;

II. Tener 35 años cumplidos al tiempo de la elección;

III. Haber residido en el país durante todo el año anterior al día de la elección. La ausencia del país hasta por treinta días, no interrumpe la residencia;

IV. No pertenecer al estado eclesiástico ni ser ministro de algún culto;

V. No estar en servicio activo, en caso de pertenecer al Ejército, seis meses antes del día de la elección;

VI. No ser secretario o subsecretario de Estado, jefe o secretario general del Departamento Administrativo, Procurador General de la República, ni Gobernador de algún Estado, a menos de que se separe de su puesto seis meses antes del día de la elección; y

VII. No estar comprendido en alguna de las causas de incapacidad establecidas en el artículo 83.

Son terminantes los siguientes requisitos que deben cumplirse para alcanzar la primera magistratura del país. Las siete fracciones de este artículo los establecen:

[72] Véase artículo 35.

I. La fracción I del artículo 82 fue muy debatida, tanto dentro del Poder Legislativo, como a nivel nacional. En cumplimiento de lo exigido por el artículo 135 para las reformas constitucionales, la citada fracción fue, sucesivamente, aprobada por la Cámara de Diputados, la de Senadores y la mayoría de las legislaturas de los estados. El decreto que forma esta fracción fue publicado en el *Diario Oficial* del viernes 1o. de julio de 1994. El transitorio a la letra dice:

"Artículo único. El presente decreto entrará en vigor el día 31 de diciembre de 1999."

II. La fracción II fija la edad mínima que es la misma que se requiere para ser ministro de la Suprema Corte de Justicia pero no establece la edad máxima.

III. En la redacción original de esta fracción se exigía al aspirante a la presidencia: "haber residido en el país durante todo el año anterior al día de la elección". La fracción quedó igual, con el añadido siguiente: "la ausencia del país hasta por treinta días, no interrumpe la residencia" (*Diario Oficial* del 20 de agosto de 1993).

La interpretación de "residido" –derivado del verbo "residir"– fue motivo de constantes polémicas. Para algunos implicaba la permanencia física, continua, diaria, minuto a minuto, dentro del territorio nacional sin excepción de ninguna especie. Dentro de esta interpretación, el simple cruce de la frontera (el abandono del territorio nacional) por segundos, inhabilitada al candidato. La consecuencia de la anterior interpretación es que posibles candidatos no salían a ninguna comisión oficial, por importante que fuera o relativa al desempeño de su cargo, durante todo el año precedente al día de las elecciones (ahora se verifican el 21 de agosto del año correspondiente al sufragio).

Por otro lado, en una concepción más racional, habría que entender "residencia" en los términos establecidos por el Código Civil para el D.F., con respecto al domicilio, o sea, donde la persona resida con el propósito de establecerse, el lugar donde tiene el principal asiento de sus negocios. El propio Código Civil expresa –artículo 31– que "el domicilio de una persona es el lugar donde la ley le fija su residencia para el ejercicio de sus derechos y cumplimiento de sus obligaciones" (por ejemplo las electorales y las fiscales), aunque de hecho no esté ahí presente. En cuanto a los empleados públicos, el lugar donde desempeña sus funciones por más de seis meses.

A fin de dar término a esas diversas y encontradas interpretaciones, en la propia constitución se anuncia que "la ausencia del país hasta por treinta días no interrumpe la residencia".

IV. La fracción IV se justifica por razones de tipo histórico y moral, en virtud de que el ministro de algún culto es posible que sobreponga en caso de conflicto, el sentimiento religioso al patriótico. La separación entre el Estado y la Iglesia justifica asimismo esta prohibición.[73]

V. Las fracciones V, VI y VII señalan limitaciones para el candidato; con las dos primeras de las mencionadas se busca la independencia del ciudadano que aspira a tan alta magistratura y también se pretende garantizar la imparcialidad de la elección, prohibiendo que los candidatos tengan una fuerza derivada del cargo que ocupan. La fracción VII se refiere a la prohibición absoluta de reelección del Presidente de la República, en los términos categóricos establecidos en el artículo 83, principio primordial de la lucha revolucionaria.

ARTÍCULO 83. El Presidente entrará a ejercer su encargo el 1o. de diciembre y durará en él seis años. El ciudadano que haya desempeñado el cargo de Presidente de la República, electo popularmente, o con el carácter de interino, provisional o sustituto, en ningún caso y por ningún motivo podrá volver a desempeñar ese puesto.

La no reelección, postulado fundamental en el ideario de la Revolución mexicana, es absoluta cuando se refiere al Presidente de la República –no importa bajo qué títulos o condiciones se hubiere desempeñado ese cargo– y a los gobernadores de los estados electos popularmente, y relativa para los senadores y diputados, pues en este último caso se permite siempre que no sea para el periodo inmediato.

La idea antirreeleccionista se halla viva en la conciencia del pueblo de México, ya que la huella de 30 años de dictadura mantenida por la reelección continuada de presidente, gobernadores, senadores y diputados, hizo posible un gobierno ejercido por un grupo de privilegiados.

Este principio fue utilizado como arma política por el general Porfirio Díaz contra los gobiernos de los presidentes Juárez y Lerdo –Plan de la Noria (1871) y Plan de Tuxtepec (1876)– y lo elevó a ley constitucional en 1878. En 1887 se hizo otra reforma autorizando la reelección por un periodo, y tres años después se permitió indefinidamente.

Más tarde, en 1916, Venustiano Carranza expidió un decreto que prohibía la reelección presidencial y nuevamente consagraba el periodo de cuatro años. Este precepto fue adoptado en la Constitución de 1917 y reformado en enero de 1927 para permitir una sola reelección, pero no inmediata. Un año más tarde se instituyó el periodo de seis años.

[73] Véase comentario al artículo 130.

El 29 de abril de 1933, una tercera enmienda restableció la no reelección absoluta del Jefe del Ejecutivo, en los términos que hoy prescribe este artículo.

ARTÍCULO 84. En caso de falta absoluta del Presidente de la República, ocurrida en los dos primeros años del periodo respectivo, si el Congreso estuviere en sesiones, se constituirá inmediatamente en Colegio Electoral, y concurriendo cuando menos las dos terceras partes del número total de sus miembros, nombrará en escrutinio secreto y por mayoría absoluta de votos, un Presidente interino; el mismo Congreso expedirá, dentro de los diez días siguientes al de la designación de Presidente interino, la convocatoria para la elección del Presidente que deba concluir el periodo respectivo; debiendo mediar entre la fecha de la convocatoria y la que se señale para la verificación de las elecciones, un plazo no menor de catorce meses, ni mayor de dieciocho.

Si el Congreso no estuviere en sesiones, la Comisión Permanente nombrará desde luego un Presidente provisional y convocará a sesiones extraordinarias al Congreso para que éste, a su vez, designe al Presidente interino y expida la convocatoria a elecciones presidenciales en los términos del párrafo anterior.

Cuando la falta de Presidente ocurriese en los cuatro últimos años del periodo respectivo, si el Congreso de la Unión se encontrase en sesiones, designará al Presidente sustituto que deberá concluir el periodo; si el Congreso no estuviere reunido, la Comisión Permanente nombrará un Presidente provisional y convocará al Congreso de la Unión a sesiones extraordinarias para que se erija en Colegio Electoral y haga la elección del Presidente sustituto.

Constitucionalmente en México se han aplicado diversos sistemas para suplir al Presidente de la República. Con tal objeto la Constitución de 1824 estableció la vicepresidencia en su artículo 75 y la Carta de 1857, que suprimió ese cargo, ordenaba que en caso de vacante del Ejecutivo, lo asumiera el presidente de la Suprema Corte de Justicia, ya fuese la falta temporal o absoluta (artículo 79). En vigor a este precepto, tuvo lugar el hecho de que tomara posesión de la presidencia Benito Juárez, al dar Comonfort el golpe de Estado que lo puso al margen de la Constitución. Más tarde, en 1882, se atribuyó la facultad de suplencia en favor del presidente o vicepresidente del Senado o de la Comisión Permanente en los periodos de receso, principio que fue modificado en 1896 en el sentido de que se encargará del Ejecutivo: "El secretario de Relaciones Exteriores y si no lo hubiere o estuviere impedido, el de Gobernación." El general Porfirio Díaz, ya en edad avanzada y preocupado por los problemas de la sucesión presidencial, hizo reformar nuevamente aquel precepto el 6 de mayo de 1904, restableciendo la vicepresidencia. También, por enmienda de esa época se preveía en la misma disposición el caso de que faltaran presidente y vicepresidente, y para tal contingencia ordenaba que: "...se encargará, desde luego, del Ejecutivo en calidad de presidente interino el secretario del despacho de Relaciones Exteriores, y si no lo hubiere o estuviere impedido, uno de los demás secretarios, siguiendo el orden de la ley que establezca su número". Esta disposición y la Ley de Secretarías de Estado, que regía en 1913, hicieron posible dar cierto aspecto de legalidad al ascenso a la presidencia de Victoriano Huerta, quien hizo nombrar Secretario de Gobernación por el que había sucedido al presidente Madero y al vicepresidente Pino Suárez. En efecto, Pedro Lascuráin, en ese momento secretario de Relaciones Exteriores de Madero, a la renuncia de éste y del vicepresidente, se convirtió en Presidente durante cuarenta y cinco minutos, tiempo que utilizó para designar a Huerta, secretario de Gobernación y luego renunciar.

Venustiano Carranza, por un decreto preconstitucional, suprimió la vicepresidencia de la República, idea que reiteraría en el proyecto de reformas enviado al Congreso Constituyente de Querétaro. Esta Asamblea creó un nuevo sistema para suplir la ausencia presidencial, que tiene la ventaja de que la designación la lleva a cabo el Congreso de la Unión, en el momento en que ocurra la vacante. Tal facultad le fue otorgada por ser el otro poder directa e inmediatamente emanado de la voluntad popular y, también, porque debido a su composición numérica está menos sujeto a presiones y ambiciones.

Según el momento en que se produzca la vacante y el órgano que designe al Jefe del Ejecutivo, podrá surgir un presidente provisional, interino o sustituto.

Siempre es provisional el designado por la Comisión Permanente –cuando se trata de una falta absoluta–, el que entregará su cargo a un interino, si la vacante ocurrió durante los dos primeros años del periodo respectivo, o a un sustituto, si fue durante los últimos cuatro. Tanto el interino como el sustituto son designados por el Congreso de la Unión. A su vez, el interino debe convocar elecciones para Presidente de la República, en tanto que el sustituto concluirá el periodo que originalmente produjo la vacante.

Artículo 85. Si al comenzar un periodo constitucional no se presentase el Presidente electo, o la elección no estuviere hecha y declarada el 1o. de diciembre, cesará, sin embargo, el Presidente cuyo periodo haya concluido y se encargará desde luego del Poder Ejecutivo, en calidad de Presidente interino, el que designe el Congreso de la Unión, o en su falta con el carácter de provisional, el que designe la Comisión Permanente, procediéndose conforme a lo dispuesto en el artículo anterior.

Cuando la falta del Presidente fuese temporal, el Congreso de la Unión, si estuviese reunido, o en su defecto la Comisión Permanente, designará un Presidente interino para que funcione durante el tiempo que dure dicha falta.

Cuando la falta del Presidente sea por más de treinta días y el Congreso de la Unión no estuviere reunido, la Comisión Permanente convocará a sesiones extraordinarias del Congreso para que éste resuelva sobre la licencia y nombre, en su caso, al Presidente interino.

Si la falta, de temporal se convierte en absoluta, se procederá como dispone el artículo anterior.

El artículo 84 contempla la posibilidad de la falta absoluta de Presidente de la República. Éste se refiere a otras dos probables situaciones que de llegar a realizarse tendrían como consecuencia también la vacante del Ejecutivo. Son:

1o. Que al iniciarse un periodo constitucional no hubiere el 1o. de diciembre un presidente electo, o que habiéndolo no se presentare a tomar posesión; en ambas situaciones el Congreso debe designar al presidente interino o la Comisión Permanente, al provisional (primer párrafo).

2o. Que hubiere una falta temporal del titular del Ejecutivo. En tal caso, el Congreso de la Unión o la Comisión Permanente, en los recesos de las cámaras, designará un presidente interino. Pero si la ausencia fuera por más de 30 días y el Congreso no estuviere reunido, la Comisión Permanente –tras nombrar un interino–, lo convocará a sesiones extraordinarias para que haga la designación.

Tanto lo dispuesto por el artículo 84, como lo establecido por éste, obedecen al principio de que siempre debe existir en funciones un titular del Ejecutivo.

ARTÍCULO 86. El cargo de Presidente de la República sólo es renunciable por causa grave, que calificará el Congreso de la Unión, ante el que se presentará la renuncia.

La importancia que para la vida política del país representa el Ejecutivo Federal explica esta orden terminante. Por eso, el cargo de Presidente de la República sólo puede renunciarse por causa grave, y la renuncia debe hacerse siempre ante el Congreso, quien, actuando como órgano político, calificará si las razones expuestas por el alto funcionario revisten la gravedad suficiente para poder aceptar lo solicitado que, por ocasionar una ruptura de la normalidad y equilibrio nacionales, sólo en casos de excepción debe admitirse. El Congreso queda así responsabilizado para calificar sobre la gravedad de la causa que origina la renuncia.

Trágica huella en la historia de nuestra patria dejó una doble renuncia, que incluso sembró resentimiento entre los revolucionarios: fue la suscrita por Francisco I. Madero y José María Pino Suárez a sus cargos de Presidente y Vicepresidente de la República, respectivamente, el 19 de febrero de 1913, como consecuencia de la traición de Victoriano Huerta.

El documento, arrancado a las víctimas contra su voluntad y bajo fuertes presiones, fue, sin embargo, aceptado por voto mayoritario en el Congreso integrado, en parte, por muchos de los diputados fieles a Madero, ya que éstos estimaron que así salvaban dos vidas valiosísimas.

ARTÍCULO 87. El Presidente, al tomar posesión de su cargo, prestará ante el Congreso de la Unión o ante la Comisión Permanente, en los recesos de aquél, la siguiente protesta: "Protesto guardar y hacer guardar la Constitución Política de los Estados Unidos Mexicanos y las leyes que de ella emanen, y desempeñar leal y patrióticamente el cargo de Presidente de la República que el pueblo me ha conferido, mirando en todo por el bien y prosperidad de la Unión; y si así no lo hiciere que la Nación me lo demande."

México es un Estado de derecho, lo que significa, entre otras cosas, que los encargados del poder público deben actuar con estricto apego al orden jurídico y, dentro de éste, a su base o ley fundamental: la Constitución. De aquí, que el primer mandatario haga, al tomar posesión de su cargo, pública y solemne protesta de que cumplirá y hará cumplir las disposiciones constitucionales y todas las leyes en vigor. Es de tal importancia esta declaración que en el texto del artículo aparece la fórmula exacta con que se debe hacer.

Tal acto, del más alto contenido cívico, sustituyó a la ceremonia del juramento la cual tenía como base fórmulas de tipo religioso, que todavía fueron utilizadas en México en la jura de la Constitución de 1857.

Con la ceremonia actual de protesta quedó asentada el principio de que la soberanía tiene como fuente original la voluntad popular.

ARTÍCULO 88. El Presidente de la República no podrá ausentarse del territorio nacional sin permiso del Congreso de la Unión o de la Comisión Permanente, en su caso.

Es lógico que dentro del sistema de equilibrio y colaboración de los poderes, la resolución de casos de supremo interés no queden al arbitrio de uno solo; de ahí la determinación de que el Presidente de la República requiera el permiso del Congreso de la Unión, o de la Comisión Permanente, para salir del territorio nacional. Sólo por razones de gran importancia, el Jefe del Ejecutivo debe ser autorizado para viajar fuera del país.

ARTÍCULO 89. Las facultades y obligaciones del Presidente son las siguientes:

I. Promulgar y ejecutar las leyes que expida el Congreso de la Unión, proveyendo en la esfera administrativa a su exacta observancia;

II. Nombrar y remover libremente a los secretarios del despacho, remover a los agentes diplomáticos y empleados superiores de Hacienda, y nombrar y remover libremente a los demás empleados de la Unión, cuyo nombramiento o remoción no esté determinado de otro modo en la Constitución o en las leyes;

III. Nombrar los ministros, agentes diplomáticos y cónsules generales, con aprobación del Senado;

IV. Nombrar, con aprobación del Senado, los coroneles y demás oficiales superiores del Ejército, Armada y

Fuerza Aérea Nacionales, y los empleados superiores de Hacienda;

V. Nombrar a los demás oficiales del Ejército, Armada y Fuerza Aérea Nacionales con arreglo a las leyes;

VI. Disponer de la totalidad de la Fuerza Armada permanente o sea del Ejército terrestre, de la Marina de Guerra y de la Fuerza Aérea para la seguridad interior y defensa exterior de la Federación;

VII. Disponer de la Guardia Nacional para los mismos objetos, en los términos que previene la fracción IV del artículo 76;

VIII. Declarar la guerra en nombre de los Estados Unidos Mexicanos previa ley del Congreso de la Unión;

IX. Designar, con ratificación del Senado, al Procurador General de la República;

X. Dirigir la política exterior y celebrar tratados internacionales, sometiéndolos a la aprobación del Senado. En la conducción de tal política, el titular del Poder Ejecutivo observará los siguientes principios normativos: la autodeterminación de los pueblos; la no intervención; la solución pacífica de controversias; la proscripción de la amenaza o el uso de la fuerza en las relaciones internacionales; la igualdad jurídica de los Estados; la cooperación internacional para el desarrollo; y la lucha por la paz y la seguridad internacionales;

XI. Convocar al Congreso a sesiones extraordinarias, cuando lo acuerde la Comisión Permanente;

XII. Facilitar al Poder Judicial los auxilios que necesite para el ejercicio expedito de sus funciones;

XIII. Habilitar toda clase de puertos, establecer aduanas marítimas y fronterizas y designar su ubicación;

XIV. Conceder, conforme a las leyes, indultos a los reos sentenciados por delitos de competencia de los tribunales federales y a los sentenciados por delitos del orden común en el Distrito Federal;

XV. Conceder privilegios exclusivos por tiempo limitado, con arreglo a la ley respectiva, a los descubridores, inventores o perfeccionadores de algún ramo de la industria;

XVI. Cuando la Cámara de Senadores no esté en sesiones, el Presidente de la República podrá hacer los nombramientos de que hablan las fracciones III, IV y IX, con aprobación de la Comisión Permanente;

XVII. Derogada;

XVIII. Presentar a consideración del Senado, la terna para la designación de Ministros de la Suprema Corte de Justicia y someter sus licencias y renuncias a la aprobación del propio Senado;

XIX. Derogada;

XX. Las demás que le confiere expresamente esta Constitución.

Las facultades y obligaciones del Poder Ejecutivo Federal se hallan fundadas en diversos artículos de la Constitución, pues su actividad, como la de todos los funcionarios, está sujeta a reglas del derecho.

Esta disposición enumera y otorga base legal a muchas de las funciones y atribuciones que a su cargo tiene el Presidente de la República, las que se pueden clasificar así:

I. Facultades de carácter general. Son las que establece la fracción I, y consisten en:

a) Promulgar las leyes expedidas por el Congreso de la Unión. La promulgación es el reconocimiento que el Ejecutivo hace de la existencia de una ley y la orden de que se cumpla, después de haber sido publicada, y

b) Ejecutar las leyes, o sea convertir los mandamientos legislativos en realidades de todo orden: económico, social, político, cultural, etcétera. Para llevar a cabo esta labor se le atribuye la facultad de expedir reglamentos, que son disposiciones que facilitan el cumplimiento de las leyes elaboradas por el Legislativo. Además, se le autoriza para realizar todos los actos que constituyen la administración pública.

II. Facultades para extender nombramientos, previstas en las fracciones II, III, IV, V, XVI y XVIII, las que ejerce:

a) Exclusivamente facultad del Presidente de la República, esto es, sin requerir la intervención de otro órgano, sólo la designación de secretarios de Estado y del Procurador General de la República, ya que la reforma de 1993 excluyó de esta atribución al Jefe del Distrito Federal cuyo nombramiento requiere de la ratificación de la Asamblea de Representantes (véase comentario al artículo 76).

b) Con aprobación del Senado: agentes diplomáticos, ministros y cónsules generales, coroneles y demás oficiales superiores del Ejército, la Armada y la Fuerza Aérea, empleados superiores de Hacienda y ministros de la Suprema Corte. En los recesos de las cámaras la ratificación corresponde a la Comisión Permanente, y

c) De acuerdo con la ley reglamentaria, puesto que las designaciones de los oficiales del Ejército, no comprendidos en la fracción IV, está obligado a hacerlas en los términos establecidos por las disposiciones aplicables.

III. Facultades en materia de seguridad interior o exterior de la nación. La seguridad de México requiere que existan fuerzas armadas bajo un solo mando, y éste la Constitución lo otorga al Jefe del Estado mexicano, porque él tiene la obligación de velar por la paz y el orden dentro del territorio nacional y de organizar su defensa frente a cualquier agresión extranjera. Por eso, las fracciones VI y VII le atribuyen el derecho a disponer del Ejército, la Marina de Guerra, la Fuerza Aérea y la Guardia nacionales.

IV. Facultades en materia de política internacional. El Presidente de la República representa ante las demás naciones al Estado mexicano y dirige las relaciones internacionales. A él le corresponde designar, con aprobación del Senado, a los embajadores, ministros, agentes diplomáticos y cónsules generales acreditados en otros países o ante organismos internacionales. Asimismo, recibe las "Cartas Credenciales", es decir, los nombramientos de los representantes diplomáticos extranjeros expedidos por sus jefes de Estado.

Por decreto publicado en el *Diario Oficial* de 11 de mayo de 1988, fue reformada la fracción X de este artículo 89. Importantes modificaciones contiene la nueva fracción:

a) Otorga expresamente la dirección de la política exterior al Presidente de la República.

b) Los tratados que celebre, deben someterse a la aprobación del Senado y no, como indebidamente lo señalaba la fracción reformada, al "Congreso Federal". Con esto se armoniza la nueva fracción con lo prescrito en la fracción I del artículo 76 y en el artículo 133 que, adecuadamente, otorgan la aprobación de tratados exclusivamente al Senado de la República.

c) Se establece para el titular del Poder Ejecutivo la obligación de conducir la política exterior de conformidad con los siguientes siete principios fundamentales: la autodeterminación de los pueblos, la no intervención; la solución pacífica de controversias; la proscripción de la amenaza o el uso de la fuerza en las relaciones internacionales; la igualdad jurídica de los estados; la cooperación internacional para el desarrollo; y la lucha por la paz y la seguridad internacionales.

Los anteriores fundamentales principios son una consecuencia del devenir histórico interno de México y de su actuar internacional. La autodeterminación de los pueblos, la no intervención y la solución pacífica de controversias fueron resultados directos de la independencia y del severo y viril rechazo que efectuaron Benito Juárez en el siglo pasado y Venustiano Carranza en el presente, ante las injustas intervenciones extranjeras que sufrió México. Los demás principios representan las tesis reiteradamente expuestas y defendidas por México en todos los foros internacionales. En resumen, los principios expresamente enumerados en la nueva fracción X constituyen una clara síntesis de la historia pasada y presente de la política exterior.

También está a cargo del Presidente de la República solicitar del Congreso de la Unión dicte una ley que lo faculte para declarar la guerra a países extranjeros.[74]

V. Otras facultades del Ejecutivo son:

a) Convocar al Congreso a sesiones extraordinarias, con fundamento en un acuerdo de la Comisión Permanente; por este hecho se establece una relación de equilibrio entre ambos órganos (fracción XI);

b) El Ejecutivo –bajo cuyo mando se encuentra la fuerza pública– debe prestar al Poder Judicial –que carece de ella– ayuda para que se dé cumplimiento a las sentencias y órdenes de los jueces, cuando la voluntad de los particulares se resista a obedecerlas (fracción XII);

c) Como el interés nacional siempre debe prevalecer sobre el posible interés particular de las entidades federativas, es por lo que la fracción XIII estipula la facultad presidencial para habilitar puertos y establecer aduanas marítimas y fronterizas, pues de no existir esta disposición, al hacerlo se violaría la soberanía de los estados en perjuicio del pacto federal.

d) La fracción XIV es de contenido altamente humano; en ella se faculta al Presidente de la República para conceder indultos, es decir, perdonar o disminuir las penas impuestas a los reos sentenciados por delitos que son de la competencia de los tribunales federales y a los que, por resolución irrevocable, fueron hallados culpables de haber cometido delitos del orden común en el Distrito Federal.

Existen dos clases de indulto: el necesario y el otorgado por gracia. El primero se origina automáticamente en vicios, errores o deficiencias graves en el proceso, que implican la inocencia del sentenciado o la disminución de su responsabilidad. También opera automáticamente el indulto necesario en el caso de la vigencia de una nueva ley, que no considera delictuoso el hecho u omisión que sí estaba previsto como tal por otra ley anterior, bajo la que el reo fue sentenciado.

[74] Véase comentario al artículo 73.

La segunda clase de indulto, el otorgado por gracia, es resultado de otro punto de vista, también de carácter jurídico y no simplemente, como ocurrió en épocas pasadas, producto de la libre voluntad de un soberano o de un tribunal, ansiosos de obtener popularidad.

La justificación jurídica del indulto radica en el hecho de que la aplicación de una ley penal, por medio de un proceso concluido en una sentencia definitiva, tiene por objeto la salvaguarda de intereses individuales, sociales y nacionales; mas cuando resulta que el sentenciado tiene méritos bastantes por servicios prestados a la nación, o le beneficien circunstancias de edad o de conducta, o bien por la misma índole del delito cometido se considera que ha cesado su peligrosidad, queda a la decisión del Ejecutivo indultarlo, si así conviniera finalmente a la seguridad y a la tranquilidad públicas.

En lo relativo al indulto, es inolvidable la actitud ejemplar del presidente Juárez, quien resistió presiones de toda índole para que otorgara el perdón de la vida a Maximiliano, Miramón y Mejía. En este caso, la resolución de que la sentencia fuera cumplida tenía el enorme valor de una firme advertencia para quienes en el futuro intentaran, siendo extranjeros, intervenir en México, o siendo mexicanos, traicionar a la patria, y

e) También le corresponde, de acuerdo con las leyes respectivas, conceder privilegios exclusivos, por tiempo limitado, a los descubridores, inventores o perfeccionadores de algún ramo de la industria, a fin de impulsar en esta forma el desarrollo económico del país y premiar al esfuerzo individual realizado (fracción XV).

*Reforma de 1994**

En 1984 se dispuso que el nombramiento de Procurador General de la República hecho por el Ejecutivo Federal, debería ser ratificado por la Cámara de Senadores (fracción IX) o por la Comisión Permanente del Congreso de la Unión (fracción XVI). Véase comentario al artículo 102.

ARTÍCULO 90. **La Administración Pública Federal será centralizada y paraestatal conforme a la Ley Orgánica que expida el Congreso, que distribuirá los negocios del orden administrativo de la Federación que estarán a cargo de las Secretarías de Estado y Departamentos Administrativos y definirá las bases generales de creación de las entidades paraestatales y la intervención del Ejecutivo Federal en su operación.**

* Comentario de SERGIO GARCÍA RAMÍREZ.

Las leyes determinarán las relaciones entre las entidades paraestatales y el Ejecutivo Federal, o entre éstas y las Secretarías de Estado y Departamentos Administrativos.

El Presidente nombra y remueve libremente a los secretarios de Estado, pero su número y atribuciones están expresamente consignados en la Ley de la Administración Pública Federal.

Por reforma publicada en el *Diario Oficial* del 21 de abril de 1981 quedó reformado este artículo que anteriormente estatuía que: "Para el despacho de los negocios del orden administrativo de la Federación" habría el número de secretarios que estableciera el Congreso por una ley.

Ahora, de acuerdo con la más moderna doctrina administrativa y dada la constante creación de los entes que no constituyen secretarías de Estado (no tanto los departamentos administrativos, sino especialmente los organismos descentralizados y los de participación estatal), la administración pública se divide en centralizada (secretarías de Estado y departamentos administrativos) y sector paraestatal (organismos descentralizados y de participación estatal). Estos últimos no previstos por los constituyentes de 1917 –lo que resulta explicable en la época– carecían de base constitucional que los sustentara, no obstante su importancia y constante proliferación. Ahora ya encuentran justificado acomodo en la ley fundamental.

ARTÍCULO 91. Para ser Secretario del Despacho se requiere: ser ciudadano mexicano por nacimiento, estar en ejercicio de sus derechos y tener treinta años cumplidos.

El Ejecutivo designa libremente a los secretarios del despacho entre los ciudadanos que estima más capaces para el desempeño de los respectivos cargos. Sin embargo, tres requisitos deben llenar dichos funcionarios: Ser mexicanos por nacimiento, mayores de 30 años y en ejercicio pleno de sus derechos.

Por lo que se refiere a la primera condición es natural pensar que quien debe llevar sobre sí tan alta responsabilidad esté vinculado estrechamente a la nación; en cuanto a la segunda, se exige el requisito porque se piensa que al haber alcanzado los 30 años de edad se posee suficiente experiencia y sólido juicio; la tercera, no necesita comentario.

ARTÍCULO 92. Todos los reglamentos, decretos, acuerdos y órdenes del Presidente deberán estar firmados por el Secretario de

Estado o Jefe de Departamento Administrativo a que el asunto corresponda, y sin este requisito no serán obedecidos.

La firma de un secretario de Estado o un jefe de departamento administrativo en los reglamentos, decretos y órdenes del Presidente, recibe el nombre de refrendo. El refrendo solidariza al secretario con los actos del primer magistrado de la nación y la falta del mismo permite a los particulares no obedecerlos.

ARTÍCULO 93. Los Secretarios del Despacho y los Jefes de los Departamentos Administrativos, luego que esté abierto el periodo de sesiones ordinarias, darán cuenta al Congreso del Estado que guarden sus respectivos ramos.

Cualquiera de las Cámaras podrá citar a los Secretarios de Estado, al Procurador General de la República, a los Jefes de los Departamentos Administrativos, así como a los directores y administradores de los organismos descentralizados federales o de las empresas de participación estatal mayoritaria, para que informen cuando se discuta una ley o se estudie un negocio concerniente a sus respectivos ramos o actividades.

Las Cámaras, a pedido de una cuarta parte de sus miembros, tratándose de los diputados, y de la mitad, si se trata de los senadores, tienen la facultad de integrar comisiones para investigar el funcionamiento de dichos organismos descentralizados y empresas de participación estatal mayoritaria. Los resultados de las investigaciones se harán del conocimiento del Ejecutivo Federal.

Este artículo, en lo que se refiere a su primera parte, figuró ya en la Constitución de 1857.

Por reforma publicada en el *Diario Oficial* de 31 de enero de 1974, también se incluyeron para estas comparecencias, en adición a los secretarios de Estado, a los jefes de departamentos administrativos (a la fecha de esta edición existe uno: El Departamento del Distrito Federal), así como a los directores y administradores de los organismos descentralizados federales o de las empresas de participación estatal mayoritaria.

Trasunto del Gobierno parlamentario, en donde los ministros sí son responsables de sus actos ante el Poder Legislativo –lo que no ocurre en nuestro sistema, ya que los secretarios de Estado, jefes de departamentos administrativos y la mayor parte de los directores de organismos descentralizados y de empresas de participación estatal son designados y removidos libremente por el Jefe del Ejecutivo Federal, siendo responsables sólo ante él– es la práctica de las comparecencias que ha resultado saludable no sólo para ilustrar el criterio de los legisladores, de suyo beneficioso, sino también porque los formidables medios de comunicación contemporáneos resultan muy útiles para que el pueblo juzgue y evalúe la personalidad, preparación y competencia de los altos funcionarios federales y conozca los principales problemas de las distintas dependencias del Ejecutivo Federal y las soluciones adoptadas por ellas.

Los funcionarios pueden ser llamados indistintamente por la Cámara de Diputados o la de Senadores. En la práctica, se les ha citado no necesariamente "cuando se discuta una ley o se estudie un negocio concerniente a sus respectivos ramos o actividades", como lo señala el precepto, sino en aquellos casos en que la materia a tratar y algunas veces el funcionario a cuyo cargo está determinado asunto, revisten especial interés en ese momento.

*Reforma de 1994**

Después de 1917, el artículo 103 constitucional ha sido reformado en dos ocasiones para ampliar la posibilidad de que funcionarios del Poder Ejecutivo, o bien, de la Administración Pública, comparezcan ante los órganos del Poder Legislativo para explicar asuntos relativos a sus ámbitos de atribución. En este orden de cosas, una reforma del 24 de enero de 1974, publicada en el *Diario Oficial* del 31 de ese mismo mes, amplió la posibilidad de comparecencia, originalmente concentrada en los secretarios del despacho, a los jefes de departamentos administrativos y a los directivos o administradores de los organismos descentralizados federales o de las empresas de participación estatal mayoritaria.

Esas comparecencias, que se produjeron sobre todo a partir de 1970, no abarcaban a los procuradores de justicia. Empero, en el periodo 1982-1988 se acostumbró que el Procurador General de la República concurriera ante ambas Cámaras del Congreso de la Unión (el Pleno en el Senado y comisiones en la Cámara de Diputados) para examinar reformas concernientes a la procuración y administración de justicia y otros asuntos generales vinculados con aquélla.

* Comentario del doctor SERGIO GARCÍA RAMÍREZ.

En 1994 se sumó una iniciativa del Partido (de) Acción Nacional al proyecto de reforma constitucional presentado en ese año por el Presidente de la República en el Poder Judicial, el Ministerio Público y el Procurador General de la República. Aquella iniciativa, dictaminada conjuntamente con la del Ejecutivo, determinó un cambio en el artículo 93 constitucional.

El dictamen presentado por las comisiones de la Cámara de Senadores, puso énfasis en que la comparecencia del Procurador General de la República ante los órganos del Poder Legislativo no tendría en lo absoluto el propósito de ventilar en este foro las averiguaciones penales cometidas al Ministerio Público Federal.

Era razonable esta salvedad formulada por los dictaminadores de la reforma: los asuntos sujetos a investigación o a proceso deben examinarse, conforme a las normas aplicables, en sus propios foros, no convertirse en "espectáculo" fuera de ellos. Sería extravagante, desde el punto de vista jurídico, que los encargados de la averiguación previa (y sobre todo el jefe de ellos, el Procurador de la República) trasladaran al Congreso de la Unión las denuncias y querellas, publicaran los datos reservados de la investigación, formularan hipótesis, imputaciones o conjeturas sobre hechos delictuosos, mostraran las pruebas reunidas en las indagaciones penales, etcétera.

Sin embargo, la cautela que se mostró en el dictamen no fue luego recogida por la letra del artículo 93, reformado el 30 de diciembre de 1994 (*Diario Oficial* del 31 del mismo mes). Éste se limita a añadir al Procurador de la República en la relación de funcionarios llamados a comparecer "para que informen cuando se discuta una ley o se estudie un negocio concerniente a sus respectivos ramos o actividades". No es imposible, y resulta ciertamente probable, como lo demuestra la experiencia, que los intérpretes y aplicadores de esa norma se apoyen en ella para extender el conocimiento (aunque no la jurisdicción, por supuesto) de asuntos penales a las cámaras del Congreso.

CAPÍTULO IV

Del Poder Judicial

ARTÍCULO 94. Se deposita el ejercicio del Poder Judicial de la Federación en una Suprema Corte de Justicia, en un Tribunal Electoral, en Tribunales Colegiados y Unitarios de Circuito, en Juzgados de Distrito, y en un Consejo de la Judicatura Federal.

La Suprema Corte de Justicia de la Nación se compondrá de once Ministros y funcionará en Pleno o en Salas.

En los términos que la ley disponga las sesiones del Pleno y de las Salas serán públicas, y por excepción secretas en los casos en que así lo exijan la moral o el interés público.

La competencia de la Suprema Corte, su funcionamiento en Pleno y Salas, la competencia de los Tribunales de Circuito, de los Juzgados de Distrito y del Tribunal Electoral, así como las responsabilidades en que incurran los servidores públicos del Poder Judicial de la Federación, se regirán por lo que dispongan las leyes, de conformidad con las bases que esta Constitución establece.

El Consejo de la Judicatura Federal determinará el número, división en circuitos, competencia territorial y, en su caso, especialización por materia, de los Tribunales Colegiados y Unitarios de Circuito y de los Juzgados de Distrito.

El Pleno de la Suprema Corte de Justicia, estará facultado para expedir acuerdos generales, a fin de lograr una adecuada distribución entre las Salas de los asuntos que competa conocer a la propia Corte y remitir a los Tribunales Colegiados de Circuito, aquellos asuntos en los que hubiera establecido jurisprudencia, para la mayor prontitud de su despacho.

La ley fijará los términos en que sea obligatoria la jurisprudencia que establezcan los tribunales del Poder Judicial de la Federación sobre interpretación de la Constitución, leyes y reglamentos federales o locales y tratados internacionales celebrados por el Estado mexicano, así como los requisitos para su interrupción y modificación.

La remuneración que perciban por sus servicios los Ministros de la Suprema Corte, los Magistrados de Circuito, los Jueces de Distrito y los Consejeros de la Judicatura Federal, así como los Magistrados Electorales, no podrá ser disminuida durante su encargo.

Los Ministros de la Suprema Corte de Justicia durarán en su encargo quince años, sólo podrán ser removidos del mismo en los términos del Título Cuarto de esta Constitución y, al vencimiento de su periodo, tendrán derecho a un haber por retiro.

Ninguna persona que haya sido Ministro podrá ser nombrada para un nuevo periodo, salvo que hubiera ejercido el cargo con el carácter de provisional o interino.

Tiene el Poder Judicial Federal las siguientes funciones medulares: Proteger los derechos del hombre; interpretar y aplicar la ley en cada caso concreto sometido a su consideración, y servir de fuerza equilibradora entre el Ejecutivo y el Legislativo federales, así como entre los poderes de la Federación y los de los estados, manteniendo la supremacía de la Constitución de la República. Por esencia es el poder facultado en última instancia para resolver los conflictos entre particulares.

La Constitución de 1824 estableció el Poder Judicial Federal cuyos órganos eran la Corte Suprema de Justicia, integrada por once ministros, tribunales de circuito y juzgados de distrito. Esta organización se conservó a partir del Acta de Reformas de 1847, que puso en vigor a la Carta de 1824, y en la de 1857, pero ninguno de los congresos constituyentes que en el pasado actuaron en la vida política de México pretendió dar al Poder Judicial tanta independencia y fuerza como la asamblea de 1917.

En ese Congreso se legislaría para asegurar la máxima independencia a los integrantes del Poder Judicial, a fin de que pudieran ejercer los cargos con plena responsabilidad. El diputado Hilario Medina lo expresó al decir, con enérgica palabra: "Así concibo yo a nuestros magistrados a través de todas nuestras miserias, inmóviles en su sitial, firmes en el cumplimiento de su deber, serenos y altos como el vuelo de las águilas." Por eso originalmente se consagró el principio de que los ministros de la Suprema Corte fueran inamovibles después de haber ejercido el cargo durante cierto tiempo, de tal manera que transcurrido ese lapso sólo era posible destituirlos previo un juicio de responsabilidad. Actualmente son inamovibles desde su nombramiento.

El Poder Judicial de la Federación se deposita en una Suprema Corte de Justicia, en tribunales de circuito y en juzgados de distrito. Los tribunales de circuito son unitarios o colegiados. En el primer caso están integrados por un solo magistrado, en el segundo por tres. Los unitarios quedaron establecidos por la Constitución Federal de 1824 y trabajaron a lo largo del siglo XIX y el XX, salvo algunas interrupciones históricas. Los colegiados se crearon en 1951, a fin de ayudar a la Suprema Corte en la resolución de juicios de amparo, sustancialmente cuando se invocaba la indebida aplicación de la ley. Los tribunales colegiados fueron asumiendo cada vez mayor jurisdicción –así en las enmiendas de 1967– hasta llegar a ser –en virtud de las de 1987– los supremos intérpretes de la legislación ordinaria.

La reforma de 1987 derogó el principio de que los tribunales colegiados de circuito fallaran juicios de amparo y los unitarios de apelación. En efecto, los recursos de revisión que tienen a su alcance las autoridades para impugnar las sentencias definitivas de los tribunales contencioso-administrativos no son juicios de amparo, sino verdaderas apelaciones, y las resuelven los tribunales colegiados de circuito (véase comentario al artículo 104).

El segundo párrafo establece que la Suprema Corte de Justicia quedará integrada por veintiún ministros numerarios y funcionará en Pleno y en salas, de acuerdo con la ley orgánica correspondiente. La reciente reforma constitucional declara potestativo el nombramiento hasta de cinco ministros supernumerarios.

El párrafo cuarto ha sido modificado en 1987 con el objeto de dar al Pleno de la Suprema Corte de Justicia la facultad de fijar el número, la división en circuitos y la jurisdicción territorial –así como la especialización por materias– de los tribunales de circuito y juzgados de distrito. Se trata de una reforma de importancia que otorga facultades cuasilegislativas, en materia judicial, al Pleno de la Corte, debido a que es el órgano que mejor conoce las necesidades y problemas de la administración de la justicia federal y así podrá resolverlos con mayor prontitud. De esta suerte, no es necesario esperar reformas legales; bastarán las resoluciones del Pleno para fijar y regular el desempeño de las tareas de los juzgados y tribunales que existen en toda la República.

El nuevo párrafo sexto sostiene que mediante resoluciones del Pleno de la Suprema Corte se distribuyan las tareas entre las salas, por ser el órgano más adecuado para analizar los problemas internos del tribunal y decidir con la rapidez requerida.

Para cuidar de la independencia de los componentes de la Suprema Corte, además de la inamovilidad, existen otras medidas, entre ellas que la remuneración que perciben no sea disminuida durante el tiempo de permanencia en el desempeño de su puesto.

Llámese jurisprudencia de la Corte a las ejecutorias (sentencias) de ese tribunal, tanto del Pleno como de las salas, cuando se pronuncien cinco ininterrumpidas, con un mismo sentido, por una determinada mayoría. La jurisprudencia firme es obligatoria para los jueces y magistrados, quienes deben ajustar a ella sus fallos, y para que la Suprema Corte pueda cambiar la ya establecida es preciso que razone fundadamente su nueva opinión. También los demás tribunales federales forman jurisprudencia en los términos establecidos por la ley reglamentaria. La jurisprudencia interpreta, es decir, precisa el sentido de la Constitución, de las leyes federales y de las leyes dictadas por los poderes legislativos de los estados (leyes locales).[75]

El último párrafo se reformó (*Diario Oficial* de 28 de diciembre de 1982) para indicar que los ministros de la Suprema Corte de Justicia sólo pueden ser privados de sus puestos en los términos del Título Cuarto de la Constitución. En realidad se refiere a la posibilidad de que sean sometidos a juicio político, en el que intervienen la Cámara de Diputados como órgano acusador y la de Senadores como jurado de sentencia.

Los ministros de la Suprema Corte de Justicia son, por otra parte, servidores públicos, y si llegaren a cometer delitos se requiere declaratoria de procedencia de la Cámara de Diputados antes de ser sujetos a proceso, en los términos del artículo III de la Constitución.

*Reforma de 1994**

El Constituyente de 1917 sostuvo que en la Suprema Corte hubiese once ministros inamovibles que sólo funcionaran en Pleno. Este Pleno de la Corte debería designar a los jueces de Distrito y magistrados de Circuito soberanamente. En 1917, la población de México decaía por la Revolución y era de 14 millones de habitantes, con una economía destruida.

El Pleno trabajó sin salas de 1917 a 1928. En 1928 fueron creadas tres salas con cinco ministros cada una: penal, administrativa y civil y los ministros fueron designados por el Ejecutivo con aprobación del Senado. En 1934 fue creada una cuarta sala, la laboral. En 1951, apareció una quinta sala auxiliar, para el rezago. El presidente de la Corte dejó de integrar una sala. Así pues, hubo veintiséis ministros en el Alto Tribunal, número excesivo para la adecuada atención de los negocios, ya que pertenecían al Pleno veintiuno.

Después de las enmiendas constitucionales de 1988, el trabajo del Alto Tribunal principió a ser más administrativo que judicial, pues los jueces y magistrados federales eran cerca de quinientos. De aquí, vienen las reformas constitucionales que aparecieron en el *Diario Oficial* de 31 de diciembre de 1994, que sostienen que la Suprema Corte debe ser ante todo un cuerpo judicial y no administrativo, dejando la tarea de nombrar, remover y supervisar a jueces de Distrito y magistrados de Circuito al Consejo de la Judicatura Federal.

El 5 de diciembre de 1994, el Presidente de la República, Ernesto Zedillo Ponce de León, presentó al Constituyente Permanente –por conduc-

*Comentario del licenciado Lucio Cabrera.

[75] Este artículo, así como el 98, 100, 102, 104, 105 y 107, fueron objeto de reformas y adiciones aprobadas en 1967.

to de la Cámara de Senadores– una iniciativa de reformas cuyo propósito es "el fortalecimiento del Poder Judicial y modificaciones a la organización interna del funcionamiento y las competencias de las instituciones encargadas de la seguridad y la procuración de justicia". Estas reformas fueron aprobadas por las dos Cámaras del Congreso y publicadas en el *Diario Oficial* el 31 de diciembre de 1994.

El ejercicio del Poder Judicial de la Federación quedó depositado en sus órganos tradicionales: Suprema Corte de Justicia, Tribunales Colegiados y Unitarios de Circuito y Juzgados de Distrito. Fue creado un quinto órgano: el Consejo de la Judicatura Federal. La Suprema Corte de Justicia –dijo la iniciativa– tiene tres fines esenciales en su tarea: 1. Velar por el equilibrio entre los poderes de la Unión y dirimir las controversias entre el Legislativo y el Ejecutivo; 2. Velar por la Unión de la República, resolviendo los conflictos entre Estados, Municipios, el Distrito Federal y la Federación; 3. Proteger a los individuos para que todo acto de autoridad esté apegado y conforme a la Constitución.

Las reformas de 1994 desearon reorganizar la integración de la Suprema Corte para facilitar sus deliberaciones colectivas, al reducir el número de ministros a su tradicional número de once y permitir su renovación periódica de acuerdo con los cambios que ocurren en el país. En vez de la inamovilidad hasta los 70 años de edad, ahora tendrán una duración de 15 años independientemente de su edad, para poder contar con candidatos de mayor experiencia y ya que ha aumentado la expectativa de vida a cerca de setenta años para los mexicanos. Además, se diferenciaron las atribuciones judiciales de las administrativas de la Suprema Corte para facilitar y hacerlas más eficientes. La Corte es un cuerpo por esencial judicial y no administrativo, de allí que fue dejada la tarea administrativa al Consejo de la Judicatura Federal.

Las reformas de 1994 no intentan un cambio fundamental en la naturaleza y funciones de la Suprema Corte respecto a las reformas de 1987, pues permanece el principio de que ésta sea un tribunal constitucional y no de legalidad. La idea principal es su fortalecimiento y conservar los principios esenciales del juicio de amparo.

La Suprema Corte funciona, ahora, en Pleno y en dos salas. De acuerdo con lo aprobado internamente por el Pleno, la primera de éstas conoce de las materias penal y civil; la segunda de los casos administrativo y laboral, las facultades fundamentales de la Suprema Corte, en Pleno o en Salas, son las siguientes:

1. Conocer del amparo en revisión contra leyes federales, estatales o del D.F., en cuyo caso la sentencia sólo afecta al quejoso. También cuando exista una violación directa de la Constitución. La constitucionalidad en amparo contra reglamentos pertenece a las salas.

2. Conocer por facultad de atracción o de oficio, a patición del tribunal unitario o Colegiado o del Procurador General de la República de apelaciones, sentencias de amparo en revisión o amparos directos por su interés o trascendencia (artículo 107, fracción V y 105, fracción III).

3. La Suprema Corte no interviene en cuestiones electorales. Sólo puede practicar de oficio la averiguación de algún hecho o hechos que constituyan la violación del voto público, cuando a su juicio pudiera ponerse en duda la legalidad de todo el proceso de elección de alguno de los Poderes de la Unión. El resultado se dará a conocer a los órganos competentes. (artículo 97, fracción III).

4. Las nuevas facultades del artículo 105 constitucional y su ley reglamentaria que apareció el 11 de mayo de 1995 en el *Diario Oficial*. El Pleno de la Suprema Corte conoce en única instancia de las controversias constitucionales –no electorales– entre los tres niveles de gobierno. Conoce también de las acciones de inconstitucionalidad interpuestas por el 33 por ciento de las cámaras o por el Procurador General de la República. Las sentencias tendrán efectos generales si las aprueba el Pleno por ocho ministros. Esto incluye a las legislaturas estatales y la asamblea legislativa del D.F., cuyas minorías pueden impugnar las leyes de la mayoría. También incluye que la minoría del Senado impugne a los tratados internacionales. El Pleno puede atraer a su conocimiento los juicios federales en que la Federación sea parte en apelación.

5. El Pleno de la Corte Suprema resuelve sobre el incumplimiento de las sentencias de amparo, separación del cargo de las autoridades omisas o del cumplimiento sustituto si la naturaleza del acto reclamado lo permite.

6. Resolver las contradicciones de tesis sustentadas por los Tribunales Colegiados de Circuito (artículo 107, fracción XIII) por iniciativa de los ministros de la Suprema Corte, Procurador General de la República, los Tribunales de Circuito o las partes interesadas en un juicio, para que el Pleno o la Sala correspondiente resuelvan la tesis que deba prevalecer como jurisprudencia.

7. El Pleno tiene las importantes facultades de investigación que le confiere el párrafo segundo del artículo 97 constitucional para nombrar –cuando así lo juzgue conveniente– a alguno o varios de sus miembros o un juez federal o algunos comisionados especiales –o cuando lo pida el Ejecutivo Federal o alguna de las Cámaras del Congreso de la Unión o el gobernador de un Estado– para averiguar hechos que constituyan la violación a una garantía individual. También podrá solicitar al Consejo de la Judicatura Federal que averigüe la conducta de un juez o magistrado federal.

Es ahora el Consejo de la Judicatura Federal (véase comentario al artículo 100), el facultado para determinar el número y organización general de los Tribunales Colegiados y Unitarios de Circuito y de los juzgados de

Distrito. Determina este cuerpo su división circuitos, jurisdicción territorial y especialización por materias. Son facultades cuasilegislativas que con anterioridad tenía el Pleno de la Suprema Corte.

El párrafo sexto del artículo 94 de la Constitución sostiene que mediante resoluciones de Pleno, la Suprema Corte distribuya las tareas entre las salas, como órgano supremo y el más adecuado para analizar los problemas del Alto Tribunal y decidir con la rapidez requerida. Por ello resolvió que la Primera y Segunda Salas se distribuyeran el conocimiento de los asuntos en las materias señaladas.

Como quedó dicho, los ministros de la Suprema Corte de Justicia duran quince años en su cargo y durante este lapso sólo pueden ser privados del mismo por juicio político, en el que intervienen la Cámara de Diputados como órgano acusador y la de Senadores como jurado de sentencia.

El último párrafo del artículo 94 de la Constitución indica que ningún ministro puede ser designado para un nuevo periodo, al concluir los quince años de su cargo. Ésta es una medida que obedece a la idea de renovación del Alto Tribunal de acuerdo con las circunstancias históricas y con el fin de que no se convierta en su cuerpo cerrado.

*Reforma de 1996**

La reforma de 1996 introdujo una gran innovación al reformar este precepto: incorpora al Tribunal Electoral (antes Tribunal Federal Electoral-TRIFE) al Poder Judicial de la Federación y por lo tanto sujeta a sus magistrados a las responsabilidades y reglas sobre remuneración que se aplican para los ministros de la Suprema Corte y demás jueces federales.

La plena incorporación del Tribunal Electoral al Poder Judicial de la Federación fue la respuesta a la disyuntiva que plantearon las reformas de 1987 y 1990 sobre la jurisdicción autónoma en materia electoral. Cabe recordar que la primera creó al Tribunal de lo Contencioso Electoral (TRICOEL) y la segunda al Tribunal Federal Electoral (TRIFE), ambos como autoridad jurisdiccional autónomas del Poder Judicial aunque de alguna manera subordinados a los Colegios Electorales del Poder Legislativo. Incluso la reforma de 1995 en el artículo 105 constitucional excluyó a la Suprema Corte de Justicia de conocer de las controversias constitucionales y acciones de inconstitucionalidad en materia electoral.

Todas estas reformas condujeron al sistema de jurisdicción electoral a una disyuntiva: la autonomía plena, convirtiéndolo en un cuarto poder que también resolviere sobre la constitucionalidad de las leyes electorales o su plena integración al Poder Judicial. La reciente reforma de 1996 eligió la segunda opción y ahora el Tribunal Electoral es parte del Poder Judicial jun-

* Comentario del licenciado EMILIO RABASA GAMBOA.

to con la Suprema Corte de Justicia, los Tribunales de Circuito, Juzgados de Distrito y el Consejo de la Judicatura. Esta ubicación plantea la distribución de competencias entre la Suprema Corte y el Tribunal Electoral en materia electoral que queda resuelta en los artículos 99 y 105 de esta Constitución.

Artículo 95. Para ser electo ministro de la Suprema Corte de Justicia de la Nación, se necesita:

I. Ser ciudadano mexicano por nacimiento, en pleno ejercicio de sus derechos políticos y civiles;

II. Tener cuando menos treinta y cinco años cumplidos el día de la designación;

III. Poseer el día de la designación, con antigüedad mínima de diez años, título profesional de licenciado en derecho, expedido por autoridad o institución legalmente facultada para ello;

IV. Gozar de buena reputación y no haber sido condenado por delito que amerite pena corporal de más de un año de prisión; pero si se tratare de robo, fraude, falsificación, abuso de confianza u otro que lastime seriamente la buena fama en el concepto público, inhabilitará para el cargo, cualquiera que haya sido la pena;

V. Haber residido en el país durante los dos años anteriores al día de la designación; y

VI. No haber sido secretario de Estado, jefe de departamento administrativo, Procurador General de la República o de Justicia del Distrito Federal, senador, diputado federal ni gobernador de algún Estado o Jefe del Distrito Federal, durante el año previo al día de su nombramiento.

Los nombramientos de los Ministros deberán recaer preferentemente entre aquellas personas que hayan servido con eficiencia, capacidad y probidad en la impartición de justicia o que se hayan distinguido por su honorabilidad, competencia y antecedentes profesionales en el ejercicio de la actividad jurídica.

Los requisitos que este artículo establece para ser designado ministro de la Suprema Corte de Justicia son semejantes a los que la Constitución exige para otros altos cargos, tales como Presidente de la República, secretarios del despacho, diputados y senadores. Esas condiciones son las siguientes: Nacionalidad mexicana por nacimiento, pleno uso de los derechos políticos y civiles y residencia en el país durante los últimos cinco años.

Por lo que toca a la edad, es el único caso en que la Constitución fija, para poder ser designado, además de mínima (35 años) un límite a la máxima (65 años).

Dada la naturaleza de la función y la alta responsabilidad de la magistratura, se requiere de quien la va a desempeñar que posea conocimientos de derecho. Por eso se exige que tenga el título de abogado, con antigüedad de cinco años, condición no prevista en la Constitución de 1857.

A todo esto se agrega, además, el gozar de buena fama pública.

*Reforma de 1994**

Los ministros del Alto Tribunal tienen que ser mexicanos por nacimiento, pues es lógico que ellos conocen mejor los problemas y necesidades de sus compatriotas.

Los ministros deben ser mayores de 35 años en el momento de su designación, sin que exista un límite respecto a su edad máxima. Es conveniente que personas de edad y experiencia tengan posibilidad de integrar la Corte Suprema.

La elección de un ministro debe recaer en personas con maduros conocimientos teóricos y con práctica del derecho. Por ello la reforma constitucional de 31 de diciembre de 1994 exige que tengan título de licenciado en derecho y una experiencia no menor a 10 años de profesión. Esto no lo preveía la Constitución de 1857.

Los ministros deben haber residido en el país los dos años anteriores a su designación y existe una novedad en las reformas publicadas el 31 de diciembre de 1994: que no hubiesen desempeñado el cargo de secretario de Estado, jefe de Departamento, Procurador General de la República o de Justicia en el Distrito Federal, ni hubiesen sido senador, diputado federal ni gobernador o Jefe del Departamento del Distrito Federal durante el año inmediato anterior a la fecha de su nombramiento. Este principio obedece principalmente a evitar cargos por razones políticas o de influencia.

Por ello la reforma constitucional de 31 de diciembre de 1994 indica que tienen preferencia para ser designados ministros las personas que hayan servido con eficiencia y probidad en la impartición de justicia, con lo cual se estimula la carrera judicial. También tienen preferencia los abogados distinguidos por sus antecedentes profesionales, honorabilidad y competencia, con lo cual es destacado el antecedente de que sean

* Comentario del licenciado LUCIO CABRERA.

profesionistas que practiquen la abogacía y se descartan las preferencias meramente políticas.

ARTÍCULO 96. Para nombrar a los ministros de la Suprema Corte de Justicia, el Presidente de la República someterá una terna a consideración del Senado, el cual, previa comparecencia de las personas propuestas, designará al Ministro que deba cubrir la vacante. La designación se hará por el voto de las dos terceras partes de los miembros del Senado presentes, dentro del improrrogable plazo de treinta días. Si el Senado no resolviere dentro de dicho plazo, ocupará el cargo de Ministro la persona que, dentro de dicha terna, designe el Presidente de la República.

En caso de que la Cámara de Senadores rechace la totalidad de la terna propuesta, el Presidente de la República someterá una nueva, en los términos del párrafo anterior. Si esta segunda terna fuera rechazada, ocupará el cargo la persona que dentro de dicha terna designe el Presidente de la República.

El nombramiento de ministro de la Suprema Corte corresponde hacerlo al Presidente de la República con la aprobación del Senado o de la Comisión Permanente, en su caso. Este sistema se ha considerado el más correcto, después de varios ensayos en otros sentidos, dada la naturaleza de la delicada labor que esos máximos jueces desempeñan. La elección popular –establecida en la Carta de 1857– se estimó inconveniente por el Congreso de Querétaro, pues podría determinar que los ministros, para ser electos, militaran en grupos políticos activos y se alejaran de la serena e imparcial administración de justicia.

*Reforma de 1994**

El Presidente de la República sólo tiene la facultad de proponer una terna de abogados a la consideración del Senado. Éste debe hacer que comparezcan ante su seno las tres personas propuestas, para que después designe a quién deba ser ministro. El Senado debe dar su designación por las dos terceras partes de sus miembros dentro de un plazo de 30 días. Si no

*Comentario del licenciado LUCIO CABRERA.

da su designación el Senado en este término, es el Presidente de la República el que nombra al ministro dentro de la terna. La Cámara de Senadores tiene la facultad de rechazar dentro del mes la terna en su totalidad, en cuyo caso el Presidente de la República debe presentarle una nueva y si ésta fuere otra vez rechazada, el Presidente de la República escogería a uno de los que en ella figuran.

ARTÍCULO 97. Los Magistrados de Circuito y los Jueces de Distrito serán nombrados y adscritos por el Consejo de la Judicatura Federal, con base en criterios objetivos y de acuerdo a los requisitos y procedimientos que establezca la ley. Durarán seis años en el ejercicio de su encargo, al término de los cuales, si fueran ratificados o promovidos a cargos superiores, sólo podrán ser privados de sus puestos en los casos y conforme a los procedimientos que establezca la ley.

La Suprema Corte de Justicia de la Nación podrá nombrar alguno o algunos de sus miembros o algún Juez de Distrito o Magistrado de Circuito, o designar uno o varios comisionados especiales, cuando así lo juzgue conveniente o lo pidiere el Ejecutivo Federal o alguna de las Cámaras del Congreso de la Unión, o el Gobernador de algún Estado, únicamente para que averigüe algún hecho o hechos que constituyan una grave violación de alguna garantía individual. También podrá solicitar al Consejo de la Judicatura Federal, que averigüe la conducta de algún juez o magistrado federal.

La Suprema Corte de Justicia está facultada para practicar de oficio la averiguación de algún hecho o hechos que constituyan la violación del voto público, pero sólo en los casos en que a su juicio pudiera ponerse en duda la legalidad de todo el proceso de elección de alguno de los Poderes de la Unión. Los resultados de la investigación se harán llegar oportunamente a los órganos competentes.

La Suprema Corte de Justicia nombrará y removerá a su secretario y demás funcionarios y empleados. Los Magistrados y jueces nombrarán y removerán a los respectivos funcionarios y empleados de los Tribunales de Circuito y de los Juzgados de Distrito, conforme a lo que establezca la ley respecto de la carrera judicial.

Cada cuatro años, el Pleno elegirá de entre sus miembros al Presidente de la Suprema Corte de Justicia de la Nación, el cual no podrá ser reelecto para el periodo inmediato posterior.

Cada Ministro de la Suprema Corte de Justicia, al entrar a ejercer su encargo, protestará ante el Senado, en la siguiente forma:

Presidente: "¿Protestáis desempeñar leal y patrióticamente el cargo de Ministro de la Suprema Corte de Justicia de la Nación que se os ha conferido y guardar y hacer guardar la Constitución Política de los Estados Unidos Mexicanos y las leyes que de ella emanen, mirando en todo por el bien y prosperidad de la Unión?"

Ministro: "Sí protesto."

Presidente: "Si no lo hiciereis así, la Nación os lo demande."

Los Magistrados de Circuito y los Jueces de Distrito protestarán ante el Consejo de la Judicatura Federal o ante la autoridad que determine la ley.

La Suprema Corte de Justicia –funcionando en Pleno–[76] tiene la facultad de designar a los magistrados de circuito y a los jueces de distrito. En consonancia con la anterior atribución, la Corte posee también la de cambiar de lugar a jueces y magistrados, cuando así convenga a las necesidades del servicio público, y vigilar el desempeño de sus labores.

En virtud de las reformas hechas al primer párrafo de esta disposición (*Diario Oficial* de 28 de diciembre de 1982) los magistrados de circuito y los jueces de distrito, que integran con los ministros de la Suprema Corte el Poder Judicial Federal, son servidores públicos, y como tales pueden ser sometidos a juicio político ante las dos cámaras del Congreso, en los términos del título cuarto de la propia Constitución.

A partir del 15 de enero de 1988, fecha en que entrarán en vigor las importantes reformas al Poder Judicial Federal aprobadas en 1987, el nombramiento de jueces y magistrados será por seis años y cumplido este término, si fueren reelectos o promovidos a cargos superiores alcanzarán la inamovilidad, ya que sólo podrán ser removidos por causa de responsabilidad. La mayor duración en el cargo en virtud del primer nombramiento es

[76] Véase comentario al artículo 94.

en beneficio no sólo del magistrado o juez, sino también de la buena marcha de la administración de justicia, ya que en un lapso más largo es posible conocer mejor su actuación, antes de ser declarado inamovible.

Asimismo, los magistrados y jueces federales, en caso de que presuntamente cometieren delitos, pueden ser enjuiciados por las autoridades correspondientes, sin que se requiera declaratoria de procedencia. Pero por lo que toca a sus responsabilidades administrativas, en los términos del párrafo cuarto de este precepto constitucional, el órgano que las puede fincar es el propio Pleno de la Suprema Corte, ya sea directamente o por conducto de los llamados ministros visitadores, quienes tienen la obligación de supervisar su trabajo periódicamente, en el lugar donde lo realizan, pues los magistrados y jueces residen en diversas ciudades de la República.

En determinados casos la Suprema Corte podrá nombrar comisionados para investigar:

I. La conducta de algún juez o magistrado federal.

II. Hechos que constituyan la violación de una garantía individual.

Adicionalmente a las facultades antes señaladas, la Suprema Corte puede fungir como instancia investigadora de hechos que constituyan violación del voto público, siempre y cuando tales hechos cuestionaren todo el proceso electoral de los Poderes de la Unión sujetos a elección, sea el Ejecutivo o el Legislativo. Esta investigación la practicará de oficio y sus resultados carecen de efectos jurídicos, por no ser estrictamente una sentencia. Sin embargo, la sola participación de la Corte tendría importancia considerable en la opinión pública.

La intervención de la Suprema Corte en cuestiones políticas ha sido un tema muy debatido desde el siglo pasado. En términos generales puede decirse que el Alto Tribunal ha procurado no intervenir en este tipo de problemas y la doctrina generalmente también ha compartido tal criterio.

Consigna, además, esta disposición lo relativo a la protesta que deben rendir los ministros de la Corte, a la que también están obligados magistrados y jueces, e incluso la fórmula exacta con que los primeros la han de hacer.

El Pleno de la Corte elige de entre sus miembros a quién va a fungir como su presidente, funcionario que puede ser reelecto. El presidente de la Suprema Corte tiene numerosas facultades, entre ellas la de representar al Poder Judicial Federal en los actos oficiales como uno de los tres poderes de la Unión.

*Reforma de 1994**

Los magistrados de Circuito y los jueces de Distrito son ahora designados por el Consejo de la Judicatura Federal, habiendo cesado en esta importante

* Comentario del licenciado LUCIO CABRERA.

función las atribuciones que desde el Constituyente de 1917 tenía el Pleno de la Suprema Corte de Justicia. Estos importantes funcionarios federales son adscritos por el Consejo a determinado circuito territorial y a la especialidad jurídica apropiada, de acuerdo con la organización y competencia de los juzgados y tribunales federales. Éste lo debe hacer apoyándose en criterios objetivos y de acuerdo con los requisitos y procedimientos que establece la Ley Orgánica del Poder Judicial de la Federación. Los magistrados y jueces federales duran seis años en el cargo, pero si al término de este lapso son ratificados o promovidos a un nivel superior son inamovibles y solamente pueden ser removidos por causa de responsabilidad conforme a la ley.

El segundo párrafo de este artículo otorga al Pleno de la Suprema Corte las importantes facultades de investigación sobre garantías individuales. De oficio las encomienda a alguno o algunos de sus propios miembros o a algún juez de Distrito o magistrado de Circuito o a algún o algunos comisionados especiales –o sea, personas particulares de cualidades morales y profesionales relevantes– y también las tiene cuando lo pida el Ejecutivo Federal o una Cámara de Diputados o de Senadores o el Gobernador de algún Estado. El fin de la investigación se limita a averiguar si existen hechos de grave violación a una o varias de las garantías individuales. Estas facultades de investigación fueron muy utilizadas por la Corte de Justicia que principió a laborar el 1o. de junio de 1917 y varios de los ministros de la Suprema Corte –que habían sido constituyentes– expusieron que, aunque eran totalmente nuevas y no existieron en la Constitución de 1857, tenían antecedentes históricos en la época porfirista y en los votos de Ignacio L. Vallarta. La Corte debe limitarse a dar a conocer el resultado de la investigación que se practica a las autoridades competentes. También puede el Pleno del Alto Tribunal solicitar al Consejo de la Judicatura Federal que investigue la conducta de un juez o magistrado federal.

La Suprema Corte de Justicia tiene funciones administrativas, como la de nombrar y remover a su secretario y a otros funcionarios. También tienen estas atribuciones los jueces y magistrados federales respecto a su personal. Pero el artículo 97 de la Constitución indica que deben observarse los principios de la carrera judicial y el Consejo de la Judicatura Federal está facultado para expedir reglamentos sobre esta materia.

El Pleno del Tribunal elige de entre sus once ministros a su presidente por un periodo de cuatro años. Este lapso ha sido hecho para que no coincida su elección con la del Presidente de la República y esté alejado de la política de partidos. El presidente de la Corte no puede ser reelecto para un periodo posterior.

Los magistrados y jueces rinden la protesta ante el Consejo de la Judicatura Federal.

ARTÍCULO 98. Cuando la falta de un Ministro excediere de un mes, el Presidente de la República someterá el nombramiento de un Ministro interino a la aprobación del Senado, observándose lo dispuesto en el artículo 96 de esta Constitución.

Si faltare un Ministro por defunción o por cualquier causa de separación definitiva, el Presidente someterá un nuevo nombramiento a la aprobación del Senado, en los términos del artículo 96 de esta Constitución.

Las renuncias de los Ministros de la Suprema Corte de Justicia solamente procederán por causas graves; serán sometidas al Ejecutivo, y, si éste las acepta, las enviará para su aprobación al Senado.

Las licencias de los Ministros, cuando no excedan de un mes, podrán ser concedidas por la Suprema Corte de Justicia de la Nación; las que excedan de este tiempo, podrán concederse por el Presidente de la República con la aprobación del Senado. Ninguna licencia podrá exceder del término de dos años.

Este precepto señala la forma de suplir las ausencias de los ministros de la Suprema Corte, que pueden ser:

I. Menores de un mes, en cuyo caso desempeñará el cargo uno de los ministros supernumerarios.

II. Mayores de un mes. En tal circunstancia corresponde al Presidente de la República, con aprobación del Senado o de la Comisión Permanente, nombrar a un ministro provisional.

En caso de ausencia total por defunción, renuncia o incapacidad se sigue el procedimiento regular para hacer la designación definitiva.[77]

*Reforma de 1994**

Este precepto señala la forma de suplir las ausencias de los ministros de la Suprema Corte, que puede ser:

1. Si la ausencia excede de un mes, el Presidente de la República somete una terna para el nombramiento de ministro interino, para su designación por el Senado, en los términos del artículo 96 constitucional.

*Comentario del licenciado LUCIO CABRERA.

[77] Véase artículo 96.

2. Si un ministro fallece o se separa de una manera definitiva, el Presidente de la República debe someter un nuevo nombramiento a la decisión del Senado.

Si la ausencia es menor de un mes el Pleno del Alto Tribunal concede la licencia al ministro.

Cabe subrayar que han desaparecido los ministros supernumerarios que existían con anterioridad a la reforma de 31 de diciembre de 1994.

*Reforma de 1996**

La reforma de 1996 incorporó a este precepto el texto anterior del artículo 99 referente a las renuncias y licencias de ministros de la Suprema Corte de Justicia de la Nación lo que resulta coherente con el contenido de los dos primeros párrafos de este precepto que versan sobre las faltas de los ministros. De esta manera se dejó al artículo 99 todo lo referente a la organización y facultades del nuevo Tribunal Electoral.

ARTÍCULO 99. El Tribunal Electoral será, con excepción de lo dispuesto en la fracción II del artículo 105 de esta Constitución, la maxima autoridad jurisdiccional en la materia y órgano especializado del Poder Judicial de la Federación.

Para el ejercicio de sus atribuciones, el Tribunal funcionará con una Sala Superior así como con Salas Regionales y sus sesiones de resolución serán públicas, en los términos que determine la ley. Contará con el personal jurídico y administrativo necesario para su adecuado funcionamiento.

La Sala Superior se integrará por siete Magistrados Electorales. El Presidente del Tribunal será elegido por la Sala Superior, de entre sus miembros, para ejercer el cargo por cuatro años.

Al Tribunal Electoral le corresponde resolver en forma definitiva e inatacable, en los términos de esta Constitución y según lo disponga la ley, sobre:

I. Las impugnaciones en las elecciones federales de diputados y senadores;

*Comentario del licenciado EMILIO RABASA GAMBOA.

II. Las impugnaciones que se presenten sobre la elección de Presidente de los Estados Unidos Mexicanos que serán resueltas en única instancia por la Sala Superior.

La Sala Superior realizará el cómputo final de la elección de Presidente de los Estados Unidos Mexicanos, una vez resueltas, en su caso, las impugnaciones que se hubieren interpuesto sobre la misma, procediendo a formular la declaración de validez de la elección y la de Presidente Electo respecto del candidato que hubiese obtenido el mayor número de votos;

III. Las impugnaciones de actos y resoluciones de la autoridad electoral federal, distintas a las señaladas en las dos fracciones anteriores, que violen normas constitucionales o legales;

IV. Las impugnaciones de actos o resoluciones definitivos y firmes de las autoridades competentes de las entidades federativas para organizar y calificar los comicios o resolver las controversias que surjan durante los mismos, que puedan resultar determinantes para el desarrollo del proceso respectivo o el resultado final de las elecciones. Esta vía procederá solamente cuando la reparación solicitada sea material y jurídicamente posible dentro de los plazos electorales y sea factible antes de la fecha constitucional o legalmente fijada para la instalación de los órganos o la toma de posesión de los funcionarios elegidos;

V. Las impugnaciones de actos y resoluciones que violen los derechos político electorales de los ciudadanos de votar, ser votado y de afiliación libre y pacífica para tomar parte en los asuntos políticos del país, en los términos que señalen esta Constitución y las leyes;

VI. Los conflictos o diferencias laborales entre el Tribunal y sus servidores;

VII. Los conflictos o diferencias laborales entre el Instituto Federal Electoral y sus servidores;

VIII. La determinación e imposición de sanciones en la materia; y

IX. Las demás que señale la ley.

Cuando una Sala del Tribunal Electoral sustente una tesis sobre la inconstitucionalidad de algún acto o resolución o sobre la interpretación de un precepto de esta Constitución, y dicha tesis pueda ser contradictoria con una sostenida por las Salas o el Pleno de la Suprema Corte de Justicia, cualquiera de los Ministros, las Salas o las partes, podrán denunciar la contradicción, en los términos que señale la ley, para que el Pleno de la Suprema Corte de Justicia de la Nación decida en definitiva cuál tesis debe prevalecer. Las resoluciones que se dicten en este supuesto no afectarán los asuntos ya resueltos.

La organización del Tribunal, la competencia de las Salas, los procedimientos para la resolución de los asuntos de su competencia, así como los mecanismos para fijar criterios de jurisprudencia obligatorios en la materia, serán los que determinen esta Constitución y las leyes.

La administración, vigilancia y disciplina en el Tribunal Electoral corresponderán, en los términos que señale la ley, a una Comisión del Consejo de la Judicatura Federal, que se integrará por el Presidente del Tribunal Electoral, quien la presidirá; un Magistrado Electoral de la Sala Superior designado por insaculación; y tres miembros del Consejo de la Judicatura Federal. El Tribunal propondrá su presupuesto al Presidente de la Suprema Corte de Justicia de la Nación para su inclusión en el proyecto de Presupuesto del Poder Judicial de la Federación. Asimismo, el Tribunal expedirá su Reglamento Interno y los acuerdos generales para su adecuado funcionamiento.

Los Magistrados Electorales que integren la Sala Superior y las regionales serán elegidos por el voto de las dos terceras partes de los miembros presentes de la Cámara de Senadores, o en sus recesos por la Comisión Permanente, a propuesta de la Suprema Corte de Justicia de la Nación. La ley señalará las reglas y el procedimiento correspondientes.

Los Magistrados Electorales que integren la Sala Superior deberán satisfacer los requisitos que establezca la ley, que no podrán ser menores a los que se exigen para ser Ministro de la Suprema Corte de Justicia de la Nación y durarán en su encargo diez años improrrogables. Las renuncias, ausencias y licencias de los Magistrados Electorales de la Sala Superior serán tramitadas, cubiertas y otorgadas por dicha Sala, según corresponda, en los términos del artículo 98 de esta Constitución.

Los Magistrados Electorales que integren las salas regionales deberán satisfacer los requisitos que señale la ley, que no podrán ser menores a los que se exigen para ser Magistrado de Tribunal Colegiado de Circuito. Durarán en su encargo ocho años improrrogables, salvo si son promovidos a cargos superiores.

El personal del Tribunal regirá sus relaciones de trabajo conforme a las disposiciones aplicables al Poder Judicial de la Federación y a las reglas especiales y excepciones que señale la ley.

*Reforma de 1996**

El nuevo contenido de este precepto, resultado de la reforma de 1996 establece la organización del Tribunal Electoral en una Sala Superior y Salas Regionales. La Sala Superior (antes Salas de Segunda Instancia) estará integrada por siete magistrados electorales, mismos que elegirán a su presidente. El nombramiento de los magistrados electorales que integran la Sala Superior y las regionales recae en el Senado de la República por el voto de dos terceras partes de sus miembros presentes y en su receso, por la Comisión Permanente a propuesta de la Suprema Corte de Justicia de la Nación.

La otra parte del artículo se refiere a la competencia que tendrá el Tribunal en materia electoral y de esta manera se distingue de la que se le otorga a la Suprema Corte.

El Tribunal Electoral conocerá y resolverá sobre cinco diferentes tipos de impugnaciones: las dos primeras se refieren a las elecciones federales de diputados, senadores y Presidente de la República (además de realizar el cómputo final, la declaración de validez de la elección y la declaratoria de

* Comentario del licenciado EMILIO RABASA GAMBOA.

Presidente Electo); las dos siguientes son sobre actos y resoluciones (no leyes) de autoridades federales violatorias de normas constitucionales o legales y de autoridades locales sobre la organización y calificación electoral o controversia alguna que surja con motivo de las mismas. La quinta es de suma importancia pues se refiere a actos y resoluciones que violen los derechos políticos electorales de los ciudadanos, de votar, ser votado y la afiliación libre y pacífica conforme al derecho individual de asociación establecida en el artículo 35 fracción III (véase comentario a este artículo).

En adición a lo anterior el Tribunal Electoral conocerá y resolverá sobre los conflictos laborales entre este órgano y sus servidores y los del IFE con los suyos.

Por último, será competente para determinar e imponer sanciones en todas estas materias.

Precisada en estos términos la competencia electoral del Tribunal Electoral, la Suprema Corte de Justicia (véase comentario al artículo 105) conocerá y resolverá sobre acciones de inconstitucionalidad de normas de carácter general (leyes o reglamentos) en materia electoral.

Parecería pues que la competencia de los dos órganos, Tribunal Electoral y Suprema Corte de Justicia queda claramente delimitada. El primero la tiene sobre actos y resoluciones en tanto que la segunda sobre leyes y reglamentos. Sin embargo, puede surgir una contradicción entre las tesis que sustenta uno y la otra. Para ello, la reforma incluyó un párrafo que establece el derecho de los ministros, las salas o las partes para denunciar la contradicción y la competencia del Pleno de la Corte para resolverla.

Por último, la administración y vigilancia del Tribunal Electoral corresponderá a una comisión especial que integrarán su presidente, un magistrado y tres miembros del Consejo de la Judicatura.

ARTÍCULO 100. La administración, vigilancia y disciplina del Poder Judicial de la Federación, con excepción de la Suprema Corte de Justicia de la Nación, estarán a cargo del Consejo de la Judicatura Federal en los términos que, conforme a las bases que señala esta Constitución, establezcan las leyes.

El Consejo se integrará por siete miembros de los cuales, uno será el Presidente de la Suprema Corte de Justicia, quien también lo será del Consejo; un Magistrado de los Tribunales Colegiados de Circuito, un Magistrado de los Tribunales Unitarios de Circuito y un Juez de Distrito, quienes serán electos mediante insaculación; dos Consejeros designados por el Senado y uno por el Presidente de la República. Los tres últimos, deberán ser personas que se hayan distinguido por su capacidad, honestidad y honorabilidad en el ejercicio de las actividades jurídicas. Los Consejeros deberán reunir los requisitos señalados en el artículo 95 de esta Constitución.

El Consejo funcionará en Pleno o en comisiones. El Pleno resolverá sobre la designación, adscripción y remoción de magistrados y jueces, así como de los demás asuntos que la ley determine.

Salvo el Presidente del Consejo, los demás Consejeros durarán cinco años en su cargo, serán sustituidos de manera escalonada, y no podrán ser nombrados para un nuevo periodo.

Los Consejeros ejercerán su función con independencia e imparcialidad. Durante su encargo, sólo podrán ser removidos en los términos del Título Cuarto de esta Constitución.

La ley establecerá las bases para la formación y actualización de funcionarios, así como para el desarrollo de la carrera judicial, la cual se regirá por los principios de excelencia, objetividad, imparcialidad, profesionalismo e independencia.

El Consejo estará facultado para expedir acuerdos generales para el adecuado ejercicio de sus funciones, de conformidad con lo que establezca la ley.

Las decisiones del Consejo serán definitivas e inatacables, salvo las que se refieran a la designación, adscripción y remoción de magistrados y jueces, las cuales podrán ser revisadas por la Suprema Corte de Justicia, únicamente para verificar que hayan sido adoptadas conforme a las reglas que establezca la ley orgánica respectiva.

La Suprema Corte de Justicia elaborará su propio presupuesto y el Consejo lo hará para el resto del Poder Judicial de la Federación. Con ambos se integrará el presupuesto del Poder Judicial de la Federación que será remitido por el Presidente de la Suprema Corte para su inclusión en el proyec-

to de Presupuesto de Egresos de la Federación. La administración de la Suprema Corte de Justicia corresponderá a su Presidente.

Las licencias que soliciten los ministros de la Suprema Corte pueden ser:

I. Menores de un mes, en cuyo caso corresponde a la propia Suprema Corte otorgarla.

II. Mayores de ese tiempo pero menores de dos años. El Presidente de la República puede concederla, mas requiere la aprobación del Senado o de la Comisión Permanente.

En virtud de la reforma publicada en el *Diario Oficial* de 3 de septiembre de 1993, los cuatro miembros de la judicatura federal que integrarán la Sala de Segunda Instancia conforme al artículo 41 (véanse comentarios correspondientes) no estarán sujetos a los plazos y términos a que se refiere este artículo 100 con respecto a las licencias de ministros de la Suprema Corte de Justicia de la Nación.

*Reforma de 1994**

Este Consejo es uno de los cinco órganos fundamentales del Poder Judicial de la Federación. El artículo 100 de la Constitución señala que este Consejo estará integrado por siete miembros: un magistrado de los Tribunales Colegiados de Circuito; un representante de los magistrados Unitarios de Circuito y otro de los jueces de Distrito. Estos miembros serán electos por insaculación. Habrá dos consejeros designados por el Senado y otro por el Presidente de la República. El presidente de la Suprema Corte será también el del Consejo de la Judicatura Federal.

Los representantes del Senado y del Presidente de la República deben ser personas que se hayan distinguido por su capacidad, honestidad y experiencia en actividades jurídicas y reunir los requisitos que señala el artículo 95 de la Constitución: ser mayores de treinta y cinco años de edad, más de diez años con título profesional de abogado, residencia mayor a dos años en el país y no haber sido secretario de Estado, jefe de Departamento Administrativo, Procurador General de la República o de Justicia del Distrito Federal, senador, diputado federal, gobernador de un Estado o Jefe del Distrito Federal, durante el año previo a su nombramiento.

El presidente del Consejo de la Judicatura Federal será el presidente de la Suprema Corte de Justicia y durará cuatro años en su encargo, en tanto que los otros seis consejeros durarán cinco años, sin que puedan ser reelectos y serán sustituidos de manera escalonada. Durante su encargo, los consejeros no podrán ser removidos, ni tampoco podrán aceptar ningún

* Comentario del licenciado LUCIO CABRERA.

cargo remunerado y tienen las mismas características de independencia, imparcialidad y responsabilidad que los ministros de la Corte.

El Consejo tiene facultades legislativas, judiciales y administrativas. Puede expedir acuerdos generales sobre juzgados de Distrito y Tribunales de Circuito, su distribución territorial y competencia por materias y dar bases para la carrera judicial. Entre las facultades administrativas están la designación, adscripción y remoción de magistrados y jueces. La Suprema Corte sólo puede revisar que la adscripción y remoción hayan sido hechos conforme a la Ley Orgánica del Poder Judicial de la Federación. Entre las funciones judiciales del Consejo están la remoción de jueces y magistrados, pues esto constituye un juicio por naturaleza y no un acto administrativo.

Los Consejeros tienen los mismos impedimentos que los ministros de la Corte. El Consejo funciona en Pleno o en Comisiones y su función principal es la siguiente:

a) Determinar el número, división en circuitos, competencia territorial y especialización por materia a los Tribunales Colegiados y Unitarios de Circuito y juzgados de Distrito (artículo 94).

b) Elaborar el presupuesto del Poder Judicial de la Federación, excepto es de la Suprema Corte (artículo 100). Ésta se da su propio presupuesto.

c) Averiguar la conducta de un juez o magistrado federal (artículo 97).

d) La administración, vigilancia y disciplina del Poder Judicial de la Federación, con excepción de la Suprema Corte (artículo 100).

Las decisiones del Consejo de la Judicatura Federal no pueden impugnarse. Pero la designación, adscripción y remoción de magistrados y jueces pueden ser revisadas, en cuanto al cumplimiento de las formas legales, por la Suprema Corte de Justicia.

ARTÍCULO 101. Los Ministros de la Suprema Corte de Justicia, los Magistrados de Circuito, los Jueces de Distrito, los respectivos secretarios, y los Consejeros de la Judicatura Federal, así como los Magistrados de la Sala Superior del Tribunal Electoral, no podrán, en ningún caso, aceptar ni desempeñar empleo o encargo de la Federación, de los Estados, del Distrito Federal o de particulares, salvo los cargos no remunerados en asociaciones científicas, docentes, literarias o de beneficencia.

Las personas que hayan ocupado el cargo de Ministro de la Suprema Corte de Justicia, Magistrado de Circuito, Juez de Distrito o Consejero de la Judicatura Federal, así como Magistrado de la Sala Superior del Tribunal Electoral, no podrán, dentro de los dos años siguientes a la fecha de su retiro, actuar como patronos, abogados o representantes en cualquier proceso ante los órganos del Poder Judicial de la Federación.

Durante dicho plazo, las personas que se hayan desempeñado como Ministros, salvo que lo hubieran hecho con el carácter de provisional o interino, no podrán ocupar los cargos señalados en la fracción VI del artículo 95 de esta Constitución.

Los impedimentos de este artículo serán aplicables a los funcionarios judiciales que gocen de licencia.

La infracción a lo previsto en los párrafos anteriores, será sancionada con la pérdida del respectivo cargo dentro del Poder Judicial de la Federación, así como de las prestaciones y beneficios que en lo sucesivo correspondan por el mismo, independientemente de las demás sanciones que las leyes prevean.

Para garantizar la independencia del Poder Judicial y el mejor cumplimiento de su delicada e importante función, tanto los ministros de la Suprema Corte, como los magistrados de circuito, los jueces de distrito y sus respectivos secretarios, quedan impedidos para desempeñar otro empleo o cargo remunerado, ya sea oficial o particular. Sólo podrán ocupar puestos en instituciones científicas, literarias o de beneficencia y en virtud de la reforma de 1987, ejercer la docencia, siempre que por esas labores no perciban ningún ingreso. La Constitución los faculta para ser educadores, a fin de que los estudiantes de derecho puedan aprovechar la gran experiencia que otorga la judicatura.

*Reforma de 1994**

Los ministros de la Suprema Corte de Justicia, los jueces y magistrados federales, así como sus secretarios y los miembros del Consejo de la Judicatura Federal no pueden desempeñar ni aceptar otro encargo de la Federación ni de los Estados ni de particulares. Por excepción pueden tener funciones no remuneradas en asociaciones científicas o de beneficencia, o impartir la enseñanza.

* Comentario del licenciado LUCIO CABRERA.

La reforma constitucional de 31 de diciembre de 1994 ha establecido una prórroga de dos años a este impedimento –con excepción de los secretarios– para que después de su retiro no puedan ser secretarios de Estado, jefe de Departamento Administrativo, procurador general de la República o de justicia en el Distrito Federal, senador, diputado federal, gobernador de un Estado, o Jefe de Departamento del Distrito Federal (artículo 95 fracción VI de la Constitución). Esta prohibición se aplica también a dichos funcionarios judiciales de la Federación cuando gozan de licencia. Tampoco pueden ser en este lapso patronos o abogados de particulares en juicios ante órganos del Poder Judicial de la Federación.

Estas prohibiciones obedecen al principio de que los jueces, magistrados y ministros de la justicia federal deben tener vocación por judicatura y no por la política, así como a que se deben evitar influencias indebidas en los miembros de la judicatura.

La violación a estas prohibiciones es castigada con la pérdida del cargo judicial, o bien, con la pérdida del monto de la jubilación respectiva, independientemente de la responsabilidad civil y política de los funcionarios judiciales.

Estas reglas obedecen al principio de que la judicatura esté alejada de cargos públicos de naturaleza política y a la necesidad de que exista una carrera judicial.

*Reforma de 1996**

Como consecuencia de la incorporación del Tribunal Electoral al Poder Judicial de la Federación, mediante reforma al artículo 94 (véase el comentario correspondiente) en este precepto también se incluyeron a los magistrados de la Sala Superior del Tribunal Electoral como sujetos inhabilitados para desempeñar otro empleo o cargo público o privado, salvo los no remunerados que en el mismo precepto se indican. También se les inhabilitó para ejercer como patronos, abogados o representantes ante los órganos del Poder Judicial de la Federación, dentro de los dos años siguientes a la fecha de su retiro.

ARTÍCULO 102.

A. La ley organizará el Ministerio Público de la Federación, cuyos funcionarios serán nombrados y removidos por el Ejecutivo, de acuerdo con la ley respectiva. El Mi-

* Comentario de EMILIO RABASA GAMBOA.

nisterio Público de la Federación estará presidido por un Procurador General de la República, designado por el Titular del Ejecutivo Federal con ratificación del Senado o, en sus recesos, de la Comisión Permanente. Para ser Procurador se requiere: ser ciudadano mexicano por nacimiento; tener cuando menos treinta y cinco años cumplidos el día de la designación; contar, con antigüedad mínima de diez años, con título profesional de licenciado en derecho; gozar de buena reputación, y no haber sido condenado por delito doloso. El procurador podrá ser removido libremente por el Ejecutivo.

Incumbe al Ministerio Público de la Federación, la persecución, ante los tribunales, de todos los delitos del orden federal; y, por lo mismo, a él le corresponderá solicitar las órdenes de aprehensión contra los inculpados; buscar y presentar las pruebas que acrediten la responsabilidad de éstos; hacer que los juicios se sigan con toda regularidad para que la administración de justicia sea pronta y expedita; pedir la aplicación de las penas e intervenir en todos los negocios que la ley determine.

El Procurador General de la República intervendrá personalmente en las controversias y acciones a que se refiere el artículo 105 de esta Constitución.

En todos los negocios en que la Federación fuese parte; en los casos de los diplomáticos y los cónsules generales y en los demás en que deba intervenir el Ministerio Público de la Federación, el Procurador General lo hará por sí o por medio de sus agentes.

El Procurador General de la República y sus agentes, serán responsables de toda falta, omisión o violación a la ley en que incurran con motivo de sus funciones.

La función de consejero jurídico del Gobierno, estará a cargo de la dependencia del Ejecutivo Federal que, para tal efecto, establezca la ley.

B. El Congreso de la Unión y las legislaturas de los Estados en el ámbito de sus respectivas competencias, establecerán organismos de protección de los Derechos Humanos que otorga el orden jurídico mexicano, los que conocerán de quejas en contra de actos u omisiones de naturaleza administrativa provenientes de cualquier autoridad o servidor público, con excepción de los del Poder Judicial de la Federación, que violen estos derechos. Formularán recomendaciones públicas autónomas, no vinculatorias y denuncias y quejas ante las autoridades respectivas.

Estos organismos no serán competentes tratándose de asuntos electorales, laborales y jurisdiccionales.

El organismo que establezca el Congreso de la Unión conocerá de las inconformidades que se presenten en relación con las recomendaciones, acuerdos u omisiones de los organismos equivalentes de los Estados.

Este artículo fija las bases del Ministerio Público Federal, organismo encargado de ejercer la acción persecutoria ante los tribunales de todos los delitos del orden federal, y a él corresponde investigarlos, presentar las pruebas y pedir las órdenes de aprehensión que, si proceden, dictarán los jueces de distrito. Asimismo, le atañe velar para que la administración de justicia sea eficiente y rápida, además de otras funciones que le asignan diversos preceptos constitucionales y ordinarios. Los funcionarios del Ministerio Público Federal están dirigidos por el procurador general de la República, quien interviene:

I. En los negocios en que la Federación sea parte;

II. Aquellos en que participen diplomáticos o cónsules;

III. Los que surjan entre dos o más estados de la Unión o entre los poderes de una misma entidad federativa;

IV. Es además el consejero jurídico del Gobierno.

El Ministerio Público Federal[78] no es un órgano del Poder Judicial, sino que depende del Ejecutivo, porque este último es el que tiene a su cargo velar por el cumplimiento de las leyes.

Por reforma publicada en el *Diario Oficial* de 28 de enero de 1992, se añadió un apartado B al artículo 102 constitucional.[79]

[78] Véanse comentarios a los artículos 21 y 89.

[79] Este comentario, relativo al nuevo apartado B del artículo 102 fue realizado por el licenciado EMILIO RABASA GAMBOA, quien es autor de *Vigencia y efectividad de los derechos humanos en México*, publicación de la CNDH.

Mediante esta adición se establece, por vez primera en el texto constitucional, todo un sistema de protección de los derechos humanos a cargo de un organismo federal, la Comisión Nacional de Derechos Humanos (CNDH) y los organismos respectivos de los estados y del Distrito Federal.

El nuevo precepto constitucional se inicia confiriendo facultades legislativas tanto al Congreso de la Unión como a las legislaturas de los estados, para que "en el ámbito de sus respectivas competencias" establezcan "organismos de protección de los derechos humanos que otorga el orden jurídico mexicano".

El otorgamiento de estas facultades para legislar en materia de derechos humanos se explica en relación con el contenido del artículo 73 constitucional referente a las facultades del Congreso de la Unión. Este artículo no confería facultades legislativas en materia de derechos humanos al Poder Legislativo Federal, por lo que resultaba necesario dotar al Congreso de la Unión de la facultad para legislar sobre derechos humanos; facultad que también se hace extensiva a las legislaturas locales.

En cuanto al concepto "orden jurídico mexicano", mencionado en este artículo, se refiere a su totalidad, o sea, Constitución, leyes federales, tratados internacionales y constituciones y leyes locales. Los tratados celebrados por México sobre derechos humanos, son parte del orden jurídico interno del país y deben ser acatados.

Por lo que se refiere a la extensión material del nuevo precepto, o lo que se reconoce comúnmente como "competencia", este apartado B la delimita en dos sentidos:

a) Positivamente, señalando que los organismos de protección de los derechos humanos, "conocerán de quejas en contra de actos u omisiones de naturaleza administrativa provenientes de cualquier autoridad o servidor público, con excepción de los del Poder Judicial de la Federación, que violen estos derechos. Formularán recomendaciones públicas autónomas, no vinculatorias y denuncias y quejas ante las autoridades respectivas".

Conviene resaltar dos elementos de la competencia positiva de los organismos protectores de los derechos humanos: 1. Para que se configure una violación a los derechos humanos se precisa *un acto u omisión de autoridad o servidor público*, lo que excluye que dichas violaciones puedan darse entre particulares. 2. Los organismos protectores formularán "recomendaciones públicas autónomas y no vinculatorias", lo que quiere decir que no tienen carácter obligatorio las recomendaciones pero sí la fuerza de su publicidad. Esas recomendaciones gozarán de autonomía, o sea, que ninguna autoridad o persona alguna, pueden intervenir en la conformación de la recomendación y que sólo debe basarse en la verdad del expediente.

b) La competencia negativa o incompetencia en materia laboral, electoral y jurisdiccional, se explica como el propósito de evitar conflictos de competencias con los tribunales laborales, electorales, judiciales, que tienen su propia competencia y autonomía, señaladas en la Constitución y leyes reglamentarias.

La parte final del apartado B establece todo un mecanismo de recursos por medio del cual la CNDH conocerá en segunda instancia de las "inconformidades que se presenten en relación con las recomendaciones, acuerdos u omisiones de los organismos equivalentes de los Estados".

*Reforma de 1994**

En la reforma constitucional del 30 de diciembre de 1994, publicada en el *Diario Oficial* del 31 de ese mismo diciembre, fue modificada una parte del apartado A del artículo 102. Como se sabe, anteriormente se añadió a este precepto, tradicionalmente reservado al Ministerio Público Federal y a su jefe, el Procurador General de la República, un apartado B, referente al *ombudsman*, que tampoco forma parte del Poder Judicial.

En la reforma de 1994 varió el régimen de designación del Procurador General y se modificaron los requisitos subjetivos (capacidad procesal subjetiva en abstracto) para la designación de éste. Anteriormente, el Presidente de la República podía designar y remover libremente al Procurador. Esa libertad se acotaba, sin embargo, por la circunstancia de que este funcionario debía reunir las mismas condiciones exigidas para ser ministro de la Suprema Corte.

Hoy día, merced a la reforma de 1994, el Presidente debe someter la designación del Procurador General de la República a la ratificación del Senado o, en sus recesos, de la Comisión Permanente. Este cambio ocurrió en el contexto de las diversas modificaciones constitucionales de aquel año acerca de la designación o elección de funcionarios judiciales. El nombramiento de éstos es un tema destacado y polémico. Las soluciones aportadas en 1994 son, asimismo, discutibles.

Por lo que hace al nombramiento del Procurador, vale observar que sólo este alto funcionario dependiente del Ejecutivo Federal debe ser ratificado por un órgano del Poder Legislativo, integrado, a su turno, con individuos de diversos partidos políticos. No sucede lo mismo en ningún otro caso de miembros del gabinete presidencial, considerado éste como el conjunto de funcionarios titulares de secretarías de Estado, departamentos administrativos y procuradurías vinculadas directamente con el Ejecutivo de la Unión (general de la República y general de justicia del Distrito Federal, que pasó a depender, por la reforma del artículo 122 de la Constitución, del jefe del Distrito Federal.

* Comentario del doctor SERGIO GARCÍA RAMÍREZ.

La intervención de los órganos del Poder Legislativo, en las actuales circunstancias, pone de manifiesto la actividad partidista, al través de acuerdos entre legisladores federales, para designar funcionarios de la procuración y la administración de justicia. Esto sucede, evidentemente, en el supuesto de los ministros de la Suprema Corte de Justicia, cuya designación depende del voto de las dos terceras partes de los miembros de la Cámara de Senadores, presentes en la sesión en que se haga el nombramiento (artículo 86, primer párrafo). Lo mismo ocurre en la hipótesis de algunos integrantes de los consejos de la judicatura, cuando se trata de los designados, en sus respectivos casos, por la Cámara de Senadores (artículo 100, segundo párrafo) y por la Asamblea de Representantes del Distrito Federal (artículo 122, fracción VI, sexto párrafo). Finalmente, esto se ve en el caso del Procurador de la República, aunque su aprobación no requiera, como cuando se designa a los ministros de la Suprema Corte, una mayoría calificada de los integrantes del órgano legislativo que interviene en ella.

En 1994 fueron también reformados, en virtud del nuevo régimen propuesto para la designación del Procurador, las fracciones II del artículo 76, sobre facultades de la Cámara de Senadores para ratificar el nombramiento de Procurador General de la República; V del artículo 79, relativo a la misma materia, en cuanto a la Comisión Permanente del Congreso de la Unión; y II y IX del artículo 89, a propósito del nombramiento presidencial de altos funcionarios, entre ellos el Procurador de la República.

El nombramiento del Procurador constituye, pues, un acto jurídico-político complejo, porque se requiere la concurrencia de dos órganos del poder público. En cambio, el Ejecutivo, actuando a solas, puede resolver la remoción de dicho funcionario. No deja de ser discutible que un acto unilateral haga cesar los efectos de otro bilateral o complejo.

Es interesante advertir aquí sobre ciertos impedimentos surgidos en torno a la figura del Procurador, en atención a la reforma de 1994. Por una parte se halla el impedimento que tienen quienes han ocupado determinados cargos públicos destacados, entre ellos los de Procurador General de la República y de Justicia del Distrito Federal, para ser designados ministros de la Suprema Corte durante el año siguiente a su separación de aquellos cargos (artículo 95, fracción VI del artículo 95). Parece clara la impertinencia de estos impedimentos (diseñados para evitar el despliegue de influencias políticas en la designación de funcionarios de la administración de justicia) por lo que toca a las designaciones de ministros y de Procurador, funciones convergentes en cuanto se trata del desempeño profesional de tareas en el ámbito de la justicia.

Como dije, anteriormente el Procurador General de la República debía reunir los mismos requisitos exigidos para ser ministro de la Suprema Corte. De este modo se recibía una tradición que proviene del siglo XIX, pero también se afirmaba la necesidad de que tan alto funcionario de la procuración de justicia no se encontrase menos calificado, personal y profesionalmente, que los más elevados funcionarios del Poder Judicial.

Tan razonable sistema cesó con la reforma de 1994. En primer término, la iniciativa del Ejecutivo redujo drásticamente los requisitos para ser Procurador. La grave reducción fue aliviada por el Senado, en el tránsito de la reforma por este órgano del Constituyente Permanente. Sin embargo, no se alcanzó una solución plenamente satisfactoria, que se hubiera obtenido al través de la acostumbrada remisión a los requerimientos dispuestos para los ministros de la Suprema Corte.

Hoy día, para ocupar el cargo de Procurador General de la República es preciso ser ciudadano mexicano por nacimiento, no obstante que no es la nacionalidad, sino la ciudadanía, lo que se adquiere por el nacimiento; tener cuando menos treinta y cinco años cumplidos al día de designación, sin fijación de edad límite en el extremo superior; contar con título de licenciado en Derecho, que tenga por lo menos diez años de antigüedad, sin establecer regla alguna acerca del ejercicio profesional de quién será, como se suele decir, el "abogado de la nación"; gozar de buena reputación y no haber sido condenado por delito doloso, de donde se infiere, a *contrario sensu*, que el candidato puede tener antecedentes penales como responsable de delito cometido en forma culposa o preterintencional. Tampoco se requiere del Procurador, como sí se exige de los ministros, ciertos datos que acrediten la honorabilidad, la competencia y la trayectoria profesional del designado (artículo 95 constitucional, último párrafo).

Otro cambio importante hubo en el párrafo quinto del apartado A del artículo 102. Para apreciar esta reforma, es preciso recordar que el Procurador General de la República había sido, por imperativo de esa norma constitucional, depositario de dos instituciones diferentes y relevantes: por una parte, la Jefatura del Ministerio Público Federal; y por la otra, la consejería jurídica del gobierno.

La calidad del Procurador como consejero jurídico del gobierno, es decir, asesor en puntos de derecho, no necesariamente representante o gestor de aquél en juicio o fuera de él, procede de la tradición jurídica del *attorney general* en el Derecho norteamericano. Desde los primeros momentos en la historia independiente de los Estados Unidos de América, esto es, desde la presidencia de Jorge Washington, el *attorney general* fue consejero jurídico del Presidente de la Unión (y de otros altos funcionarios administrativos). Esta misión no tropezó con objeciones mayores y se ha ejercido regularmente.

La consejería jurídica del gobierno fue reglamentada en la innovadora Ley Orgánica de la Procuraduría General de la República, expedida en 1993. En el artículo 6 de este ordenamiento se fijó a su alcance. La consejería no funcionaba oficiosamente, sino a solicitud del Presidente o de los titulares de las dependencias de la Administración Pública Federal, sobre todo en cuestiones de constitucionalidad.

La iniciativa presidencial de reforma al artículo 102 no mutilaba esta encomienda constitucional del Procurador. La supresión ocurrió, inopinadamente, en el estudio de la reforma por parte de las comisiones dictaminadoras de la Cámara de Senadores. Sin entrar en detalles que hubieran sido necesarios o al menos convenientes para justificar el cambio en una norma casi centenaria, ese dictamen propuso que la consejería jurídica se retirase de las atribuciones del Procurador. Se aludió, someramente, a la existencia de opiniones divergentes en cuanto a la compatibilidad de reunir las tareas de Ministerio Público y de consejero jurídico en un mismo funcionario. No era éste, empero, el asunto polémico a propósito del Procurador: la discusión más antigua y persistente se refiere a la instalación de éste, titular del Ministerio Público, en el ámbito del Poder Ejecutivo, en vez de hallarse en el del Poder Judicial o en otro lugar del "mapa orgánico" de la Federación.

Debido a la reforma de 1994 quedó establecido que "la función de consejero jurídico del Gobierno estará a cargo de la dependencia del Ejecutivo Federal que, para tal efecto, establezca la ley" (último párrafo del apartado A del artículo 102).

Es importante, por último, una nueva encomienda que recibe el Procurador en el tercer párrafo del apartado A que se examina en este comentario. Aquí viene al caso la reforma incorporada en el artículo 105, que puso en manos de la Suprema Corte de Justicia la competencia para conocer de ciertos asuntos muy relevantes. Entre éstos figuran las controversias constitucionales (fracción I del artículo 105), cuyo régimen amplió la reforma, y las denominadas "acciones de inconstitucionalidad" (*rectius*, procesos por inconstitucionalidad, mencionados en la fracción II). En este último caso se trata de medios para sujetar las normas secundarias a las disposiciones constitucionales, al través de una revisión de constitucionalidad, que puede culminar en declaratoria de invalidez de la norma inconstitucional, con efectos *erga omnes*, a cambio de las consecuencias relativas que tradicionalmente ha tenido la sentencia de amparo. No procede comentar en este punto la discutible regulación constitucional de las acciones de inconstitucionalidad, erizada de inconvenientes.

El tercer párrafo del apartado A confiere al Procurador General de la República la encomienda de intervenir personalmente en los asuntos mencionados por el nuevo texto del artículo 105. Esta interesante atribución amplía una encomienda que ya tenía el Procurador en el juicio de amparo: actuar en favor de la Constitución, como parte *sui generis*, es decir, sostener *el interés de la juridicidad*. Esto refuerza la más importante función constitucional, como se expresa en la Circular 1/84 del Procurador General de la República (*Diario Oficial* del 23 de abril de 1984).

ARTÍCULO 103. Los tribunales de la Federación resolverán toda controversia que se suscite:

I. Por leyes o actos de la autoridad que violen las garantías individuales;

II. Por leyes o actos de la autoridad federal que vulneren o restrinjan la soberanía de los Estados o la esfera de competencia del Distrito Federal, y

III. Por leyes o actos de las autoridades de los Estados o del Distrito Federal que invadan la esfera de competencia de la autoridad federal.

Conforme a nuestro sistema federal existen en la República Mexicana tribunales comunes o de los estados y tribunales federales; las funciones que expresamente no se otorgan a los tribunales de la Federación pertenecen a los tribunales comunes.

El Poder Judicial de la Federación conoce fundamentalmente de dos clases de asuntos:

I. Las controversias que se originen cuando leyes o actos de autoridad violen garantías individuales, caso en que procede el juicio de amparo, según lo establece el artículo 107.

II. Las controversias y cuestiones que se resuelven en juicios ordinarios federales.

Esta disposición establece tres clases de controversias que pueden ser decididas por medio de un juicio constitucional o juicio de amparo.

Son competentes para resolver tales conflictos sólo los tribunales federales, pues como afirmó José María Mata, diputado constituyente en la Asamblea de 1856-57: "así como las garantías individuales están garantizadas por el código fundamental, todo ataque que ellas sufran es una infracción de la Constitución sujeta al examen de los tribunales federales".

Por eso, en principio –salvo casos en que jueces locales auxilian por urgencia a los tribunales federales–, sólo éstos son competentes para conocer de tales violaciones.

La fracción I de este artículo es el verdadero fundamento del amparo, pues tal juicio extraordinario procede a instancia o petición del ofendido, cuando un acto de cualquier autoridad ha violado alguna o varias de sus garantías individuales. Es decir, se protege al hombre, y se repara en la sentencia la violación a sus derechos constitucionales, lo que significa devolverle el goce de aquellos derechos de que había sido privado injustamente, anulándose los actos de la autoridad que provocaron el juicio.

Las fracciones II y III suponen la invasión de esferas de competencia federales por los estados o viceversa. En tales situaciones procede también el amparo, a fin de que cada poder se conserve dentro de sus propios límites, mas se necesita que esos actos de autoridad contrarios a las normas constitucionales lesionen una garantía individual y que el ofendido solicite el amparo.

En estos casos, y acorde con lo dicho por Mata, en el Constituyente de 1857, la declaratoria judicial (sentencia de amparo) sólo surtirá efecto para el caso concreto, pues desde que Mariano Otero precisó en el Acta de Reformas de 1847 los fundamentos del amparo es ése uno de sus rasgos esenciales y característicos.

*Reforma de 1994**

Los Tribunales de la Federación conocerán también de la invasión de esferas de competencia de la autoridad federal por los Estados y por el Distrito Federal o viceversa. El Distrito Federal ha adquirido soberanía semejante a la de los Estados y tiene un órgano legislativo propio, semejante a las Legislaturas estatales. En caso de una invasión a la esfera de competencia de otro órgano, con violación de una garantía individual, procede el juicio de amparo, con el fin de que cada poder funcione dentro de sus límites. El individuo afectado puede solicitar el juicio de amparo a que se refiere el artículo 1078 de esta Constitución, en cuyo caso la sentencia tiene efectos para cada caso concreto, conforme a la llamada "fórmula Otero", creada por Mariano Otero en el Acta de Reformas de 1847.

Si un Estado o el Distrito Federal invade la competencia de la Federación, o viceversa, pero sin que esté involucrada la violación de una garantía individual, se provoca una controversia constitucional, a la que esté referido el artículo 105 de la Constitución.

ARTÍCULO 104. Corresponde a los tribunales de la Federación conocer:

I. De todas las controversias del orden civil o criminal que se susciten sobre el cumplimiento y aplicación de leyes federales o de los tratados internacionales celebrados por el Estado mexicano. Cuando dichas controversias sólo afecten intereses particulares, podrán conocer también de ellas, a elección del actor, los jueces y tribunales del orden común de los Estados y del Distrito Federal. Las sentencias de primera instancia podrán ser apelables para ante el superior inmediato del juez que conozca del asunto en primer grado;

* Comentario del licenciado LUCIO CABRERA.

I-B. De los recursos de revisión que se interpongan contra las resoluciones definitivas de los tribunales de lo contencioso-administrativo a que se refieren la fracción XXIX-H del artículo 73 y fracción IV, inciso *e* del artículo 122 de esta Constitución, sólo en los casos que señalen las leyes. Las revisiones, de las cuales conocerán los Tribunales Colegiados de Circuito, se sujetarán a los trámites que la ley reglamentaria de los artículos 103 y 107 de esta Constitución fije para la revisión en amparo indirecto, y en contra de las resoluciones que en ellas dicten los Tribunales Colegiados de Circuito no procederá juicio o recurso alguno;

II. De todas las controversias que versen sobre derecho marítimo;

III. De aquellas en que la Federación fuese parte;

IV. De las controversias y de las acciones a que se refiere el artículo 105, mismas que serán del conocimiento exclusivo de la Suprema Corte de Justicia de la Nación;

V. De las que surjan entre un Estado y uno o más vecinos de otro, y

VI. De los casos concernientes a miembros del Cuerpo Diplomático y Consular.

La función del Poder Judicial Federal, encaminada a resolver controversias ordinarias, no difiere de la tarea propia de cualquier juez: Conocer contiendas y dirimirlas mediante la aplicación de las leyes, declarando en la sentencia lo que es el derecho. Se le otorga esta competencia:

I. Si se aplican leyes federales –penales, civiles, mercantiles y otras–, tratados o normas de derecho marítimo (fracciones I y II). Cuando las controversias sólo afectan intereses particulares –como por ejemplo, en materia mercantil–, a elección del demandante pueden resolverlas los jueces comunes o los federales.

II. Cuando por su categoría política, los contendientes no deban quedar sometidos a la jurisdicción de jueces del orden común (fracciones III, IV, V y VI: En los casos en que la propia Federación es parte; hay conflicto entre los vecinos de un estado y el gobierno de otro; si intervienen diplomáticos, etcétera).

Las reformas de 1987 precisaron las facultades de los tribunales colegiados de circuito. Cabe decir que estos órganos –ubicados en diversos lugares de la República– se han convertido en los supremos tribunales administrativos, salvo los casos en que la Corte pueda ejercer el llamado "poder de atracción" a que se refiere el artículo 107 constitucional ya que contra las sentencias de los tribunales contencioso-administrativos –encargados de resolver controversias entre los particulares y la administración pública o el gobierno del Distrito Federal– los particulares pueden acudir al amparo directo, mientras que las autoridades –por no tener a su alcance el juicio constitucional– poseen otro recurso llamado revisión.

Contra las sentencias de los tribunales colegiados de circuito ya no cabe ningún otro recurso, pues en ellas examinan solamente cuestiones de legalidad. Así quedó consagrado el principio de que los tribunales colegiados digan la última palabra en todas las controversias administrativas, por muy importante que sean, función que anteriormente ejercía la Segunda Sala de la Suprema Corte de Justicia de la Nación.

*Reforma de 1994**

La fracción IV de este artículo fue reformada el 31 de diciembre de 1994 en el sentido que todas las controversias y acciones a que se refiere el siguiente artículo 105 serán del conocimiento exclusivo de la Suprema Corte de Justicia de la Nación, o sea, aquéllas entre los tres niveles de órganos del Estado. Los jueces de Distrito y magistrados de Circuito no intervienen en estos conflictos.

ARTÍCULO 105. La Suprema Corte de Justicia de la Nación conocerá, en los términos que señale la ley reglamentaria, de los asuntos siguientes:

I. De las controversias constitucionales que, con excepción de las que se refieran a la materia electoral, se susciten entre:

a) La Federación y un Estado o el Distrito Federal;

b) La Federación y un municipio;

c) El Poder Ejecutivo y el Congreso de la Unión; aquél y cualquiera de las Cámaras de éste o, en su caso, la Comisión Permanente, sean como órganos federales o del Distrito Federal;

d) Un Estado y otro;

e) Un Estado y el Distrito Federal;

* Comentario del licenciado LUCIO CABRERA.

f) El Distrito Federal y un municipio;

g) Dos municipios de diversos Estados;

h) Dos poderes de un mismo Estado, sobre la constitucionalidad de sus actos o disposiciones generales;

i) Un Estado y uno de sus municipios, sobre la constitucionalidad de sus actos o disposiciones generales;

j) Un Estado y un municipio de otro Estado, sobre la constitucionalidad de sus actos o disposiciones generales; y

k) Dos órganos de gobierno del Distrito Federal, sobre la constitucionalidad de sus actos o disposiciones generales.

Siempre que las controversias versen sobre disposiciones generales de los Estados o de los municipios impugnadas por la Federación, de los municipios impugnadas por los Estados, o en los casos a que se refieren los incisos *c*, *h* y *k* anteriores, y la resolución de la Suprema Corte de Justicia las declare inválidas, dicha resolución tendrá efectos generales cuando hubiera sido aprobada por una mayoría de por lo menos ocho votos.

En los demás casos, las resoluciones de la Suprema Corte de Justicia tendrán efectos únicamente respecto de las partes de la controversia.

II. De las acciones de inconstitucionalidad que tengan por objeto plantear la posible contradicción entre una norma de carácter general y esta Constitución.

Las acciones de inconstitucionalidad podrán ejercitarse, dentro de los treinta días naturales siguientes a la fecha de publicación de la norma, por:

a) El equivalente al treinta y tres por ciento de los integrantes de la Cámara de Diputados del Congreso de la Unión, en contra de leyes federales o del Distrito Federal expedidas por el Congreso de la Unión;

b) El equivalente al treinta y tres por ciento de los integrantes del Senado, en contra de leyes federales o del Distrito Federal expedidas por el Congreso de la Unión o de tratados internacionales celebrados por el Estado mexicano;

c) El Procurador General de la República, en contra de leyes de carácter federal, estatal y del Distrito Federal, así como de tratados internacionales celebrados por el Estado mexicano;

d) El equivalente al treinta y tres por ciento de los integrantes de alguno de los órganos legislativos estatales, en contra de leyes expedidas por el propio órgano;

e) El equivalente al treinta y tres por ciento de los integrantes de la Asamblea de Representantes del Distrito Federal, en contra de leyes expedidas por la propia Asamblea, y

f) Los partidos políticos con registro ante el Instituto Federal Electoral, por conducto de sus dirigencias nacionales, en contra de leyes electorales federales o locales; y los partidos políticos con registro estatal, a través de sus dirigencias, exclusivamente en contra de leyes electorales expedidas por el órgano legislativo del Estado que les otorgó el registro.

La única vía para plantear la no conformidad de las leyes electorales a la Constitución es la prevista en este artículo.

Las leyes electorales federal y locales deberán promulgarse y publicarse por lo menos noventa días antes de que inicie el proceso electoral en que vayan a aplicarse, y durante el mismo no podrá haber modificaciones legales fundamentales.

Las resoluciones de la Suprema Corte de Justicia sólo podrán declarar la invalidez de las normas impugnadas, siempre que fueren aprobadas por una mayoría de cuando menos ocho votos.

III. De oficio o a petición fundada del correspondiente Tribunal Unitario de Circuito o del Procurador General de la República, podrá conocer de los recursos de apelación en contra de sentencias de Jueces de Distrito dictadas en aquellos procesos en que la Federación sea parte y que por su interés y trascendencia así lo ameriten.

La declaración de invalidez de las resoluciones a que se refieren las fracciones I y II de este artículo no tendrá efectos retroactivos, salvo en materia penal, en la que regirán los principios generales y disposiciones legales aplicables de esta materia.

En caso de incumplimiento de las resoluciones a que se refieren las fracciones I y II de este artículo se aplicarán, en lo conducente, los procedimientos establecidos en los dos primeros párrafos de la fracción XVI del artículo 107 de esta Constitución.

La Suprema Corte es el órgano competente para resolver, en juicio ordinario, y a solicitud de una de las partes contendientes, los conflictos que surjan:

I. Entre los diversos poderes de un estado y entre órganos de gobierno del Distrito Federal, respecto a la constitucionalidad de sus actos.

II. Entre dos o más estados, o entre uno o más estados y el Distrito Federal.

III. Entre un estado y la Federación.

Sin embargo, quedan excluidas de esta jurisdicción las controversias por límites geográficos, cuando no sean motivo de un juicio, y los problemas políticos nacidos por la desaparición de todos los poderes constitucionales de un estado.[80]

La fracción VII del artículo 27 de la Constitución otorga a la Suprema Corte la facultad de resolver las inconformidades que presenten los núcleos de población contra las resoluciones del Ejecutivo Federal, sobre conflictos de límites en terrenos comunales.

Reforma de 1994

Este precepto tiene tres fracciones fundamentales: la primera es la relativa a las controversias constitucionales, la segunda a las acciones de inconstitucionalidad y la tercera a la facultad de atracción de las apelaciones en los juicios en que la Federación es parte. La Suprema Corte conoce de estas tres nuevas e importantes funciones.

1. Las controversias constitucionales son aquellas en que son partes los órganos de los tres niveles que existen en el Estado mexicano, cuando están en conflicto entre sí y no existe violación de garantías individuales. Estos tres niveles son: los municipios, los Estados, el Distrito Federal y la Federación.

[80] Véanse artículos 73, fracción IV y 76, fracción V.

Estas controversias pueden darse dento de un mismo órgano: entre el Poder Ejecutivo y el Congreso de la Unión; entre un gobernador y la Legislatura del mismo Estado, sobre la constitucionalidad de sus actos o por violación de disposiciones generales o entre un Estado y uno de sus municipios. Pero los conflictos también pueden ser entre un Estado y otro, entre el Distrito Federal y un municipio, entre dos municipios de diversos Estados, etcétera.

Las controversias que existen entre estos órganos del Estado por violación de la Constitución de la República, de la Constitución de un Estado o de normas generales son resueltas por la Suprema Corte de Justicia en única instancia y la sentencia que dicta tiene efectos generales cuando hubiese sido aprobada por una mayoría de ocho votos en el Pleno del Alto Tribunal. Si el conflicto no involucró disposiciones generales ni normas constitucionales, el fallo de la Corte Suprema sólo tiene efectos para las partes.

En estas controversias el procurador general de la República también figura como parte conforme a la ley y la Suprema Corte de Justicia –que conoce en única instancia puede dar también intervención a cualquier tercer interesado.

Están incluidos en estas controversias los juicios de anulación de la declaratoria en que quedan excluidos los Estados del Sistema Nacional de Coordinación Fiscal, así como los juicios sobre cumplimiento de la coordinación, la que se celebra entre la Federación y los Estados o el Distrito Federal.

2. Las acciones de inconstitucionalidad pueden ser ejercitadas por minorías del 33 por ciento de la Cámara de Diputados o de Senadores o por el Procurador General de la República contra leyes federales o del Distrito Federal expedidas por el Congreso de la Unión. La minoría del Senado y el Procurador General de la República también pueden impugnar de inconstitucionalidad un tratado internacional. Asimismo, el 33 por ciento de los miembros de una legislatura estatal o de la Asamblea de Representantes del Distrito Federal pueden reclamar la inconstitucionalidad de las leyes que hayan expedido.

La Suprema Corte de Justicia conoce y resuelve en única instancia de estas acciones que son totalmente nuevas en nuestro derecho y que derivan de la reforma constitucional de 31 de diciembre de 1994. Un antecedente remoto de la acción de inconstitucionalidad puede ser éste. Mariano Otero creó en el Acta de Reformas de 1847 el reclamo, que podía ser solicitado, ante la Suprema Corte de Justicia contra leyes aprobadas por el Congreso. El reclamo podía ser interpuesto por el Presidente de la República en acuerdo de ministros, por diez diputados o seis senadores o por tres legislaturas de los Estados. El reclamo fue practicado en los años de 1848 y 1849, con anterioridad al amparo. Los fallos de la Corte tenían efectos generales en el reclamo.

En la acción de inconstitucionalidad de la reforma de 31 de diciembre de 1994, la sentencia de la Corte declara con efectos generales –si procede– la invalidez de las normas legales, si son aprobadas por lo menos por ocho votos de los once ministros que integran el Pleno.

3. La Suprema Corte de Justicia puede atraer a su conocimiento de oficio o a petición fundada del Tribunal Unitario de Circuito o del Procurador General de la República, los recursos de apelación en contra de los fallos de los jueces de Distrito, en aquellos juicios en que la Federación es parte y que por su interés y trascendencia lo ameriten.

Las sentencias de la Suprema Corte de Justicia que hagan declaraciones de nulidad de algunas normas generales en las controversias constitucionales o en las acciones de inconstitucionalidad sólo tienen efecto para el futuro. Pero pueden tener efectos retroactivos en cuestiones criminales si benefician a algún reo o inculpado. Estas sentencias del Alto Tribunal deben ser acatadas fielmente por las autoridades, bajo pena de ser sancionadas severamente conforme a la fracción XVI del artículo 107 de la Constitución.

*Reforma de 1996**

Son tres los aspectos que cubre la reforma de 1996 a este precepto:

a) Por vez primera se otorga competencia a la Suprema Corte de Justicia para conocer y resolver sobre acciones de inconstitucionalidad de leyes en materia electoral;

b) la acción de inconstitucionalidad se hace extensiva a los partidos políticos con registro en el IFE; y

c) la obligatoriedad de promulgar las leyes electorales federales y locales noventa días antes de iniciar el proceso electoral y la prohibición de que tengan modificaciones durante el mismo.

ARTÍCULO 106. **Corresponde al Poder Judicial de la Federación, en los términos de la ley respectiva, dirimir las controversias que, por razón de competencia, se susciten entre los Tribunales de la Federación, entre éstos y los de los Estados o del Distrito Federal, entre los de un Estado y los de otro, o entre los de un Estado y los del Distrito Federal.**

Por enmienda publicada en el *Diario Oficial* el día 7 de abril de 1986 se atribuye al Poder Judicial de la Federación la facultad –anteriormente exclu-

* Comentario del licenciado EMILIO RABASA GAMBOA.

siva de la Suprema Corte– de resolver los conflictos que surjan respecto a competencias entre:

I. Los tribunales de la Federación.

II. Los tribunales de la Federación y los de los estados.

III. Los tribunales de un Estado y los de otro.

La reforma obedeció a la necesidad de disminuir el trabajo a la Suprema Corte al hacer que lo comparta con otros órganos del Poder Judicial Federal, fundamentalmente los tribunales colegiados de circuito. La Ley Orgánica del Poder Judicial Federal será la encargada de señalar las jurisdicciones de los tribunales para resolver este tipo de conflictos. Así se pretende hacer más expedita y eficiente la administración de justicia.

*Reforma de 1994**

El Poder Judicial de la Federación tiene la facultad de resolver los conflictos que sobre su competencia tengan entre sí los tribunales de la Federación o los que tengan éstos con los de los Estados o del Distrito Federal. También las controversias entre los tribunales de un Estado y los de otro, o los que existan entre los de un Estado y los del Distrito Federal.

La reforma constitucional de 31 de diciembre de 1994 incluyó a los Tribunales del Distrito Federal como sujetos de las posibles controversias sobre competencia con otros tribunales.

ARTÍCULO 107. Todas las controversias de que habla el artículo 103 se sujetarán a los procedimientos y formas del orden jurídico que determine la ley, de acuerdo con las bases siguientes:

I. El juicio de amparo se seguirá siempre a instancia de parte agraviada;

II. La sentencia será siempre tal, que sólo se ocupe de individuos particulares, limitándose a ampararlos y protegerlos en el caso especial sobre el que verse la queja, sin hacer una declaración general respecto de la ley o acto que la motivare.

En el juicio de amparo deberá suplirse la deficiencia de la queja de acuerdo con lo que disponga la Ley Reglamentaria de los artículos 103 y 107 de esta Constitución.

* Comentario del licenciado LUCIO CABRERA.

Cuando se reclamen actos que tengan o puedan tener como consecuencia privar de la propiedad o de la posesión y disfrute de sus tierras, aguas, pastos y montes a los ejidos o a los núcleos de población que de hecho o por derecho guarden el estado comunal, o a los ejidatarios o comuneros, deberán recabarse de oficio todas aquellas pruebas que puedan beneficiar a las entidades o individuos mencionados y acordarse las diligencias que se estimen necesarias para precisar sus derechos agrarios, así como la naturaleza y efectos de los actos reclamados.

En los juicios a que se refiere el párrafo anterior no procederán, en perjuicio de los núcleos ejidales o comunales, o de los ejidatarios o comuneros, el sobreseimiento por inactividad procesal ni la caducidad de la instancia, pero uno y otra sí podrán decretarse en su beneficio. Cuando se reclamen actos que afecten los derechos colectivos del núcleo tampoco procederán el desistimiento ni el consentimiento expreso de los propios actos, salvo que el primero sea acordado por la Asamblea General o el segundo emane de ésta.

III. Cuando se reclamen actos de tribunales judiciales, administrativos o del trabajo, el amparo sólo procederá en los casos siguientes:

a) Contra sentencias definitivas o laudos y resoluciones que pongan fin al juicio, respecto de las cuales no proceda ningún recurso ordinario por el que puedan ser modificados o reformados, ya sea que la violación se cometa en ellos o que, cometida durante el procedimiento, afecte a las defensas del quejoso, trascendiendo al resultado del fallo; siempre que en materia civil haya sido impugnada la violación en el curso del procedimiento mediante el recurso ordinario establecido por la ley e invocada como agravio en la segunda instancia, si se cometió en la primera. Estos requisitos no serán exigibles en el amparo contra sentencias dictadas en controversias sobre acciones del estado civil o que afecten al orden y a la estabilidad de la familia.

b) Contra actos en juicio cuya ejecución sea de imposible reparación, fuera de juicio o después de concluido, una vez agotados los recursos que en su caso procedan, y

c) Contra actos que afecten a personas extrañas al juicio;

IV. En materia administrativa el amparo procede, además, contra resoluciones que causen agravio no reparable mediante algún recurso, juicio o medio de defensa legal. No será necesario agotar éstos cuando la ley que los establezca exija, para otorgar la suspensión del acto reclamado, mayores requisitos que los que la Ley Reglamentaria del Juicio de Amparos requiera como condición para decretar esa suspensión;

V. El amparo contra sentencias definitivas o laudos y resoluciones que pongan fin al juicio, sea que la violación se cometa durante el procedimiento o en la sentencia misma, se promoverá ante el Tribunal Colegiado de Circuito que corresponda, conforme a la distribución de competencias que establezca la Ley Orgánica del Poder Judicial de la Federación, en los casos siguientes:

a) En materia penal, contra resoluciones definitivas dictadas por tribunales judiciales, sean éstos federales, del orden común o militares.

b) En materia administrativa, cuando se reclamen por particulares sentencias definitivas y resoluciones que ponen fin al juicio dictadas por tribunales administrativos o judiciales, no reparables por algún recurso, juicio o medio ordinario de defensa legal.

c) En materia civil, cuando se reclamen sentencias definitivas dictadas en juicios del orden federal o en juicios mercantiles, sea federal o local la autoridad que dicte el fallo, o en juicios del orden común.

En los juicios civiles del orden federal las sentencias podrán ser reclamadas en amparo por cualquiera de las partes, incluso por la Federación, en defensa de sus intereses patrimoniales; y *d*) En materia laboral, cuando se reclamen laudos dictados por las Juntas Locales o la Federal de Conciliación y Arbitraje, o por el Tribunal Federal de Conciliación y Arbitraje de los Trabajadores al Servicio del Estado.

La Suprema Corte de Justicia, de oficio o a petición fundada del correspondiente Tribunal Colegiado de Circuito, o del Procurador General de la República, podrá conocer de los amparos directos que por su interés y trascendencia así lo ameriten.

VI. En los casos a que se refiere la fracción anterior, la Ley Reglamentaria de los artículos 103 y 107 de esta Constitución señalará el trámite y los términos a que deberán someterse los Tribunales Colegiados de Circuito y, en su caso, la Suprema Corte de Justicia, para dictar sus respectivas resoluciones;

VII. El amparo contra actos en juicio, fuera de juicio o después de concluido, o que afecten a personas extrañas al juicio, contra leyes o contra actos de autoridad administrativa, se interpondrá ante el juez de Distrito bajo cuya jurisdicción se encuentre el lugar en que el acto reclamado se ejecute o trate de ejecutarse, y su tramitación se limitará al informe de la autoridad, a una audiencia para la que se citará en el mismo auto en el que se mande pedir el informe y se recibirán las pruebas que las partes interesadas ofrezcan y oirán los alegatos, pronunciándose en la misma audiencia la sentencia;

VIII. Contra las sentencias que pronuncien en amparo los Jueces de Distrito o los Tribunales Unitarios de Circuito procede revisión. De ella conocerá la Suprema Corte de Justicia:

a) Cuando habiéndose impugnado en la demanda de amparo, por estimarlos, directamente violatorios de esta Constitución, leyes federales o locales, tratados internacionales, reglamentos expedidos por el Presidente de la República de acuerdo con la fracción I del artículo 89 de esta Constitución y reglamentos de leyes locales expedidos por los gobernadores de los Estados o por el Jefe del Distrito Federal, subsista en el recurso el problema de constitucionalidad.

b) Cuando se trate de los casos comprendidos en las fracciones II y III del artículo 103 de esta Constitución.

La Suprema Corte de Justicia, de oficio o a petición fundada del correspondiente Tribunal Colegiado de Circuito, o del Procurador General de la República, podrá conocer de los amparos en revisión, que por su interés y trascendencia así lo ameriten.

En los casos no previstos en los párrafos anteriores, conocerán de la revisión los Tribunales Colegiados de Circuito y sus sentencias no admitirán recurso alguno;

IX. Las resoluciones que en materia de amparo directo pronuncien los Tribunales Colegiados de Circuito no admiten recurso alguno, a menos que decidan sobre la inconstitucionalidad de una ley o establezcan la interpretación directa de un precepto de la Constitución, caso en que serán recurribles ante la Suprema Corte de Justicia, limitándose la materia del recurso exclusivamente a la decisión de las cuestiones propiamente constitucionales;

X. Los actos reclamados podrán ser objeto de suspensión en los casos y mediante las condiciones y garantías que determine la ley, para lo cual se tomará en cuenta la naturaleza de la violación alegada, la dificultad de reparación de los daños y perjuicios que pueda sufrir el agraviado con su ejecución, los que la suspensión origine a terceros perjudicados y el interés público.

Dicha suspensión deberá otorgarse respecto de las sentencias definitivas en materia penal al comunicarse la interposición del amparo, y en materia civil, mediante fianza que dé el quejoso para responder de los daños y perjuicios que tal suspensión ocasionare, la cual quedará sin efecto si la otra parte da contrafianza para asegurar la reposición de las cosas al estado que guardaban si se concediese el amparo y a pagar los daños y perjuicios consiguientes;

XI. La suspensión se pedirá ante la autoridad responsable cuando se trate de amparos directos promovidos ante los Tribunales Colegiados de Circuito y la propia autoridad responsable decidirá al respecto. En todo caso, el agraviado deberá presentar la demanda de amparo ante la propia autoridad responsable, acompañando copias de la demanda para las demás partes en el juicio, incluyendo al Ministerio Público y una para el expediente. En los demás casos, conocerán y resolverán sobre la suspensión los Juzgados de Distrito o los Tribunales Unitarios de Circuito;

XII. La violación de las garantías de los artículos 16, en materia penal, 19 y 20 se reclamará ante el superior del tribunal que la cometa, o ante el Juez de Distrito o Tribunal Unitario de Circuito que corresponda, pudiéndose recurrir, en uno y otro caso, las resoluciones que se pronuncien, en los términos prescritos por la fracción VIII.

Si el Juez de Distrito o el Tribunal Unitario de Circuito no residieren en el mismo lugar en que reside la autoridad responsable, la ley determinará el juez o tribunal ante el que se ha de presentar el escrito de amparo, el que podrá suspender provisionalmente el acto reclamado, en los casos y términos que la misma ley establezca;

XIII. Cuando los Tribunales Colegiados de Circuito sustenten tesis contradictorias en los juicios de amparo de su competencia, los Ministros de la Suprema Corte de Justicia, el Procurador General de la República, los mencionados Tribunales o las partes que intervinieron en los juicios en que dichas tesis fueron sustentadas, podrán denunciar la contradicción ante la Suprema Corte de Justicia, a fin de que el Pleno o la Sala respectiva, según corresponda, decidan la tesis que debe prevalecer como jurisprudencia.

Cuando las Salas de la Suprema Corte de Justicia sustenten tesis contradictorias en los juicios de amparo materia de su competencia, cualquiera de esas Salas, el Procurador General de la República o las partes que intervinieron en los juicios en que tales tesis hubieran sido sustentadas, podrán denunciar la contradicción ante la Suprema Corte de Justicia, que funcionando en Pleno decidirá cuál tesis debe prevalecer.

La resolución que pronuncien las Salas o el Pleno de la Suprema Corte en los casos a que se refieren los dos párrafos anteriores, sólo tendrán el efecto de fijar la jurisprudencia y no afectará las situaciones jurídicas concretas derivadas de las sentencias dictadas en los juicios en que hubiese ocurrido la contradicción:

XIV. Salvo lo dispuesto en el párrafo final de la fracción II de este artículo, se decretará el sobreseimiento del amparo o la caducidad de la instancia por inactividad del quejoso o del recurrente, respectivamente, cuando el acto reclamado sea del orden civil o administrativo, en los casos y términos que señale la ley reglamentaria. La caducidad de la instancia dejará firme la sentencia recurrida.

XV. El Procurador General de la República o el agente del Ministerio Público Federal que al efecto designare, será parte en todos los juicios de amparo; pero podrán abstenerse de intervenir en dichos juicios, cuando el caso de que se trate carezca, a su juicio, de interés público;

XVI. Si concedido el amparo la autoridad responsable insistiere en la repetición del acto reclamado o tratare de eludir la sentencia de la autoridad federal, y la Suprema Corte de Justicia estima que es inexcusable el incumplimiento, dicha autoridad será inmediatamente separada de su cargo y consignada al Juez de Distrito que corresponda. Si fuere excusable, previa declaración de incumplimiento o repetición, la Suprema Corte requerirá a la responsable y le otorgará un plazo prudente para que ejecute la sentencia. Si la autoridad no ejecuta la sentencia en el término concedido, la Suprema Corte de Justicia procederá en los términos primeramente señalados.

Cuando la naturaleza del acto lo permita, la Suprema Corte de Justicia, una vez que hubiera determinado el incumplimiento o repetición del acto reclamado, podrá disponer de oficio el cumplimiento substituto de las sentencias de amparo, cuando su ejecución afecte gravemente a la sociedad o a terceros en mayor proporción que los beneficios económicos que pudiera obtener el quejoso. Igualmente, el quejoso podrá solicitar ante el órgano que corresponda, el cumplimiento substituto de la sentencia de amparo, siempre que la naturaleza del acto lo permita.

La inactividad procesal o la falta de promoción de parte interesada, en los procedimientos tendientes al cumplimiento de las sentencias de amparo, producirá su caducidad en los términos de la ley reglamentaria.

XVII. La autoridad responsable será consignada a la autoridad correspondiente, cuando no suspenda el acto reclamado debiendo hacerlo, y cuando admita fianza que resulte ilusoria o insuficiente, siendo, en estos dos últimos casos, solidaria la responsabilidad civil de la autoridad con el que ofreciere la fianza y el que la prestare, y

XVIII. Derogada.

Una de las instituciones más originales y nobles de la vida política mexicana es el juicio de amparo, eficaz sistema protector de las libertades individuales y de la supremacía de la Constitución.

Los poderes de la Federación, de los Estados y los órganos del Gobierno del Distrito Federal se hallan obligados a actuar dentro de los límites de su competencia, establecidos en las leyes, y las autoridades de toda índole y el Poder Legislativo sólo pueden ejecutar actos o aprobar leyes, respectivamente, si están expresamente facultados por la Constitución. Cuando en ocasiones no suceda así, y se violen las garantías individuales, el sistema que ha permitido tradicionalmente en México proteger los derechos humanos es el juicio de amparo, institución que ha trascendido nuestras fronteras e influido en los órdenes jurídicos de otros países del mundo.

El amparo es una institución mexicana. Nació en el siglo pasado y ha ido evolucionando al compás de la dolorosa historia política de México, cuyos hombres lucharon tenazmente por alcanzar la libertad y la justicia.

Los principales antecedentes del amparo son:

1o. La Constitución de Yucatán, de 31 de marzo de 1841, obra del político liberal Manuel Crescencio Rejón, a quien con justicia se le considera, en unión de Mariano Otero, el creador del juicio de amparo.

2o. El Acta de Reformas de 1847, debida a Mariano Otero, que estableció en su artículo 25 la facultad de los tribunales federales para amparar a cualquier habitante de la República "contra todo ataque de los Poderes Legislativo y Ejecutivo, ya de la Federación, ya de los estados; limitándose, dichos tribunales, a impartir su protección en el caso particular sobre el que verse el proceso, sin hacer ninguna declaración general respecto de la ley o del acto que lo motivase". Los caracteres fundamentales del amparo quedaron precisados en esta disposición.

La asamblea que había de elaborar la Carta de 1857 recogió esos antecedentes y en sus artículos 101 y 102 consagró, en definitiva, el juicio de amparo, generoso medio que con base en la supremacía de la Constitución defiende las libertades humanas.

A partir de esa fecha, el amparo ha evolucionado al ritmo de las necesidades históricas y sociales de México, y merced al trabajo creador, entre otros, de dos ilustres juristas: Ignacio Vallarta y Emilio Rabasa, quienes, el primero en sus *Votos* y el segundo en *El Juicio Constitucional y El Artículo 14*, fundamentalmente, estudiaron esa valiosa institución precisando su grandeza, sus limitaciones y su destino.

El diputado a la Asamblea de Querétaro, José M. Truchuelo, explicó en el debate del artículo 107: "La justicia federal ampara y protege al ciudadano cuyas garantías individuales han sido conculcadas. Si una ley o un acto de la autoridad viene a conculcar una garantía constitucional, entonces se acude al amparo, dirigiéndose, según el caso, al juez de distrito o a la Suprema Corte de Justicia de la Nación, que está velando siempre por el respeto de los principios constitucionales para que nadie altere los preceptos de nuestra Carta Magna o intente establecer una jurisprudencia que tienda a contrarrestar los principios de la Constitución, para que ésta no sea un mito."

El amparo no sólo ha sido una institución jurídica protectora del hombre y de la Constitución, sino que también ha formado y forma parte muy importante del desenvolvimiento social y político de la República. Asimismo, es una de las más valiosas contribuciones de México a la cultura; muestra de ello es el artículo 8 de la *Declaración Universal de los Derechos del Hombre*, aprobada por la Organización de las Naciones Unidas el 10 de diciembre de 1948, que dice: "Toda persona tiene derecho a un recurso efectivo ante los tribunales nacionales competentes que le ampare contra actos que violen sus derechos fundamentales reconocidos por la Constitución o por la ley."

El juicio de amparo puede promoverse ante la Suprema Corte de Justicia, los tribunales colegiados de circuito, los tribunales unitarios de circuito y los jueces de distrito; sus respectivas competencias quedan establecidas por este artículo, por la Ley Orgánica del Poder Judicial Federal y la de Amparo. En casos de urgencia y de excepción es posible también, en los términos de la ley, iniciar el amparo ante un juez común, como auxiliar de la justicia federal.

Se puede decir, en términos generales, que el amparo es el medio que puede emplear un particular (llamado quejoso o agraviado) ante un juez federal, cuando estima que un acto de autoridad (designada como autoridad responsable): legislativa, ejecutiva o judicial, federal, local o municipal, es violatorio de alguna de sus garantías individuales.

Se trata, en consecuencia, de un procedimiento utilizado para proteger los derechos individuales consagrados en la Constitución.

El amparo fundamentalmente es utilizado para lo siguiente:

1o. Proteger la vida y la libertad del hombre, mediante un sencillo procedimiento promovido ante los jueces de distrito.

2o. Contra actos de autoridades administrativas, locales o federales, para proteger a las personas en sus propiedades, posesiones o derechos.

3o. En materia judicial, desde el siglo pasado, para hacer que todos los tribunales de la República interpreten y *apliquen exactamente la ley*, criterio que mantuvo el Congreso Constituyente de 1917, y que permite a los tribunales federales revisar las resoluciones definitivas, en juicios civiles, penales o administrativos y los laudos o decisiones de las juntas de trabajo.

4o. Por último, el amparo protege contra las leyes que aprueben los congresos estatales o el Congreso Federal, reglamentos expedidos por el Presidente de la República o los gobernadores de los estados, tratados internacionales y que sean violatorios de los derechos del hombre consagrados en la Constitución, pues toda ley debe estar subordinada a ésta. Así, el Poder Legislativo se halla limitado por el Judicial, a través del amparo, estableciéndose un equilibrio de poderes. Es de señalarse que por medio del amparo las leyes no son derogadas en forma general, ya que solamente se protege al individuo en el caso particular, cuando reclama la violación de sus derechos.

La Constitución mantiene el respeto a las sentencias de amparo, haciendo personalmente responsables a los funcionarios que no las cumplan.

El amparo se promueve por la persona agraviada, quien en general debe exponer detallada y claramente las razones por las cuales las autoridades o las leyes que se les aplican violan sus garantías. Sin embargo, la nueva fracción II, cuya reforma apareció en el *Diario Oficial de la Federación* con fecha 7 de abril de 1986, precisa la suplencia de la deficiencia de la queja, que consiste en que jueces y tribunales deban ayudar con argumentos propios, para la mejor defensa de los derechos de ciertas personas o grupos. Se estima que la capacidad de éstos se encuentra disminuida por alguna razón y que por tal motivo es de justicia que reciban ayuda técnica del juzgador. Antes de la referida enmienda la Constitución establecía en qué casos procedía suplir la deficiencia de la queja, aludía a la materia penal y agraria, a la parte obrera en materia de trabajo, cuando se tratara de menores o incapaces y de la aplicación de leyes declaradas inconstitucionales por jurisprudencia de la Suprema Corte. La enmienda que se comenta, con una mejor técnica legislativa, deja a la ley reglamentaria de los artículos 103 y 107 el establecer quiénes se verán beneficiados por la suplencia de la queja.

En el texto derogado la Constitución decía "podrá suplirse la deficiencia de la queja" –excepto en materia agraria que usaba la expresión deberá–, lo que permitía suponer que para el juez era facultativo hacerlo. La ley reglamentaria empleaba unas veces el verbo poder y otras el deber. Actualmente, en virtud de la nueva enmienda, la Constitución afirma que "deberá suplirse la deficiencia en la queja"; o sea, suplir la deficiencia de la queja, en los casos que disponga la ley reglamentaria, es una obligación del juez federal.

Asimismo, la reforma se refiere a aquellos juicios de amparo que tengan o puedan tener como consecuencia proteger la propiedad, la posesión o el disfrute de las tierras, aguas, pastos y montes a los ejidos o a los núcleos de población que de hecho o por derecho guarden estado comunal. En este caso, es obligación del juez recabar todas las pruebas que puedan beneficiar a ejidatarios y comuneros y llevar a cabo toda clase de diligencias y actos que precisen sus derechos agrarios, así como que aclaren los actos reclamados cuando los quejosos en el amparo sean dichos campesinos.

También en beneficio de ellos ordena la reforma que no procederá el sobreseimiento por inactividad procesal ni la caducidad de la instancia, a menos que los beneficie. Se dice que procede el sobreseimiento por inactividad procesal cuando faltan actuaciones judiciales y promociones del interesado en el juicio de amparo, y por caducidad de la instancia cuando durante un tiempo determinado, que señala la ley, no existen actos judiciales y promociones de la parte que interpuso un recurso contra la sentencia del juez de distrito que le fue desfavorable.

Indica asimismo la enmienda que –para proteger a los ejidatarios y comuneros así como los derechos de los núcleos de población, ejidos o comunidades– no procede el desistimiento en los juicios de amparo que interpongan, a menos que lo acuerde la asamblea general de ejidatarios o comuneros. Tampoco procede que consientan o acepten los actos reclamados en el juicio, si no lo aprueba la citada asamblea.

En realidad, con estas reformas continúa la tendencia protectora del campesino. Pero se advierte un cambio en las facultades otorgadas al juez federal, pues le impone el derecho y la obligación de tener iniciativa, superando así la posición pasiva que lo había limitado tradicionalmente.

Este artículo sufrió importantes enmiendas en 1987 que se pueden resumir en cuatro fundamentales:

1a. La Suprema Corte de Justicia será un tribunal dedicado a resolver juicios en que se impugnen las leyes federales y locales, los tratados internacionales y los reglamentos expedidos por el Presidente de la República, los gobernadores de los estados o por el jefe del Distrito Federal cuando violen directamente un precepto constitucional. Este amparo es –en sentido estricto– el juicio constitucional y en él se ventilan sólo cuestiones relativas a la *constitucionalidad* del derecho secundario para defender la supremacía de la Constitución, ya que todas las disposiciones jurídicas de un país deben hallar su último fundamento en ella y no violentar sus preceptos, sino formar un cuerpo armónico donde siempre sean respetados los principios de la ley suprema. Por eso también, la Corte es el máximo intérprete de la Constitución.*

2a. Los tribunales colegiados de circuito tendrán a su cargo resolver los amparos de *legalidad*. Llámase así a aquellos en que el agraviado invoca la indebida aplicación de leyes ordinarias o de reglamentos por la autoridad responsable, sea judicial, administrativa o del trabajo, en contravención de las garantías establecidas en los artículos 14 y 16 de la Constitución que ordenan su correcta aplicación. También resolverán en revisión los juicios en que se reclame la inconstitucionalidad de un acto concreto de autoridad y de las ordenanzas municipales.

3a. El amparo directo –el de una sola instancia[81] y del que conocen los tribunales colegiados– amplió su esfera, ya que procederá contra toda clase de resoluciones definitivas de los tribunales administrativos, judiciales y del trabajo. En tal caso éstos, como autoridades responsables, podrán conceder la suspensión de los actos reclamados. Los jueces de distrito continuarán conociendo en primera instancia de los llamados amparos indirectos –el de dos instancias– y tendrán a su cargo otorgar la suspensión solicitada por el agraviado.

4a. Las importantes atribuciones de la Suprema Corte denominadas de "atracción", que consisten en que pueda conocer y resolver –a su criterio– de ciertos amparos que por su importancia –jurídica, social, política o económica– juzgue conveniente hacerlo, fueron extendidas a todos los asuntos bajo la jurisdicción de los tribunales colegiados. Es decir, la Corte puede –discrecionalmente y de oficio, a petición de los tribunales colegiados de circuito o del procurador general de la República– resolver amparos de legalidad que normalmente competen a los tribunales colegiados. Conviene subrayar que las partes involucradas en contienda no pueden solicitarlo y obligar a la Corte a resolver, pues se trata de una facultad discrecional

* Comentario modificado por el licenciado EMILIO RABASA GAMBOA, en virtud de la reforma de 1993.

[81] Véase comentario al artículo 23, donde se precisa el concepto de instancia.

si a su criterio el caso es de "especial entidad" sin importar la materia (civil, penal, administrativa o laboral).

*Reforma de 1993**

El artículo 107 contiene el régimen del amparo. Fueron extrañas a su materia las estipulaciones de la fracción XVIII sobre asuntos vinculados directamente con el procedimiento penal. De ahí que resultase plausible derogar esa fracción y distribuir su contenido, mejorando las normas correspondientes, entre los artículos 16 y 19 de la Constitución. En éstos se localiza lo referente a excarcelación del inculpado cuando no se recibe oportunamente constancia de la formal prisión, y requerimientos a propósito del tiempo para que un aprehendido sea puesto a disposición del juzgador que ordenó la captura.

*Reforma de 1994***

Fracción V, parte final del inciso b. La Suprema Corte de Justicia tiene la facultad de atracción o de atraer a su conocimiento, de oficio o a petición fundada del Tribunal Colegiado de Circuito o del Procurador General de la República aquellos amparos directos que por su interés y trascendencia así lo ameriten.

Fracción VIII, parte final del inciso b. La Suprema Corte de Justicia tiene la facultad de atracción o de atraer a su conocimiento de oficio o a petición fundada del Tribunal Colegiado de Circuito o del Procurador General de la República aquellos amparos que están en revisión, o sea, amparos directos, que por su interés y trascendencia así lo ameriten.

Fracción XI, parte final. En todos los otros casos conocen y resuelven sobre la suspensión los tribunales federales de primera instancia en el amparo indirecto, o sea, los Juzgados de Distrito o los Tribunales Unitarios de Circuito y, en revisión, los tribunales colegiados de circuito.

Fracción XII, parte final. La reforma constitucional de 31 de diciembre de 1994 contiene la novedad de que los Tribunales Unitarios de Circuito pueden desempeñar funciones de jueces de primera instancia en el amparo indirecto en materia penal, cuando se invoca la violación de las garantías de los artículos 16 en los casos criminales, 19 y 20 de la Constitución. Su sentencia puede ser recurrida ante un Tribunal Colegiado de Circuito en todos los casos de suspensión del acto y sus sentencias, respecto al fondo del amparo, pueden ser recurridas en la misma forma que los fallos de los jueces de distrito o del superior jerárquico del juez responsable.

* Comentario del doctor SERGIO GARCÍA RAMÍREZ.
** Comentario del licenciado LUCIO CABRERA.

Fracción XIII. La reforma constitucional de 31 de diciembre de 1994 señala con claridad que cuando la Suprema Corte de Justicia, en Pleno o la Sala respectiva, resuelva una contradicción de tesis de los Tribunales Colegiados de Circuito, deciden definitivamente cuál es la tesis que debe prevalecer como jurisprudencia obligatoria.

Fracción XVI. Esta fracción del artículo 107 de la Constitución está referida al cumplimiento que deben dar las autoridades responsables a las sentencias que conceden el amparo. Existen tres situaciones.

1. Si la Suprema Corte estima que es inexcusable el incumplimiento del fallo de la justicia federal que otorgó el amparo, ordenará la separación inmediata del funcionario de su cargo y lo consignarán al Juez de Distrito competente para que le siga un proceso penal federal.

2. Si la Suprema Corte en Pleno estima que es excusable el incumplimiento del amparo concedido, hará una declaración de que existe tal omisión o de que repite el acto reclamado, pero otorgará un plazo prudente para que se cumpla con la sentencia. Si este plazo se vence y la autoridad no ha cumplido el fallo, la Suprema Corte separará de su cargo al funcionario y lo consignará para que le sea seguido un juicio penal federal.

3. Si la Suprema Corte ha determinado el incumplimiento de la sentencia de amparo o la repetición del acto reclamado, pero la naturaleza de este acto permite que sea sustituido por otro semejante, el Pleno podrá ordenar de oficio este cumplimiento sustituto del fallo. Pero esto sólo puede hacerlo el Alto Tribunal cuando la ejecución del amparo afecte gravemente a la sociedad o a terceros, en mayor proporción que los beneficios económicos que pudiera obtener el quejoso. También este quejoso puede solicitar el cumplimiento sustituto de la sentencia de amparo si lo permite la naturaleza del acto que reclamó.

Si el quejoso omite hacer una promoción para obtener el cumplimiento del amparo dentro del plazo que señale la ley, su derecho caducará.

Título cuarto

De las Responsabilidades de los Servidores Públicos
Artículos 108 a 114

TÍTULO CUARTO

De las Responsabilidades de los Servidores Públicos

ARTÍCULO 108. Para los efectos de las responsabilidades a que alude este Título se reputarán como servidores públicos a los representantes de elección popular, a los miembros del Poder Judicial Federal y del Poder Judicial del Distrito Federal, los funcionarios y empleados, y, en general, a toda persona que desempeñe un empleo, cargo o comisión de cualquier naturaleza en la Administración Pública Federal o en el Distrito Federal, así como a los servidores del Instituto Federal Electoral, quienes serán responsables por los actos u omisiones en que incurran en el desempeño de sus respectivas funciones.

El Presidente de la República, durante el tiempo de su encargo, sólo podrá ser acusado por traición a la patria y delitos graves del orden común.

Los Gobernadores de los Estados, los Diputados a las Legislaturas Locales, los Magistrados de los Tribunales Superiores de Justicia Locales y, en su caso, los miembros de los Consejos de las Judicaturas Locales, serán responsables por violaciones a esta Constitución y a las leyes federales, así como por el manejo indebido de fondos y recursos federales.

Las Constituciones de los Estados de la República precisarán, en los mismos términos del primer párrafo de este artículo y para los efectos de sus responsabilidades, el carácter de servidores públicos de quienes desempeñen empleo, cargo o comisión en los Estados y en los Municipios.

El primer documento constitucional mexicano –el de Apatzingán–, consecuente con su ideal democrático, estableció la responsabilidad de los funcionarios y la manera de hacerla efectiva. Este principio, fundamental en un estado de derecho, fue recogido por la Constitución de 1824 y por la de 1857, en donde se estableció un título especial para regular esa responsabilidad y determinar la competencia de los órganos ante quienes se exigía.

La Constitución de 1917 acogió en los siete artículos que integran el título cuarto dos principios fundamentales: el de la igualdad ante la ley de todos los habitantes de la República y el de "la responsabilidad de todos los servidores públicos", así como "el procedimiento para juzgarlos y la penalidad respectiva".[82]

La exposición de motivos que acompañó a la iniciativa de las reformas publicadas en el *Diario Oficial* el 28 de diciembre de 1982, comienza con estas palabras: "La libertad individual para pensar y hacer es cuestión de cada quien. No corresponde al Estado tutelar la moralidad personal que la inspira. Pero el Estado tiene la obligación ineludible de prevenir y sancionar la inmoralidad social, la corrupción. Ella afecta los derechos de otros, de la sociedad, y los intereses nacionales. Y en el México de nuestros días, nuestro pueblo exige con urgencia una renovación moral de la sociedad que ataque de raíz los daños de la corrupción en el bienestar de su convivencia social."

Dichas reformas modificaron las disposiciones de este título y su nombre mismo, pues antes se refería a los funcionarios públicos y sus responsabilidades y hoy comprende a los servidores públicos, o sea, quienes desempeñan un empleo, cargo o comisión en el Gobierno Federal o del Distrito Federal, en el Congreso de la Unión o en el Poder Judicial, sea federal o del Distrito Federal. Todos deben responder por sus actos y omisiones en el desempeño de sus funciones.

El artículo 108, además de precisar el concepto de servidor público federal, ordena que las constituciones de cada estado de la República hagan lo propio, es decir, que legislen para señalar quiénes, en el estado de que se trate, son servidores públicos –incluyendo a los municipales– y establezcan el régimen de responsabilidades en que pueden incurrir, apoyándose en los términos de esta reforma a la Constitución Federal.

También señala –como hacía el texto anterior– que el Presidente de la República sólo podrá ser acusado, en tanto desempeñe ese alto cargo, por traición a la patria y delitos graves del orden común. Se trata así de proteger al Jefe del Estado y la alta magistratura que desempeña. Al hacerlo se defiende la estabilidad social y política del país.

Establece que los altos funcionarios locales: diputados, gobernadores y magistrados, además de quedar sometidos a los principios estatuidos por la constitución de su estado y las demás leyes aplicables respecto a las res-

[82] Dictamen de la Segunda Comisión de Constitución del Congreso de Querétaro.

ponsabilidades en que pudieran incurrir en el desempeño de su puesto, y mientras lo ejerzan, deben responder por violaciones cometidas a la Constitución y a las leyes federales, así como por el empleo indebido de los fondos y recursos federales que suelen manejar en virtud de sus cargos (véase artículo 110).

*Reforma de 1994**

En 1984 se incluyó a los miembros de los consejos de la judicatura locales entre los funcionarios de este carácter responsables por violaciones a la Constitución y a las leyes federales, así como por el manejo indebido de fondos y recursos federales. Véase comentario al artículo 116.

*Reforma de 1996***

Mediante la reforma de 1996, se incluyeron en este precepto como servidores públicos, y por lo tanto sujetos a las responsabilidades de este Título de la Constitución, a los servidores del Instituto Federal Electoral. De esta manera se extendió la responsabilidad jurídica a quienes laboran en el Instituto Federal Electoral por actos u omisiones en que incurran con motivo del ejercicio de sus funciones.

ARTÍCULO 109. El Congreso de la Unión y las Legislaturas de los Estados, dentro de los ámbitos de sus respectivas competencias, expedirán las leyes de responsabilidades de los servidores públicos y las demás normas conducentes a sancionar a quienes, teniendo este carácter, incurran en responsabilidad, de conformidad con las siguientes prevenciones:

I. Se impondrán, mediante juicio político, las sanciones indicadas en el artículo 110 a los servidores públicos señalados en el mismo precepto, cuando en el ejercicio de sus funciones incurran en actos u omisiones que redunden en perjuicio de los intereses públicos fundamentales o de su buen despacho.

No procede el juicio político por la mera expresión de ideas.

* Comentario del doctor SERGIO GARCÍA RAMÍREZ.
** Comentario de EMILIO RABASA GAMBOA

II. La comisión de delitos por parte de cualquier servidor público será perseguida y sancionada en los términos de la legislación penal.

III. Se aplicarán sanciones administrativas a los servidores públicos por los actos u omisiones que afecten la legalidad, honradez, lealtad, imparcialidad y eficiencia que deben observar en el desempeño de sus empleos, cargos o comisiones.

Los procedimientos para la aplicación de las sanciones mencionadas se desarrollarán autónomamente. No podrán imponerse dos veces por una sola conducta sanciones de la misma naturaleza.

Las leyes determinarán los casos y las circunstancias en los que se deba sancionar penalmente por causa de enriquecimiento ilícito a los servidores públicos que durante el tiempo de su encargo, o por motivos del mismo, por sí o por interpósita persona, aumenten sustancialmente su patrimonio, adquieran bienes o se conduzcan como dueños sobre ellos, cuya procedencia lícita no pudiesen justificar. Las leyes penales sancionarán con el decomiso y con la privación de la propiedad de dichos bienes, además de las otras penas que correspondan.

Cualquier ciudadano, bajo su más estricta responsabilidad y mediante la presentación de elementos de prueba, podrá formular denuncia ante la Cámara de Diputados del Congreso de la Unión respecto de las conductas a las que se refiere el presente artículo.

Esta disposición se refiere a varios temas:

En primer lugar, establece la obligación a cargo del Congreso Federal y de las legislaturas locales, cada uno dentro de su respectiva competencia, legislar sobre las responsabilidades de los servidores públicos y las sanciones a que se hagan acreedores. O sea, deben elaborar las leyes reglamentarias del Título Cuarto de la Constitución de la República o de las disposiciones respectivas de las constituciones locales. El Congreso de la Unión la expidió ya, y apareció publicada en el *Diario Oficial* de 31 de diciembre de 1982 bajo el nombre de Ley Federal de Responsabilidades que pueden cometer los servidores de los servidores públicos.

En segundo término, clasifica las responsabilidades que pueden cometer los servidores públicos en tres categorías:

I. *Políticas,* cuando en el ejercicio de sus funciones incurran en actos u omisiones que redunden en perjuicio de los altos intereses públicos e incidan, en forma sustancial, en la buena marcha de los asuntos a su cargo (véase artículo 76, fracción VII y artículo 110). Este juicio no procede por la mera expresión de idea, pues de lo contrario se violaría el artículo 6o. y en materia política la libertad de expresión debe ser irrestricta.

II. *Penales,* cuando cometan delitos previstos en las leyes penales, en cuyo caso quedarán sometidos a sus disposiciones.

III. *Administrativas,* cuando en el ejercicio de su cargo procedan sin apoyo en la ley o contraviniendo sus preceptos, o sea, cuando sus actos u omisiones carezcan de legalidad, pues en nuestro régimen todo acto gubernamental tiene apoyo en una disposición legislativa; obren contra el recto cumplimiento del deber, es decir, violen la honradez a que están obligados al desempeñar el empleo, cargo o comisión; actúen sin la lealtad debida al trabajo que desempeñen o lo realicen sin la eficiencia e imparcialidad que están obligados a guardar. Estos actos u omisiones no son tan graves como para constituir un delito ni tan serios como para ser materia de juicio político.

Los procedimientos a que se verán sometidos quienes incurran en alguno de los tres tipos de responsabilidad serán también diversos entre sí y autónomos. Sin embargo, como es principio de derecho que nadie puede ser juzgado dos veces por el mismo acto en juicios de la misma naturaleza –principio de la cosa juzgada–, cuando un servidor público es condenado o absuelto en el juicio político puede quedar sometido a proceso penal o juzgado por responsabilidad administrativa. Los resultados a que se llegue en cada uno de ellos son independientes entre sí, y ninguno prejuzga sobre los otros, pues son tres juicios de distinta naturaleza. Asimismo, y como se dice en la iniciativa: "Ofrece la garantía de que no podrán imponerse dos veces a una misma conducta sanciones de la misma naturaleza por los procedimientos autónomos facultados para aplicarlas."

En tercer lugar, se refiere al enriquecimiento ilícito de los servidores públicos, es decir, a aquellos casos en que adquirieron por sí mismos o por intermedio de otros, bienes que aumenten su patrimonio, riqueza cuyo origen no puedan justificar. En tales casos, la legislación penal configurará los delitos y establecerá las sanciones a las conductas ilegales y los servidores infieles quedarán sujetos a los procedimientos penales, en virtud de los cuales, de ser declarados culpables, se les podrán imponer penas, entre ellas el decomiso de sus propiedades (véase comentario al artículo 22).

Por último, establece que cualquier persona –bajo su exclusiva responsabilidad y aportando las pruebas necesarias– podrá denunciar ante la Cámara de Diputados las conductas a su entender ilícitas de cualquier servidor público.

ARTÍCULO 110. Podrán ser sujetos de juicio político los senadores y diputados al Congreso de la Unión, los Ministros de la Suprema Corte de Justicia de la Nación, los Consejeros de la Judicatura Federal, los Secretarios de Despacho, los Jefes de Departamento Administrativo, los Diputados a la Asamblea del Distrito Federal, el Jefe de Gobierno del Distrito Federal, el Procurador General de la República, el Procurador General de Justicia del Distrito Federal, los Magistrados de Circuito y Jueces de Distrito, los Magistrados y Jueces del Fuero Común del Distrito Federal, los Consejeros de la Judicatura del Distrito Federal, el consejero Presidente, los Consejeros Electorales, y el Secretario Ejecutivo del Instituto Federal Electoral, los Magistrados del Tribunal Electoral, los Directores Generales y sus equivalentes de los organismos descentralizados, empresas de participación estatal mayoritaria, sociedades y asociaciones asimiladas a éstas y fideicomisos públicos.

Los Gobernadores de los Estados, Diputados Locales, Magistrados de los Tribunales Superiores de Justicia Locales y, en su caso, los miembros de los Consejos de las Judicaturas Locales, sólo podrán ser sujetos de juicio político en los términos de este título por violaciones graves a esta Constitución y a las leyes federales que de ella emanen, así como por el manejo indebido de fondos y recursos federales, pero en este caso la resolución será únicamente declarativa y se comunicará a las Legislaturas Locales para que, en ejercicio de sus atribuciones, procedan como corresponda.

Las sanciones consistirán en la destitución del servidor público y en su inhabilitación para desempeñar funciones, empleos, cargos o comisiones de cualquier naturaleza en el servicio público.

Para la aplicación de las sanciones a que se refiere este precepto, la Cámara de Diputados procederá a la acusación respectiva ante la Cámara de Senadores, previa declaración de la mayoría absoluta del número de los miembros presentes en sesión de aquella Cámara, después de haber sustanciado el procedimiento respectivo y con audiencia del inculpado.

Conociendo de la acusación la Cámara de Senadores, erigida en jurado de sentencia, aplicará la sanción correspondiente mediante resolución de las dos terceras partes de los miembros presentes en sesión, una vez practicadas las diligencias correspondientes y con audiencia del acusado.

Las declaraciones y resoluciones de las Cámaras de Diputados y Senadores son inatacables.

Consagra esta disposición las bases del juicio político que procede contra servidores públicos por las faltas y omisiones que redunden en perjuicio de los intereses públicos fundamentales y el buen despacho de sus funciones (véase artículo 76, fracción VII), pues:

I. Señala qué servidores pueden ser sujetos a él. La enumeración es restrictiva, o sea, sólo podrán ser enjuiciados políticamente quienes ejerzan los cargos de senador o diputado al Congreso de la Unión, ministro de la Suprema Corte de Justicia de la Nación, secretario de despacho, jefe de departamentos administrativos, jefe del Departamento del Distrito Federal, procurador general de la República y del Distrito Federal, magistrado de circuito, juez de distrito, magistrado del Tribunal Superior de Justicia, juez del orden común del Distrito Federal y representantes a la Asamblea del Distrito Federal, así como los directores generales del sector paraestatal: Organismos descentralizados, empresas de participación estatal mayoritaria y fideicomisos públicos.

Los servidores públicos de los estados –gobernadores, diputados locales y magistrados de los tribunales superiores–, sólo podrán ser sometidos a juicio político, en los términos que señala la Constitución de la República, cuando se les acuse de haber incurrido en violaciones graves a la ley suprema o a leyes federales, o bien, por manejo indebido de fondos o recursos federales. Sin embargo, en respeto al orden federal, los presuntos responsables serán puestos a disposición de la legislatura local correspondiente para que, conforme a las leyes aplicables, sean juzgados.

II. Establece las sanciones aplicables. Son dos: La destitución del cargo y la inhabilitación para ocupar otro en el servicio público. O sea, de hallar culpable al servidor público, además de perder el puesto se le podrá condenar a no desempeñar otro cualquiera, como castigo a su conducta.

III. Precisa los procedimientos. El juicio político se iniciará en la Cámara de Diputados la que, de estimar presunto responsable al servidor, lo acusará ante la de Senadores. El Senado, constituido en jurado de sentencia, tiene a su cargo juzgar al presunto responsable y decidir si es culpable o inocente. Tanto la decisión de la Cámara de Diputados como la sentencia emitida por el Senado serán inatacables, es decir, no podrán ser impugnadas ante autoridad alguna, ni tendrá posibilidad el acusado de promover el juicio de amparo.

El inculpado tendrá derecho a ser oído y a defenderse de las acusaciones hechas en su contra ante cada una de las cámaras.

*Reforma de 1994**

En 1984 se incluyó a los miembros de los consejos de la judicatura federal, del Distrito Federal y de los Estados entre los funcionarios que pueden ser sujetos de juicio político. Véase comentarios a los artículos 94, 100, 116 y 122.

*Reforma de 1996***

Por la reforma de 1996 se incorporaron a este precepto, como sujetos de juicio político a los Consejeros Electorales, el Secretario Ejecutivo del Instituto Federal Electoral y los Magistrados del Tribunal Electoral.

ARTÍCULO 111. Para proceder penalmente contra los Diputados y Senadores al Congreso de la Unión, los Ministros de la Suprema Corte de Justicia de la Nación, los Magistrados de la Sala Superior del Tribunal Electoral, los Consejeros de la Judicatura Federal, los Secretarios de Despacho, los Jefes de Departamento Administrativo, los Diputados de la Asamblea del Distrito Federal, el Jefe de Gobierno del Distrito Federal, el Procurador General de la República y el Procurador General de Justicia del Distrito Federal, así como el Consejero Presidente y los Consejeros Electorales del Consejo General del Instituto Federal Electoral, por la comisión de delitos durante el tiempo de su encargo, la Cámara de Diputados declarará por mayoría absoluta de sus miembros presentes en sesión, si ha o no lugar a proceder contra el inculpado.

* Comentario del doctor SERGIO GARCÍA RAMÍREZ.
**Comentario del licenciado EMILIO RABASA GAMBOA.

Si la resolución de la Cámara fuese negativa se suspenderá todo procedimiento ulterior, pero ello no será obstáculo para que la imputación por la comisión del delito continúe su curso cuando el inculpado haya concluido el ejercicio de su encargo, pues la misma no prejuzga los fundamentos de la imputación.

Si la Cámara declara que ha lugar a proceder, el sujeto quedará a disposición de las autoridades competentes para que actúen en arreglo a la ley.

Por lo que toca al Presidente de la República, sólo habrá lugar a acusarlo ante la Cámara de Senadores en los términos del artículo 110. En este supuesto, la Cámara de Senadores resolverá con base en la legislación penal aplicable.

Para poder proceder penalmente por delitos federales contra los Gobernadores de los Estados, Diputados Locales, Magistrados de los Tribunales Superiores de Justicia de los Estados y, en su caso, los miembros de los Consejos de las Judicaturas Locales, se seguirá el mismo procedimiento establecido en este artículo, pero en este supuesto, la declaración de procedencia será para el efecto de que se comunique a las Legislaturas Locales, para que en ejercicio de sus atribuciones procedan como corresponda.

Las declaraciones y resoluciones de las Cámaras de Diputados o Senadores son inatacables.

El efecto de la declaración de que ha lugar a proceder contra el inculpado será separarlo de su encargo en tanto esté sujeto a proceso penal. Si éste culmina en sentencia absolutoria el inculpado podrá reasumir su función. Si la sentencia fuese condenatoria y se trata de un delito cometido durante el ejercicio de su encargo, no se concederá al reo la gracia del indulto.

En demandas del orden civil que se entablen contra cualquier servidor público no se requerirá declaración de procedencia.

Las sanciones penales se aplicarán de acuerdo con lo dispuesto en la legislación penal, y tratándose de delitos por cuya comisión el autor obtenga un beneficio económico o cause daños o perjuicios patrimoniales, deberán graduarse de acuerdo con el lucro obtenido y con la necesidad de satisfacer los daños y perjuicios causados por su conducta ilícita.

Las sanciones económicas no podrán exceder de tres tantos de los beneficios obtenidos o de los daños o perjuicios causados.

Este artículo establece los principios rectores del llamado juicio de procedencia o desafuero.

Señala qué servidores públicos gozan de fuero constitucional, en razón del alto cargo que desempeñan. El fuero significa inmunidad y no impunidad, esto es, quienes lo poseen también están sujetos a los procedimientos y penas establecidas por las leyes, pero antes de que sean consignados ante las autoridades penales competentes y sujetos a proceso se requiere un acto previo y especial: El desafuero o juicio de procedencia, por el que se suprime la inmunidad de que gozaban hasta ese momento. Para salvaguardar al máximo su libertad de expresión, los diputados y senadores sólo son impunes por los delitos que pudieran cometer al expresar ideas y opiniones en el ejercicio de su cargo (véase artículo 61).

Cuando un servidor público ocupe los puestos que enumera este artículo –diputados y senadores al Congreso de la Unión, ministros de la Suprema Corte de Justicia de la Nación, secretarios de Estado, jefes de departamentos administrativos, jefe del Departamento del Distrito Federal, representantes a la Asamblea del Distrito Federal, procurador general de la República y del Distrito Federal– y sea señalado como responsable de haber cometido un delito configurado en las leyes penales, requiere que se le siga el juicio de procedencia o desafuero, para que concluido éste, si se le priva del fuero, quede a disposición del juez penal competente para ser juzgado por él.

La Cámara de Diputados es la encargada de sustanciar los juicios de procedencia, pero cuando en virtud de la resolución que emita no se declare el desafuero, y por lo tanto no se ponga el acusado a disposición de las autoridades penales, éste podrá de todos modos ser sometido a juicio cuando cese en sus funciones y concluya la inmunidad constitucional de que gozaba, pues la Cámara no actúa como jurado penal y su opinión no prejuzga sobre el fondo del asunto. Por otra parte mientras desempeña el cargo queda interrumpida la prescripción (véase artículo 114).

Sólo en un caso el Senado puede llegar a convertirse en jurado penal: Cuando el Presidente de la República sea acusado de traición a la patria o de haber cometido graves delitos del orden común. Pero la Cámara de Senadores decide entonces el fondo de estos asuntos conforme a las leyes penales federales.

En el caso de que gobernadores de los estados, diputados locales o magistrados de los tribunales superiores de las entidades federativas sean acusados de haber cometido delitos penados en leyes federales, la Cámara de Diputados actuará en la forma descrita, pero su declaración de procedencia –o desafuero– se comunicará a la legislatura local correspondiente para que actúe en consecuencia. Nuevamente, con esta disposición, se quiso preservar el sistema de competencias propio del régimen federal.

La declaración de procedencia de la Cámara de Diputados y la resolución de la de Senadores, no pueden ser impugnadas, pues una vez emitidas son definitivas y, en su contra, no procede ni siquiera el juicio de amparo.

El efecto que produce la declaración de procedencia –o desafuero– es que el inculpado queda separado de su cargo y a disposición de las autoridades para ser juzgado, de acuerdo con la legislación penal aplicable. Si concluido el proceso, la sentencia lo declara inocente, debe ser rehabilitado y podrá volver a desempeñar el puesto público que ocupaba. Pero si se le hallare culpable, no gozará de la gracia del indulto (véase comentario al artículo 89).

Cualquier servidor público, independientemente de cuál sea su rango –sin que se requiera juicio de procedencia– podrá ser demandado en juicios del orden civil. Es decir, el fuero constitucional funciona como salvaguarda y otorga inmunidad a quien goza sólo ante la posibilidad de un juicio penal, pero no ante cualquier otro tipo de controversias.

Finalmente, los dos últimos párrafos de este artículo establecen criterios judiciales sobre la sanción penal y la cuantía de la económica que se pueden imponer a los reos. Los elementos que el juez debe tener en cuenta, en el caso de delitos patrimoniales, son: Si hubo beneficio económico para el servidor infiel, si con su conducta causó daños o perjuicios a otros y cuál fue el monto de unos y otros.

*Reforma de 1994**

En 1984 se incluyó a los miembros de los consejos de la judicatura federal y locales entre funcionarios sujetos a declaratoria de procedencia para fines de persecución penal. Véanse comentarios a los artículos 94, 100 y 122.

*Reforma de 1996***

La reforma de 1996 incorporó en este precepto a los Magistrados de la sala Superior del Tribunal Electoral, al Consejero Presidente y los Consejeros

* Comentario del doctor SERGIO GARCÍA RAMÍREZ.

** Comentario del licenciado EMILIO RABASA GAMBOA.

Electorales del Instituto Federal Electoral de tal suerte que, al igual que el resto de los sujetos jurídicos contenidos en este precepto, para poder proceder penalmente contra ellos, por la comisión de delitos durante el tiempo de su encargo, se requerirá de la resolución correspondiente, adoptada por mayoría, de la Cámara de Diputados. Esto significa que los servidores públicos electorales, tanto los miembros del Instituto Federal Electoral aquí indicados como los del Tribunal Electoral quedan sujetos al régimen de inmunidad que establece este precepto.

ARTÍCULO 112. No se requerirá declaración de procedencia de la Cámara de Diputados cuando alguno de los servidores públicos a que hace referencia el párrafo primero del artículo 111 cometa un delito durante el tiempo en que se encuentre separado en su encargo.

Si el servidor público ha vuelto a desempeñar sus funciones propias o ha sido nombrado o electo para desempeñar otro cargo distinto, pero de los enumerados por el artículo 111, se procederá de acuerdo con lo dispuesto en dicho precepto.

El fuero protege sólo al servidor público mientras desempeñe alguno de los puestos enumerados en el artículo 111. Por eso, si comete un delito cuando estuviere por algún motivo separado de su cargo, no requeriría juicio de procedencia ante la Cámara de Diputados y podrá ser juzgado sin más trámites por las autoridades penales competentes.

ARTÍCULO 113. Las leyes sobre responsabilidades administrativas de los servidores públicos, determinarán sus obligaciones a fin de salvaguardar la legalidad, honradez, lealtad, imparcialidad y eficiencia en el desempeño de sus funciones, empleos, cargos y comisiones; las sanciones aplicables por los actos u omisiones en que incurran, así como los procedimientos y las autoridades para aplicarlas. Dichas sanciones, además de las que señalen las leyes, consistirán en suspensión, destitución e inhabilitación, así como en sanciones económicas, y deberán establecerse de acuerdo con los beneficios económicos obtenidos por el responsable y con los daños y perjuicios patrimoniales causados por sus actos u omisiones a que se refiere la fracción III del artículo 109, pero que no podrán exceder de tres tantos de los beneficios obtenidos o de los daños y perjuicios causados.

Los servidores públicos podrán incurrir en responsabilidades administrativas. La Ley Federal de Responsabilidades de los Servidores Públicos, publicada en el *Diario Oficial* de 31 de diciembre de 1982, señala las obligaciones de todo servidor en cuanto a la legalidad de sus actos, la honradez, lealtad, imparcialidad y eficiencia que debe observar todos los días en el desempeño de su trabajo. Precisa qué actos u omisiones son causa de esa responsabilidad y establece quiénes pueden incurrir en ella, qué sanciones son aplicables y cuál el procedimiento para imponerlas y qué autoridades sustanciarán estos juicios. Pero la Constitución estatuye tres de las sanciones aplicables: Suspensión en el puesto, destitución e inhabilitación para desempeñar otros y que cuando el servidor se haga acreedor a sanciones económicas, éstas se fijen tomando en cuenta los beneficios por él recibidos y los daños causados a otras personas con su conducta.

La ley reglamentaria trata también los siguientes temas:

1. El juicio político y la declaración de procedencia. Señala, de acuerdo con los principios establecidos en el Título Cuarto de la Constitución Federal, quiénes pueden ser llevados al juicio político, por qué motivos, qué sanciones se les pueden imponer, y regula el procedimiento ante las cámaras. Reglamenta también el juicio de procedencia.

2. Registro patrimonial de los servidores públicos. Establece su creación en la Secretaría de la Contraloría General de la República y faculta a esta nueva dependencia para practicar visitas de inspección o auditorías a los servidores públicos cuando presumiblemente hayan incurrido en enriquecimiento ilícito. Si de esas investigaciones resultare que al comparecer no pudo el servidor público comprobar el origen de su riqueza, la Contraloría General pondrá esos hechos en conocimiento del ministerio público para que este órgano obre en consecuencia y, en su caso, se siga el procedimiento penal correspondiente.

Artículo 114. El procedimiento de juicio político sólo podrá iniciarse durante el periodo en el que el servidor público desempeñe su cargo y dentro de un año después. Las sanciones correspondientes se aplicarán en un periodo no mayor de un año a partir de iniciado el procedimiento.

La responsabilidad por delitos cometidos durante el tiempo del encargo por cualquier servidor público, será exigible de acuerdo con los plazos de prescripción consignados en la ley penal, que nunca serán inferiores a tres años. Los plazos de prescripción se interrumpen en tanto el servidor público desempeña alguno de los encargos a que hace referencia el artículo 111.

La ley señalará los casos de prescripción de la responsabilidad administrativa tomando en cuenta la naturaleza y consecuencia de los actos y omisiones a que hace referencia la fracción III del artículo 109. Cuando dichos actos u omisiones fuesen graves los plazos de prescripción no serán inferiores a tres años.

Salvo que la ley declare lo contrario, todas las acciones prescriben, es decir, sólo pueden ser ejercidas durante cierto lapso que fijan las leyes. Se entiende por acción la facultad que poseen las personas –físicas o jurídicas– de promover juicios ante las autoridades competentes. Las acciones para enjuiciar a los servidores públicos tienen distinto tiempo de prescripción.

1. El juicio político sólo podrá iniciarse cuando el servidor desempeñe el cargo, o dentro de un año después de que cese en sus funciones, y las sanciones que se le impongan en el juicio deberán ser aplicadas en el término de un año.

2. En los juicios penales, la prescripción será la que fijen las leyes de la materia, pero nunca menos de tres años. Sin embargo, cuando los servidores públicos gocen de fuero y mientras no sean privados de él, no correrá el término de prescripción.

3. La prescripción en los casos de responsabilidad administrativa se fijará por la ley reglamentaria, pero cuando las faltas u omisiones fueran graves, el término no será inferior a los tres años.

Título quinto

De los Estados de la Federación
y del Distrito Federal
Artículos 115 a 122

TÍTULO QUINTO

De los Estados de la Federación y del Distrito Federal

ARTÍCULO 115. Los Estados adoptarán, para su régimen interior, la forma de gobierno republicano, representativo, popular, teniendo como base de su división territorial y de su organización política y administrativa, el Municipio Libre conforme a las bases siguientes:

I. Cada Municipio será administrado por un Ayuntamiento de elección popular directa y no habrá ninguna autoridad intermedia entre éste y el Gobierno del Estado.

Los presidentes municipales, regidores y síndicos de los ayuntamientos, electos popularmente por elección directa, no podrán ser reelectos para el periodo inmediato. Las personas que por elección indirecta o por nombramientos o designación de alguna autoridad desempeñen las funciones propias de esos cargos, cualquiera que sea la denominación que se les dé, no podrán ser electas para el periodo inmediato. Todos los funcionarios antes mencionados, cuando tengan el carácter de propietarios, no podrán ser electos para el periodo inmediato con el carácter de suplentes, pero los que tengan el carácter de suplentes sí podrán ser electos para el periodo inmediato como propietarios a menos que hayan estado en ejercicio.

Las legislaturas locales, por acuerdo de las dos terceras partes de sus integrantes, podrán suspender ayuntamientos, declarar que éstos han desaparecido y suspender o revocar el mandato a alguno de sus miembros, por alguna de las causas graves que la ley local prevenga, siempre y cuando sus miembros hayan tenido oportunidad suficiente para rendir las pruebas y hacer los alegatos que a su juicio convengan.

En caso de declararse desaparecido un ayuntamiento o por renuncia o falta absoluta de la mayoría de sus miembros, si conforme a la ley no procediere que entraren en funciones los suplentes ni que se celebraren nuevas elecciones, las legislaturas designarán entre los vecinos a los Consejos Municipales que concluirán los periodos respectivos.

Si alguno de los miembros dejare de desempeñar su cargo, será sustituido por su suplente, o se procederá según lo disponga la ley;

II. Los Municipios estarán investidos de personalidad jurídica y manejarán su patrimonio conforme a la ley.

Los ayuntamientos poseerán facultades para expedir de acuerdo con las bases normativas que deberán establecer las legislaturas de los Estados, los bandos de policía y buen gobierno y los reglamentos, circulares y disposiciones administrativas de observancia general dentro de sus respectivas jurisdicciones;

III. Los Municipios, con el concurso de los Estados cuando así fuere necesario y lo determinen las leyes, tendrán a su cargo los siguientes servicios públicos:

a) Agua potable y alcantarillado

b) Alumbrado público

c) Limpia

d) Mercados y centrales de abasto

e) Panteones

f) Rastro

g) Calles, parques y jardines

h) Seguridad pública y tránsito, e

i) Los demás que las legislaturas locales determinen según las condiciones territoriales y socioeconómicas de los Municipios, así como su capacidad administrativa y financiera.

Los Municipios de un mismo Estado, previo acuerdo entre sus ayuntamientos y con sujeción a la ley, podrán coordinarse y asociarse para la más eficaz prestación de los servicios públicos que les corresponda;

IV. Los Municipios administrarán libremente su hacienda, la cual se formará de los rendimientos de los bienes que les pertenezcan, así como de las contribuciones y otros ingresos que las legislaturas establezcan a su favor, y en todo caso:

a) Percibirán las contribuciones, incluyendo tasas adicionales, que establezcan los Estados sobre la propiedad inmobiliaria, de su fraccionamiento, división, consolidación, traslación y mejora así como las que tengan por base el cambio de valor de los inmuebles.

Los Municipios podrán celebrar convenios con el Estado para que éste se haga cargo de algunas de las funciones relacionadas con la administración de esas contribuciones.

b) Las participaciones federales, que serán cubiertas por la Federación a los Municipios con arreglo a las bases, montos y plazos que anualmente se determinen por las legislaturas de los Estados.

c) Los ingresos derivados de la prestación de servicios públicos a su cargo.

Las leyes federales no limitarán la facultad de los Estados para establecer las contribuciones a que se refieren los incisos *a* y *c*, ni concederán exenciones en relación con las mismas. Las leyes locales no establecerán exenciones o subsidios respecto de las mencionadas contribuciones, en favor de personas físicas o morales, ni de instituciones oficiales o privadas. Sólo los bienes del dominio público de la Federación, de los Estados o de los Municipios estarán exentos de dichas contribuciones.

Las legislaturas de los Estados aprobarán las leyes de ingresos de los ayuntamientos y revisarán sus cuentas públicas. Los presupuestos de egresos serán aprobados por los ayuntamientos con base en sus ingresos disponibles;

V. Los Municipios, en los términos de las leyes federales y estatales relativas, estarán facultados para formular, aprobar y administrar la zonificación y planes de desarrollo urbano municipal; participar en la creación y administración de sus reservas territoriales; controlar y vigilar la utilización del suelo en sus jurisdicciones territoriales; intervenir en la regularización de la tenencia de la tierra urbana; otorgar licencias y permisos para construcciones, y participar en la creación y administración de zonas de reservas ecológicas. Para tal efecto y de conformidad a los fines señalados en el párrafo tercero del artículo 27 de esta Constitución, expedirán los reglamentos y disposiciones administrativas que fueren necesarios;

VI. Cuando dos o más centros urbanos situados en territorios municipales de dos o más entidades federativas formen o tiendan a formar una continuidad demográfica, la Federación, las entidades federativas y los municipios respectivos, en el ámbito de sus competencias, planearán y regularán de manera conjunta y coordinada el desarrollo de dichos centros con apego a la ley federal de la materia;

VII. El Ejecutivo Federal y los gobernadores de los Estados tendrán el mando de la fuerza pública en los municipios donde residieren habitual o transitoriamente; y

VIII. Las leyes de los Estados introducirán el principio de la representación proporcional en la elección de los ayuntamientos de todos los Municipios.

Las relaciones de trabajo entre los Municipios y sus trabajadores, se regirán por las leyes que expidan las legislaturas de los Estados con base en lo dispuesto en el artículo 123 de esta Constitución, y sus disposiciones reglamentarias.

El primer ayuntamiento fundado en tierras mexicanas fue el de la Villa Rica de la Veracruz, que otorgó a Hernán Cortés, en nombre del rey de España, los títulos de capitán general y justicia mayor de la Villa. Este acto lo desligó de la autoridad del gobernador de Cuba, Diego Velázquez, y se la concedió para iniciar la conquista al crear los primeros gobernantes de lo que después sería la Nueva España.

Durante la dominación española en México, los ayuntamientos representaron la única muestra del gobierno de los pueblos, aun cuando la participación de los gobernados fue en verdad reducidísima, pues sólo el alcalde ordinario lo era por elección popular, por lo menos teóricamente. Y es que, para entonces, también en España Carlos V y sus sucesores habían acabado con las libertades municipales y con el espíritu democrático de los ayuntamientos.

Tal vez recordando la astucia política de Cortés en el acto inicial de la conquista, el ayuntamiento de la ciudad de México en 1808, formado por criollos que ambicionaban la emancipación política de México, sostuvo la tesis de que, cautivo el rey de España, correspondía al órgano municipal asumir el ejercicio de la soberanía, pues afirmaron que: "Es contra los derechos de la nación, a quien ninguno puede darle rey si no es ella misma por el consentimiento universal de sus pueblos." El intento fracasó en aquella fecha, pero las inquietudes libertarias no tardarían en iniciar la Guerra de Independencia, que después de once años iba a poner fin al régimen colonial.

Lograda la Independencia, y pese a que el municipio pudo haber sido el primer elemento y el principio básico de la democracia mexicana, no fue objeto de consideración fundamental y, de hecho, no alcanzó la debida importancia en la vida política del país.

El general Díaz, durante su prolongado gobierno, a fin de que desapareciera totalmente la autonomía municipal y lograr así una mayor centralización del poder que disfrutaba, agrupó a los ayuntamientos en demarcaciones administrativas que se llamaron partido, distrito, jefatura o cantón, y sus dirigentes –los jefes políticos– fueron los agentes del gobierno del centro, quienes a las órdenes de los gobernadores borraron todo indicio de libertad municipal. Se pretendió con tal sistema guardar la paz y el orden, aun cuando para su logro hubieran de utilizarse medios ilegales o crueles.

Éstos fueron los motivos por los que el pueblo de México odió a los jefes políticos, pilares de la dictadura, y la razón histórica que explica la consagración por parte del movimiento revolucionario del municipio libre, base de la democracia política por cuya implantación se luchaba.

Venustiano Carranza, en el Plan de Veracruz –que adicionó al de Guadalupe– del 12 de diciembre de 1914 (artículo 2o.), ofreció expedir y poner en vigor durante la lucha todas las leyes, disposiciones y medidas encaminadas al "establecimiento de la libertad municipal". Y para cumplir esa promesa, se promulgó la Ley del Municipio Libre el 25 de diciembre de 1914, precedente inmediato del artículo 115 de la Constitución en vigor.

La Asamblea de Querétaro trató, por tercera vez, en su última sesión –declarada permanente, los días 29, 30 y 31 de enero de 1917–, el tema del municipio libre.

Los diputados constituyentes de Querétaro en este asunto, como en tantos otros, acertaron a concebir al municipio libre como primera escuela de la democracia. Tuvieron conciencia, como sostuvo ante la asamblea el licenciado Fernando Lizardi, de que: "El municipio es la expresión política de la libertad individual y la base de nuestras instituciones sociales."

En efecto, el régimen municipal constituye la base de nuestra democracia como forma de gobierno y la primera manifestación de las voluntades ciudadanas para la designación de las autoridades con las que tiene contacto inmediato; por eso el texto de este artículo ordena: "...No habrá ninguna autoridad intermedia entre éste (el municipio) y el gobierno del estado" (fracción I).

La Carta de 1917 ha alentado el desarrollo de la descentralización; en la esfera administrativa a través de organismos a los que se les otorgan funciones específicas, que antes se encontraban diseminadas en diversos campos de la administración pública, y en lo político, al otorgar funciones de gobierno a los municipios.

Las sucesivas reformas constitucionales a este artículo –desde su promulgación en 1917–, en la parte referente al municipio, buscaron desarrollar la doctrina del municipio libre en sus implicaciones políticas y administrativas. La llevada a cabo en 1982, además de ampliar estas dos materias, abunda especialmente en el terreno económico o de la hacienda municipal.

La parte política de la reforma aludida introduce una innovación: precisa las reglas fundamentales para la desaparición de los poderes municipales y su nueva integración. El órgano competente para suspender a los ayuntamientos, declarar que han desaparecido y privar del mandato a alguno de sus miembros o renovarlo en él, es la legislatura local. Los motivos para fundar tales acciones serán determinadas por cada ley estatal. El acuerdo de las dos terceras partes de la respectiva legislatura y la garantía de audiencia son otros requisitos constitucionales, establecidos para evitar un proceder arbitrario en tan delicado asunto.

Otro aspecto político de la reforma es el relativo al principio de representación proporcional en la elección de los ayuntamientos. Anteriormente se aplicaba sólo a los municipios cuya población fuese de 300 mil habitantes o más. El límite cuantitativo fue suprimido, por lo que, para la elección de cualquier ayuntamiento deberá introducirse la representación proporcional sea cual fuere el número de habitantes (véase comentario al artículo 52).

En el campo administrativo, la reforma enriquece la competencia municipal en cuanto a los servicios públicos, en dos sentidos.

I. La responsabilidad que le otorga en la administración directa de ciertos servicios básicos (fracción III, inciso *a*).

II. La facultad que le es concedida para celebrar convenios con la Federación y los estados, con el fin de asumir la prestación de un servicio de competencia previamente federal o estatal.

En ambos casos la reforma pretende la descentralización de los servicios públicos. La facultad de convenir entre dos o más municipios sobre servicios públicos también está prevista.

Otra materia que extiende el ámbito municipal es la relativa a la urbanización y así, la nueva fracción V faculta al municipio a participar desde la formulación hasta la administración de los planes de desarrollo urbano. Esta disposición es particularmente importante dada la necesidad de descentralizar la industria del país hacia la provincia.

No obstante los beneficios políticos y administrativos que la reforma reporta al municipio, su parte toral es la relativa al aspecto económico. Porque la libertad y la autonomía municipales carecen de sentido cuando no se cuenta con los medios materiales para su ejercicio y preservación.

Antes de la reforma, la fracción II de este artículo si bien consignaba la libre administración de la hacienda municipal, conformaba el patrimonio de los municipios únicamente con las contribuciones que determinaran las legislaturas estatales. Ahora estas aportaciones constituyen sólo una parte de su erario.

Adicionalmente, el municipio recaudará las contribuciones derivadas de la propiedad inmobiliaria, así como las participaciones federales y los ingresos obtenidos por la prestación de los servicios públicos a su cargo. Sin embargo, la aprobación de la ley de ingresos municipal y la revisión de la cuenta pública es facultad de la legislatura local, en tanto que la formulación y aprobación del presupuesto de egresos compete al ámbito municipal.

Finalmente, la nueva fracción VIII, párrafo segundo relativa a la materia laboral, viene a resolver con claridad un problema relativo a la legislación laboral local. En efecto, el apartado B del artículo 123 se refiere a las relaciones de trabajo entre la Federación y el Distrito Federal y los servidores públicos. Antes de la reforma y en virtud de lo dispuesto por el artículo 124 constitucional las entidades federativas y los municipios, podían libremente establecer las bases legales para normar las relaciones laborales con sus servidores.

Ahora las leyes de los estados que regulen las relaciones laborales entre el gobierno local y sus servidores requieren contemplar materias tan fundamentales para el trabajador como son la garantía de sus derechos mínimos, el servicio público de carrera, el acceso a la función pública, la estabilidad en el empleo, la protección al salario, la seguridad social y normas que regulen las controversias laborales. Estos contenidos mínimos deberán también incluirse en los estatutos legales que, elaborados por las legislaturas locales, regulen las relaciones entre los municipios y sus servidores.

Artículo 116. El poder público de los Estados se dividirá, para su ejercicio, en Ejecutivo, Legislativo y Judicial, y no podrán reunirse dos o más de estos poderes en una sola persona o corporación, ni depositarse el Legislativo en un solo individuo.

Los Poderes de los Estados se organizarán conforme a la Constitución de cada uno de ellos, con sujeción a las siguientes normas:

I. Los gobernadores de los Estados no podrán durar en su encargo más de seis años.

La elección de los gobernadores de los Estados y de las legislaturas locales será directa y en los términos que dispongan las leyes electorales respectivas.

Los gobernadores de los Estados, cuyo origen sea la elección popular, ordinaria o extraordinaria, en ningún caso y por ningún motivo podrán volver a ocupar ese cargo, ni aun con el carácter de interinos, provisionales, sustitutos o encargados del despacho.

Nunca podrán ser electos para el periodo inmediato:

a) El gobernador sustituto constitucional, o el designado para concluir el periodo en caso de falta absoluta del constitucional, aun cuando tenga distinta denominación.

b) El gobernador interino, el provisional o el ciudadano que, bajo cualquiera denominación, supla las faltas temporales del gobernador, siempre que desempeñe el cargo los dos últimos años del periodo.

Sólo podrá ser gobernador constitucional de un Estado un ciudadano mexicano por nacimiento y nativo de él, o con residencia efectiva no menor de cinco años inmediatamente anteriores al día de la elección;

II. El número de representantes en las legislaturas de los Estados será proporcional al de habitantes de cada uno; pero, en todo caso, no podrá ser menor de siete diputados en los Estados cuya población no llegue a 400 mil habitantes; de nueve, en aquellos cuya población exceda de este número y no llegue a 800 mil habitantes, y de once en los Estados cuya población sea superior a esta última cifra.

Los diputados a las legislaturas de los Estados no podrán ser reelectos para el periodo inmediato. Los diputados suplentes podrán ser electos para el periodo inmediato con el carácter de propietario, siempre que no hubieren estado en ejercicio, pero los diputados propietarios no podrán ser electos para el periodo inmediato con el carácter de suplentes.

Las legislaturas de los Estados se integrarán con diputados elegidos según los principios de mayoría relativa y de representación proporcional, en los términos que señalen sus leyes;

III. El Poder Judicial de los Estados se ejercerá por los tribunales que establezcan las constituciones respectivas.

La independencia de los magistrados y jueces en el ejercicio de sus funciones deberá estar garantizada por las constituciones y las leyes orgánicas de los Estados, las cuales establecerán las condiciones para el ingreso, formación y permanencia de quienes sirvan a los poderes judiciales de los Estados.

Los Magistrados integrantes de los Poderes Judiciales Locales, deberán reunir los requisitos señalados por las fracciones I a V del artículo 95 de esta Constitución. No podrán ser Magistrados las personas que hayan ocupado el cargo de Secretario o su equivalente, Procurador de Justicia o Diputado Local, en sus respectivos Estados, durante el año previo al día de la designación.

Los nombramientos de los magistrados y jueces integrantes de los Poderes Judiciales Locales serán hechos preferentemente entre aquellas personas que hayan prestado sus servicios con eficiencia y probidad en la administración de justicia o que lo merezcan por su honorabilidad, competencia y antecedentes en otras ramas de la profesión jurídica.

Derogada.

Los magistrados durarán en el ejercicio de su encargo el tiempo que señalen las constituciones locales, podrán ser reelectos, y si lo fueren, sólo podrán ser privados de sus puestos en los términos que determinen las Constituciones y las

Leyes de Responsabilidades de los Servidores Públicos de los Estados.

Los magistrados y los jueces percibirán una remuneración adecuada e irrenunciable, la cual no podrá ser disminuida durante su encargo;

IV. Las Constituciones y las leyes de los Estados en materia electoral garantizarán que:

a) Las elecciones de los gobernadores de los Estados, de los miembros de las legislaturas locales y de los integrantes de los ayuntamientos se realicen mediante sufragio universal, libre, secreto y directo;

b) En el ejercicio de la función electoral a cargo de las autoridades electorales sean principios rectores los de legalidad, imparcialidad, objetividad, certeza e independencia;

c) Las autoridades que tengan a su cargo la organización de las elecciones y las jurisdiccionales que resuelvan las controversias en la materia, gocen de autonomía en su funcionamiento e independencia en sus decisiones;

d) Se establezca un sistema de medios de impugnación para que todos los actos y resoluciones electorales se sujeten invariablemente al principio de legalidad;

e) Se fijen los plazos convenientes para el desahogo de todas las instancias impugnativas, tomando en cuenta el principio de definitividad de las etapas de los procesos electorales;

f) De acuerdo con las disponibilidades presupuestales, los partidos políticos reciban, en forma equitativa, financiamiento público para su sostenimiento y cuenten durante los procesos electorales con apoyos para sus actividades tendientes a la obtención del sufragio universal;

g) Se propicien condiciones de equidad para el acceso de los partidos políticos a los medios de comunicación social;

h) Se fijen los criterios para determinar los límites de las erogaciones de los partidos políticos en sus campañas electorales, así como los montos máximos que tengan las aportaciones pecuniarias de sus simpatizantes y los procedimientos para el control y vigilancia del origen y uso de todos los recursos con que cuenten los partidos políticos; se establezcan, asimismo, las sanciones por el incumplimiento a las disposiciones que se expidan en estas materias; e

i) Se tipifiquen los delitos y determinen las faltas en materia electoral, así como las sanciones que por ellos deban imponerse;

V. Las constituciones y leyes de los Estados podrán instituir tribunales de lo contencioso-administrativo dotados de plena autonomía para dictar sus fallos, que tengan a su cargo dirimir las controversias que se susciten entre la Administración Pública Estatal y los particulares, estableciendo las normas para su organización, su funcionamiento, el procedimiento y los recursos contra sus resoluciones;

VI. Las relaciones de trabajo entre los Estados y sus trabajadores se regirán por las leyes que expidan las legislaturas de los Estados con base en lo dispuesto por el artículo 123 de la Constitución Política de los Estados Unidos Mexicanos y sus disposiciones reglamentarias; y

VII. La Federación y los Estados, en los términos de ley, podrán convenir la asunción por parte de éstos del ejercicio de sus funciones, la ejecución y operación de obras y la prestación de servicios públicos cuando el desarrollo económico y social lo haga necesario.

Los Estados estarán facultados para celebrar esos convenios con sus Municipios, a efecto de que éstos asuman la prestación de los servicios o la atención de las funciones a las que se refiere el párrafo anterior.

En virtud de dos artículos (40 y 41) principalísimos de la Constitución, México es una República representativa, democrática, federal, compuesta de estados libres y soberanos en todo lo concerniente a su régimen interior y el pueblo ejerce su soberanía por medio de los Poderes de la Unión, en los casos de la competencia de éstos y por los de los estados, en lo que toca a sus regímenes interiores, en los términos respectivamente establecidos por la Constitución Federal y las particulares de los estados. En atención a esos mandamientos fundamentales de la ley suprema, producto de nuestra tradición constitucional y de azarosas luchas, la Constitución vigente dedicó un título especial –el Quinto– a los estados de la Federación. El primer artículo (115) del mencionado título se refería a la organización y funcionamiento, tanto de los estados como de los municipios. A fin de cumplir con una técnica constitucional más depurada, por reforma publicada en el *Diario Oficial* de 17 de marzo de 1987, se modificaron los artículos 115 y 116, a fin de dejar todo lo concerniente al municipio libre en el 115 y lo correspondiente a los estados en el actual artículo 116, que contiene nuevos elementos.

Los poderes de los estados tienen que estar organizados, a su nivel y competencia, igual que los de la Federación, es decir, deben contar con un Ejecutivo, Legislativo y Judicial autónomos y con sus respectivas jurisdicciones claramente señaladas. Esto se desprende del primer párrafo del artículo 116.

La fracción primera se refiere al Ejecutivo local, es decir, a los gobernadores de los estados que, al igual que el Presidente de la República, no podrán permanecer en su encargo más de seis años y, cuando su origen sea la elección popular, nunca jamás serán reelectos.

Los gobernadores de los estados deben reunir para su elección los requisitos que señale su Constitución local, pero siempre ser ciudadanos mexicanos por nacimiento y originarios de sus estados o con residencia efectiva en ellos no menor a cinco años inmediatamente anteriores al día de la elección. La Constitución local puede señalar un plazo mayor, pero no inferior al antes mencionado. Las leyes estatales precisarán qué se entiende por "residencia efectiva", es decir, cuándo se está realmente domiciliado en cada estado.

La fracción II, relativa al Poder Legislativo –que, a diferencia de la Federación, es unicameral–, establece la relación que habrá entre el número de diputados y el de habitantes. Además de los diputados electos por mayoría relativa, también habrá los de minoría, es decir, los electos por el sistema de representación proporcional, como sucede en la Cámara Federal (véase comentario al artículo 54).

La fracción III está dedicada al Poder Judicial de los estados que, hasta la reforma del 17 de marzo de 1987, no tenía disposición expresa constitucional, sólo una alusión indirecta (artículo 106). Señala la independencia de que deben gozar los magistrados y jueces estatales y exige que los primeros reúnan los requisitos que la propia Constitución establece para ser ministro de la Suprema Corte de Justicia de la Nación (artículo 95). Asimismo, conforme se desprende del párrafo sexto se favorece el establecimiento de la inamovilidad de los magistrados a nivel estatal.

En el ámbito federal existen desde hace tiempo los tribunales de lo contencioso-administrativo que dirimen las controversias entre la administración pública y los particulares. La fracción IV del nuevo artículo 116 abre la posibilidad de que esa clase de tribunales surja en los estados.

Las fracciones V y VI repiten el contenido de las fracciones IX y X del texto vigente del artículo 115 hasta la reforma de marzo de 1987 y se refieren, respectivamente, a las relaciones laborales entre los estados y sus trabajadores y a la posibilidad de que celebren convenios la Federación, los estados y municipios. Tales relaciones –en virtud de la fracción V del artículo 116 y segundo párrafo de la fracción VIII del artículo 115, respectivamente– precisan una reglamentación adecuada y específica, libremente expedida por cada estado, pero nunca en contravención a los principios consagrados en el artículo 123 de la Constitución Federal.

Reforma de 1994

El artículo 116 ha sido dedicado a reglamentar a los Poderes Legislativo, Ejecutivo y Judicial de los Estados de la Unión. En relación con el Poder Judicial de las entidades federativas se añadió a la fracción III de este artículo 116, el mismo principio establecido para los funcionarios federales.

En efecto, así como en la órbita federal (véase comentario al artículo 95) elevados funcionarios federales o gobernadores de algún estado o jefe del Distrito Federal, no pueden ser designados como ministros de la Corte, si no se han separado de su previo cargo un año antes de su designación como ministro; lo mismo se ha prescrito para los estados, o sea, que altos funcionarios estatales (Secretario General, Procurador y Diputado) no podrán convertirse en magistrados integrantes de los poderes judiciales locales, si no se separan de su último cargo un año previo al día de su designación.

*Reforma de 1996**

La reforma de 1996 no se limitó al ámbito federal. El poder reformador constitucional la extendió a los estados mediante la modificación substancial de la fracción VI de este precepto. En ella se incluyeron las nuevas reglas de la competencia electoral como la elección por voto universal, libre, secreto y directo de las autoridades locales y municipales, la sujeción a los principios rectores de la función electoral federal: legalidad, imparcialidad, objetividad, certeza e independencia; la autonomía de las autoridades locales, un sistema de medios de impugnación y equidad en el financiamiento y accesos a medios, control de los recursos, delitos y sanciones electorales.

* Comentario del licenciado EMILIO RABASA GAMBOA.

De esta manera se uniforma la reforma electoral que acordaron los tres principales partidos políticos tanto para el ámbito federal como para el local.

ARTÍCULO 117. Los Estados no pueden, en ningún caso:

I. Celebrar alianza tratado o coalición con otro Estado ni con las potencias extranjeras;

II. Derogada;

III. Acuñar moneda, emitir papel moneda, estampillas, ni papel sellado;

IV. Gravar el tránsito de personas o cosas que atraviesen su territorio;

V. Prohibir ni gravar, directa ni indirectamente la entrada a su territorio, ni la salida de él, a ninguna mercancía nacional o extranjera;

VI. Gravar la circulación ni el consumo de efectos nacionales o extranjeros, con impuestos o derechos cuya exención se efectúe por aduanas locales, requiera inspección o registro de bultos, o exija documentación que acompañe la mercancía;

VII. Expedir ni mantener en vigor leyes o disposiciones fiscales que importen diferencias de impuesto o requisitos por razón de la procedencia de mercancías nacionales o extranjeras, ya sea que esta diferencia se establezca respecto de la producción similar de la localidad, o ya entre producciones semejantes de distinta procedencia;

VIII. Contraer directa o indirectamente obligaciones o empréstitos con gobiernos de otras naciones, con sociedades o particulares extranjeros, o cuando deben pagarse en moneda extranjera o fuera del territorio nacional.

Los Estados y los Municipios no podrán contraer obligaciones o empréstitos sino cuando se destinen a inversiones públicas productivas inclusive los que contraigan organismos descentralizados y empresas públicas, conforme a las bases que establezcan las legislaturas en una ley y por los conceptos y hasta por los montos que las mismas fijen anualmente en los respectivos presupuestos. Los ejecutivos informarán de su ejercicio al rendir la cuenta pública; y

IX. Gravar la producción, el acopio o la venta del tabaco en rama, en forma distinta o con cuotas mayores de las que el Congreso de la Unión autorice.

El Congreso de la Unión y las legislaturas de los Estados dictarán, desde luego, leyes encaminadas a combatir el alcoholismo.

El artículo 116 ordena cuál debe ser el régimen político de las entidades federativas. El resto de los artículos de este título se refieren también a diversas cuestiones relacionadas con el funcionamiento del sistema federal.

El gobierno se realiza en dos planos separados y distintos: el federal y el estatal.[83]

Lo que no está expresamente concedido a la Federación se entiende reservado a los estados (artículo 124). Las funciones establecidas en este artículo 117 corresponde realizarlas exclusivamente a los poderes federales, por eso están prohibidas para los estados, ya que de no ser así se rompería el pacto federal y la nación caería en el desorden.

ARTÍCULO 118. Tampoco pueden, sin consentimiento del Congreso de la Unión.

I. Establecer derechos de tonelaje, ni otro alguno de puertos, ni imponer contribuciones o derechos sobre importaciones o exportaciones;

II. Tener, en ningún tiempo, tropa permanente, ni buques de guerra; y

III. Hacer la guerra por sí a alguna potencia extranjera, exceptuándose los casos de invasión y de peligro tan inminente que no admita demora. En estos casos darán cuenta inmediata al Presidente de la República.

Así como el artículo 117 establece una serie de prohibiciones absolutas para las entidades federativas, éste señala que para llevar a cabo determinados actos se requiere autorización expresa del Congreso de la Unión,

[83] Véase comentario al artículo 41.

o sea, estatuye también para los estados prohibiciones relativas, puesto que están sujetas a dicha condición.

ARTÍCULO 119. Los Poderes de la Unión tienen el deber de proteger a los Estados contra toda invasión o violencia exterior. En cada caso de sublevación o transtorno interior, les prestarán igual protección, siempre que sean excitados por la Legislatura del Estado o por su Ejecutivo, si aquélla no estuviere reunida.

Cada Estado y el Distrito Federal están obligados a entregar sin demora a los indiciados, procesados o sentenciados, así como a practicar el aseguramiento y entrega de objetos, instrumentos o productos del delito, atendiendo a la autoridad de cualquier otra entidad federativa que los requiera. Estas diligencias se practicarán, con intervención de las respectivas procuradurías generales de justicia, en los términos de los convenios de colaboración que, al efecto, celebren las entidades federativas. Para los mismos fines, los Estados y el Distrito Federal podrán celebrar convenios de colaboración con el Gobierno Federal, quien actuará a través de la Procuraduría General de la República.

Las extradiciones a requerimiento de Estado extranjero serán tramitadas por el Ejecutivo Federal, con la intervención de la autoridad judicial en los términos de esta Constitución, los Tratados Internacionales que al respecto se suscriban y las leyes reglamentarias. En esos casos, el auto del juez que mande cumplir la requisitoria será bastante para motivar la detención hasta por sesenta días naturales.

En el sistema federal existen, al mismo tiempo, dos competencias: la nacional y la estatal. Cada una tiene sus propias atribuciones y funciones; las de los poderes federales se hallan consignadas en la Constitución general.

Sin embargo, en situaciones anormales, puede la Federación intervenir en los estados miembros. Esta disposición se refiere a dos de esos casos:

1. Cuando un estado fuere invadido por una potencia extranjera, la Federación tiene el derecho y el deber de acudir en defensa de su territorio, que es una parte del nacional.

2. Si uno de los estados sufre un grave trastorno interior, también puede intervenir la Federación para restablecer el orden. En este supuesto se requiere que la legislatura local o el gobernador, en su caso, soliciten tal ayuda.[84]

Este artículo señala la obligación para los estados de entregar a los presuntos delincuentes que se hallen en su territorio, cuando sean requeridos por las autoridades competentes de otros estados de la Federación, o del extranjero, esto es, establece la extradición para reos del orden común,[85] de acuerdo con la Ley de Extradición y los tratados respectivos.

La regla obedece a un importante principio del sistema federal: los estados administran la justicia dentro de su jurisdicción, pero a la vez integran un todo, el Estado mexicano, por lo que están obligados a facilitar que el resto de entidades federativas cumpla adecuadamente sus funciones judiciales.

La extradición de delincuentes reclamados por naciones extranjeras tiene una razón semejante: el respeto, la cooperación y la reciprocidad entre los estados para el mantenimiento del orden jurídico que hace posible la convivencia humana.

*Reforma de 1993**

Los dos párrafos de que constó, hasta 1993, el artículo 119, se refirieron exclusivamente a la extradición. En la actualidad, merced a las reformas publicadas el 25 de octubre de ese año, dicho precepto consta de tres párrafos. El primero recoge el antiguo contenido del artículo 122 –protección a los Estados por parte de los Poderes de la Unión, en los casos de invasión o violencia exterior y sublevación o trastorno interior–, precepto que hoy presenta, en forma demasiado extensa y detallada, el régimen jurídico-político del Distrito Federal.

El texto actual de los párrafos segundo y tercero del artículo 119, a los que me referiré en seguida, es el producto de las reformas procesales penales a la Constitución, publicadas el 3 de septiembre de 1993 (artículos 16, 19, 20, 107, fracción XVIII, y 119).

Se distingue la extradición externa o exógena, que ocurre entre Estados soberanos cuya relación se rige por el Derecho internacional público, y la extradición interna o endógena, que se plantea entre las entidades de una misma Federación, como sucede en el caso de los Estados Unidos Mexicanos. Se trata, en todo caso, de medios de colaboración procesal para asegurar la efectiva persecución y sanción de los delitos y evitar la im-

* Comentario del doctor SERGIO GARCÍA RAMÍREZ.

[84] Véase artículo 76, fracción VI.

[85] Respecto al concepto de extradición, véase el comentario al artículo 15.

punidad, propósitos que comparten la comunidad internacional y la comunidad nacional.

La fluidez de las comunicaciones, que es uno de los signos característicos de la época moderna, volvió inoperante el antiguo texto constitucional sobre extradición interna. Ésta requería complicados y largos procedimientos, verdaderamente inadecuados en la hora actual, que favorecían la sustracción de los inculpados a la acción de la justicia. Por otra parte, el texto anterior sólo se refería a la entrega –extradición– de infractores, pero no a la de los objetos, instrumentos o productos del delito.

El nuevo texto del segundo párrafo del artículo 119 reafirma la obligación de entrega de delincuentes por parte de cada entidad federativa con respecto a las solicitudes planteadas por cualquier otra. Esto abarca a indiciados, procesados y sentenciados, es decir, a individuos sujetos a averiguación previa ante el Ministerio Público, a proceso ante un tribunal o a ejecución de sentencia condenatoria a cargo de autoridades administrativas ejecutoras. La obligación de entrega comprende los "objetos, instrumentos o productos del delito". Se debió agregar los vestigios o huellas, en la medida en que sean asegurables y trasladables.

Antes de 1993, el sistema extradicional interno se tramitaba ante tribunales, con subordinación a una ley específica. En la actualidad se tramita ante autoridades persecutorias de naturaleza administrativa –las Procuradurías de Justicia– y con sujeción a convenios –que son actos formal y materialmente administrativos, no legislativos– celebrados entre las entidades federativas, y entre la Federación, por una parte, y los Estados de la Unión y el Distrito Federal, por la otra. Es claro que los instrumentos y las normas adoptados por la reforma de 1993 atienden mejor que los anteriores a la celeridad en la persecución de los delitos, pero también lo es que resultan más frágiles desde el ángulo de la seguridad jurídica. Es preciso hallar el justo equilibrio entre el respeto a los derechos humanos y la eficaz actuación policiaca, jurisdiccional o ejecutiva. Ambos objetivos, compatibles entre sí, ameritan cuidadosa conciliación.

La antigua norma constitucional acerca de la extradición endógena contenía una regla específica sobre la duración de la detención de un sujeto, cuando se practicaba a propósito de un requerimiento de extradición. El texto proveniente de la reforma de 1993 omite esta precisión indispensable.

En cuanto a la extradición exógena o internacional, el tercer párrafo del artículo 119 dice en la actualidad que aquélla se sujetará a la "Constitución, los tratados internacionales que al respecto se suscriban y las leyes reglamentarias". Esto parece obvio, pues la afectación de derechos de particulares sólo puede fundarse en la ley, y se entiende que la ley suprema de toda la Unión se integra por la Constitución misma, las leyes que emanan de ella y los tratados celebrados de conformidad con la misma (artículo 119).

Por ende, la declaratoria sobre la sujeción de las extradiciones a determinadas normas no obedece a una verdadera necesidad jurídica, sino, a lo más, a una conveniencia política conectada con ciertos casos deplorables de la práctica internacional, en que autoridades norteamericanas han secuestrado a súbditos mexicanos para presentarlos –sin extradición de por medio– ante la justicia de aquel país.

Anteriormente, cabía la posibilidad de detener hasta por dos meses al sujeto cuya extradición se requería a México. Hoy, tras la reforma de 1993, se ha fijado otra referencia temporal: "hasta por sesenta días". De esta manera se evita que aquellos dos meses sean computados por días hábiles, en vez de serlo por días naturales. Empero, parecería impertinente interpretar la expresión "mes" como comprensiva de mayor tiempo que el resultante de los días naturales contenidos en aquél.

ARTÍCULO 120. **Los gobernadores de los Estados están obligados a publicar y hacer cumplir las leyes federales.**

La Constitución ordena el cumplimiento de las leyes emanadas del Congreso de la Unión en todo el territorio nacional con igual uniformidad. En el plano federal impone la obligación de velar por ese cumplimiento al Presidente de la República (artículo 89, fracción I); en el local, a los gobernadores de los estados.

ARTÍCULO 121. **En cada Estado de la Federación se dará entera fe y crédito a los actos públicos, registros y procedimientos judiciales de todos los otros. El Congreso de la Unión, por medio de leyes generales, prescribirá la manera de probar dichos actos, registros y procedimientos, y el efecto de ellos, sujetándose a las bases siguientes:**

I. Las leyes de un Estado sólo tendrán efecto en su propio territorio y, por consiguiente, no podrán ser obligatorias fuera de él;

II. Los bienes muebles e inmuebles se regirán por la ley del lugar de su ubicación;

III. Las sentencias pronunciadas por los tribunales de un Estado sobre derechos reales o bienes inmuebles ubicados en otro Estado, sólo tendrán fuerza ejecutoria en éste, cuando así lo dispongan sus propias leyes.

Las sentencias sobre derechos personales sólo serán ejecutadas en otro Estado, cuando la persona condenada se haya sometido expresamente o por razón de domicilio, a la justicia que las pronunció, y siempre que haya sido citada personalmente para ocurrir al juicio;

IV. Los actos del estado civil ajustado a las leyes de un Estado tendrán validez en los otros; y

V. Los títulos profesionales expedidos por las autoridades de un Estado, con sujeción a sus leyes, serán respetados en los otros.

Esta norma fija las bases generales de la competencia y jurisdicción[86] de autoridades de un estado con respecto a los demás. El principio de la soberanía de las entidades federativas, establecida en el artículo 40, produce un doble efecto: por una parte, que las leyes de un estado sólo rijan dentro de sus propios límites y, por otra, que tengan validez en todo el territorio nacional los actos públicos, registros y procedimientos judiciales realizados en cada uno de ellos, pues de no ser así, se causarían graves perjuicios al orden general y a los intereses individuales y se pondría en peligro la seguridad que otorga el orden jurídico.

ARTÍCULO 122. Definida por el artículo 44 de este ordenamiento la naturaleza jurídica del Distrito Federal, su gobierno está a cargo de los Poderes Federales y de los órganos Ejecutivo, Legislativo y Judicial de carácter local, en los términos de este artículo.

Son autoridades locales del Distrito Federal, la Asamblea Legislativa, el Jefe de Gobierno del Distrito Federal y el Tribunal Superior de Justicia.

La Asamblea Legislativa del Distrito Federal se integrará con el número de diputados electos según los principios de mayoría relativa y de representación proporcional, mediante el sistema de listas votadas en una circunscripción

[86] Al respecto, se llama jurisdicción a la actividad estatal ejercida por los jueces, que consiste en impartir justicia, aplicando las normas o leyes –abstractas generales– a los casos concretos que deben decidir.

plurinominal, en los términos que señalen esta Constitución y el Estatuto de Gobierno.

El Jefe de Gobierno del Distrito Federal tendrá a su cargo el Ejecutivo y la administración pública en la entidad recaerá en una sola persona, elegida por votación universal, libre, directa y secreta.

El Tribunal Superior de Justicia y el Consejo de la Judicatura, con los demás órganos que establezca el Estatuto de Gobierno, ejercerán la función del fuero común en el Distrito Federal.

La distribución de competencias entre los Poderes de la Unión y las autoridades locales del Distrito Federal se sujetará a las siguientes disposiciones:

A. Corresponde al Congreso de la Unión:

I. Legislar en lo relativo al Distrito Federal, con excepción de las materias expresamente conferidas a la Asamblea Legislativa;

II. Expedir el Estatuto de Gobierno del Distrito Federal;

III. Legislar en materia de deuda pública del Distrito Federal;

IV. Dictar las disposiciones generales que aseguren el debido, oportuno y eficaz funcionamiento de los Poderes de la Unión; y

V. Las demás atribuciones que le señala esta Constitución.

B. Corresponde al Presidente de los Estados Unidos Mexicanos:

I. Iniciar leyes ante el Congreso de la Unión en lo relativo al Distrito Federal;

II. Proponer al Senado a quien deba sustituir, en caso de remoción, al Jefe de Gobierno del Distrito Federal;

III. Enviar anualmente al Congreso de la Unión, la propuesta de los montos de endeudamiento necesarios para el financiamiento del presupuesto de egresos del Distrito Federal. Para tal efecto, el Jefe de Gobierno del Distrito Federal someterá a la consideración del Presidente de la República la propuesta correspondiente, en los términos que disponga la Ley;

IV. Proveer en la esfera administrativa a la exacta observancia de las leyes que expida el Congreso de la Unión respecto del Distrito Federal; y

V. Las demás atribuciones que le señale esta Constitución, el Estatuto de Gobierno y las leyes.

C. El Estatuto de Gobierno del Distrito Federal se sujetará a las siguientes bases:

BASE PRIMERA. Respecto a la Asamblea Legislativa:

I. Los Diputados a la Asamblea Legislativa serán elegidos cada tres años por voto universal, libre, directo y secreto en los términos que disponga la Ley, la cual deberá tomar en cuenta, para la organización de las elecciones, la expedición de constancias y los medios de impugnación en la materia, lo dispuesto en los artículos 41, 60 y 99 de esta Constitución;

II. Los requisitos para ser diputado a la Asamblea no podrán ser menores a los que se exigen para ser diputado federal. Serán aplicables a la Asamblea Legislativa y a sus miembros en lo que sean compatibles, las disposiciones contenidas en los artículos 51, 59, 61, 62, 64 y 77, fracción IV de esta Constitución;

III. Al partido político que obtenga por sí mismo el mayor número de constancias de mayoría y por lo menos el 30 por ciento de la votación en el Distrito Federal, le será asignado el número de Diputados de representación proporcional suficiente para alcanzar la mayoría absoluta de la Asamblea;

IV. Establecerá las fechas para la celebración de dos periodos de sesiones ordinarios al año y la integración y las atribuciones del órgano interno de gobierno que actuará durante los recesos. La convocatoria a sesiones extraordinarias será facultad de dicho órgano interno a petición de la mayoría de sus miembros o del Jefe de Gobierno del Distrito Federal;

V. La Asamblea Legislativa, en los términos del Estatuto de Gobierno, tendrá las siguientes facultades:

a) Expedir su ley orgánica, la que será enviada al Jefe de Gobierno del Distrito Federal para el solo efecto de que ordene su publicación;

b) Examinar, discutir y aprobar anualmente el presupuesto de egresos y la ley de ingresos del Distrito Federal, aprobando primero las contribuciones necesarias para cubrir el presupuesto.

Dentro de la ley de ingresos, no podrán incorporarse montos de endeudamiento superiores a los que haya autorizado previamente el Congreso de la Unión para el financiamiento del presupuesto de egresos del Distrito Federal.

La facultad de iniciativa respecto de la ley de ingresos y el presupuesto de egresos corresponde exclusivamente al Jefe de Gobierno del Distrito Federal. El Plazo para su presentación concluye el 30 de noviembre, con excepción de los años en que ocurra la elección ordinaria del Jefe de Gobierno del Distrito Federal, en cuyo caso la fecha límite será el 20 de diciembre.

La Asamblea Legislativa formulará anualmente su proyecto de presupuesto y lo enviará oportunamente al Jefe de Gobierno del Distrito Federal para que éste lo incluya en su iniciativa.

Serán aplicables a la hacienda pública del Distrito Federal, en lo que no sea incompatible con su naturaleza y su régimen orgánico de gobierno, las disposiciones contenidas en el segundo párrafo del inciso *c*) de la fracción IV del artículo 115 de esta Constitución.

c) Revisar la cuenta pública del año anterior, por conducto de la Contaduría Mayor de Hacienda de la Asamblea Legislativa, conforme a los criterios establecidos en la fracción IV del artículo 74, en lo que sean aplicables.

La cuenta pública del año anterior deberá ser enviada a la Asamblea Legislativa dentro de los diez primeros días del mes de junio. Este plazo, así como los establecidos para la presentación de las iniciativas de la ley de ingresos y del proyecto del presupuesto de egresos, solamente podrán ser ampliados cuando se formule una solicitud del Ejecutivo del Distrito Federal suficientemente justificada a juicio de la Asamblea;

d) Nombrar a quien deba sustituir en caso de falta absoluta, al Jefe de Gobierno del Distrito Federal;

e) Expedir las disposiciones legales para organizar la hacienda pública, la contaduría mayor y el presupuesto, la contabilidad y el gasto público del Distrito Federal;

f) Expedir las disposiciones que rijan las elecciones locales en el Distrito Federal, sujetándose a las bases que establezca el Estatuto de Gobierno, las cuales tomarán en cuenta los principios establecidos en los incisos *b*) al *i*) de la fracción IV del artículo 116 de esta Constitución. En estas elecciones sólo podrán participar los partidos políticos con registro nacional;

g) Legislar en materia de Administración Pública local, su régimen interno y de procedimientos administrativos;

h) Legislar en las materias civil y penal; normar el organismo protector de los derechos humanos, participación ciudadana, defensoría de oficio, notariado y registro público de la propiedad y de comercio;

i) Normar la protección civil; justicia cívica sobre faltas de policía y buen gobierno; los servicios de seguridad prestados por empresas privadas; la prevención y la readaptación social; la salud y asistencia social; y la previsión social;

j) Legislar en materia de planeación del desarrollo; en desarrollo urbano, particularmente en uso del suelo; preservación del medio ambiente y protección ecológica; vivienda; construcciones y edificaciones; vías públicas, tránsito y estacionamientos; adquisiciones y obra pública; y sobre explotación, uso y aprovechamiento de los bienes del patrimonio del Distrito Federal;

k) Regular la prestación y la concesión de los servicios públicos; legislar sobre los servicios de transporte urbano, de limpia, turismo y servicios de alojamiento, mercados, rastros y abasto, y cementerios;

l) Expedir normas sobre fomento económico y protección al empleo; desarrollo agropecuario; establecimientos mercantiles; protección de animales; espectáculos públicos; fomento cultural cívico y deportivo; y función social educativa en los términos de la fracción VIII, del artículo 3o. de esta Constitución;

m) Expedir la Ley Orgánica de los tribunales encargados de la función judicial del fuero común en el Distrito Federal, que incluirá lo relativo a las responsabilidades de los servidores públicos de dichos órganos;

n) Expedir la Ley Orgánica del Tribunal de lo Contencioso Administrativo para el Distrito Federal;

ñ) Presentar iniciativas de leyes o decretos en materias relativas al Distrito Federal, ante el Congreso de la Unión; y

o) Las demás que se le confieran expresamente en esta Constitución.

BASE SEGUNDA. Respecto al Jefe de Gobierno del Distrito Federal:

I. Ejercerá su encargo, que durará seis años, a partir del día 5 de diciembre del año de la elección, la cual se llevará a cabo conforme a lo que establezca la legislación electoral.

Para ser Jefe de Gobierno del Distrito Federal deberán reunirse los requisitos que establezca el Estatuto de Gobierno, entre los que deberán estar: ser ciudadano mexicano por nacimiento en pleno goce de sus derechos con una residencia efectiva de tres años inmediatamente anteriores al día de la elección si es originario del Distrito Federal o de cinco años ininterrumpidos para los nacidos en otra entidad; tener cuando menos treinta años cumplidos al día de la elección, y no haber desempeñado anteriormente el cargo de Jefe de Gobierno del Distrito Federal con cualquier carácter. La residencia no se interrumpe por el desempeño de cargos públicos de la Federación en otro ámbito territorial.

Para el caso de remoción del Jefe de Gobierno del Distrito Federal, el Senado nombrará, a propuesta del Presidente de la República, un sustituto que concluya el mandato. En caso de falta temporal, quedará encargado del despacho el servidor público que disponga el Estatuto de Gobierno. En caso de falta absoluta, por renuncia o cualquier otra causa, la Asamblea Legislativa designará a un sustituto que termine el encargo. La renuncia del Jefe de Gobierno del Distrito Federal sólo podrá aceptarse por causas graves. Las licencias al cargo se regularán en el propio Estatuto.

II. El Jefe de Gobierno del Distrito Federal tendrá las facultades y obligaciones siguientes:

a) Cumplir y ejecutar las leyes relativas al Distrito Federal que expida el Congreso de la Unión, en la esfera de competencia del órgano ejecutivo a su cargo o de sus dependencias;

b) Promulgar, publicar y ejecutar las leyes que expida la Asamblea Legislativa, proveyendo en la esfera administrativa a su exacta observancia, mediante la expedición de reglamentos, decretos y acuerdos. Asimismo, podrá hacer observaciones a las leyes que la Asamblea Legislativa le envíe para su promulgación, en un plazo no mayor de diez días hábiles. Si el proyecto observado fuese confirmado por mayoría calificada de dos tercios de los diputados presentes, deberá ser promulgado por el Jefe de Gobierno del Distrito Federal;

c) Presentar iniciativas de leyes o decretos ante la Asamblea Legislativa;

d) Nombrar y remover libremente a los servidores públicos dependientes del órgano ejecutivo local, cuya designación o destitución no estén previstas de manera distinta por esta Constitución o las leyes correspondientes;

e) Ejercer las funciones de dirección de los servicios de seguridad pública de conformidad con el Estatuto de Gobierno; y

f) Las demás que le confiera esta Constitución, el Estatuto de Gobierno y las leyes.

BASE TERCERA. Respecto a la organización de la Administración Pública local en el Distrito Federal:

I. Determinará los lineamientos generales para la distribución de atribuciones entre los órganos centrales, desconcentrados y descentralizados;

II. Establecerá los órganos político-administrativos en cada una de las demarcaciones territoriales en que se divida el Distrito Federal.

Asimismo fijará los criterios para efectuar la división territorial del Distrito Federal, la competencia de los órganos político-administrativos correspondientes, la forma de integrarlos, su funcionamiento, así como las relaciones de dichos órganos con el Jefe de Gobierno del Distrito Federal.

Los titulares de los órganos político-administrativos de las demarcaciones territoriales serán elegidos en forma universal, libre, secreta y directa, según lo determine la ley.

BASE CUARTA. Respecto al Tribunal Superior de Justicia y los demás órganos judiciales del fuero común:

I. Para ser magistrado del Tribunal Superior se deberán reunir los mismos requisitos que esta Constitución exige para los ministros de la Suprema Corte de Justicia; se requerirá, además, haberse distinguido en el ejercicio profesional o en el ramo judicial, preferentemente en el Distrito Federal, el Tribunal Superior de Justicia se integrará con el número de magistrados que señale la ley orgánica respectiva.

Para cubrir las vacantes de magistrados del Tribunal Superior de Justicia, el Jefe de Gobierno del Distrito Federal sometará la propuesta respectiva a la decisión de la Asamblea Legislativa. Los Magistrados ejercerán el cargo durante seis años y podrán ser ratificados por la Asamblea;

y si lo fuesen, sólo podrán ser privados de sus puestos en los términos del Título Cuarto de esta Constitución.

II. La administración, vigilancia y disciplina del Tribunal Superior de Justicia, de los juzgados y demás órganos judiciales, estará a cargo del Consejo de la Judicatura del Distrito Federal. El Consejo de la Judicatura tendrá siete miembros, uno de los cuales será el presidente del Tribunal Superior de Justicia, quien también presidirá el Consejo. Los miembros restantes serán un Magistrado, un Juez de Primera Instancia y un Juez de Paz, elegidos mediante insaculación; uno designado por el Jefe de Gobierno del Distrito Federal y otros dos nombrados por la Asamblea Legislativa. Todos los Consejeros deberán reunir los requisitos exigidos para ser magistrado y durarán cinco años en su cargo, serán sustituidos de manera escalonada y no podrán ser nombrados para un nuevo periodo.

El Consejo designará a los Jueces de Primera Instancia y a los que con otra denominación se creen en el Distrito Federal, en los términos que las disposiciones prevean en materia de carrera judicial;

III. Se determinarán las atribuciones y las normas de funcionamiento del Consejo de la Judicatura, tomando en cuenta lo dispuesto por el artículo 100 de esta Constitución;

IV. Se fijarán los criterios conforme a los cuales la ley orgánica establecerá las normas para la formación y actualización de funcionarios, así como del desarrollo de la carrera judicial;

V. Serán aplicables a los miembros del Consejo de la Judicatura, así como a los magistrados y jueces, los impedimentos y sanciones previstos en el artículo 101 de esta Constitución;

VI. El Consejo de la Judicatura elaborará el presupuesto de los tribunales de justicia en la entidad y lo remitirá al Jefe de Gobierno del Distrito Federal para su inclusión en el proyecto de presupuesto de egresos que se presente a la aprobación de la Asamblea Legislativa.

BASE QUINTA. Existirá un Tribunal de lo Contencioso Administrativo, que tendrá plena autonomía para dirimir las controversias entre los particulares y las autoridades de la Administración Pública local del Distrito Federal.

Se determinarán las normas para su integración y atribuciones, mismas que serán desarrolladas por su ley orgánica.

D. El Ministerio Público en el Distrito Federal será presidido por un Procurador General de Justicia, que será nombrado en los términos que señale el Estatuto de Gobierno; este ordenamiento y la ley orgánica respectiva determinarán su organización, competencia y normas de funcionamiento.

E. En el Distrito Federal será aplicable respecto del Presidente de los Estados Unidos Mexicanos, lo dispuesto en la fracción VII del artículo 115 de esta Constitución. La designación y remoción del servidor público que tenga a su cargo el mando directo de la fuerza pública se hará en los términos que señale el Estatuto de Gobierno.

F. La Cámara de Senadores del Congreso de la Unión, o en sus recesos, la Comisión Permanente, podrá remover al Jefe de Gobierno del Distrito Federal por causas graves que afecten las relaciones con los Poderes de la Unión o el orden público en el Distrito Federal. La solicitud de remoción deberá ser presentada por la mitad de los miembros de la Cámara de Senadores o de la Comisión Permanente, en su caso.

G. Para la eficaz coordinación de las distintas jurisdicciones locales y municipales entre sí, y de éstas con la Federación y el Distrito Federal en la planeación y ejecución de acciones en las zonas conurbadas limítrofes con el Distrito Federal, de acuerdo con el artículo 115, fracción VI de esta Constitución, en materia de asentamientos humanos; protección al ambiente; preservación y restauración del equilibrio ecológico; transporte, agua potable y drenaje; recolección, tratamiento y disposición de desechos sólidos y seguridad pública, sus respectivos gobiernos podrán suscribir convenios para la creación de comisiones metropolitanas en las que concurran y participen con apego a sus leyes.

Las comisiones serán constituidas por acuerdo conjunto de los participantes. En el instrumento de creación se determinará la forma de integración, estructura y funciones.

A través de las comisiones se establecerán:

a) Las bases para la celebración de convenios, en el seno de las comisiones conforme a las cuales se acuerden los ámbitos territoriales y de funciones respecto a la ejecución y operación de obras, prestación de servicios públicos o realización de acciones en las materias indicadas en el primer párrafo de este apartado;

b) Las bases para establecer, coordinadamente por las partes integrantes de las comisiones, las funciones específicas en las materias referidas, así como para la aportación común de recursos materiales, humanos y financieros necesarios para su operación; y

c) Las demás reglas para la regulación conjunta y coordinada del desarrollo de las zonas conurbadas, prestación de servicios y realización de acciones que acuerden los integrantes de las comisiones.

H. Las prohibiciones y limitaciones que esta Constitución establece para los Estados se aplicarán para las autoridades del Distrito Federal.

*Reforma de 1993**

Este precepto constitucional fue transformado íntegramente por la reforma de octubre de 1993. El legislador cambió desde la denominación del Título Quinto de la Constitución que anteriormente era "De los Estados de la Federación", por el "De los Estados de la Federación y del Distrito Federal". De esta manera, se buscó establecer "una nueva estructura institucional que garantice la seguridad y la soberanía de los Poderes de la Unión y, a la

* Comentario del licencido EMILIO RABASA GAMBOA.

vez, la existencia de órganos de gobierno del Distrito Federal representativos y democráticos", según reza la exposición de motivos de la iniciativa. La modificación al Título Quinto, además de su correcta ubicación, implica semejar las entidades federativas con el Distrito Federal, lo que estaría en consonancia con el artículo 43 constitucional, ya que a unas y al otro, los llama por igual "partes integrantes de la Federación".

Para entender mejor la dimensión de esta reforma resulta conveniente recordar algunos antecedentes históricos:

1o. La primera Constitución, del 4 de octubre de 1824, otorgaba al Congreso Federal facultades exclusivas para elegir el lugar "que sirva de residencia a los Supremos Poderes de la Federación y ejercer en su Distrito las atribuciones del Poder Legislativo de un Estado". Más adelante, una ley de 18 de noviembre de 1824, señalaría a la ciudad de México, como residencia de los poderes federales.

2o. Saltando a la Constitución de 1857, encontramos que el Congreso tendría facultad "para el arreglo interior del Distrito Federal y Territorios, teniendo por base el que los ciudadanos elijan popularmente a las autoridades políticas, municipales y judiciales, designándole rentas para cubrir sus atenciones locales".

En 1903 se hace una división, otorgando al Congreso la facultad legislativa, y al Ejecutivo, el orden administrativo, político y municipal.

3o. En cuanto a la Constitución de 1917, la idea del "Municipio Libre" ya implantado en el artículo 115, fue extendido a la ciudad de México, no obstante que el proyecto de Carranza descartaba semejante organización en virtud de los precedentes históricos negativos, las dificultades de orden económico y los conflictos entre Ejecutivo Federal y el Municipio.

En 1928, el Presidente Álvaro Obregón suprimió el régimen municipal y creó la organización del Distrito Federal como dependencia directa del Presidente de la República.

4o. En lo que se refiere al gobierno del Distrito Federal, los Poderes Legislativo y Ejecutivo de la Unión habían sido también locales para el Distrito Federal, es decir, el Congreso y el Presidente de la República, además de las funciones que poseen como órganos federales, tenían facultades para el gobierno del Distrito Federal. No ocurrió lo mismo con el Poder Judicial que reside en un Tribunal Superior de Justicia, esto es, se organiza en el Distrito Federal a semejanza del de los estados, desde 1855.

5o. La situación antes descrita, sobre todo en lo referente a los Poderes Legislativo y Ejecutivo del Distrito Federal, se mantuvo hasta 1987 cuando el Ejecutivo Federal promovió la reforma de la fracción VI del artículo 73 constitucional de tal suerte que por vez primera el Distrito Federal contó con una Asamblea de Representantes integrada con 66 miembros, 40 electos según el principio de mayoría relativa y 26 por el de representación proporcional, esto es, el sistema electoral mixto aplicado también a la elección de la Cámara de Diputados Federal. Conforme a esta reforma, el Congreso de la Unión, continuaba siendo el órgano competente para legislar en todo lo concerniente al Distrito Federal, pero la Asamblea de Representantes contaría con atribuciones para emitir bandos, ordenanzas, reglamentos de policía y buen gobierno, en diversas materias (salud, educación, abasto, mercados, espectáculos públicos, ecológica, agua, drenaje, vialidad, etcétera), con el fin de atender a las necesidades de los habitantes de la ciudad capital.

Esta reforma representa el antecedente inmediato a la de 1993, sobre todo en cuanto al establecimiento de un órgano legislativo propio para el Distrito Federal.

Otras facultades de la nueva Asamblea fueron las relativas a la aprobación de los nombramientos de los Magistrados del Tribunal Superior de Justicia del Distrito Federal (prerrogativa anteriormente otorgada a la Cámara de Diputados y a la Comisión Permanente, según el caso), la iniciativa de leyes ante el Congreso de la Unión en materias del Distrito Federal, citación de servidores públicos locales y recibir el informe anual sobre el estado de la administración del Distrito Federal, entre otras.

La división delegacional, la iniciativa popular, formalmente presentada por un mínimo de 10,000 ciudadanos y la función del Ministerio Público a cargo del Procurador General de Justicia del Distrito Federal, nombrado y removido libremente por el Presidente de la República, fueron otros elementos de la reforma de fines de los ochenta, indicativos de la tendencia hacia una mayor democratización reclamada de manera insistente por los habitantes de la ciudad de México y que habría de dar sentido y rumbo a la reforma de 1993.

6o. Los cambios constitucionales publicados en el *Diario Oficial* del 25 de octubre de 1993, se extendieron a los artículos 31, 44, 73, 74, 79, 89, 104, 105, 107, 122, la arriba mencionada nueva denominación del título quinto, adición de una fracción IX al artículo 76, un primer párrafo al 119 y derogación de la fracción XVII del artículo 89. Si bien estas trece modificaciones constitucionales integran en conjunto la reforma al Distrito Federal de 1993 (véanse los comentarios respectivos), las correspondientes a los artículos 44, 73 y 122 son las más significativas, y de estos tres preceptos, sin duda, el 122 constituye la norma toral de la reforma.

*Reforma de 1996**

Si bien ya la reforma de 1993 había modificado substancialmente este precepto ahora la reforma de 1996 provocó cambios substanciales sobre los de su antecesora en tres aspectos fundamentales:

* Comentario del licenciado Emilio Rabasa Gamboa.

a) La distribución de competencias entre los Poderes de la Unión y los del Distrito Federal;

b) la elección mediante sufragio universal y directo del Jefe del Gobierno del Distrito Federal y subsecuentemente de los delegados políticos, y

c) la inclusión del Tribunal de lo Contencioso-Administrativo.

Distribución de competencias

Ya se hizo ver (comentario al artículo 73) que la reforma de 1996 derogó la fracción VII del artículo 73 que establecía el principio de distribución de competencias entre la Federación y el Distrito Federal, según el cual el Congreso de la Unión legislará en todo lo que no se encuentre conferido a la Asamblea Legislativa (antes Asamblea de Representantes). Ahora este principio se inserta en este precepto (letra A fracción I) con lo cual ya no se deja como antes al Congreso Federal, a través del Estatuto de Gobierno del Distrito Federal, establecer la distribución de competencias entre la Federación y esta entidad federativa (anterior inciso *a*) fracción I) puesto que ahora esa distribución queda plasmada en la propia Constitución en este artículo (apartados A, B y C).

Sigue siendo facultad del Congreso Federal expedir el Estatuto de Gobierno del Distrito Federal (fracción II apartado A) para lo cual deberá sujetarse a las bases que establece la propia Constitución (apartado C, bases primera a quinta) respecto de la Asamblea Legislativa, el Jefe del Gobierno del Distrito Federal, la organización de la Administración Pública local en el Distrito Federal, el Tribunal Superior de Justicia y el Tribunal de lo Contencioso-Administrativo. Pero ya no forma parte del Estatuto, por ser ahora competencia de la Asamblea Legislativa (como facultad genérica) presentar iniciativas de leyes o decretos en materias relativas al Distrito Federal ante el Congreso de la Unión (Base Primera, fracción V apartado ñ) indicar los derechos y obligaciones de carácter público de los habitantes del Distrito Federal, y el establecimiento del Consejo de Ciudadanos.

En adición a lo anterior, el Congreso de la Unión queda también facultado para legislar en materia de deuda pública del Distrito Federal (apartado A fracción III) y para dictar disposiciones generales que aseguren el debido, oportuno y eficaz funcionamiento de los Poderes de la Unión (apartado A fracción IV)

Nuevas facultades del Presidente de la República

Por lo que se refiere a las nuevas facultades del Presidente de la República sobre el Distrito Federal, la reforma de 1996 fue muy extensa y significativa. Antes nombraba al Jefe del Distrito Federal, ahora esta facultad pasa a los habitantes de la capital (más adelante se abunda sobre este aspecto de la reforma); antes aprobaba el nombramiento o remoción del Procurador de Justicia del Distrito Federal que hiciera el Jefe del Departamento, ahora el nombramiento se sujetará a lo dispuesto por el estatuto; antes tenía el mando de la fuerza pública y la designación del funcionario que la tenga a su cargo, ahora se aplica lo dispuesto por el artículo 115 fracción VII constitucional y la designación y remoción también se sujeta a lo dispuesto por el estatuto, pero será el Jefe del Gobierno del Distrito Federal, quien ejercerá las funciones de dirección de los servicios de seguridad pública. Anteriormente el Presidente de la República podía iniciar leyes y decretos ante la Asamblea local, ahora no. Únicamente subsistieron de las anteriores facultades la de enviar anualmente al Congreso de la Unión la propuesta de endeudamiento que someterá a su consideración el Jefe del Gobierno del Distrito Federal (apartado B fracción III). Adicionalmente podrá iniciar leyes ante el Congreso de la Unión en lo relativo al Distrito Federal (fracción I), proponer al Senado a quien deba sustituir al Jefe del Gobierno en caso de remoción (fracción II) y proveer en la esfera administrativa a la exacta observancia de las leyes que expida el Congreso de la Unión respecto del Distrito Federal (fracción IV). Consecuentemente la reforma de 1996 disminuyó las facultades del Presidente de la República, sobre todo las específicas, aunque conserva algunas de carácter general, todo ello en congruencia con el aspecto medular consistente en la elección universal y directa del Jefe del Gobierno del Distrito Federal que se comenta más adelante.

Nuevas facultades de la Asamblea Legislativa

Antes denominada "Asamblea de Representantes" ahora con la reforma de 1996 "Asamblea Legislativa", y a sus miembros "diputados" (Base Primera) en lugar de "representantes", este órgano queda consolidado como un cuerpo legislativo para el Distrito Federal.

Por lo que se refiere a su estructura, anteriormente la Constitución establecía su integración con 40 representantes electos por votación mayoritaria y 26 por el principio de representación proporcional, ahora esto es materia del Estatuto del Gobierno del Distrito Federal.

Las facultades legislativas de la Asamblea Legislativa se expandieron en relación con los de su predecesora con dos adicionales:

a) Para nombrar al Jefe del Gobierno del Distrito Federal, en caso de falta absoluta de éste (Base Primera fracción V letra d); y

b) Para expedir disposiciones que rijan las elecciones locales en el Distrito Federal (letra f).

Subsisten además todas aquellas relacionadas con su propia ley orgánica, presupuesto anual, revisión de cuenta pública, así como la administración, hacienda pública y contaduría locales, justicia cívica, planeación del desarrollo, servicios públicos, materia civil, penal y derechos humanos, fomento económico, expedición de leyes de los tribunales del fuero común y de lo contencioso administrativo, así como para iniciar leyes y decretos ante el Congreso Federal.

Elección y facultades del Jefe del Gobierno

Aspecto toral de toda la reforma política de 1996 fue establecer por vez primera en este siglo la elección por voto universal y directa del Jefe del Gobierno del Distrito Federal. Por la trascendencia de esta modificación vale la pena detenernos brevemente en sus antecedentes constitucionales.

La elección popular de las autoridades políticas del Distrito Federal, no es una novedad constitucional. La Carta de 1857 establecería que el Congreso de la Unión tendría la facultad "para el arreglo interior del Distrito Federal y territorios, teniendo por base en el que los ciudadanos elijan popularmente a las autoridades políticas, municipales y judiciales, designándole rentas para cubrir sus atenciones locales".

En la Constitución de 1917 el artículo 89 fracción II otorgaba la facultad al Presidente de la República de "nombrar y remover libremente...al gobernador del Distrito Federal..." Por su parte, el artículo 73 fracción VI, base tercera, establecía que los gobernadores que tendrían a su cargo el gobierno del Distrito Federal y los territorios "dependerán directamente del Presidente de la República. El Gobernador del Distrito Federal acordará con el Presidente de la República... Tanto el gobernador del Distrito Federal como el de cada territorio serán nombrados y removidos libremente por el Presidente de la República". Era ésta una facultad amplísima pues el titular del Ejecutivo Federal podía ejercerla con toda libertad, sobre todo en los aspectos cruciales:

a) origen del designado; y

b) ausencia de ratificación por otro órgano.

La designación del Regente no estaba condicionada por el lugar de origen o nacimiento, o incluso por la exigencia de algún tiempo de residencia en el Distrito Federal. Tampoco el Presidente debía someter la designación del Regente a la ratificación de otro poder, como sí debía hacerlo con los magistrados del Tribunal Superior de Justicia del Distrito Federal, que requerían de la aprobación de la Cámara de Diputados (reforma de 1928 al artículo 73, fracción VI). El titular de la Regencia no estaba obligado a rendir informe alguno de su gestión ante órgano distinto del de la autoría de su nombramiento.

Esta amplia facultad discrecional del titular del Ejecutivo Federal sobre el nombramiento y la actuación de la principal autoridad política del Distrito Federal se conservó inalterada por espacio de 70 años, hasta la reforma constitucional de 1987. Aun cuando se mantuvo la designación discrecional de la autoridad política del Distrito Federal al crearse la Asamblea de Representantes se estableció la obligación del Regente de presentar un informe por escrito a la Asamblea, sobre "el estado que guarde la administración del Distrito Federal" (artículo 73 fracción VI, base tercera, inciso j). Por vez primera el titular de la jefatura del Distrito Federal tendría alguna responsabilidad política.

La designación discrecional absoluta del Regente fue un tema de gran debate, encontradas y enconadas opiniones y muchas deliberaciones. Se modificó con la reforma de 1993, que estableció un mecanismo de designación limitada y de carácter híbrido con elementos tanto del régimen presidencial como del parlamentario. Conforme al sistema mixto establecido por esa reforma, el Jefe del Distrito Federal sería nombrado por el Presidente de la República (elemento presidencial), pero no de manera totalmente libre sino de entre cualquiera de los representantes de la entonces Asamblea de Representantes, diputados federales o senadores electos en el Distrito Federal que pertenezcan al partido político que haya obtenido el mayor número de asientos en la Asamblea (elemento parlamentario).

Este mecanismo de designación presidencial limitada nunca tuvo vigencia en la práctica, ya que un artículo transitorio indicó que entraría en vigor por primera vez en la elección de 1997, pero antes de que eso sucediera la reciente reforma de 1996 al mismo artículo 122 anuló su vigencia.

El clamor de los habitantes del Distrito Federal por elegir directamente a su autoridad política y dejar de ser ciudadanos de segunda, ya era una demanda sentida desde mucho tiempo atrás, que se hizo muy explícita en las elecciones federales de 1988.

Ahora el nuevo texto de este precepto establece que el Ejecutivo Local recaerá en una sola persona elegida por votación universal, libre, directa y secreta.

Esta reforma representa un triunfo de la democratización de la capital de la República ya que adicionalmente se hace extensiva a los delegados a partir del año 2000 (artículo 10 transitorio).

Entre los requisitos para aspirar a este cargo se establecieron el de residencia (3 años si es originario del Distrito Federal y 5 si no lo es) y el de no reelección para quién haya ocupado el cargo con anterioridad en consonancia con el principio general aplicable a otros cargos federales incluidos el de Presidente de la República además de que se preserva esta limitación que ya figuraba en la reforma de 1993.

Entre las nuevas facultades asignadas al titular del Gobierno del Distrito Federal, figuran la iniciativa de leyes o decretos ante la Asamblea Legislativa, nombramiento y remoción libre de servidores públicos dependientes del órgano ejecutivo local y la muy importante de la dirección de los servicios de seguridad pública conforme al Estatuto de Gobierno.

En materia jurisdiccional

La reforma de 1996 simplificó el texto de este precepto respecto de la organización y funcionamiento del Tribunal Superior de Justicia, sobre todo en lo que se refiere al funcionamiento del Consejo de la Judicatura del Distrito Federal, estableciendo los principios básicos de su organización y dejando a disposiciones secundarias su especificación.

Adicionalmente, mediante la Base Quinta del apartado C prescribió la existencia de un Tribunal de lo Contencioso-Administrativo con plena autonomía para dirimir todas las controversias entre los particulares y las autoridades de la Administración Pública del Distrito Federal.

Título sexto

Del Trabajo y de la Previsión Social
Artículo 123

TÍTULO SEXTO

Del Trabajo y de la Previsión Social

Artículo 123. Toda persona tiene derecho al trabajo digno y socialmente útil; al efecto, se promoverán la creación de empleos y la organización social para el trabajo, conforme a la ley.

El Congreso de la Unión, sin contravenir a las bases siguientes, deberá expedir leyes sobre el trabajo, las cuales regirán:

A. Entre los obreros, jornaleros, empleados, domésticos, artesanos y, de una manera general, todo contrato de trabajo:

I. La duración de la jornada máxima será de ocho horas;

II. La jornada máxima de trabajo nocturno será de siete horas. Quedan prohibidas: las labores insalubres o peligrosas, el trabajo nocturno industrial y todo otro trabajo después de las diez de la noche, de los menores de dieciséis años;

III. Queda prohibida la utilización del trabajo de los menores de catorce años. Los mayores de esta edad y menores de dieciséis tendrán como jornada máxima la de seis horas;

IV. Por cada seis días de trabajo deberá disfrutar el operario de un día de descanso, cuando menos;

V. Las mujeres durante el embarazo no realizarán trabajos que exijan un esfuerzo considerable y signifiquen un peligro para su salud en relación con la gestación; gozarán forzosamente de un descanso de seis semanas anteriores a la fecha fijada aproximadamente para el parto y seis semanas posteriores al mismo, debiendo percibir su salario íntegro y conservar su empleo y los derechos que hubieren adquirido por la relación de trabajo. En el periodo de lactancia tendrán dos descansos extraordinarios por día, de media hora cada uno, para alimentar a sus hijos;

VI. Los salarios mínimos que deberán disfrutar los trabajadores serán generales o profesionales. Los primeros regirán en las áreas geográficas que se determinen; los segundos se aplicarán en ramas determinadas de la actividad económica o en profesiones, oficios o trabajos especiales.

Los salarios mínimos generales deberán ser suficientes para satisfacer las necesidades normales de un jefe de familia, en el orden material, social y cultural, y para proveer a la educación obligatoria de los hijos. Los salarios mínimos profesionales se fijarán considerando, además, las condiciones de las distintas actividades económicas.

Los salarios mínimos se fijarán por una comisión nacional integrada por representantes de los trabajadores, de los patrones y del gobierno, la que podrá auxiliarse de las comisiones especiales de carácter consultivo que considere indispensables para el mejor desempeño de sus funciones;

VII. Para trabajo igual debe corresponder salario igual, sin tener en cuenta sexo, ni nacionalidad;

VIII. El salario mínimo quedará exceptuado de embargo, compensación o descuento;

IX. Los trabajadores tendrán derecho a una participación en las utilidades de las empresas, regulada de conformidad con las siguientes normas:

a) Una Comisión Nacional, integrada con representantes de los trabajadores, de los patronos y del gobierno, fijará el porcentaje de utilidades que deba repartirse entre los trabajadores;

b) La Comisión Nacional practicará las investigaciones y realizará los estudios necesarios y apropiados para conocer las condiciones generales de la economía nacional. Tomará asimismo en consideración la necesidad de fomentar el desarrollo industrial del país, el interés razonable que debe percibir el capital y la necesidad de reinversión de capitales;

c) La misma Comisión podrá revisar el porcentaje fijado cuando existan nuevos estudios e investigaciones que los justifiquen;

d) La ley podrá exceptuar de la obligación de repartir utilidades a las empresas de nueva creación durante un número determinado y limitado de años, a los trabajos de exploración y a otras actividades cuando lo justifique su naturaleza y condiciones particulares;

e) Para determinar el monto de las utilidades de cada empresa se tomará como base la renta gravable de conformidad con las disposiciones de la Ley del Impuesto sobre la Renta. Los trabajadores podrán formular, ante la oficina correspondiente de la Secretaría de Hacienda y Crédito Público, las objeciones que juzguen convenientes, ajustándose al procedimiento que determine la ley;

f) El derecho de los trabajadores a participar en las utilidades no implica la facultad de intervenir en la dirección o administración de las empresas;

X. El salario deberá pagarse precisamente en moneda de curso legal, no siendo permitido hacerlo efectivo con mercancías, ni con vales, fichas o cualquier otro signo representativo con que se pretenda sustituir la moneda;

XI. Cuando, por circunstancias extraordinarias, deban aumentarse las horas de jornada, se abonará como salario por el tiempo excedente un ciento por ciento más de lo fijado para las horas normales. En ningún caso el trabajo extraordinario podrá exceder de tres horas diarias, ni de tres veces consecutivas. Los menores de dieciséis años no serán admitidos en esta clase de trabajos;

XII. Toda empresa agrícola, industrial, minera o de cualquier otra clase de trabajo, estará obligada, según lo determinen las leyes reglamentarias, a proporcionar a los trabajadores habitaciones cómodas e higiénicas. Esta obligación se cumplirá mediante las aportaciones que las empresas hagan a un fondo nacional de la vivienda a fin de constituir depósitos en favor de sus trabajadores y establecer un sistema de financiamiento que permita otorgar a éstos crédito barato y suficiente para que adquieran en propiedad tales habitaciones.

Se considera de utilidad social la expedición de una ley para la creación de un organismo integrado por representantes del Gobierno Federal, de los trabajadores y de los patrones, que administre los recursos del fondo nacional de la vivienda. Dicha ley regulará las formas y procedimientos conforme a los cuales los trabajadores podrán adquirir en propiedad las habitaciones antes mencionadas.

Las negociaciones a que se refiere el párrafo 1o. de esta fracción, situadas fuera de las poblaciones, están obligadas a establecer escuelas, enfermerías y demás servicios necesarios a la comunidad.

Además, en estos mismos centros de trabajo, cuando su población exceda de doscientos habitantes, deberá reservarse un espacio de terreno, que no será menor de cinco mil metros cuadrados, para el establecimiento de mercados públicos, instalación de edificios destinados a los servicios municipales y centros recreativos.

Queda prohibido en todo centro de trabajo el establecimiento de expendios de bebidas embriagantes y de casas de juegos de azar;

XIII. Las empresas, cualquiera que sea su actividad, estarán obligadas a proporcionar a sus trabajadores, capacitación o adiestramiento para el trabajo. La ley reglamentaria determinará los sistemas, métodos y procedimientos conforme a los cuales los patrones deberán cumplir con dicha obligación;

XIV. Los empresarios serán responsables de los accidentes del trabajo y de las enfermedades profesionales de los trabajadores, sufridas con motivo o en ejercicio de la profesión o trabajo que ejecuten; por lo tanto, los patronos deberán pagar la indemnización correspondiente, según que haya traído como consecuencia la muerte o simplemente incapacidad temporal o permanente para trabajar, de acuerdo con lo que las leyes determinen. Esta responsabilidad subsistirá aun en el caso de que el patrono contrate el trabajo por un intermediario;

XV. El patrón estará obligado a observar, de acuerdo con la naturaleza de su negociación, los preceptos legales sobre higiene y seguridad en las instalaciones de su establecimiento, y a adoptar las medidas adecuadas para prevenir accidentes en el uso de las máquinas, instrumentos y materiales de trabajo, así como a organizar de tal manera éste, que resulte la mayor garantía para la salud y la vida de los trabajadores, y del producto de la concepción, cuando se trate de mujeres embarazadas. Las leyes contendrán, al efecto, las sanciones procedentes en cada caso;

XVI. Tanto los obreros como los empresarios tendrán derecho para coaligarse en defensa de sus respectivos intereses, formando sindicatos, asociaciones profesionales, etcétera;

XVII. Las leyes reconocerán como un derecho de los obreros y de los patronos las huelgas y los paros;

XVIII. Las huelgas serán lícitas cuando tengan por objeto conseguir el equilibrio entre los diversos factores de la producción, armonizando los derechos del trabajo con los del capital. En los servicios públicos será obligatorio para los trabajadores dar aviso con diez días de anticipación, a la Junta de Conciliación y Arbitraje, de la fecha señalada para la suspensión del trabajo. Las huelgas serán consideradas como ilícitas únicamente cuando la mayoría de los huelguistas ejerciere actos violentos contra las personas o las propiedades, o en caso de guerra, cuando aquéllos pertenezcan a los establecimientos y servicios que dependan del gobierno;

XIX. Los paros serán lícitos únicamente cuando el exceso de producción haga necesario suspender el trabajo para mantener los precios en un límite costeable, previa aprobación de la Junta de Conciliación y Arbitraje;

XX. Las diferencias o los conflictos entre el capital y el trabajo se sujetarán a la decisión de una Junta de Conciliación y Arbitraje, formada por igual número de representantes de los obreros y de los patronos, y uno del gobierno;

XXI. Si el patrono se negare a someter sus diferencias al arbitraje o a aceptar el laudo pronunciado por la Junta, se dará por terminado el contrato de trabajo y quedará obligado a indemnizar al obrero con el importe de tres meses de salario, además de la responsabilidad que le resulte del conflicto. Esta disposición no será aplicable en los casos de las acciones consignadas en la fracción siguiente. Si la negativa fuere de los trabajadores, se dará por terminado el contrato de trabajo;

XXII. El patrono que despida a un obrero sin causa justificada o por haber ingresado a una asociación o sindicato, o por haber tomado parte en una huelga lícita, estará obligado, a elección del trabajador, a cumplir el contrato o a indemnizarlo con el importe de tres meses de salario. La ley determinará los casos en que el patrono podrá ser eximido de la obligación de cumplir el contrato mediante el pago de una indemnización. Igualmente tendrá la obligación de indemnizar al trabajador con el importe de tres meses de salario cuando se retire del servicio por falta de probidad del patrono o por recibir de él malos tratamientos, ya sea en su persona o en la de su cónyuge, padres, hijos o hermanos. El patrono no podrá eximirse de esta responsabilidad cuando los malos tratamientos provengan de dependientes o familiares que obren con el consentimiento o tolerancia de él;

XXIII. Los créditos en favor de los trabajadores por salario o sueldos devengados en el último año, y por indemnizaciones tendrán preferencia sobre cualesquiera otros en los casos de concurso o de quiebra;

XXIV. De las deudas contraídas por los trabajadores a favor de sus patronos, de sus asociados, familiares o dependientes, sólo será responsable el mismo trabajador, y en ningún caso y por ningún motivo se podrá exigir a los miembros de su familia, ni serán exigibles dichas deudas por la cantidad excedente del sueldo del trabajador en un mes;

XXV. El servicio para la colocación de los trabajadores será gratuito para éstos, ya se efectúe por oficinas municipales, bolsas de trabajo o por cualquiera otra institución oficial o particular.

En la prestación de este servicio se tomará en cuenta la demanda de trabajo y, en igualdad de condiciones, tendrán prioridad quienes representen la única fuente de ingresos en su familia;

XXVI. Todo contrato de trabajo celebrado entre un mexicano y un empresario extranjero deberá ser legalizado por la autoridad municipal competente y visado por el cónsul de la nación a donde el trabajador tenga que ir, en el concepto de que, además de las cláusulas ordinarias, se especificará claramente que los gastos de repatriación quedan a cargo del empresario contratante;

XXVII. Serán condiciones nulas y no obligarán a los contrayentes, aunque se expresen en el contrato;

a) Las que estipulen una jornada inhumana, por lo notoriamente excesiva, dada la índole del trabajo;

b) Las que fijen un salario que no sea remunerador a juicio de las Juntas de Conciliación y Arbitraje;

c) Las que estipulen un plazo mayor de una semana para la percepción del jornal;

d) Las que señalen un lugar de recreo, fonda, café, taberna cantina o tienda para efectuar el pago del salario, cuando no se trate de empleados en esos establecimientos;

e) Las que entrañen obligación directa o indirecta de adquirir los artículos de consumo en tiendas o lugares determinados;

f) Las que permitan retener el salario en concepto de multa;

g) Las que constituyan renuncia hecha por el obrero de las indemnizaciones a que tenga derecho por accidente del trabajo y enfermedades profesionales, perjuicios ocasionados por el incumplimiento del contrato o por despedírsele de la obra;

h) Todas las demás estipulaciones que impliquen renuncia de algún derecho consagrado a favor del obrero en las leyes de protección y auxilio a los trabajadores;

XXVIII. Las leyes determinarán los bienes que constituyan el patrimonio de la familia, bienes que serán inalienables, no podrán sujetarse a gravámenes reales ni embargos, y serán transmisibles a título de herencia con simplificación de las formalidades de los juicios sucesorios;

XXIX. Es de utilidad pública la Ley del Seguro Social, y ella comprenderá seguros de invalidez, de vejez, de vida, de cesación involuntaria del trabajo, de enfermedades y accidentes de servicios de guardería y cualquier otro encaminado a la protección y bienestar de los trabajadores, campesinos, no asalariados y otros sectores sociales y sus familiares;

XXX. Asimismo, serán consideradas de utilidad social, las sociedades cooperativas para la construcción de casas baratas e higiénicas, destinadas a ser adquiridas en propiedad por los trabajadores en plazos determinados, y

XXXI. La aplicación de las leyes del trabajo corresponde a las autoridades de los Estados, en sus respectivas jurisdicciones, pero es de la competencia exclusiva de las autoridades federales en los asuntos relativos a:

a) Ramas industriales y servicios:

1. Textil;
2. Eléctrica;
3. Cinematográfica;
4. Hulera;
5. Azucarera;
6. Minera;
7. Metalúrgica y siderúrgica, abarcando la explotación de los minerales básicos, el beneficio y la fundición de los mismos, así como la obtención de hierro metálico y acero a

todas sus formas y ligas y los productos laminados de los mismos;

8. De hidrocarburos;

9. Petroquímica;

10. Cementera;

11. Calera;

12. Automotriz, incluyendo autopartes mecánicas o eléctricas;

13. Química, incluyendo la química farmacéutica y medicamentos;

14. De celulosa y papel;

15. De aceites y grasas vegetales;

16. Productos de alimentos, abarcando exclusivamente la fabricación de los que sean empacados, enlatados o envasados, o que se destinen a ello;

17. Elaboradora de bebidas que sean envasadas o enlatadas o que se destinen a ello;

18. Ferrocarrilera;

19. Maderera básica, que comprende la producción de aserradero y la fabricación de triplay o aglutinados de madera;

20. Vidriera, exclusivamente por lo que toca a la fabricación de vidrio plano, liso o labrado, o de envases de vidrio;

21. Tabacalera, que comprende el beneficio o fabricación de productos de tabaco, y

22. Servicios de Banca y Crédito.

b) Empresas:

1. Aquellas que sean administradas en forma directa o descentralizada por el Gobierno Federal;

2. Aquellas que actúen en virtud de un contrato o concesión federal y las industrias que les sean conexas, y

3. Aquellas que ejecuten trabajos en zonas federales o que se encuentren bajo jurisdicción federal en las aguas territoriales o en las comprendidas en la zona económica exclusiva de la nación.

También será competencia exclusiva de las autoridades federales, la aplicación de las disposiciones de trabajo en los asuntos relativos a conflictos que afecten a dos o más entidades federativas; contratos colectivos que hayan sido declarados obligatorios en más de una entidad federativa; obligaciones patronales en materia educativa, en los términos de ley; y respecto a las obligaciones de los patrones en materia de capacitación y adiestramiento de sus trabajadores, así como de seguridad e higiene en los centros de trabajo para lo cual las autoridades federales contarán con el auxilio de las estatales, cuando se trate de ramas o actividades de jurisdicción local, en los términos de la ley reglamentaria correspondiente.

B. Entre los Poderes de la Unión, el gobierno del Distrito Federal y sus trabajadores:

I. La jornada diaria máxima de trabajo diurna y nocturna será de ocho y siete horas, respectivamente. Las que excedan serán extraordinarias y se pagarán con un ciento por ciento más de la remuneración fijada para el servicio ordinario. En ningún caso el trabajo extraordinario podrá exceder de tres horas diarias ni de tres veces consecutivas;

II. Por cada seis días de trabajo, disfrutará el trabajador de un día de descanso, cuando menos, con goce de salario íntegro;

III. Los trabajadores gozarán de vacaciones, que nunca serán menores de veinte días al año;

IV. Los salarios serán fijados en los presupuestos respectivos, sin que su cuantía pueda ser disminuida durante la vigencia de éstos.

En ningún caso los salarios podrán ser inferiores al mínimo para los trabajadores en general en el Distrito Federal y en las entidades de la República;

V. A trabajo igual corresponderá salario igual, sin tener en cuenta el sexo;

VI. Sólo podrán hacerse retenciones, descuentos, deducciones o embargos al salario en los casos previstos en las leyes;

VII. La designación del personal se hará mediante sistemas que permitan apreciar los conocimientos y aptitudes de los aspirantes. El Estado organizará escuelas de administración pública;

VIII. Los trabajadores gozarán de derechos de escalafón a fin de que los ascensos se otorguen en función de los conocimientos, aptitudes y antigüedad. En igualdad de condiciones, tendrá prioridad quien represente la única fuente de ingreso en su familia;

IX. Los trabajadores sólo podrán ser suspendidos o cesados por causa justificada, en los términos que fije la ley.

En caso de separación injustificada tendrán derecho a optar por la reinstalación de su trabajo o por la indemnización correspondiente, previo el procedimiento legal. En los casos de supresión de plazas, los trabajadores afectados tendrán derecho a que se les otorgue otra equivalente a la suprimida o a la indemnización de ley;

X. Los trabajadores tendrán el derecho de asociarse para la defensa de sus intereses comunes. Podrán, asimismo, hacer uso del derecho de huelga previo el cumplimiento de los requisitos que determine la ley, respecto de una o varias dependencias de los Poderes Públicos, cuando se violen de manera general y sistemática los derechos que este artículo les consagra;

XI. La seguridad social se organizará conforme a las siguientes bases mínimas:

a) Cubrirá los accidentes y enfermedades profesionales; las enfermedades no profesionales y maternidad; y la jubilación, la invalidez, vejez y muerte.

b) En caso de accidente o enfermedad, se conservará el derecho al trabajo por el tiempo que determine la ley.

c) Las mujeres durante el embarazo no realizarán trabajos que exijan un esfuerzo considerable y signifiquen un peligro para su salud en relación con la gestación; gozarán forzosamente de un mes de descanso antes de la fecha fijada aproximadamente para el parto y de otros dos después del mismo, debiendo percibir su salario íntegro y conservar su empleo y los derechos que hubieren adquirido por la relación de trabajo. En el periodo de lactancia tendrán dos descansos extraordinarios por día, de media hora cada uno, para alimentar a sus hijos. Además, disfrutarán de asistencia médica y obstétrica, de medicinas, de ayudas para la lactancia y del servicio de guarderías infantiles.

d) Los familiares de los trabajadores tendrán derecho a asistencia médica y medicinas, en los casos y en la proporción que determine la ley.

e) Se establecerán centros para vacaciones y para recuperación, así como tiendas económicas para beneficio de los trabajadores y sus familiares.

f) Se proporcionarán a los trabajadores habitaciones baratas en arrendamiento o venta, conforme a los programas previamente aprobados. Además, el Estado mediante las aportaciones que haga, establecerá un fondo nacional de la vivienda a fin de constituir depósitos en favor de dichos trabajadores y establecer un sistema de financiamiento que permita otorgar a éstos crédito barato y suficiente para que adquieran en propiedad habitaciones cómodas e higiénicas, o bien para construirlas, repararlas, mejorarlas o pagar pasivos adquiridos por estos conceptos.

Las aportaciones que se hagan a dicho fondo serán enteradas al organismo encargado de la seguridad social, regulándose en su ley y en las que correspondan la forma y el procedimiento conforme a los cuales se administrará el citado fondo y se otorgarán y adjudicarán los créditos respectivos;

XII. Los conflictos individuales, colectivos o intersindicales serán sometidos a un Tribunal Federal de Conciliación y Arbitraje, integrado según lo prevenido en la ley reglamentaria.

Los conflictos entre el Poder Judicial de la Federación y sus servidores serán resueltos por el Consejo de la Judicatura Federal; los que se susciten entre la Suprema Corte de Justicia y sus empleados serán resueltos por esta última.

XIII. Los militares, marinos y miembros de los cuerpos de seguridad pública, así como el personal del servicio exterior, se regirán por sus propias leyes.

El Estado proporcionará a los miembros en activo del Ejército, Fuerza Aérea y Armada, las prestaciones a que se refiere el inciso *f* de la fracción XI de este apartado, en términos similares y a través del organismo encargado de la seguridad social de los componentes de dichas instituciones;

XIII bis. El banco central y las entidades de la Administración Pública Federal que formen parte del sistema bancario mexicano regirán sus relaciones laborales con sus trabajadores por lo dispuesto en el presente Apartado;

XIV. La ley determinará los cargos que serán considerados de confianza. Las personas que los desempeñen disfrutarán de las medidas de protección al salario y gozarán de los beneficios de la seguridad social.

La historia de la humanidad puede afirmarse que ha sido una lucha constante por alcanzar la libertad y el respeto a la dignidad del hombre. El derecho del trabajo nació bajo este signo.

El trabajador se halló desarmado frente a la fuerza de los grandes capitales, en su perjuicio laboraba jornadas inhumanas y extenuantes por un salario miserable, sin derecho para exigir prestaciones económicas en caso de enfermedad, invalidez o muerte, en tanto que las mujeres y los niños entraron a engrosar la clase trabajadora, en competencia con el hombre adulto y en peores condiciones que éste y también sin protección alguna.

El auge del individualismo,[87] el crecimiento de los grandes capitales y el surgimiento del liberalismo económico, que sostenía la no intervención del Estado en las relaciones entre trabajadores y patrones fueron tres causas que unidas condujeron a un régimen de injusticia, pues los poseedores de los medios de producción imponían a la mayoría de desposeídos de trabajo cada día más arbitrarias.

[87] El individualismo es una postura filosófica adoptada por el liberalismo en que se considera a cada hombre el objeto y el fin de las instituciones sociales, y a sus intereses particulares, superiores a los de los grupos. Es decir, establece la superioridad del individuo sobre la colectividad. Expresión jurídica de esta tendencia son los catálogos de derechos humanos que empezaron a aparecer en el mundo desde fines del siglo XVIII.

La lucha obrera por dignificar el trabajo se iba a acentuar a lo largo del siglo XIX. El clamor surgido en todos los países originó diversos movimientos ideológicos que iban a proponer diferentes soluciones, en busca de una justicia que aquellas sociedades negaban a los desheredados.

El derecho del trabajo apareció en Europa, precisamente como resultado de esa situación, en los últimos años del siglo XIX, afirmando contra el liberalismo todavía imperante, el principio de que es un derecho y un deber del Estado intervenir en las relaciones entre obreros y patrones y proteger a los primeros con leyes que les garanticen un mínimo de bienestar económico, social y cultural.

En México, durante la pasada centuria no existió el derecho del trabajo. En su primera mitad siguieron aplicándose las reglamentaciones coloniales: las leyes de Indias, las siete partidas y la novísima recopilación, pero la situación de los trabajadores había empeorado como consecuencia de la inestabilidad social, política y económica de esos primeros años de nuestra vida independiente.

La Constitución de 1857 consagró la declaración de derechos, que establecía los que gozaban los hombres frente al Estado y la sociedad. La filosofía que se impuso en la Asamblea Constituyente de 1857 fue la liberal, con su sentido individualista, y la creencia de que el libre juego de las fuerzas económicas excluye al poder público de toda intervención en ese importante campo de la actividad humana. Sin embargo, dos voces se elevaron ya en el seno de aquel ilustre Congreso subrayando las injusticias sociales que tal régimen jurídico propiciaba: Ignacio Vallarta e Ignacio Ramírez, el célebre Nigromante, quien manifestó con conceptos avanzadísimos para su época: "El grande, el verdadero problema social, es emancipar a los jornaleros de los capitalistas; la resolución es sencilla y se traduce a convertir en capital el trabajo. Esta operación exigida imperiosamente por la justicia, asegurará al jornalero no solamente el salario que conviene a su subsistencia, sino un derecho a dividir proporcionalmente las ganancias con el empresario. La escuela económica tiene razón al proclamar que el capital en numerario debe producir un retiro, como el capital en efectos mercantiles y en bienes raíces; pero los economistas completarán su obra, adelantándose a las aspiraciones del socialismo, el día en que concedan los derechos incuestionables a un rédito, al capital trabajo. Señores de la Comisión, en vano proclamaréis la soberanía del pueblo mientras privéis a cada jornalero de todo el fruto de su trabajo..."

Bajo el sistema liberal, que falsamente suponía iguales a poseedores y desposeídos, y por el incremento que alcanzó la industria en los últimos años del siglo XIX, la situación de los asalariados fue cada vez más injusta y así, la explotación y la miseria a la que parecían condenados los condujo a los hechos de Cananea y Río Blanco en la primera década de este siglo.

El 1o. de julio de 1906, el Partido Liberal que dirigía Ricardo Flores Magón, publicó un manifiesto, valiente y generoso programa en favor de una legislación del trabajo. En él están señalados los derechos que deberían gozar los obreros y los campesinos para dignificar sus vidas. Pero el derecho mexicano del trabajo es obra de la revolución constitucionalista. Fue el grito de libertad de los hombres explotados en fábricas y talleres, militantes en la Revolución, el que originó las primeras leyes del trabajo.

El 8 de agosto de 1914 se decretó en Aguascalientes la jornada de nueve horas diarias, el descanso semanal y la prohibición de disminuir los salarios. Posteriormente, el 15 de septiembre de 1914, en San Luis Potosí; el 19 de septiembre del propio año, en Tabasco, y en Jalisco el 7 de octubre, se promulgaron disposiciones que reglamentaban algunos aspectos de las relaciones obrero-patronales (salario mínimo, jornada de trabajo, trabajo de los menores, etcétera).

El 19 de octubre de 1914, el general Cándido Aguilar expidió la Ley del Trabajo para el estado de Veracruz, que principalmente fijaba el salario mínimo, la jornada de trabajo y la protección en caso de riesgos profesionales, y un año después apareció, en esa misma entidad, la primera Ley de Asociaciones Profesionales.

En el año de 1915, en el estado de Yucatán, se promulgó una ley de trabajo que reconocía y daba protección a algunos de los principales derechos de los trabajadores.

Tales son los antecedentes legislativos y sociales del artículo 123 de la Constitución de 1917.

En el seno del Congreso de Querétaro, al discutirse el proyecto del artículo 5o., tuvo lugar uno de los debates más memorables. Entre otros, los diputados Héctor Victoria, obrero yucateco; Heriberto Jara, Froylán C. Manjarrez, Alfonso Cravioto y Luis Fernández Martínez intervinieron, defendiendo la tesis de que se consagrara en el texto constitucional, en contra de lo que afirmaba entonces la doctrina jurídica imperante en el resto del mundo, las bases del derecho de los trabajadores. De Manjarrez son estas palabras: "A mí no me importa que esta Constitución esté o no dentro de los moldes que previenen los jurisconsultos... a mí lo que me importa es que dé las garantías suficientes a los trabajadores." Alfonso Cravioto expresó: "El problema de los trabajadores, así de los talleres como de los campos, así de las ciudades como de los surcos, así de los gallardos obreros como de los modestos campesinos, es uno de los más hondos problemas sociales, políticos y económicos de que se debe ocupar la Constitución, porque la libertad de los hombres está en relación con su situación cultural y con su situación económica", y el diputado Fernández Martínez dijo, con palabras apasionadas: "...los que hemos estado al lado de esos seres que trabajan, de esos seres que gastan sus energías, que gastan su vida, para alimentar a sus hijos; los que hemos visto esos sufrimientos, esas lágrimas, tenemos la obligación imprescindible de venir aquí, ahora que tenemos la oportunidad, a dictar una ley y a cristalizar en esa ley los anhelos y todas las esperanzas del pueblo mexicano". Y así, merced al esfuerzo creador de aquellos hombres representativos del movimiento revolucionario, surgió la primera declaración constitucional de derechos sociales de la historia universal.[88]

El artículo elaborado por el Congreso de Querétaro regía sólo para los trabajadores contratados por particulares. Los empleados del Estado no quedaban protegidos por la Constitución.

Para suplir tal deficiencia, el Congreso Federal aprobó, en 1930, el Estatuto de los Trabajadores al Servicio de los Poderes de la Unión; y el 21 de octubre de 1960 se adicionaba el artículo 123 con el apartado B, que contiene los principios rectores de la relación trabajo entre el Estado y los servidores públicos.

Conforme se menciona en el comentario al artículo 27, éste y el 123 constituyen las más importantes y progresistas realizaciones sociales de la Revolución mexicana. El artículo 27 contiene el supremo principio de que la tierra debe ser de quien la trabaja; en el artículo 123 la directriz fundamental consiste en impartir la más plena protección al mejor patrimonio del hombre: su trabajo.

El artículo 123 establece las garantías más importantes para los trabajadores, que forman en la sociedad, al igual que los campesinos, una clase económica débil. Tales garantías tienen categoría constitucional para evitar que puedan ser violadas a través de leyes ordinarias o medidas administrativas. Así, gracias a la valiente decisión de los diputados de 1917 alcanzaron jerarquía constitucional principios que rigen y protegen al trabajo humano, por primera vez en el mundo.

Por reforma aparecida en el *Diario Oficial* de 19 de diciembre de 1978, se declaró el derecho al trabajo. Es decir, que cada persona, dentro de la edad que establece la ley, tiene derecho a trabajar y además, a que su labor sirva para dignificarla como ser humano y con ella contribuya al bienestar social, pues es cierto que sólo a través del trabajo de sus hombres y de sus mujeres pueden aspirar los pueblos a tener un nivel decoroso de existencia, y una aceptable calidad en la vida de sus habitantes. Al derecho de cada quien a gozar del trabajo y percibir sus beneficios corresponde un deber del Estado y de la sociedad: procurar que esa declaración se cumpla. Por eso el derecho al trabajo es un derecho social más.

El artículo 123 vigente comprende dos partes: en la primera (A) se reglamentan las relaciones laborales entre trabajadores y patrones. La segunda (B) se refiere a esas mismas relaciones cuando se establecen en-

[88] Véase comentario al artículo 5o.

tre los Poderes de la Unión o el gobierno del Distrito Federal y los servidores públicos. La ley reglamentaria del inciso A es principalmente la Ley Federal del Trabajo; la del B, la Ley de los Trabajadores al Servicio del Estado.

Bajo el apartado A, se hallan estatuidos, fundamentalmente, los siguientes principios:

La fracción I fija la jornada máxima de trabajo en ocho horas diarias. Con tal medida se trata de evitar una explotación inhumana, aun cuando para ese fin concurriera la voluntad del propio trabajador. Antes de que la ley reglamentara las relaciones obrero-patronales regía la libre contratación y operaba la ley de la oferta y de la demanda, circunstancia que conducía a una serie de infamias y abusos en perjuicio de los trabajadores. Hoy, los vinculados por una relación de trabajo no pueden convenir en que la jornada sea superior a ocho horas diarias. En la fracción II se prevé el caso de trabajo nocturno, y para él se establece la jornada máxima de siete horas, en razón de que resulta un trabajo más agotador que el diurno.

Las fracciones II, III y XI consagran principios protectores para los menores de 16 años. Los menores tienen prohibido dedicarse a determinadas labores peligrosas para su salud. La ley estima que el niño menor de 14 años no debe efectuar trabajos remunerados, ya que en esa etapa de desarrollo físico y mental, la sociedad está obligada a proteger su crecimiento y educación.

A fin de evitar contradicciones entre el nuevo artículo 4o. y ciertas normas del 123, se reformaron las fracciones II, V, XI, XV, XXV y XXIX del apartado A y VIII y XI, inciso *c* del apartado B. Anteriormente el legislador había considerado a la mujer un ser débil –equiparable al menor–, y por eso le prohibió cierto tipo de jornada y de trabajos especialmente peligrosos y extenuantes. Al proclamar la Constitución como garantía individual la igualdad entre los sexos, se modificaron esas normas proteccionistas, restando sólo para los menores de 16 años.

Teniendo también en cuenta el aumento de la población femenina trabajadora, el legislador enmendó las fracciones V y XV del apartado A y XI inciso *c*, del B para otorgar mayor protección a la mujer durante el embarazo. Asimismo, extendió la seguridad social al servicio de guarderías y a otros encaminados a proteger o proporcionar bienestar a los trabajadores y a sus familias, y estableció el principio de que se preferirá para realizar determinado trabajo, en igualdad de circunstancias, a quien tenga a su cargo en forma exclusiva el sustento del hogar.

La fracción IV fija que por cada seis días de labor, el obrero tiene derecho a disfrutar uno de descanso. No sólo la jornada debe comprender como máximo una tercera parte de las horas totales de un día, sino después de un determinado periodo de trabajo, es preciso que el hombre abandone el quehacer cotidiano y pueda disponer de su tiempo libremente. Las razones de esta disposición se encuentran en la conveniencia de evitar la fatiga excesiva y permitir al trabajador dedicarse a otras actividades (culturales, deportivas, familiares, etcétera).

Las fracciones VI, VII, VIII, X y XI se refieren a los principios que rigen el salario. La ley, además de proteger la integridad física y espiritual del trabajador, quiere asegurarle que su tarea recibirá un pago justo y equitativo, suficiente para que tenga una vida decorosa. De ahí que se fije un salario mínimo y se garantice su entrega. El salario mínimo se estima que es la menor cantidad de dinero que puede recibir un hombre para satisfacer sus necesidades esenciales y las de su familia. El salario comprende, además del pago convenido, todas las ventajas económicas establecidas en el contrato.

Por reforma publicada en el *Diario Oficial* el 23 de diciembre de 1986 se modificó la fracción VI fundamentalmente en dos aspectos. El primero para no diferenciar entre los trabajadores urbanos y los rurales, en cuanto al salario mínimo se refiere y el segundo para atribuir a una comisión nacional, integrada por representantes de los trabajadores, de los patrones y del gobierno, la facultad de fijar los salarios mínimos, tanto el general como el profesional.

La fracción IX se refiere a la participación del trabajador en las utilidades de la empresa, pues como con su esfuerzo aumenta el capital, justo es que participe, en la proporción que la ley establece, de las ganancias que el patrón obtenga.

Las fracciones XII y XIII muestran el propósito del legislador de proteger a los trabajadores en diversos aspectos fundamentales de la vida; el hogar, la educación de sus hijos, la salud, etcétera.

Habitar una casa decorosa es condición indispensable para lograr un nivel aceptable de vida, fundar una familia y procurar que sus miembros puedan desarrollarse en un medio favorable. Para la clase trabajadora de las ciudades y del campo esa necesidad no ha sido aún atendida cumplidamente. Son muchos los mexicanos que viven en condiciones miserables: sus casas son antihigiénicas, insuficientes para satisfacer las más elementales necesidades de la familia. El Congreso Constituyente de 1917 consideró el problema y estableció obligaciones a cargo de los patrones para tratar de resolverlo. En 1971 se reformó la fracción XII y se creó el fondo nacional de la vivienda, fondo que administra un organismo –el Infonavit– integrado por representantes del Gobierno Federal, de los trabajadores y de los patrones. La finalidad del instituto es proporcionar habitaciones a los trabajadores, que éstos puedan adquirir en propiedad.

Por reformas publicadas en el *Diario Oficial* de 3 de enero de 1978 se estableció una obligación para los patrones: brindar a sus trabajadores capacitación y adiestramiento para el trabajo. Se funda la enmienda en la necesidad de lograr una mayor productividad, o sea, que el trabajo humano, creador de la riqueza, sea cada vez más eficiente, más apto. Así se producirá más y mejor. Pero si se desatiende esta norma, los resultados provocarán efectos nocivos en la vida económica del país. Nunca debe olvidarse que son los hombres con su trabajo, quienes dan la pauta del progreso de un pueblo. Por otra parte, hay que recordar también que en nuestro mundo el empleo de nuevas tecnologías es un imperativo. Pero para manejarlas adecuadamente y con provecho se requieren trabajadores adiestrados. De ahí la necesidad de que este nuevo mandato constitucional sea cumplido pronto y en sus términos. De lo contrario el proceso de modernización se verá frenado, los trabajadores, por su falta de preparación, se hallarán expuestos a mayores riesgos en el trabajo y aumentará la frustración personal que acompaña a quienes se saben incapaces de realizar bien la labor cotidiana.

El único patrimonio del obrero es su capacidad para laborar. Por eso, cuando a consecuencia del trabajo surge un riesgo –enfermedad o accidente–, la ley responsabiliza al patrón y le impone obligaciones respecto de quien ve disminuida o suprimida su posibilidad de trabajar. Además, el patrón no sólo debe compensar el daño sufrido, sino también evitarlo con medidas preventivas (fracciones XIV y XV).

La fracción XVI reconoce el derecho de trabajadores y patrones para asociarse en defensa de sus respectivos intereses. Desde mediados del pasado siglo los obreros lucharon en contra de quienes les negaban la facultad de sindicalizarse, pues aisladamente nada podían hacer contra la enorme fuerza que representaba el capital, cuyo poder sólo era posible contrarrestar si sumaban las energías individuales y hacían valer la importancia que su tarea común tiene en el proceso productivo. A todo lo largo del siglo pasado y los primeros años del presente, hasta la aparición del derecho del trabajo, la desigualdad fue cada día más notoria, ya que mientras el patrón imponía las condiciones del contrato, el obrero carecía de derechos, pero tenía una obligación: trabajar al máximo por un mínimo de salario.

La asociación profesional (sindicato) es una de las principales garantías sociales de los trabajadores y se basa en el principio de que la unión hace la fuerza; con ella se quiere alcanzar un equilibrio entre dos factores de la producción: capital y trabajo. En México las luchas de los obreros textiles y de los mineros representaron una manifestación de esa realidad, y a principios de este siglo aparecieron las primeras organizaciones obreras como instrumentos de combate.

Las fracciones XVII, XVIII y XIX reconocen a los trabajadores el derecho de huelga, y a los patrones el derecho al paro. Éstos, sin embargo, no pueden ser derechos absolutos; la ley los reglamenta y sólo los reconoce si se ejercitan de acuerdo con las condiciones que ella establece.

El derecho de huelga, lo mismo que el de asociación profesional son conquistas relativamente recientes, dirigidas a obtener un trato más justo y humano para la clase obrera. Merced al derecho de huelga, se ha logrado que el poder del patrón no sea arbitrario ni omnipotente.

El paro es el derecho de los patrones a suspender las labores de sus empresas, previa aprobación otorgada por las autoridades del trabajo, siempre y cuando dicha suspensión sea justa y económicamente necesaria.

Las fracciones XX, XXI y XXXI se refieren a las autoridades establecidas para dirimir los conflictos que surjan entre capital y trabajo, obreros y patrones. Los tribunales de trabajo son distintos e independientes de los del orden común.

Se clasifican en locales y federales y reciben el nombre de Juntas de Conciliación.

Determinadas materias, por mandato constitucional, son conocidas y resueltas, cuando hubiera conflicto, por las autoridades federales. La lista ha crecido en virtud de varias reformas. Así, la del 9 de enero de 1978 consideró que dada la importancia que para todo país tiene tanto la seguridad y la higiene de los trabajadores en los centros donde prestan sus servicios, como la eficiencia en las labores, las autoridades federales deben ser competentes para conocer conflictos derivados de esas cuestiones.

El patrón que despida a un trabajador sin causa justificada, estará obligado, según lo prefiera éste, a reinstalarlo o a indemnizarlo (fracción XXII).

Los derechos que establece la Constitución y las leyes reglamentarias en favor de los trabajadores son irrenunciables, es decir, aun cuando el trabajador, por necesidad o por ignorancia, exprese su voluntad de rechazar lo que las leyes les conceden, semejante actitud no tendrá ninguna validez. Por eso se afirma que el derecho del trabajo es proteccionista, pues en efecto, cuida y vela por el trabajador, para que reciba un pago justo y un trato humano (fracción XXVII, inciso *h* del artículo 123 constitucional, artículo 15 de la Ley Federal del Trabajo).

Por ley publicada el 19 de enero de 1943, reglamento en México la fracción XXIX del artículo 123, creándose el Instituto Mexicano del Seguro Social. La seguridad social tiene como fin proteger al hombre trabajador y a su familia contra la enfermedad, la muerte y la miseria, así como capacitarlo para su trabajo. Es uno de los esfuerzos más generosos de nuestra época y de nuestra Revolución en favor de los trabajadores de la ciudad o del campo, asalariados y no asalariados, a quienes asegura contra esos perjuicios con atención médica, jubilaciones, pago de pensiones en caso de incapacidad, desempleo o muerte; capacitación profesional y otras prestaciones sociales.

El apartado B contiene una reglamentación diversa, en algunos aspectos, a la establecida para el trabajador en general, y rige para el servidor público. Así por ejemplo, en nuestro país la seguridad social de esos trabajadores está a cargo de un organismo específico, el Instituto de Seguridad y Servicios Sociales de los Trabajadores del Estado (ISSSTE), y normado por una ley distinta a la del Seguro Social, la orgánica del mencionado Instituto, y también para resolver conflictos entre el empleado público y el Estado existe un Tribunal de Arbitraje, diferente a las juntas establecidas para dirimir los surgidos entre patrones y obreros.

Se creó un fondo nacional para la vivienda con el fin de proporcionar ésta a los empleados públicos. De modo similar se estableció para los miembros de las fuerzas armadas. Tales disposiciones corren paralelas a la que creó el Infonavit, encargado de facilitar habitación a los trabajadores, cuyo régimen jurídico se rige por el apartado A. Se trata, en todos los casos, de atender a una necesidad humana básica: vivir en una casa cómoda e higiénica, nivel que un número elevado de mexicanos no ha alcanzado todavía. Por lo tanto, los esfuerzos que se realicen para satisfacer ese requerimiento de bienestar se inscriben dentro del programa de seguridad social dirigidos a quienes tienen como único patrimonio su propio trabajo.

Con motivo de la derogación del párrafo quinto del artículo 8o. constitucional (D.O. de la Federación de 27 de junio de 1990), que permitió la reprivatización bancaria, se modificó la fracción XIII bis apartado B de este artículo 123, a fin de que las relaciones laborales de los bancos particulares y del Banco Obrero con sus trabajadores se rijan por lo dispuesto en el apartado A de este mismo artículo 123, donde quedaron incluidos los servicios de banca y crédito (fracción XXXI inciso 22). Por otro lado, los trabajadores del sistema bancario público, estarán sujetos al apartado B (nueva fracción XIII bis).

La nueva reforma del artículo 28 constitucional sobre el Banco de México (véase comentario respectivo) ha señalado que los trabajadores de esa Institución pertenecen al sistema bancario público y, por ende, caen dentro del apartado B fracción XIII bis del artículo 123.

Reforma de 1994

Conforme a la reforma arriba mencionada en la fracción XII que habla de los conflictos entre el Poder Judicial de la Federación y sus servidores, antes eran resueltos por el Pleno de la suprema Corte de Justicia de la Nación, ahora esos conflictos serán resueltos por el Consejo de la Judicatura y los suscitados entre la Suprema Corte de Justicia y sus empleados, por la propia Corte.

Nuevamente, se quiere aquí, como ya quedó planteado en diferentes artículos, dar a un órgano especial llamado Consejo de la Judicatura la facultad para que pueda actuar de manera independiente y profesional.

Título séptimo

Prevenciones Generales
Artículos 124 a 134

TÍTULO SÉPTIMO

Prevenciones Generales

ARTÍCULO 124. Las facultades que no están expresamente concedidas por esta Constitución a los funcionarios federales, se entienden reservadas a los Estados.

Este artículo es la clave de nuestro sistema federal. Tal orden se realiza esencialmente mediante la creación de dos esferas de poderes públicos: federales y locales, y la distribución de facultades entre unos y otros.

Los poderes federales sólo pueden realizar las funciones que expresamente les otorga la Constitución Política de los Estados Unidos Mexicanos; los estatales todo lo que no esté reservado expresamente a la Federación, siempre que las constituciones locales establezcan las facultades respectivas a su favor.

La invasión en las competencias estatales por el Gobierno Federal –o viceversa– es inconstitucional, pues viola la soberanía de los estados o la de la Federación; este hecho, contrario al principio federativo se repara a través del juicio de amparo, según lo establece el artículo 103, fracciones II y III.

ARTÍCULO 125. Ningún individuo podrá desempeñar a la vez dos cargos federales de elección popular, ni uno de la Federación y otro de un Estado que sean también de elección; pero el nombrado puede elegir entre ambos, el que quiera desempeñar.

Esta disposición es absolutamente necesaria pues no se puede admitir que un mismo ciudadano posea más de una representación popular, en virtud de que esa circunstancia traería como resultado una confusión de poderes que tan cuidadosamente ha evitado la ley.

ARTÍCULO 126. No podrá hacerse pago alguno que no esté comprendido en el presupuesto o determinado por ley posterior.

En México existen tres órdenes políticos: el federal, el estatal y el municipal, a los que corresponden tres órdenes fiscales, respectivamente.

Este principio rige para los tres sistemas y, desde luego, es obligatorio para el Poder Ejecutivo Federal prever los gastos originados por el mantenimiento de todos los servicios que están a cargo de un Estado moderno, como es el nuestro. Por lo tanto, es necesaria la cuidadosa programación del presupuesto federal de ingresos, para planear las inversiones de nuevas obras y servicios, mantener los ya establecidos y calcular el gasto regular de la administración pública.

En virtud de que el manejo de los dineros públicos no puede estar sujeto a la libre voluntad de los funcionarios, se establece el requisito de que cualquier pago que haga la Federación debe estar previsto en el presupuesto de gastos (egresos), o fijado por una ley posterior.

ARTÍCULO 127. **El Presidente de la República, los ministros de la Suprema Corte de Justicia de la Nación, los diputados y senadores al Congreso de la Unión, los representantes a la Asamblea del Distrito Federal y los demás servidores públicos, recibirán una remuneración adecuada e irrenunciable por el desempeño de su función, empleo, cargo o comisión, que será determinada anual y equitativamente en los Presupuestos de Egresos de la Federación y del Distrito Federal o en los presupuestos de las entidades paraestatales según corresponda.**

Los funcionarios a que se refiere este artículo reciben por sus servicios un sueldo, que se rige por las siguientes disposiciones:

a) Su cuantía será determinada por la ley;

b) El pago se hará con cargo a la hacienda pública (Tesoro);

c) El funcionario tiene la obligación de cobrarlo (no es renunciable), pues todo trabajo debe recibir una justa remuneración[89] para así poder exigir el cumplimiento del deber adquirido, y

d) Mientras ejerzan el cargo, no se les podrá aumentar ni disminuir dicha retribución.

Este artículo fue reformado por decreto publicado en el *Diario Oficial de la Federación* del 28 de diciembre de 1982, y debe estudiarse tomando en cuenta la libertad de trabajo establecida en el artículo 5o. constitucional; cuando dice: "A ninguna persona podrá impedirse que se dedique a la pro-

[89] Véase artículo 5o.

Corresponde exclusivamente al Congreso de la Unión legislar en materia de culto público y de iglesias y agrupaciones religiosas. La ley reglamentaria respectiva, que será de orden público, desarrollará y concretará las disposiciones siguientes:

a) Las iglesias y las agrupaciones religiosas tendrán personalidad jurídica como asociaciones religiosas una vez que obtengan su correspondiente registro. La ley regulará dichas asociaciones y determinará las condiciones y requisitos para el registro constitutivo de las mismas;

b) Las autoridades no intervendrán en la vida interna de las asociaciones religiosas;

c) Los mexicanos podrán ejercer el ministerio de cualquier culto. Los mexicanos así como los extranjeros deberán, para ello, satisfacer los requisitos que señale la ley;

d) En los términos de la ley reglamentaria, los ministros de cultos no podrán desempeñar cargos públicos. Como ciudadanos tendrán derecho a votar, pero no a ser votados. Quienes hubieren dejado de ser ministros de cultos con la anticipación y en la forma que establezca la ley, podrán ser votados;

e) Los ministros no podrán asociarse con fines políticos ni realizar proselitismo a favor o en contra de candidato, partido o asociación política alguna. Tampoco podrán en reunión pública, en actos de culto de propaganda religiosa, ni en publicaciones de carácter religioso, oponerse a las leyes del país o a sus instituciones, ni agraviar, de cualquier forma, los símbolos patrios.

Queda estrictamente prohibida la formación de toda clase de agrupaciones políticas cuyo título tenga alguna palabra o indicación cualquiera que la relacione con alguna confesión religiosa. No podrán celebrarse en los templos reuniones de carácter político.

La simple promesa de decir verdad y de cumplir las obligaciones que se contraen, sujeta al que la hace, en caso de que falte a ella, a las penas que con tal motivo establece la ley.

Los ministros de cultos, sus ascendientes, descendientes, hermanos y cónyuges, así como las asociaciones religiosas a que aquéllos pertenezcan, serán incapaces para heredar por testamento, de las personas a quienes los propios ministros hayan dirigido o auxiliado espiritualmente y no tengan parentesco dentro del cuarto grado.

Los actos del estado civil de las personas son de la exclusiva competencia de las autoridades administrativas en los términos que establezcan las leyes, y tendrán la fuerza y validez que las mismas les atribuyan.

Las autoridades federales, de los estados y de los municipios tendrán en esta materia las facultades y responsabilidades que determine la ley.

Durante la época colonial existió una estrecha vinculación entre la Iglesia católica y el Estado español.

Al triunfo de los insurgentes, y después del reconocimiento del nuevo Estado por la Santa Sede, en 1836, ésta empezó a ejercer sus funciones con total independencia del gobierno civil, y mientras la Iglesia gozaba libremente de sus privilegios, el Estado mantenía la religión católica, con exclusión de cualquier otra. El clero, como situación heredada de la Colonia, tenía una gran intervención en la vida social, política y económica del país, lo que originó la pugna entre el poder civil y el eclesiástico que había de culminar en la Guerra de Tres Años y en la expedición de las Leyes de Reforma.

Las ideas liberales y reformistas habían sido consignadas en la Constitución española de 1812 y en varios decretos emanados de las cortes de 1810 y 1820 a las que asistieron buen número de diputados mexicanos, entre ellos Miguel Ramos Arizpe, quien en unión de Mora fueran considerados los ideólogos de la nueva filosofía política que pretendió imponer Valentín Gómez Farías, por medio de diversas disposiciones derogadas después por Santa Anna.[90]

[90] Por ejemplo, los decretos que ordenaban: "Recuerda a las autoridades eclesiásticas la vigilancia acerca de que el clero secular y regular no trate ni predique sobre asuntos políticos (6 de junio de 1833)." "Que los religiosos guarden reconocimiento y no se mezclen en cosas políticas (8 de junio de 1833)." "Que se cuide eficazmente que los eclesiásticos inspiren a los fieles el espíritu de paz, unión y obediencia a las autoridades, haciendo respetar su carácter y funciones sacerdotales (19 de junio de 1833)." "Cesión a los estados de fincas de ex jesuitas (13 de enero de 1834)." "Secularización de todas las misiones de la República (16 de abril de 1834)."

El 15 de enero de 1847, y para hacer frente a la guerra con Estados Unidos, Valentín Gómez Farías, encargado de la Presidencia de la República, expidió un reglamento para la ocupación de bienes de manos muertas,[91] lo que dio lugar a la rebelión de los llamados polkos en la ciudad de México, mientras las tropas invasoras desembarcaban en Veracruz.

Posteriormente, el 25 de junio de 1856, el presidente Comonfort promulgó la Ley de Desamortización Civil y Eclesiástica, que ordenaba que todos los inmuebles propiedad de corporaciones civiles o eclesiásticas, se adjudicasen en propiedad a quienes las tenían arrendadas o al mejor postor (Ley Lerdo). El 23 de noviembre de 1855 se ordenó la supresión del fuero eclesiástico en materia civil y su posible renuncia en lo criminal (Ley Juárez).

Estas y otras disposiciones dictadas por los liberales triunfantes después de la Revolución de Ayutla –movimiento que tuvo un contenido político: derrocar la dictadura de Santa Anna; y social: pretender una mejor y más justa distribución de la riqueza–, restaban poder al clero.

Pero lo que había de provocar la Guerra de Tres Años fue la promulgación de la Carta de 1857, pues aun cuando no declaraba la libertad de conciencia, ni autorizaba la de cultos, la Iglesia estimó que hería sus intereses y los sentimientos religiosos del pueblo mexicano.

Los principios constitucionales combatidos por el clero fueron la libertad de expresión y de imprenta (artículos 6o. y 7o.); la supresión del fuero eclesiástico (artículo 13); el desconocimiento, por parte del Estado, de los votos religiosos, como contrarios a la libertad humana (artículo 5o.); la incapacidad de la Iglesia para adquirir propiedades o administrar bienes raíces, a excepción de los destinados directamente al culto (artículo 127), y el derecho que se reconoció a los poderes federales para: "Ejercer en materia de culto religioso y disciplina externa, la intervención que designen las leyes" (artículo 123).

Los diputados constituyentes habían consignado en la ley suprema un mínimo de reformas que los liberales estimaron tibias, y los conservadores, intolerables.

El Papa Pío IX censuró las disposiciones constitucionales y el arzobispo de México, Lázaro de la Garza y Ballesteros, prohibió a los católicos, bajo pena de excomunión, jurar la nueva Carta. Y así, en el mes de enero de 1858 se iniciaba la guerra civil, llamada de Tres Años o de Reforma. Benito Juárez asumió la presidencia provisional de la República, mientras el Partido Conservador designaba para el mismo cargo al general Félix Zuloaga.

En plena guerra, desde Veracruz, donde residía el gobierno presidido por Juárez, se expidió el 7 de julio de 1859 el *Manifiesto del Gobierno Constitucional a la Nación*, que contenía las bases de la reforma. Con el

[91] Casas y terrenos que no podían venderse por ser propiedad de la Iglesia.

apoyo en ese documento, el presidente Juárez iba a promulgar las disposiciones relativas a la cuestión religiosa que se conocen con el nombre de Leyes de Reforma.[92]

La legislación de reforma consumó en México la separación de Estado e Iglesia y significaba el triunfo de los principios del Partido Liberal, expuestos hacía años por José María Luis Mora, cuyo primer intento de realización estuvo a cargo de Valentín Gómez Farías. Mas el Partido Conservador derrotado en la Guerra de Reforma iba a realizar un nuevo intento para arribar al poder: ofrecer el gobierno del país al archiduque de Austria, Maximiliano de Habsburgo. También esta vez correspondió el triunfo a las armas liberales y cuando Benito Juárez entró en la ciudad de México el 15 de julio de 1867, a su lado, compartiendo la victoria estaban la Constitución de 1857, las Leyes de Reforma y el pueblo de México, que en ejercicio de la soberanía demostraba al mundo su capacidad para ser constructor de su historia.

Juárez, profundo conocedor del desarrollo histórico de México, sabía bien el poder que la Iglesia tenía en la vida del pueblo y la enorme influencia social, política y económica que había alcanzado. Las Leyes de Reforma no fueron producto del prejuicio o de la pasión, tan contrarios al carácter ecuánime del gran estadista, sino resultado de una meditada observación de la historia patria. Juárez comprendió que era llegado el momento de hacer una definitiva separación entre Iglesia y Estado, por la sencilla razón de que constituyen entidades con fines diversos, y logró para México lo que hoy es doctrina constitucional y práctica política en la mayor parte de los estados contemporáneos.

Las Leyes de Reforma se incorporaron a la Constitución en 1873. Durante el gobierno del general Díaz (1884-1911) no fueron derogadas; pero de hecho la Iglesia poco a poco volvió a alcanzar influencia decisiva.

Fue el espíritu de las Leyes de Reforma y el pensamiento de Juárez y de otros grandes liberales mexicanos, lo que los diputados a la Asamblea de Querétaro de 1917 recogieron en el artículo 130 constitucional original. Este precepto complementa al 24, pero aun cuando ambos tratan el mismo tema –la religión– el 24 esencialmente reconoce el derecho del hombre a creer o a no creer, es decir, se refiere al acto íntimo y personal que es la libertad de conciencia, en tanto que el artículo 130 fundamentalmente reglamenta las instituciones relativas al culto y a las personas de él encargadas.

[92] Ley de Nacionalización de Bienes Eclesiásticos (12 de julio de 1859); Ley del Matrimonio Civil (28 de julio de 1859); Ley Orgánica del Registro Civil (28 de julio de 1859); decreto de secularización de los cementerios (31 de julio de 1859); decreto que declara qué días deben tenerse como festivos y prohíbe la asistencia oficial a las funciones de la Iglesia (11 de agosto de 1859); Ley sobre Libertad de Cultos (4 de diciembre de 1860); disposiciones que a su triunfo adicionó con la que ordenaba la secularización de los hospitales y establecimientos de beneficencia (2 de febrero de 1861) y la relativa a la extinción de las comunidades religiosas (26 de febrero de 1863).

El artículo 130 original fundamentalmente establecía que: correspondían a los poderes federales todo lo concerniente a culto religioso, la Constitución no reconocía a las iglesias personalidad jurídica alguna y se fijaba que los ministros de los cultos carecían totalmente de derechos políticos y parcialmente de algunos de derechos civiles.

Por reforma publicada en el *Diario Oficial* de 28 de enero de 1992, este artículo 130 y el 3o., 5o., 24 y 27 sufrieron sustanciales reformas, a fin de crear un nuevo y diferente esquema de relaciones Estado-Iglesias.

Por un lado, se quisieron respetar, en lo posible, los principios que en materia religiosa se aceptaron en el Constituyente de 1917, reconociendo que eran una consecuencia lógica del acontecer del México revolucionario y el de las luchas que se presentaron durante el siglo XIX, en razón de la cuestión religiosa. Por otro lado, se advirtió la necesidad de promover una nueva situación jurídica de las iglesias, más acorde con la realidad y los requerimientos modernos.

La exposición de motivos de esta nueva reforma, recuerda cómo a principios del siglo anterior y durante la Colonia existía una religión única y excluyente; la católica, apostólica, romana, con un vasto poder económico y una decidida intervención en la educación y en la capacidad civil de las personas. "Este grupo de características" –dice la exposición– "hacía de la Iglesia algo más parecido a un Estado que a una asociación religiosa".

A partir del debate y aprobación de la Constitución de 1857 –que produjeron, por el factor religioso, la Guerra de los Tres Años y la Intervención Francesa– la actitud estatal era no sólo la separación con respecto a las iglesias, sino de absoluto predominio sobre ellas. Esta filosofía fue reflejada en el Constituyente de 1917 quien llegó incluso a negar toda personalidad jurídica a las asociaciones religiosas y a sus miembros.

Ahora, la reforma se basa en traer a luz y sin simulaciones el hecho cierto de que una gran mayoría de mexicanos son creyentes. A partir de hoy, se requiere transparencia y reglas claras que demanda la modernidad del país, especialmente por lo que se refiere al culto externo, esto es, a la manifestación exterior que de su fe efectúan religiosos y practicantes de la religión.

Todo lo anterior, en forma alguna, implicará restaurar privilegios injustificados o que sufra menoscabo la soberanía del Estado mexicano, por lo que se mantiene la clara y decisiva separación entre el Estado y las iglesias, pero se modifican muchas reglas a fin de lograr una convivencia armónica con pluralidad y tolerancia.

El reconocimiento de la personalidad jurídica de las iglesias y una mayor amplitud en el ejercicio de los derechos políticos y civiles de los ministros de las iglesias, constituyeron una parte fundamentalísima de las reformas que se vienen comentando.

Por lo que hace a la personalidad jurídica, se consideró que ya estando cabalmente asegurada la supremacía e independencia estatal, por un lado, había que considerar la existencia *de facto* de las iglesias, por el otro. Desde el proyecto presentado por Carranza al Constituyente de 1917, se definió la relación entre Estado e iglesias como de "independencia", expresión que creó una laguna de derecho no cubierto por algún sistema jurídico que regulara la existencia de las iglesias. Más de 120 países, hoy día, reconocen la existencia jurídica de las iglesias. Actualmente, las libertades de creencias son capítulos importantes dentro de los tratados internacionales y hemisféricos relativos a derechos humanos.

La iniciativa admite a la figura jurídica de la "asociación religiosa" como el medio procedente para otorgar y reconocer personalidad jurídica a las iglesias, cuyo registro, condiciones y requisitos de existencia, estarán determinados por la ley secundaria (ya se expidió: la de Asociaciones Religiosas y Culto Público).

Por lo que hace a las facultades políticas de los ministros del culto, totalmente negadas en la Constitución de 1917, ahora se les concede la prerrogativa de votar (voto activo), pero no la de ser votados (voto pasivo). Para gozar de este último beneficio se requiere que hayan dejado de ser ministros del culto con la anticipación señalada por la ley.

En el artículo 27 (véase comentario respectivo) se fijan las principales nuevas modalidades en relación con la propiedad religiosa. En el 130, los ministros del culto, familiares y las asociaciones religiosas a que pertenezcan aquéllos, no pueden heredar por testamento "de las personas a quienes los propios ministros hayan dirigido o auxiliado espiritualmente y no tengan parentesco dentro del cuarto grado".

Una muy importante prohibición que contiene este nuevo artículo 130 –con profunda justificación histórica– es la relativa a que los ministros del culto *no* podrán realizar actividades políticas de ningún género. Los fines de las iglesias –esencialmente espirituales– son y deben ser totalmente ajenos e incompatibles con el quehacer político.

Las recientes modificaciones al artículo 130 continúan manteniendo principios fundamentales como son la sujeción de las iglesias al Estado de derecho y la facultad exclusiva del Congreso de la Unión para legislar en materia de culto público y de iglesia y agrupaciones religiosas, o sea, que continúa siendo materia de regulación federal. Asimismo, subsiste el postulado de que "el Congreso no puede dictar leyes que establezcan o prohíban religión alguna". (Este principio fue trasladado al artículo 24 constitucional, véase comentario respectivo.)

El comentario a este artículo 130, se ha referido a la parte medular de la reforma, pero en los comentarios correspondientes a los artículos 3o., 5o., 24 y 27, se encuentran los otros aspectos que fijan las nuevas relaciones Estado-Iglesias.

ARTÍCULO 131. Es la facultad privativa de la Federación gravar las mercancías que se importen o exporten, o que pasen de tránsito por el territorio nacional, así como reglamentar en todo tiempo y aun prohibir, por motivos de seguridad o de policía, la circulación en el interior de la República de toda clase de efectos, cualquiera que sea su procedencia; pero sin que la misma Federación pueda establecer, ni dictar, en el Distrito Federal, los impuestos y leyes que expresan las fracciones VI y VII del artículo 117.

El Ejecutivo podrá ser facultado por el Congreso de la Unión para aumentar, disminuir o suprimir las cuotas de las tarifas de exportación e importación expedidas por el propio Congreso, y para crear otras, así como para restringir y para prohibir las importaciones, las exportaciones y el tránsito de productos, artículos y efectos, cuando lo estime urgente, a fin de regular el comercio exterior, la economía del país, la estabilidad de la producción nacional o de realizar cualquiera otro propósito en beneficio del país. El propio Ejecutivo, al enviar al Congreso el presupuesto fiscal de cada año, someterá a su aprobación el uso que hubiese hecho de la facultad concedida.

Esta disposición regula cuatro materias diversas:

1. En su primer párrafo se refiere al comercio exterior. La Federación lo regula a través de las leyes fiscales, que tienen un doble objeto: impulsar la producción interna y regular la exportación, especialmente de los llamados productos del mercado internacional, como son los metales preciosos, petróleo, azúcar, café, etcétera. Independientemente de esto, el fin inmediato de la facultad de gravar con impuestos las mercancías es el cobro de los mismos.

2. Establece también como derecho exclusivo de la Federación, reglamentar y hasta prohibir que viajen por territorio nacional cierta clase de productos. Se trata de una facultad de policía y su objeto es proteger la seguridad interior.

3. Prohíbe a la Federación, en su calidad de gobierno local del Distrito gravar con impuestos el tránsito de mercancías, en la misma forma a como lo hizo para los estados en las fracciones VI y VII del artículo 117 constitucional.

4. El segundo párrafo –adición de 28 de marzo de 1951– otorga al Ejecutivo la facultad para legislar en materia de impuestos, referida al comercio exterior, con el propósito de regular la economía nacional, siempre que el Congreso haga la debida delegación.[93] Estas facultades se otorgaron al Poder Ejecutivo a fin de dotarlo de un instrumento necesario para decretar el aumento o disminución de impuestos a los productos de importación o exportación, según lo impongan las necesidades económicas del momento, pues en nuestros días existe una gran dependencia mutua de carácter comercial entre todos los estados del mundo.

Estos mandatos tienden a salvaguardar la estabilidad y el progreso de la economía nacional en beneficio del pueblo en México.

ARTÍCULO 132. Los fuertes, los cuarteles, almacenes de depósito y demás bienes inmuebles destinados por el Gobierno de la Unión al servicio público o al uso común, estarán sujetos a la jurisdicción de los Poderes Federales en los términos que establezca la ley que expedirá el Congreso de la Unión; mas para que lo estén igualmente los que en lo sucesivo adquieran dentro del territorio de algún Estado, será necesario el consentimiento de la legislatura respectiva.

La Constitución, respetuosa de la soberanía de los estados, obliga al Gobierno Federal a solicitar permiso a las legislaturas estatales para adquirir –dentro de sus respectivos territorios–, bienes inmuebles, con el propósito de dedicarlos a un servicio público o al uso común, en virtud de que, por el hecho de la adquisición, se convierten en bienes del dominio público y quedan sometidos exclusivamente a la jurisdicción de los poderes federales.

Son bienes del uso común, de acuerdo con la citada ley reglamentaria, aquellos de los que pueden disfrutar todos los habitantes de la República, sin más limitaciones que las establecidas por leyes o reglamentos administrativos; como por ejemplo, el espacio aéreo, el mar territorial, las playas marítimas, los cauces de las corrientes, vasos, lagos y lagunas, puertos, bahías, radas y ensenadas, plazas, paseos y parques públicos, edificios, ruinas arqueológicas o históricas, etcétera.

Los bienes destinados a un servicio público son, entre otros los palacios destinados a los Poderes Legislativo, Ejecutivo y Judicial y los inmuebles

[93] Véase comentario al artículo 49. Delegación es el acto por medio del cual el Congreso concede al Ejecutivo facultades extraordinarias para legislar.

para uso de las secretarías de Estado, departamentos y otras dependencias; se equiparan a éstos las iglesias o templos abiertos al público.

ARTÍCULO 133. **Esta Constitución, las leyes del Congreso de la Unión que emanen de ella y todos los tratados que estén de acuerdo con la misma, celebrados y que se celebren por el Presidente de la República, con aprobación del Senado, serán la Ley Suprema de toda la Unión. Los jueces de cada Estado se arreglarán a dicha Constitución, leyes y tratados, a pesar de las disposiciones en contrario que pueda haber en las Constituciones o leyes de los estados.**

La Constitución de 1917 es la Ley Suprema en México. La dictó un Congreso Constituyente, es decir, un órgano originario que representó la voluntad del pueblo mexicano. La Constitución es la base de nuestra vida institucional: señala los elementos fundamentales del Estado (pueblo, territorio y poder soberano) y los mantiene unidos; determina la forma de gobierno (democrática y republicana); enumera a las más preciadas libertades del hombre; establece los tres poderes (Legislativo, Ejecutivo y Judicial) y sus respectivas atribuciones; distingue al gobierno nacional (federal) del local (estatal); en fin, contiene y estructura las esenciales decisiones políticas y económicas del pueblo y la manera en que habrá de gobernarse. Por resumir esos principios esenciales y establecer su estructura fundamental es, como lo indica este precepto, la "Ley Suprema de toda la Unión". Mantener tal supremacía, su superioridad sobre las demás leyes, es sostener la vida misma del pueblo, su organización política y legal y el que pueda perdurar la nacionalidad en el tiempo y el espacio.

El poder constituyente –órgano creador–, una vez otorgada la Constitución desapareció y surgieron los que esa Ley Suprema establece: órganos creados. Por eso, la Constitución es la base de nuestra organización política, jurídica y económica, y todas las leyes y actos que dicten las autoridades deben estar en consonancia con ella.

Dos principios de gran importancia contiene este artículo:

1. La Constitución Federal es la ley primaria y fundamental.

2. Todas las demás disposiciones (leyes federales, tratados constitucionales y leyes locales, etcétera) en su expedición y aplicación, deben ajustarse a esa norma fundamental, es decir, deben ser constitucionales. En otras palabras, para que nazca y viva cualquier ley (federal o local), para que cualquier disposición o acuerdo administrativo tenga plena validez, para que los actos y resoluciones judiciales sean legales tienen, antes y

sobre todo, que encontrar su fundamento en la Constitución Política de los Estados Unidos Mexicanos.

ARTÍCULO 134. Los recursos económicos de que dispongan el Gobierno Federal y el Gobierno del Distrito Federal, así como sus respectivas administraciones públicas paraestatales, se administrarán con eficiencia, eficacia y honradez para satisfacer los objetivos a los que estén destinados.

Las adquisiciones, arrendamientos y enajenaciones de todo tipo de bienes, prestación de servicios de cualquier naturaleza y la contratación de obra que realicen, se adjudicarán o llevarán a cabo a través de licitaciones públicas mediante convocatoria pública para que libremente se presenten proposiciones solventes en sobre cerrado, que será abierto públicamente, a fin de asegurar al Estado las mejores condiciones disponibles en cuanto a precio, calidad, financiamiento, oportunidad y demás circunstancias pertinentes.

Cuando las licitaciones a que hace referencia el párrafo anterior no sean idóneas para asegurar dichas condiciones, las leyes establecerán las bases, procedimientos, reglas, requisitos y demás elementos para acreditar la economía, eficacia, eficiencia, imparcialidad y honradez que aseguren las mejores condiciones para el Estado.

El manejo de recursos económicos federales se sujetará a las bases de este artículo.

Los servidores públicos serán responsables del cumplimiento de estas bases en los términos del título de esta Constitución.

Fue reformado según decreto publicado en el *Diario Oficial de la Federación* del 28 de diciembre de 1982.

El Gobierno Federal, el del Distrito Federal y las entidades paraestatales disponen de vastos recursos económicos y realizan permanentemente enormes erogaciones en obras, adquisiciones, arrendamientos y prestación de servicios públicos. Este caudal, que proviene de ingresos recaudados a todo el pueblo, debe ser manejado con probidad, eficiencia y a la luz pública. Por ello se acude a las *licitaciones públicas*, o sea, el ofrecimiento de precios por el bien o el servicio que se va a prestar u obtener en una subasta o almoneda ante todos.

Este artículo establece una doble protección: el interés público, sobre todo, y el de los que pretenden la obtención de un contrato de obra o de servicio, o la adquisición de un bien federal, para que concursen en limpia y abierta competencia.

A la Secretaría de la Contraloría General de la Federación, nueva dependencia creada por adición a la Ley Orgánica de la Administración Pública Federal (publicada en el *Diario Oficial* el 29 de diciembre de 1982) corresponde –artículo 32 bis, fracción VIII– inspeccionar y vigilar el cumplimiento correcto de lo establecido en este artículo.

Por último, los servidores públicos que intervienen en estas contrataciones están sujetos al régimen de responsabilidades que rige para todo funcionario público (Título Cuarto).

Título octavo

De las Reformas a la Constitución
Artículo 135

TÍTULO OCTAVO

De las Reformas de la Constitución

Artículo 135. La presente Constitución puede ser adicionada o reformada. Para que las adiciones o reformas lleguen a ser parte de la misma, se requiere que el Congreso de la Unión, por el voto de las dos terceras partes de los individuos presentes, acuerde las reformas o adiciones, y que éstas sean aprobadas por la mayoría de las legislaturas de los Estados. El Congreso de la Unión o la Comisión Permanente en su caso, harán el cómputo de los votos de las legislaturas y la declaración de haber sido aprobadas las adiciones o reformas.

La Constitución fue obra de un Congreso Constituyente que se reunió en Querétaro para tal objeto, el 1o. de diciembre de 1916 y concluyó sus funciones el 31 de enero de 1917. El 5 de febrero de ese propio año es la fecha de su promulgación.[94]

La Constitución, ley fundamental del país, es una norma que se puede modificar. Si así no fuere, no podría regir la vida económica, social y política, de carácter esencialmente cambiante. Atendiendo a esa necesidad de evolución, por precepto constitucional se establece cómo puede ser reformada o adicionada.

Sin embargo, porque la Constitución no es una ley ordinaria, se requieren determinadas formalidades especiales para que las reformas o adiciones se incorporen a su texto. El artículo 135 determina que para que éstas sean aprobadas, se necesita el voto de las dos terceras partes de los representantes presentes en el Congreso de la Unión, y además, la aprobación de la mayoría de las legislaturas de los estados.

Tal procedimiento tiene su razón de ser, ya que, a la vez que permite introducir cambios en la Constitución, para que esté de acuerdo con las

[94] Promulgación es el acto del Ejecutivo en virtud del cual ordena la publicación y cumplimiento de una ley aprobada por el Poder Legislativo.

nuevas necesidades del país, conforme al principio del pacto federal, obliga a que los legisladores de las entidades federativas participen en la aceptación o rechazo de la reforma o adición propuesta. Todo este sistema tiene por objeto que la legislación constitucional posea mayor firmeza y no se pueda alterar fácilmente por razón de su misma trascendencia.

Título noveno

De la Inviolabilidad de la Constitución
Artículo 136

TÍTULO NOVENO

De la Inviolabilidad de la Constitución

ARTÍCULO 136. Esta Constitución no perderá su fuerza y vigor, aun cuando por alguna rebelión se interrumpa su observancia. En caso de que por cualquier trastorno público se establezca un gobierno contrario a los principios que ella sanciona, tan luego como el pueblo recobre su libertad, se restablecerá su observancia, y con arreglo a ella y a las leyes que en su virtud se hubieren expedido, serán juzgados, así los que hubieren figurado en el gobierno emanando de la rebelión, como los que hubieren cooperado a ésta.

El derecho no puede reconocer que la fuerza sea capaz de derogarlo.[95]

La historia enseña que cuando una revolución triunfa impone su propio orden jurídico; pero tal cambio no puede ser aceptado por el derecho hasta entonces vigente.

El artículo 135 establece la forma como la Constitución puede modificarse, dentro de los cauces legales, mas no admite la ruptura por violencia del orden jurídico que ella establece, situación extraña al derecho y que éste no puede justificar.

[95] Derogar una ley es privarla en forma parcial de sus efectos. La privación total de su vigencia se llama abrogación; sin embargo, el sentido con que se usa aquella palabra en esta frase se refiere a la destrucción del derecho por medio de la fuerza, que es otra de las significaciones de la palabra derogar.

TITULO NOVENO

De la Inviolabilidad de la Constitución

[illegible]

Artículos transitorios

Artículos Primero a Decimonoveno

ARTÍCULOS TRANSITORIOS

Artículo primero. Esta Constitución se publicará desde luego y con la mayor solemnidad se protestará guardarla y hacerla guardar en toda la República; pero con excepción de las disposiciones relativas a las elecciones de los Supremos Poderes Federales y de los Estados, que desde luego entran en vigor, no comenzará a regir sino desde el día 1o. de mayo de 1917, en cuya fecha deberá instalarse solemnemente el Congreso Constitucional y prestar la protesta de ley el ciudadano que resultare electo en las próximas elecciones para ejercer el cargo de Presidente de la República.

En las elecciones a que debe convocarse, conforme al artículo siguiente, no regirá la fracción V del artículo 82; ni será impedimento para ser diputado o senador estar en servicio activo en el Ejército, siempre que no se tenga mando de fuerza en el distrito electoral respectivo; tampoco estarán impedidos para poder ser electos al próximo Congreso de la Unión, los Secretarios o Subsecretarios de Estado, siempre que éstos se separen definitivamente de sus puestos el día que se expida la convocatoria respectiva.

Artículo segundo. El encargado del Poder Ejecutivo de la Nación, inmediatamente que se publique esta Constitución convocará a elecciones de Poderes Federales, procurando que éstas se efectúen de tal manera que el Congreso quede constituido en tiempo oportuno, a fin de que hecho el cómputo de los votos emitidos en las elecciones presidenciales, pueda declararse quién es la persona designada como Presidente de la República, a efecto de que pueda cumplirse lo dispuesto en el artículo anterior.

Artículo tercero. El próximo periodo constitucional comenzará a contarse, para los diputados y senadores desde el 1o. de septiembre próximo pasado y, para el Presidente de la República, desde el 1o. de diciembre de 1916.

Artículo cuarto. Los senadores que en las próximas elecciones llevaren número par, sólo durarán dos años en el ejercicio de su encargo, para que la Cámara de Senadores pueda renovarse en lo sucesivo, por mitad, cada dos años.

Artículo quinto. El Congreso de la Unión elegirá a los magistrados de la Suprema Corte de Justicia de la Nación, en el mes de mayo próximo, para que este alto Cuerpo quede solemnemente instalado el 1o. de junio.

En estas elecciones no regirá el artículo 96 en lo relativo a las propuestas de candidatos por las legislaturas locales; pero los nombrados lo serán sólo para el primer periodo de dos años que establece el artículo 94.

Artículo sexto. El Congreso de la Unión tendrá un periodo extraordinario de sesiones que comenzará el 15 de abril de 1917, para erigirse en Colegio Electoral, hacer el cómputo de votos y calificar las elecciones de Presidente de la República, haciendo la declaratoria respectiva; y además, para expedir la Ley Orgánica de los Tribunales de Circuito y de Distrito, la Ley Orgánica de los Tribunales del Distrito Federal y Territorios, a fin de que la Suprema Corte de Justicia de la Nación haga inmediatamente los nombramientos de magistrados de Circuito y jueces de Distrito, y el mismo Congreso de la Unión, las elecciones de magistrados, jueces de primera instancia del Distrito Federal y Territorios; expedirá también todas las leyes que consultare el Poder Ejecutivo de la Nación. Los magistrados de Circuito y los jueces de Distrito, y los magistrados y jueces del Distrito Federal y Territorios, deberán tomar posesión de su cargo antes del 1o. de julio de 1917, cesando entonces los que hubieren sido nombrados por el actual encargo del Poder Ejecutivo de la Nación.

Artículo séptimo. Por esta vez, el cómputo de los votos para senadores se hará por la junta computadora de primer distrito electoral de cada Estado o Distrito Federal, que se formará para la computación de los votos de diputados, expidiéndose por dicha junta, a los senadores electos, las credenciales correspondientes.

Artículo octavo. La Suprema Corte de Justicia de la Nación resolverá los amparos que estuvieren pendientes, sujetándose a las leyes actuales en vigor.

Artículo noveno. El ciudadano Primer Jefe del Ejército Constitucionalista, encargado del Poder Ejecutivo de la Unión, queda facultado para expedir la Ley Electoral, conforme a la cual deberán celebrarse, esta vez, las elecciones para integrar los Poderes de la Unión.

Artículo décimo. Los que hubieren figurado en el gobierno emanado de la rebelión contra el legítimo de la República, o cooperado a aquélla, combatiendo después con las armas en la mano, o sirviendo empleos o cargos de las facciones que han atacado al Gobierno Constitucionalista, serán juzgados por las leyes vigentes, siempre que no hubieren sido indultados por éste.

Artículo decimoprimero. Entre tanto el Congreso de la Unión y los de los Estados legislan sobre los problemas agrario y obrero, las bases establecidas por esta Constitución para dichas leyes se pondrán en vigor en toda la República.

ARTÍCULO DECIMOSEGUNDO. Los mexicanos que hayan militado en el Ejército Constitucionalista, los hijos y viudas de éstos, y las demás personas que hayan prestado servicios a la causa de la Revolución o a la instrucción pública, tendrán preferencia para la adquisición de fracciones a que se refiere el artículo 27 y derecho a los descuentos que las leyes señalan.

ARTÍCULO DECIMOTERCERO. Quedan extinguidas de pleno derecho las deudas que, por razón de trabajo, hayan contraído los trabajadores, hasta la fecha de esta Constitución, con los patronos, sus familiares o intermediarios.

ARTÍCULO DECIMOCUARTO. Queda suprimida la Secretaría de Justicia.

ARTÍCULO DECIMOQUINTO. Se faculta al ciudadano encargado del Poder Ejecutivo de la Unión para que expida la ley de responsabilidad civil aplicable a los autores, cómplices y encubridores de los delitos cometidos contra el orden constitucional en el mes de febrero de 1913 y contra el Gobierno Constitucionalista.

ARTÍCULO DECIMOSEXTO. El Congreso Constitucional, en el periodo ordinario de sus sesiones que comenzará el 1o. de septiembre de este año, expedirá todas las leyes orgánicas de la Constitución que no hubieren sido ya expedidas en el periodo extraordinario a que se refiere el artículo sexto transitorio, y dará preferencia a las leyes relativas a garantías individuales, y artículos 30, 32, 33, 35, 36, 38, 107 y parte final del artículo 111 de esta Constitución.

ARTÍCULO DECIMOSÉPTIMO. Los templos y demás bienes que, conforme a la fracción II del artículo 27 de la Constitución Política de los Estados Unidos Mexicanos que se reforma por este Decreto, son propiedad de la nación, mantendrán su actual situación jurídica.

ARTÍCULO DECIMOCTAVO. Derogado.

ARTÍCULO DECIMONOVENO. Derogado.

[Dada en el Salón de Sesiones del Congreso Constituyente en Querétaro, a 31 de enero de 1917].

Debido a las modificaciones introducidas al artículo 65 constitucional en 1986, se adicionaron, por primera vez, los artículos transitorios de la Constitución, con el Decimoséptimo y Decimoctavo. Dado que el Congreso ya tendría dos periodos de sesiones fue necesario, para esta única ocasión, ajustar las funciones de las legislaturas LIV de los diputados y LIV y LV de los senadores al nuevo calendario del Congreso de la Unión, que surtió efectos a partir del primero de septiembre de 1989.

En tratándose de los senadores, merced a las reformas publicadas en el *Diario Oficial* el 15 de diciembre de 1986, además se modificó el ya adicionado transitorio Decimoctavo, para hacerlo compatible con la renovación por mitad de la Cámara de Senadores establecida en el artículo 56 (léase comentario respectivo).

Asimismo, se añadió el Decimonoveno transitorio, dada la reforma verificada al artículo 78 por la que se aumentó el número de integrantes de la Comisión Permanente, para ajustar esa reforma al nuevo calendario del Congreso de la Unión según los modificados artículos 65 y 66.

En virtud de que los transitorios Decimoséptimo, Decimoctavo y Decimonoveno ya cumplieron sus propósitos, fueron derogados conforme a modificaciones publicadas en el *Diario Oficial* de 6 de abril de 1990 cuando se estableció constitucionalmente la reforma política propuesta por el presidente Salinas de Gortari.

Por otro lado, con motivo de la reforma que estableció un nuevo régimen jurídico de las relaciones Estado-Iglesias (D.O. de 28 de enero de 1992), como parte de ella, se modificó la fracción II del artículo 27 (véase comentario respectivo), relativa a la capacidad otorgada a las asociaciones religiosas para adquirir, poseer o administrar exclusivamente los bienes que sean indispensables para su objeto.

El nuevo artículo transitorio Decimoséptimo, establece que los citados bienes, mantendrán la misma situación jurídica que tenían antes de la reforma de 1992, o sea, que continuarán siendo propiedad de la nación.

Con motivo de las reformas introducidas a los artículos 41, 54, 56, 60, 63, 74 fracción I, y 100 (*Diario Oficial de la Federación* de fecha 3 de septiembre de 1993), se tuvieron que hacer los ajustes correspondientes para los tiempos de elección de senadores y diputados por lo cual se establecieron los siguientes:

TRANSITORIOS

Artículo primero. El presente Decreto entrará en vigor el día de su publicación en el *Diario Oficial de la Federación*.

Artículo segundo. Permanecerán en sus cargos los actuales Magistrados del Tribunal Federal Electoral electos por la Cámara de Diputados del Congreso de la Unión, según Decreto publicado en el *Diario Oficial de la Federación* el 3 de octubre de 1990.

Artículo tercero. En la elección federal de 1994 se elegirán, para cada Estado y el Distrito Federal, dos senadores de mayoría relativa y uno de primera minoría a las Legislaturas LVI y LVII del Congreso de la Unión, quienes durarán en funciones del 1o. de noviembre de 1994 a la fecha del término del ejercicio de la última legislatura citada. Para esta elección, los partidos políticos deberán registrar una lista con una fórmula de candidatos en cada entidad federativa.

Artículo cuarto. Los diputados federales a la LVI Legislatura durarán en su encargo del 1o. de noviembre de 1994 a la fecha en que concluya la citada legislatura.

Artículo quinto. La elección federal para integrar la LVI Legislatura de la Cámara de Diputados del H. Congreso de la Unión, se realizará con base en la distribución de los distritos uninominales y las cinco circunscripciones plurinominales en que se dividió el país para el proceso electoral federal de 1991. Para la elección federal de 1997, por la que se integrará la LVII Legislatura, se hará la nueva distribución de distritos uninominales con base en los resultados definitivos del censo general de población de 1990.

Artículo sexto. Se derogan todas las disposiciones que se opongan a las reformas establecidas en el presente decreto.

Artículos transitorios que con motivo de las reformas constitucionales del 30 de diciembre de 1994, fueron publicados en el *Diario Oficial de la Federación*.

TRANSITORIOS

Primero. El presente Decreto entrará en vigor al día siguiente de su publicación en el *Diario Oficial de la Federación*, con excepción de lo dispuesto en los artículos Octavo y Noveno siguientes.

Segundo. Los actuales Ministros de la Suprema Corte de Justicia de la Nación concluirán sus funciones a la entrada en vigor del presente Decreto. Recibirán una pensión igual a la que para casos de retiro forzoso prevé el "Decreto que establece las causas de Retiro Forzoso o Voluntarios de los Ministros de la Suprema Corte de Justicia de la Nación".

A los Ministros citados en el párrafo anterior, no les serán aplicables los impedimentos a que se refieren el último párrafo del artículo 94 y el tercer párrafo del artículo 101, reformados por virtud del presente Decreto.

De regresar al ejercicio de sus funciones, de conformidad con el procedimiento previsto en el artículo 96 reformado por virtud del presente Decreto, se suspenderá el derecho concedido en el primer párrafo de este artículo, durante el tiempo en que continúen en funciones.

Tercero. Para la nominación y aprobación de los primeros ministros que integrarán la Suprema Corte de Justicia de la Nación, conforme a las reformas previstas en el presente Decreto, el titular del Ejecutivo Federal propondrá ante la Cámara de Senadores, a 18 personas, de entre las cuales dicha Cámara aprobará, en su caso, los nombramientos de 11 ministros, con el voto de las dos terceras partes de sus miembros.

Cuarto. Para los efectos del primer párrafo del artículo 97 de este Decreto de Reformas, la ley que reglamente la selección, ingreso, promoción o remoción de los miembros del Poder Judicial Federal, distinguirá los casos y procedimientos que deban resolverse conforme a las fracciones I, II y III del artículo 109 de la Constitución.

La Cámara de Senadores, previa comparecencia de las personas propuestas, emitirá su resolución dentro del improrrogable plazo de treinta días naturales.

El periodo de los Ministros, vencerá el último día de noviembre del año 2003, del 2006, del 2009 y del 2012, para cada dos de ellos y el último día de noviembre del año 2015, para los tres restantes. Al aprobar los nombramientos, el Senado deberá señalar cuál de los periodos corresponderá a cada Ministro.

Una vez aprobado el nombramiento de, por lo menos, siete Ministros, se realizará una sesión solemne de apertura e instalación, en la cual se designará al Presidente de la Suprema Corte de Justicia de la Nación.

Quinto. Los magistrados de Circuito y el Juez de Distrito electos la primera vez para integrar el Consejo de la Judicatura Federal, serán Consejeros por un periodo que vencerá el último día de noviembre del año 2001. El periodo de uno de los Consejeros designados por el Senado y el designado por el Ejecutivo, vencerá el último día de noviembre de 1999 y el correspondiente al Consejero restante, el último día de noviembre del año 1997. El Senado y el Ejecutivo Federal deberán designar a sus representantes dentro de los treinta días naturales siguientes a la entrada en vigor del presente Decreto e indicarán cuál de los periodos corresponde a cada Consejero.

El Consejo quedará instalado una vez designados cinco de sus miembros, siempre y cuando uno de ellos sea su Presidente.

Sexto. En tanto quedan instalados la Suprema Corte de Justicia de la Nación y el Consejo de la Judicatura Federal, en términos de los transitorios Tercero y Quinto anteriores, la última Comisión de Gobierno y Administración de la propia Corte, ejercerá las funciones de ésta y atenderá los asuntos administrativos del Poder Judicial de la Federación. En esa virtud, lo señalado en el artículo segundo transitorio será aplicable, en su caso, a los miembros de la citada Comisión, una vez que haya quedado formalmente instalada la Suprema Corte de Justicia, en términos de lo dispuesto en el presente Decreto.

Corresponde a la propia Comisión convocar a la sesión solemne de apertura e instalación a que se refiere el artículo Tercero transitorio, así como tomar las medidas necesarias para que la primera insaculación de los Magistrados de Circuito y del Juez de Distrito que serán Consejeros, se haga en los días inmediatos siguientes a la entrada en vigor del presente Decreto.

La Comisión dejará de funcionar una vez que haya dado cuenta de los asuntos atendidos conforme a los párrafos anteriores, a la Suprema Corte o al Consejo de la Judicatura Federal, según corresponda, cuando estos últimos se encuentren instalados.

Séptimo. El Magistrado, el Juez de Primera Instancia y el Juez de Paz electos la primera vez para integrar el Consejo de la Judicatura del Distrito Federal, serán Consejeros por un periodo que vencerá el último día de noviembre del año 2001. El periodo de uno de los Consejeros designados por la Asamblea de Representantes del Distrito Federal y el designado por el Jefe del Departamento del Distrito Federal vencerá el último día de noviembre de 1999, y el correspondiente al Consejero restante, el último día de noviembre de 1997. La Asamblea y el Jefe del Departamento deberán designar a sus representantes dentro de los treinta días naturales siguientes a la entrada en vigor del presente Decreto e indicarán cuál de los periodos corresponde a cada Consejero.

El Consejo quedará instalado una vez designados cinco de sus miembros.

El Pleno del Tribunal Superior de Justicia continuará a cargo de los asuntos administrativos, hasta en tanto quede constituido el Consejo. Asimismo, tomará las medidas necesarias para que la elección del Magistrado y del Juez de Primera Instancia que serán Consejeros, se haga en los días inmediatos siguientes a la entrada en vigor del presente Decreto.

Octavo. Las reformas al artículo 105, entrarán en vigor en la misma fecha en que entre en vigor la ley reglamentaria correspondiente.

Noveno. Los procesos a que aluden los artículos que se reforman, iniciados con anterioridad continuarán tramitándose conforme a las disposiciones vigentes al entrar en vigor el presente Decreto.

Las reformas a la fracción XVI del artículo 107, entrarán en vigor en la misma fecha en que entren en vigor las reformas a la ley reglamentaria de los artículos 103 y 107 constitucionales.

Décimo. Los conflictos de carácter laboral entre el Poder Judicial de la Federación y sus servidores, iniciados con anterioridad, continuarán tramitándose conforme a las disposiciones vigentes, al entrar en vigor el presente Decreto, ante el Consejo de la Judicatura Federal o la Suprema Corte de Justicia, según corresponda, una vez integrados conforme a los artículos Tercero y Quinto transitorios anteriores.

Décimo primero. En tanto se expidan las disposiciones legales, reglamentarias y acuerdos generales a que se refieren los preceptos constitucionales que se reforman por el presente Decreto, seguirán aplicándose los vigentes al entrar en vigor las reformas, en lo que no se opongan a éstas.

Décimo segundo. Los derechos laborales de los servidores públicos del Poder Judicial de la Federación serán respetados íntegramente.

TRANSITORIOS

Primero. El presente Decreto entrará en vigor al día siguiente de su publicación en el *Diario Oficial de la Federación*, con excepción de lo previsto en los artículos siguientes.

Segundo. Las adiciones contenidas en la fracción II del artículo 105 del presente Decreto, únicamente por lo que se refiere a las legislaciones electorales de los Estados, que por los calendarios vigentes de sus procesos la jornada electoral deba celebrarse antes del primero de abril de 1997, entrarán en vigor a partir del 1o. de enero de 1997.

Para las legislaciones electorales federal y locales que se expidan antes del 1o. de abril de 1997 con motivo de las reformas contenidas en el presente Decreto, por única ocasión, no se aplicará el plazo señalado en el párrafo cuarto de la fracción II del artículo 105.

Las acciones de inconstitucionalidad que tengan por objeto plantear la posible contradicción entre una norma de carácter general electoral y la Constitución, que se ejerciten en los términos previstos por el Artículo 105 fracción II de la misma y este Decreto, antes del 1o. de abril de 1997, se sujetarán a las siguientes disposiciones especiales:

a) El plazo a que se refiere el segundo párrafo de la fracción II del artículo mencionado, para el ejercicio de la acción, será de quince días naturales; y *b*) La Suprema Corte de Justicia de la Nación deberá resolver la acción ejercida en un plazo no mayor a quince días hábiles, contados a partir de la presentación del escrito inicial.

Las reformas al artículo 116 contenidas en el presente Decreto no se aplicarán a las disposiciones constitucionales y legales de los Estados que deban celebrar procesos electorales cuyo inicio haya ocurrido u ocurra antes del 1o. de enero de 1997. En estos casos, dispondrán de un plazo de un año contado a partir de la conclusión de los procesos electorales respectivos, para adecuar su marco constitucional y legal al precepto citado.

Todos los demás Estados, que no se encuentren comprendidos en la excepción del párrafo anterior, deberán adecuar su marco constitucional y legal a lo dispuesto por el artículo 116 modificado por el presente Decreto, en un plazo que no excederá de seis meses contado a partir de su entrada en vigor.

Tercero. A más tardar el 31 de octubre de 1996 deberán estar nombrados el consejero Presidente y el Secretario Ejecutivo del Consejo General del Instituto Federal Electoral, así como los ocho nuevos consejeros electorales y sus suplentes, que sustituirán a los actuales Consejeros Ciudadanos, quienes no podrán ser reelectos. En tanto se hacen los nombramientos o se reforma la ley de la materia, el Consejo General del Instituto Federal Electoral seguirá ejerciendo las competencias y funciones que actualmente le señala el Código Federal de Instituciones y Procedimientos Electorales.

Cuarto. En la elección federal de 1997 se elegirán, a la Quincuagésima Séptima Legislatura, treinta y dos senadores según el principio de representación proporcional, mediante el sistema de listas votadas en una sola circunscripción plurinominal nacional, y durarán en funciones del 1o. de noviembre de 1997 a la fecha en que concluya la señalada Legislatura. La asignación se hará mediante una fórmula que tome en cuenta el cociente natural y el resto mayor; y se hará en orden decreciente de las listas respectivas. Se deroga el segundo párrafo del Artículo Tercero de los Artículos Transitorios del Decreto de fecha 2 de septiembre de 1993, publicado en el *Diario Oficial de la Federación* el 3 del mismo mes y año, por el que se reformaron los Artículos 41, 54, 56, 60, 63, 74 y 100 de esta Constitución.

Quinto. Los nuevos Magistrados Electorales deberán designarse a más tardar el 31 de octubre de 1996 y, por esta ocasión, requerirán para su elección del voto de las tres cuartas partes de los miembros presentes de la Cámara de Senadores.

Sexto. En tanto se expiden o reforman las leyes correspondientes, el Tribunal Federal Electoral seguirá ejerciendo las competencias y funciones que actualmente le señala el Código Federal de Instituciones y Procedimientos Electorales.

Séptimo. El Jefe de Gobierno del Distrito Federal se elegirá en el año de 1997 y ejercerá su mandato, por esta única vez, hasta el día 4 de diciembre del año 2000.

Octavo. La norma que determina la facultad para expedir las disposiciones que rijan las elecciones locales en el Distrito Federal señalada en el inciso f) de la fracción V del apartado C del artículo 122 de este Decreto, entrará en vigor el 1o. de enero de 1998. Para la elección en 1997 del Jefe de gobierno y los diputados a la Asamblea del Distrito Federal, se aplicará el Código Federal de Instituciones y Procedimientos Electorales.

Noveno. El requisito a que se refiere el párrafo segundo de la fracción I de la BASE SEGUNDA, del apartado C del artículo 122, que prohíbe acceder a Jefe de Gobierno si se hubiese desempeñado tal cargo con cualquier carácter, debe entenderse aplicable a todo ciudadano que haya sido titular de dicho órgano, aunque lo haya desempeñado bajo distinta denominación.

Décimo. Lo dispuesto en la fracción II de la BASE TERCERA, del apartado C del artículo 122, que se refiere a la elección de los titulares de los órganos político-administrativos en las demarcaciones territoriales del Distrito Federal, entrará en vigor el 1o. de enero del año 2000; en 1997, se elegirán en forma indirecta, en los términos que señale la ley.

Decimoprimero. La norma que establece la facultad de la Asamblea Legislativa del Distrito Federal para legislar en materias civil y penal para el Distrito Federal entrará en vigor el 1o. de enero de 1999.

Decimosegundo. Continuarán bajo jurisdicción federal los inmuebles sitios en el Distrito Federal, que estén destinados al servicio que prestan los Poderes Federales, así como cualquier otro bien afecto al uso de dichos poderes.

Decimotercero. Todos los ordenamientos que regulan hasta la fecha a los órganos locales en el Distrito Federal seguirán vigentes en tanto no se expidan por los órganos competentes aquellos que deban sustituirlos conforme a las disposiciones y las bases señaladas en este Decreto.

Salón de sesiones de la Comisión Permanente del Honorable Congreso de la Unión.- México, D.F., a 21 de agosto de 1996.- Sen. *Fernando Ortiz Arana*, Presidente.- Dip. *Martina Montenegro Espinoza*, Secretaria.- Sen. *Francisco Xavier Salazar Sáenz*, Secretario.- Rúbricas."

En cumplimiento de lo dispuesto por la fracción I del artículo 89 de la Constitución Política de los Estados Unidos Mexicanos, y para su debida publicación y observancia, expido el presente Decreto en la residencia del Poder Ejecutivo Federal, en la Ciudad de México, Distrito Federal, a los veintiún días del mes de agosto de mil novecientos noventa y seis.- *Ernesto Zedi-*

llo Ponce de León.- El Secretario de Gobernación, *Emilio Chuayffet Chemor*.- Rúbrica.

TRANSITORIOS

(Reformas del 20 de marzo de 1997 –Doble Nacionalidad–)

Primero. El presente Decreto entrará en vigor al año siguiente de su publicación en el *Diario Oficial de la Federación*.

Segundo. Quienes hayan perdido su nacionalidad mexicana por nacimiento, por haber adquirido voluntariamente una nacionalidad extranjera y si se encuentran en pleno goce de sus derechos, podrán beneficiarse de lo dispuesto en el artículo 37, apartado A), constitucional, reformado por virtud del presente Decreto, previa solicitud que hagan a la Secretaría de Relaciones Exteriores, dentro de los cinco años siguientes a la citada fecha de entrada en vigor del presente.

Tercero. Las disposiciones vigentes con anterioridad a la fecha en que el presente Decreto entre en vigor, seguirán aplicándose, respecto a la nacionalidad mexicana, a los nacidos o concebidos durante su vigencia.

Cuarto. En tanto el Congreso de la Unión emita las disposiciones correspondientes en materia de nacionalidad, seguirá aplicándose la Ley de Nacionalidad vigente, en lo que no se oponga al presente Decreto.

Quinto. El último párrafo del apartado C) del artículo 37, entrará en vigor al día siguiente de su publicación en el *Diario Oficial de la Federación*.

Diputaciones del Congreso Constituyente

Núm.	Distrito	Diputados propietarios	Diputados suplentes
		Aguascalientes	
1o.	Aguascalientes	Aurelio L. González	Archibaldo Eloy Pedroza
2o.	Aguascalientes	Daniel Cervantes	Gonzalo Ortega
		Baja California	
1o.	Norte	Ignacio Roel	Matías Gómez
		Campeche	
1o.	Campeche	Juan Zubaran	Fernando Galeano
2o.	C. del Carmen	Herminio Pérez Abreu	Enrique Arias Solís
		Coahuila	
1o.	Saltillo	Manuel Aguirre Berlanga	José Rodríguez González
2o.	Parras	Ernesto Meade Fierro	Toribio de los Santos
3o.	Torreón	José María Rodríguez	Eduardo Guerra
4o.	Monclova	Jorge Von Yersen	Silviano Pruneda
5o.	Piedras Negras	Manuel Cepeda Medrano	José N. Santos
		Colima	
1o.	Colima	Francisco Ramírez Villarreal	J. Concepción Rivera
		Chiapas	
1o.	San Cristóbal	Enrique Suárez	Francisco Rincón
2o.	Tuxtla Gutiérrez	Enrique D. Cruz	Lisandro López
3o.			
4o.			
5o.	Tapachula	Cristóbal Ll. Castillo	Amado Ruiz
6o.	Pueblo Nuevo	J. Amílcar Vidal	
7o.	Tonalá	Daniel A. Zepeda	Daniel Robles

Núm.	Distrito	Diputados propietarios	Diputados suplentes
		Chihuahua	
1o.			
2o.	Parral	Manuel M. Prieto	
3o.			
4o.			
5o.			
6o.			
		Distrito Federal	
1o.	Ciudad de México	Ignacio L. Pesqueira	Claudio M. Tirado
2o.	Ciudad de México	Lauro López Guerra	Javier Rayón
3o.	Ciudad de México	Gerzay Ugarte	Ernesto Garza Pérez
4o.	Ciudad de México	Amador Lozano	Serapio Aguirre
5o.	Ciudad de México	Félix F. Palavicini	Francisco Cravioto
6o.	Ciudad de México	Rafael Martínez	Carlos Duplán
7o.	Ciudad de México	Rafael L. de los Ríos	Román Rosas y Reyes
8o.	Ciudad de México	Arnulfo Silva	Amancio García García
9o.	Tacuba	Antonio Norzagaray	Francisco Espinosa
10.	Tacubaya	Fernando Vizcaíno	Clemente Allende
11.	Coyoacán	Ciro B. Ceballos	Isidro Lara
12.	Xochimilco	Alfonso Herrera	Gabriel Calzada
		Durango	
1o.	Durango	Silvestre Dorador	Carlos Rivera
2o.	San Juan del Río	Rafael Espeleta	Francisco de A. Pérez
3o.	Ciudad Lerdo	Antonio Gutiérrez	Mauro R. Moreno
4o.	Cuencamé	Fernando Castaños	Salvador Castaños
5o.	Nombre de Dios	Fernando Gómez Palacio	Celestino Simental
6o.	Tepehuanes	Alberto Terrones B.	Antonio P. Hernández
7o.	Mapimí	Jesús de la Torre	Jesús Silva
		Guanajuato	
1o.	Guanajuato	Ramón Frausto	Apolonio Sánchez
2o.	Guanajuato	Vicente M. Valtierra	Pedro P. Arizmendi
3o.	Silao	José Natividad Macías	Enrique Pérez
4o.	Salamanca	Jesús López Lira	J. Jesús Patiño
5o.	Irapuato	David Peñaflor	Luis M. Alcocer

Núm.	*Distrito*	*Diputados propietarios*	*Diputados suplentes*
6o.	Pénjamo	José Villaseñor Lomelí	Juan Garcidueñas
7o.	León	Antonio Madrazo	Santiago Manrique
8o.	León	Hilario Medina	Federico González
9o.	San Francisco del Rincón	Manuel G. Aranda	Alberto Villafuerte
10	Celaya	Enrique Colunga	Félix Villalobos
11	Santa Cruz	Ignacio López	José Serrato
12	Salvatierra	Alfredo Robles Domínguez	Francisco Díaz Barriga
13	Acámbaro	Fernando Lizardi	David Ayala
14	Allende	Nicolás Cano	Pilar Espinosa
15	Dolores Hidalgo	Gilberto M. Navarro	Sabás González Rangel
16	Ciudad González	Luis Fernando Martínez	Miguel Hernández Murillo
17	San Luis de la Paz		Francisco Rendón
18	Iturbide	Carlos Ramírez Llaca	Guillermo J. Carrillo
		Guerrero	
1o.	Tecpan de Galeana	Fidel Jiménez	Jesús A. Castañeda
2o.	San Luis	Fidel R. Guillén	
3o.			
4o.			
5o.			
6o.	Iguala	Francisco Figueroa	José Castrejón Fuentes
7o.			
8o.			
		Hidalgo	
1o.	Actopan	Antonio Guerrero	Benjamín García
2o.	Apan	Leopoldo Ruiz	Erasmo Trejo
3o.	Atotonilco	Alberto M. González	Antonio Peñafiel
4o.	Huejutla		
5o.	Huichapan	Rafael Vega Sánchez	Eustergio Sánchez
6o.	Molango		
7o.	Pachuca	Alfonso Cravioto	Lauro Alburquerque
8o.	Tula	Matías Rodríguez	Crisóforo Aguirre
9o.	Tulancingo	Ismael Pintado Sánchez	Alfonso Sosa
10	Zacualtipán	Refugio M. Mercado	Leoncio Campos
11	Zimapán	Alfonso Mayorga	Gonzalo López

Núm.	Distrito	Diputados propietarios	Diputados suplentes
		Jalisco	
1o.	Guadalajara	Luis Manuel Rojas	Carlos Cuervo
2o.	Guadalajara	Marcelino Dávalos	Tomás Morán
3o.	Zapopan	Federico E. Ibarra	Luis G. Gómez
4o.	San Pedro Tlaquepaque	Manuel Dávalos Ornelas	Francisco Villegas
5o.	Lagos	Francisco Martín del Campo	Manuel Martín del Campo
6o.	Encarnación	Bruno Moreno	Gilberto Dalli
7o.	Teocaltiche	Gaspar Bolaños V.	Manuel Bouquet
8o.	Tepatitlán	Ramón Castañeda y Castañeda	Alberto Macías
9o.	Arandas	Juan de Dios Robledo	Rafael Degollado
10	La Barca	Jorge Villaseñor	José Jorge Farías
11	Ahualulco	Amado Aguirre	Salvador Brihuega
12	Ameca	José I. Solórzano	Gabriel González Franco
13	Autlán	Ignacio Ramos Práslow	Rafael Obregón
14	Mascota	Francisco Labastida Izquierdo	
15	Sayula	José Manzano	Miguel R. Martínez
16	Chapala	Joaquín Aguirre Berlanga	Pablo R. Suárez
17	Colotán	Esteban B. Calderón	Conrado Oseguera
18	San Gabriel	Paulino Machorro y Narváez	Bernardino Germán
19	Ciudad Guzmán	Sebastián Allende	Carlos Villaseñor
20	Mazamitla	Rafael Ochoa	Gregorio Preciado
		México	
1o.	Toluca	Aldegundo Villaseñor	
2o.	Zinacantepec	Fernando Moreno	Salvador Z. Sandoval
3o.	Tenango	Enrique O´Farril	Abraham Estévez
4o.	Tenancingo	Guillermo Ordorica	Prócoro Dorantes
5o.	Sultepec		
6o.			
7o.			
8o.	El Oro	José J. Reynoso	Apolinar C. Juárez
9o.	Ixtlahuaca	Jesús Fuentes Dávila	Gabriel Calzada
10	Jilotepec	Macario Pérez	Antonio Basurto

Núm.	Distrito	Diputados propietarios	Diputados suplentes
11	Tlalnepantla	Antonio Aguilar	José D. Aguilar
12	Cuautitlán	Juan José Giffard	Emilio Cárdenas
13	Otumba	José E. Franco	Manuel A. Hernández
14	Texcoco	Enrique A. Enríquez	Carlos L. Ángeles
15	Chalco	Donato Bravo Izquierdo	Modesto Romero Valencia
16	Lerma	Rubén Martí	David Espinosa
		Michoacán	
1o.	Morelia	Francisco Ortiz Rubio	José P. Ruiz
2o.	Morelia	Alberto Peralta	Rubén Romero
3o.	Morelia	Cayetano Andrade	Carlos García de León
4o.	Zinapécuaro	Salvador Herrejón	Uriel Avilés
5o.	Maravatío	Gabriel R. Cervera	Enrique Parra
6o.	Zitácuaro	Onésimo López Couto	Francisco Martínez González
7o.	Huetamo	Salvador Alcaraz Romero	Sidronio Sánchez Pineda
8o.	Tacámbaro	Pascual Ortiz Rubio	Manuel Martínez Solórzano
9o.	Ario de Rosales	Martín Castrejón	Roberto Sepúlveda
10	Pátzcuaro	Martín Castrejón	Alberto Alvarado
11	Uruapan	José Álvarez	Vicente Medina
12	Apatzingán	José Silva Herrera	Ignacio Gómez
13	Aguililla	Rafael Márquez	Joaquín Silva
14	Jiquilpan	Amadeo Betancourt	Abraham Mejía
15	Zamora	Francisco J. Mújica	Antonio Navarrete
16	La Piedad	Jesús Romero Flores	Luis G. Guzmán
17	Puruándiro	Florencio G. González	José de la Peña
		Morelos	
1o.	Cuernavaca	Antonio Garza Zambrano	Armando Emparan
2o.	Cuautla	José L. Gómez	
3o.	Jojutla	Álvaro L. Alcázar	Enrique C. Ruiz
		Nuevo León	
1o.	Monterrey	Manuel Amaya	Luis Guimbarda
2o.	Cadereyta	Nicéforo Zambrano	Lorenzo Sepúlveda

Núm.	*Distrito*	*Diputados propietarios*	*Diputados suplentes*
3o.	Linares	Luis Ilizaliturri	Wenceslao Gómez Garza
4o.	Salinas Victoria	Ramón Gómez	Adolfo Cantú Jáuregui
5o.	Galeana	Reynaldo Garza	J. Jesús Garza
6o.	Monterrey	Agustín Garza González	Plutarco González
		Oaxaca	
1o.	Oaxaca	Salvador González Torres	Francisco León Calderón
2o.	Zimatlán	Israel del Castillo	Juan Sánchez
3o.	Ocotlán	Leopoldo Payán	Manuel Santaella
4o.	Miahuatlán	Luis Espinosa	José Vásquez Vasconcelos
5o.			
6o.			
7o.			
8o.			
9o.	Cuicatlán	Manuel Herrera	Pablo Allende
10			
11	Nochixtlán	Manuel García Vigil	Pastor Santa Ana
12	Etla	Porfirio Sosa	José Honorato Márquez
13			
14	Tlacolula	Celestino Pérez	Antonio Salazar
15	Tehuantepec	Crisóforo Rivera Cabrera	Miguel Ríos
16	Juchitán	Genaro López Miro	José F. Gómez
		Puebla	
1o.	Puebla	Daniel Guzmán	Salvador R. Guzmán
2o.	Puebla	Rafael Cañete	Enrique Contreras
3o.	Tepeaca	Miguel Rosales	Federico Ramos
4o.	Huejotzingo	Gabriel Rojano	Rafael Rosete
5o.	Cholula	David Pastrana Jaimes	Jesús Domínguez
6o.	Atlixco	Froilán C. Manjarrez	Manuel A. Acuña
7o.	Matamoros	Antonio de la Barrera	Luis G. Bravo
8o.	Acatlán	José Rivera	Aurelio M. Aja
9o.	Tepexi	Epigmenio A. Martínez	Anacleto Merino
10	Tehuacán	Pastor Rouaix	Irineo Villarreal
11	Tecamachalco	Luis T. Navarro	Rómulo Munguía
12	Chalchicomula	Porfirio del Castillo	Celerino Cano
13	Teziutlán	Federico Dinorin	Joaquín Díaz Ortega

Núm.	*Distrito*	*Diputados propietarios*	*Diputados suplentes*
14	Zacapoaxtla	Gabino Bandera y Mata	
15	Tetela	Leopoldo Vásquez Mellado	Ricardo Márquez Galindo
16	Huauchinango	Gilberto de la Fuente	Manuel A. Nieva
17	Zacatlán	Alfonso Cabrera	Agustín Cano
18	Huauchinango	José Verástegui	Cándido Nieto
		Querétaro	
1o.	Querétaro	Juan N. Frías	Enrique B. Domínguez
2o.	San Juan del Río	Ernesto Perusquía	Julio Herrera
3o.	Cadereyta	José María Truchuelo	J. Jesús Rivera
4o.			
		San Luis Potosí	
1o.	San Luis	Samuel de los Santos	Filiberto Ayala
2o.	San Luis	Arturo Méndez	
3o.	Santa María del Río	Rafael Cepeda	Rafael Martínez Mendoza
4o.	Guadalcázar	Rafael Nieto	Cosme Dávila
5o.	Matehuala	Dionisio Zavala	Enrique Córdoba Cantú
6o.	Venado	Gregorio A. Tello	
7o.	Río Verde	Julián Ramírez y Martínez	
8o.			
9o.			
10	Ciudad de Valles	Rafael Curiel	Hilario Menéndez
		Sinaloa	
1o.	Culiacán	Pedro R. Zavala	Juan Francisco Vidales
2o.	Mazatlán	Andrés Magallón	José C. Valadez
3o.	Concordia	Carlos M. Ezquerro	Mariano Rivas
4o.	Sinaloa	Cándido Avilés	Primo B. Beltrán
5o.	Fuerte	Emiliano C. García	Antonio R. Castro
		Sonora	
1o.	Arizpe	Luis. G. Monzón	Cesáreo G. Soriano
2o.	Guaymas	Flavio A. Bórquez	Manuel Padrés
3o.	Álamos	Ramón Ross	Ángel Porchas
4o.	Villa de Altar	Eduardo C. García	Juan de Dios Bojórquez

Núm.	Distrito	Diputados propietarios	Diputados suplentes
		Tabasco	
1o.	Villahermosa	Rafael Martínez de Escobar	Fulgencio Casanova
2o.	Villa de Jonuta	Antenor Sala	Santiago Ocampo
3o.	Cunduacán	Carmen Sánchez Magallanes	Luis Gonzali
		Tamaulipas	
1o.	Matamoros	Pedro A. Chapa	Alejandro C. Guerra
2o.	Ciudad Victoria	Zeferino Fajardo	Daniel S. Córdoba
3o.	Tula	Emiliano P. Navarrete	José María Herrera
4o.	Tampico	Fortunato de Leija	Félix Acuña
		Tepic	
1o.	Tepic	Cristóbal Limón	
2o.	Ixcuintla	Cristóbal Limón	Marcelino Cedano
2o.	Ixtlán	Juan Espinosa Bávara	Guillermo Bonilla
		Tlaxcala	
1o.	Tlaxcala	Antonio Hidalgo	Felipe Xicoténcatl
2o.	Huamantla	Modesto González Galindo	Juan Torrentera
3o.	Calpulalpan	Ascensión Tépal	Fausto Centeno
		Veracruz	
1o.			
2o.	Tantoyuca	Saúl Rodiles	Alberto Herrera
3o.	Chincotepec	Adalberto Tejeda	Enrique Meza
4o.	Tuxpan	Benito G. Ramírez	Heriberto Román
5o.	Papantla	Rodolfo Curti	Jenaro Ramírez
6o.	Misantla	Eliseo L. Céspedes	Rafael Díaz Sánchez
7o.	Jalacingo	Adolfo G. García	Joaquín Bello
8o.	Jalapa	Josafat F. Márquez	Augusto Aillaud
9o.	Coatepec	Alfredo Solares	Gabriel Malpica
10	Huatusco	Alberto Román	Martín Cortina
11	Córdoba	Silvestre Aguilar	Miguel Limón Uriarte

Núm.Diputados suplente	*Distrito propietarios*	*Diputados suplentes*
12 Ixtaczoquitlán	Ángel Juarico	Domingo A. Jiménez
13 Orizaba	Heriberto Jara	Salvador Gonzalo García
14 Paso del Macho	Victorio E. Góngora	Epigmenio H. Ocampo
15 Veracruz	Cándido Aguilar	Carlos L. Gracidas
16 Zongolica	Marcelo Torres	Moisés Rincón
17 Cosamaloapan	Galdino H. Casados	Donaciano Zamudio
18 San Andrés Tuxtla	Juan de Dios Palma	León Medel
19 Acayucan	Fernando A. Pereira	Antonio Ortiz Ríos
	Yucatán	
1o. Mérida	Antonio Ancona Albertos	Ramón Espadas
2o. Progreso	Enrique Recio	Rafael Gamboa
3o. Izamal	Héctor Victoria	Felipe Valencia
4o. Espita	Manuel González	Felipe Carrillo
5o. Tekax	Miguel Alonzo Romero	Juan N. Ortiz
	Zacatecas	
1o. Zacatecas	Adolfo Villaseñor	Rafael Simoní Castelvi
2o. Ojocaliente	Julián Adame	Rodolfo Muñoz
3o. Sombrerete	Dyer Jairo R	Narciso González
4o.		
5o. Pinos	Rosendo A. López	Samuel Castañón
6o. Sánchez Román		
7o. Juchipila	Antonio Cervantes	Andrés L. Arteaga
8o. Nieves	Juan Aguirre Escobar	Jesús Hernández

Índice

Preliminares

Constitución Política de los Estados Unidos Mexicanos Texto vigente 1997

Mexicano:
ésta es tu
Constitución

en su décimoprimera edición
se terminó de imprimir en la ciudad de México,
durante el mes de junio de 1997.
La edición en papel de 72 gramos,
consta de 15,000 ejemplares más sobrantes para reposición
y estuvo al cuidado de la oficina litotipográfica
de la casa editora.

ISBN 968-842-690-3
MAP: 030124-01